D1002072

ARMIA NOWEGO WZORU

BIBLIOTEKA

STRATEGY
AND **FUTURE**

NOW YOU KNOW

www.strategyandfuture.org

ARMIA NOWEGO WZORU

styczeń
2022

Okładka i projekt graficzny
Fahrenheit 451

Redakcja i korekta
Barbara Manińska

Skład i łamanie
Honorata Kozon

**Mapy i wykresy na podstawie
danych dostarczonych przez
Strategy&Future**
Piotr Karczewski

Zdjęcia pochodzą z archiwum Strategy&Future

Dyrektor wydawniczy
Maciej Marchewicz

ISBN 978-83-66814-36-3

© Copyright by Jacek Bartosiak Strategy&Future
© Copyright for Zona Zero, Warszawa 2022

Wydawca
Zona Zero Sp. z o.o.
ul. Łopuszańska 32
02-220 Warszawa
Tel. 22 836 54 44, 877 37 35
Faks 22 877 37 34
e-mail: wydawnictwo@zonazero.pl

SPIS TREŚCI

WSTĘP

Autorzy

Jacek Bartosiak
Marek Budzisz
Albert Świdziński
Marek Stefan
David Mizrachin
Nicholas Myers
Błażej Kantak
Tomasz Świerad
Adam Kłos
Tomasz Gorzycki
Jakub Krawczyk
Krzysztof Uchnast
Ridvan Bari Urcosta
Rajmund Klonowski
Jakub Marszałkiewicz
Tomasz Grzegorz Grosse
Jakub Paszteleniec
Piotr Woźniak

Ponadto przy projekcie Armii Nowego Wzoru, a potem przy opracowywaniu niniejszego raportu, współpracowało ze Strategy&Future kilkadziesiąt osób, również spoza Polski, oraz przede wszystkim oficerów i żołnierzy Sił Zbrojnych RP w służbie czynnej, którzy pragną zachować anonimowość, obawiając się, że przedstawienie poglądów niezgodnych z oczekiwaniami MON może negatywnie wpłynąć na ich kariery wojskowe.

Mamy nadzieję, że z czasem zabiorą głos i przekażą społeczeństwu to, co mówili nam o stanie obecnym i co uważają, że należałoby zmienić. Polska debata publiczna na temat stanu odporności państwa, stanu Wojska Polskiego, a przede wszystkim na temat bardzo potrzebnej głębokiej reformy polskiej wojskowości ogromnie by na tym zyskały.

Raport powstał dzięki tysiącom obywateli Rzeczypospolitej, którzy kierując się troską o los ojczyzny, postanowili dobrowolnie sfinansować projekt Armii Nowego Wzoru. Im dedykujemy szczególne słowa wdzięczności.

Dzięki tym wszystkim ludziom mogliśmy się zmierzyć z wyzwaniem projektu Armii Nowego Wzoru.

Dlaczego?

Strategy&Future od momentu swego powstania w dziesiątkach wystąpień, artykułów, wywiadów, książek formułuje kluczowe naszym zdaniem, z punktu widzenia Polski, przesłanie. Uważamy, że zmienia się na naszą niekorzyść koniunktura geostrategiczna, rysujące się trendy oznaczają wzrost zagrożeń dla naszego bezpieczeństwa, Rosja wzmocniła się w wyniku reformy swych sił zbrojnych i chce wrócić do europejskiej polityki, a w Europie Środkowo-Wschodniej dyktować warunki. Jesteśmy też przekonani, że nawet jeśli w dającej się przewidzieć przyszłości nie wybuchnie wojna na naszych granicach, a taka perspektywa jest bliższa urzeczywistnienia dziś niż kiedykolwiek w ostatnich kilkudziesięciu latach, będzie rosło znaczenie sił zbrojnych jako narzędzia polityki państwowej. Apelowaliśmy o wzmożenie naszego wysiłku w zakresie obronności, zwiększenie nakładów, modernizację sprzętową. Przed ponad rokiem, nie czekając na przebudzenie opinii publicznej i elity strategicznej, rozpoczęliśmy prace, finansując je ze środków społecznych, nad Armią Nowego Wzoru, to jest taką formułą naszych sił zbrojnych, aby były one lepiej niźli obecnie w stanie odpowiedzieć na rysujące się zagrożenia. Nie jesteśmy już oskarżani, jak kilka miesięcy temu, że podnosząc konieczność zwiększenia naszych możliwości wojskowych i bardziej samodzielnej w tym zakresie polityki, naruszamy spoistość sojuszniczą NATO.

Teraz Jarosław Kaczyński, wicepremier odpowiedzialny za bezpieczeństwo i lider rządzącej partii, mówi nie tylko o konieczności znacznego zwiększenia wydatków na nasze bezpieczeństwo, ale zauważa, że w razie konfliktu zbrojnego możemy i musimy polegać przede wszystkim na własnych siłach i być w stanie walczyć z rosyjskim zagrożeniem samodzielnie przez długi, bardzo długi czas. Niczego innego nie mówimy od kilkunastu miesięcy.

Nasze wysiłki na rzecz zmiany kultury strategicznej Polski zaczynają, mamy taką nadzieję, przynosić pierwsze pozytywne rezultaty. Nie dyskutujemy już o tym, czy musimy sami zrobić więcej, nikt poważny w Polsce nie daje wiary uspokajającym tezom głoszonym na serio jeszcze kilka miesięcy temu. Cieszymy się ze zmiany, która zaczyna następować na naszych oczach, choć jednocześnie liczymy, że o kształcie naszej armii będziemy mogli dyskutować nie na konferencjach prasowych, ale w środowisku ekspertów, fachowców, którzy zastanawiać się będą nad tym, jakie zagrożenia są dla nas najpoważniejsze, jak w związku z nimi ukształtować nasze siły zbrojne, jak najlepiej wykorzystać ograniczone przecież zasoby i jaki jest punkt wyjścia, czyli obecny stan Sił Zbrojnych RP.

Naszym zdaniem stawianie nierealistycznych celów, nawet jeśli w przypływie patriotycznego uniesienia intuicyjnie wszyscy w Polsce są skłonni tego rodzaju ideę poprzeć, w istocie oznacza wystawienie na szwank koncepcji wzmocnienia wojskowego Polski. Przede wszystkim z tego względu, że brak realizmu w ocenie własnych możliwości jest nie mniejszym zagrożeniem niż bezczynność w tej kwestii. Wzywamy kierownictwo resortu obrony do rozpoczęcia publicznej debaty, do której gotowi jesteśmy stanąć. Przed upublicznieniem przygotowanej w Strategy&Future koncepcji Armii Nowego Wzoru proponowaliśmy odbycie zamkniętego seminarium w gronie specjalistów, w trakcie którego można byłoby przedyskutować zarówno podstawowe wyzwania stojące przed polskimi siłami zbrojnymi, jak i to, w jaki sposób możemy na nie odpowiedzieć. Proponowaliśmy, aby na wzór słynnej dyskusji strategicznej, jaka toczyła się w Stanach Zjednoczonych w latach 70., powołać Team A i Team B, dwa umowne zespoły analityczne, które mogłyby poddać ocenie koncepcje reformy sił zbrojnych. Nie uważamy, abyśmy we wszystkim mieli rację, ale jesteśmy pewni, że bez wsparcia społecznego, dyskusji na temat głębokości i zakresu reform żadne zmiany się nie powiodą. Albo zmodernizujemy nasze siły zbrojne wspólnym wysiłkiem całego społeczeństwa, albo ich nie zreformujemy. Decyduje o tym skala wyzwań, ale również niezbędnych wyrzeczeń i zakres koniecznego konsensu społecznego i politycznego. Materiał ten traktujemy jako głos w dyskusji, która, mamy nadzieję, rozpocznie się w Polsce.

Chmury na horyzoncie

Po 30 latach niepodległości przed państwem polskim znacznie trudniejsze czasy. Sytuacja międzynarodowa uległa pogorszeniu. Siły strukturalne, które powodują obecne napięcia, ulegną jeszcze wzmożeniu. Siła zbrojna, groźba użycia siły oraz samo użycie siły w rozlicznych zresztą domenach ludzkiej aktywności w trzeciej dekadzie XXI wieku znów stały się instrumentami polityki zagranicznej.

Dla Rzeczypospolitej Polskiej polityka zagraniczna tożsama jest z polityką bezpieczeństwa. Po 1989 roku wydawało się, że istnieje szansa na zmianę tego przeklętego równania. W roku 2022 nie powinniśmy mieć już więcej złudzeń: potrzebujemy sprawnego instrumentu polityki państwa, jakim są nowoczesne i sprawne siły zbrojne. Zważywszy na charakter relacji i wielopoziomowej współzależności między państwami w XXI wieku, właściwie należałoby ten instrument nazwać całościowym „systemem odporności państwa", w którym tradycyjne siły zbrojne odgrywają istotną, ale nie wyłączną rolę.

Potrzebujemy tego instrumentu, by móc kształtować (podwyższać) koszty wpływania na naszą sprawczość i decyzyjność przez inne państwa, które w nadchodzących niespokojnych czasach mogą mieć ochotę na przesadne i niezgodne z naszym interesem oddziaływanie na nasze decyzje, plany i zamierzenia.

W całej nadchodzącej rozgrywce chodzi bowiem o nasz rozwój i kształtowanie jego reguł. Niebezpieczeństwo nadciąga w szczególności z Rosji, która używa siły zbrojnej, przemocy i groźby jej użycia do realizacji swojej strategii zmiany układu geopolitycznego w Europie na korzystny dla siebie, a z pokrzywdzeniem żywotnych interesów Rzeczypospolitej.

Warto od razu zaznaczyć, że XXI wiek jest inny niż wiek XX i inaczej wyglądają dziś wojny i konflikty. Armia Nowego Wzoru jest odpowiedzią na wyzwania charakterystyczne dla rywalizacji w XXI wieku. Jest tym samym wyrazem odpowiedzialności za losy istniejącego (choć z przerwami) tysiąc lat państwa polskiego i przejawem naszej wiary w ciągłość kultury strategicznej Rzeczypospolitej. Jest też wyrazem szacunku dla prób i reform państwa polskiego inicjowanych przez tych, którzy byli przed nami i którzy w trosce o ojczyznę starali się nawigować losem państwa. Istnienie, pomyślność i rozwój państwa uważali za jak najbardziej warte wysiłku i ciężkiej pracy.

Propozycja Armii Nowego Wzoru wynika właśnie z troski o los naszego państwa i jest próbą zbudowania instrumentu, dzięki któremu będziemy mieli lepsze szanse poradzić sobie z tym, co przed nami. Co bardzo ważne, Armia Nowego Wzoru ma działać na rzecz naszych interesów równie skutecznie w obu najbardziej prawdopodobnych geopolitycznych scenariuszach bazowych:

1. w scenariuszu pogłębionej federalizacji europejskiej, w której udział wzięłaby Polska, rozpoczynając zupełnie nową epokę w swojej tysiącletniej historii;

2. w scenariuszu neoatlantyckim, gdzie Polska oparłaby swoją niepodległość na nadziei skutecznej obrony przez Amerykanów kruszejącego ładu światowego, który co do zasady dobrze

służył Polsce przez ostatnich 30 lat, trzymając fundamenty epoki, którą kiedyś historycy w podręcznikach dla polskich szkół nazwą „złotym okresem pauzy geopolitycznej".

To oznacza, że Armia Nowego Wzoru poza swoją oczywistą warstwą modernizacyjną ma również potencjał pogodzić obie główne orientacje geopolityczne odpowiadające obu powyższym scenariuszom bazowym, których przedstawiciele prowadzą obecnie ostrą rywalizację polityczną w Polsce. W tym rywalizują o rząd dusz i poparcie społeczne w polskim społeczeństwie równie podzielonym co same stronnictwa polityczne. To dobrze rokuje Armii Nowego Wzoru, jej wsparciu przez społeczeństwo i główne siły polityczne, które łącznie mogą doprowadzić do przełamania spodziewanego oporu wobec tak szeroko zakrojonych reform, jakich wymaga Armia Nowego Wzoru.

JACEK BARTOSIAK

CZĘŚĆ OGÓLNA

W zabiegach ludzkich jest przypływ i odpływ.
Pora przypływu stosownie schwytana
Wiedzie do szczęścia; kto oną opuszcza,
Ten podróż życia po mieliznach z biedą
Musi odbywać. Myśmy teraz właśnie
Na tak wezbrane wypłynęli morze:
Trzeba nam z fali przyjaznej korzystać.
Inaczej okręt nasz zatonie.

William Szekspir, „Juliusz Cezar"

Dwudziesta Wojna

W Strategy&Future zajmujemy się rozeznaniem sił strukturalnych, które wpływają na stan ładu międzynarodowego, w tym na sytuację bezpieczeństwa Rzeczypospolitej. W związku z kryzysem białoruskim i wyraźnymi symptomami kruszenia się ładu międzynarodowego w sierpniu 2020 roku rozpoczęliśmy w S&F (we współdziałaniu z szerokim gronem współpracowników) projekt Dwudziestej Wojny (mieliśmy do tej pory 19 wojen w Rosją – w zależności oczywiście od tego, jak liczyć nasze kolejne starcia ze wschodnim imperium), w którego ramach podjęliśmy próbę zmierzenia się z rosyjskim parciem przeciwko interesom Rzeczypospolitej, odpowiadając tym samym na potrzebę nadchodzących coraz bardziej niespokojnych czasów.

Zajęliśmy się odczytaniem zamierzeń rosyjskiej wielkiej strategii, a następnie szerokim spektrum instrumentów rosyjskiej wojny nowej generacji z punktu widzenia strategicznego, by potem przejść do poziomu operacyjnego, w tym *stricte* wojskowego. Robiliśmy to oczywiście, wychodząc od interesów Polski, ale biorąc pod uwagę istniejące sojusze i relacje międzynarodowe czy struktury jak NATO lub UE. Jednocześnie założyliśmy, że następne 10 lat może poważnie zachwiać obecnym ładem międzynarodowym, a my musimy być podmiotem tej gry, a nie jej przedmiotem – jak to jest obecnie.

Zgodnie z tym zresztą, co napisał wynoszony na piedestały w Polsce, acz chyba rozumiany tylko powierzchownie Jerzy Giedroyć w „Przesłaniu". Oto jego słowa: „Powinniśmy sobie uświadomić, że im mocniejsza będzie nasza pozycja na wschodzie, tym bardziej będziemy się liczyli w Europie Zachodniej" i dalej: „(...) szansą może być nasza polityka wschodnia; nie wpadając w megalomanię narodową, musimy prowadzić samodzielną politykę, a nie być klientem Stanów Zjednoczonych czy jakiegokolwiek innego mocarstwa".

Rosyjska gra

Na wschodzie kontynentu głównym instrumentem polityki w roku 2021 (tak będzie na pewno do 2030, a pewnie i zawsze) było szeroko rozumiane instrumentarium wojny nowej generacji. Czynnikiem głównym jest tu Rosja, która prezentuje się jako główny rozgrywający sprawczości w tej części świata, napierając na państwa naszego regionu, przez który chce oddziaływać na system równowagi w Europie i zmieniać jej architekturę bezpieczeństwa.

Po wojnie gruzińskiej w sierpniu 2008 roku mamy do czynienia z jawną rewizją imperialnej Rosji, dążącej do zmiany układu powstałego wskutek przegrania przez Związek Sowiecki zimnej wojny, rozpadu imperium kontynentalnego na wschodzie i stopniowego rozszerzania świata zachodniego na wschód. Rewizja ta poparta jest opracowaniem i stosowaniem mechanizmów wojny nowej generacji, dzięki której Rosjanie skutecznie wracają do gry w Europie i jej bezpośrednim otoczeniu geopolitycznym.

To właśnie sprawne posługiwanie się szerokim spektrum mechanizmów wojny nowej generacji umożliwić ma zaproszenie Rosji do gry o równowagę w Europie i Eurazji przez mocarstwa europejskie, głównie Francję i Niemcy. A kto wie, może nawet i przez USA w kontekście Eurazji, w razie potrzeby zaprzęgnięcia Rosji przez Waszyngton do równoważenia potęgi Chin.

By odpowiedzieć na to wezwanie naszych czasów, Polska musi zacząć prowadzić politykę bardziej podmiotową. Nie wystarczy prowadzenie swoich spraw tak jak przez ostatnie 30 lat, warunki i okoliczności stają się bowiem trudniejsze. Nie chodzi o megalomanię ani podejście quasi-mocarstwowe, lecz po prostu o zbudowanie zdolności do stania się realnym i samozadaniującym się czynnikiem gry o równowagę w naszej części świata, o którego losach nie decydują wyłącznie silniejsi w ramach koncertu mocarstw. By temu sprostać, nie trzeba zbudować potencjału równego mocarstwom, lecz nauczyć się trudnej sztuki skutecznego (a nie werbalnego jedynie) stawiania kosztów w razie narzucania przez innych swojej woli Polsce w jakże złożonej i coraz bardziej dynamicznej grze międzynarodowej.

Uważamy, że Polska tak postępująca wpłynie pozytywnie na realny potencjał odstraszania NATO oraz spotka się z pozytywnym przyjęciem sporej części establishmentu strategicznego i zdecydowanej większości kół wojskowych w USA, które martwią się atrofią europejskich zdolności wojskowych w obliczu konieczności skierowania atencji Amerykanów na Pacyfik w celu konfrontacji z Chinami.

Do wykonania tego zadania potrzebne będzie inne instrumentarium niż w ostatnich 30 latach. Bieg wypadków na Białorusi w 2020 roku, gdy sprawa de facto rozstrzygnęła się w oparciu o układ sił i przewagę w nim Rosji nad państwami zachodniej Europy (nie wspominając już o Polsce), oraz sytuacja wokół Ukrainy w 2021 roku ostatecznie przekonały nas, że niezbędne jest zbudowanie własnych instrumentów polityki w naszej części kontynentu. A przede wszystkim potrzebne jest wcześniejsze staranne przemyślenie, jak aktywnie rozegrać grę, by mieć szansę na zwycięstwo, którym jest oparcie się ograniczaniu naszych możliwości rozwojowych przez Rosję wskutek uzyskania przez nią sprawczości nad sprawami naszego regionu.

Najważniejsza zasada wielkiej strategii Rzeczypospolitej

W S&F od lata 2020 roku przeprowadziliśmy serię gier koncepcyjnych, TTX-ów (*table top exercises*), czyli warsztatów symulacyjnych, które sprowadzają się do jednego podstawowego wniosku: nienegocjowalnym interesem Rzeczypospolitej jest utrzymywanie Rosji poza europejskim systemem gry o równowagę. Brutalna i jednocześnie oczywista jest ta zupełnie fundamentalna konstatacja stanowiąca kręgosłup losu naszego państwa.

I to się udawało przez większą część ostatnich 500 lat, zmieniły to dopiero w XVIII wieku wojna północna, czasy saskie i rozbiory. Potem upadek Rosji carskiej i wygrana wojna 1920 roku wypchnęły Rosję z systemu (dając nam oddech dwudziestolecia), do którego wróciła, podpisując z Niemcami pakt kontynentalny latem 1939 roku, by jeszcze później wzmocnić swoją obecność za sprawą Jałty i Poczdamu. Upadek Sowietów i niepodległość państw na naszym wschodzie odgradzających nas od Rosji znów wypchnęły pod koniec XX wieku Rosję z systemu europejskiego. Rosja znalazła się na drodze do rozpadu lub stania się protektoratem Zachodu. Putin wybrał inną drogę i postanowił zatrzymać projekt ekspansji geopolitycznej Zachodu. Projekt tej ekspansji dobrze obsługiwał polskie interesy bezpieczeństwa po upadku Sowietów, a marzeniami o jego wiecznym trwaniu wciąż się w Polsce żywimy.

W polskiej myśli strategicznej, pomimo niekiedy wspaniałych dokonań ostatnich 500 lat, brakuje w XXI wieku zinstytucjonalizowanej (nie mówiąc już o tym, by była ona szanowana na Zachodzie lub w Rosji) nowoczesnej kultury strategicznej, opartej na systemie założeń wynikających jednocześnie z naszych doświadczeń, geografii kraju, aktualnych zagrożeń i naszego otoczenia geopolitycznego. Podkreślam – z aktualnych zagrożeń, zrozumienia zmieniających się potencjałów wrogów oraz sojuszników, a także uwarunkowań społecznych, popartych samozadaniującą się (samozadaniowanie jest w tym wypadku niezmiernie ważne!) i konsekwentną praktyką polityczną kształtującą wielką strategię państwa.

Tymczasem Polska z racji swego położenia, populacji, rosnącej zamożności i gospodarki jest w XXI wieku na dogodnej pozycji, aby stać się realną siłą między Zatoką Fińską a Karpatami. Niestety aż do dzisiaj nie przygotowała się do takiej roli pomimo ostatnich 30 lat rozwoju gospodarczego.

Musimy sobie zdawać sprawę, że w naszym regionie toczy się prawdziwa rywalizacja o sprawczość, która balansując (przy wykorzystaniu mechanizmów wojny nowej generacji) między szantażem energetycznym, otwartym konfliktem z użyciem wojska a całym spektrum działań niejawnych i pozakinetycznych, jest realną wojną, w której Rosjanie się doskonalą, mozolnie starając się wrócić do gry imperialnej. Gruzja, Krym, Donbas, Białoruś, państwa bałtyckie, nacisk na Ukrainę, Syria, Kaukaz, granica polsko-białoruska są tu przykładami.

Sprawa jest zatem prosta, ale nie jest łatwa (jak to ze strategią): trzeba uniemożliwić zaproszenie Rosji do gry w europejskim systemie równowagi.

Wojna nowej generacji

W S&F przećwiczyliśmy, w jaki sposób Rosja jest w praktyce zapraszana do gry o równowagę. A zatem, co jest punktem ciężkości jej polityki i co jej tę politykę umożliwia; co jest tym, dzięki czemu Rosjanie są lub mogą być ważni i potrzebni – na przykład Francuzom. Zaczęliśmy się zastanawiać, jak temu przeciwdziałać. Właściwie wokół tego skupiał się z początku nasz projekt Dwudziestej Wojny S&F, który w momencie zdania sobie przez nas w toku warsztatów koncepcyjnych sprawy z tego, co jest punktem ciężkości polityki rosyjskiej i jak temu zaradzić, stał się punktem wyjścia koncepcji Armii Nowego Wzoru.

Rosyjskim punktem ciężkości jest instrumentarium wojny nowej generacji, dzięki któremu Rosja jest pożądanym czynnikiem (lub nawet niechcianym, ale jednak czynnikiem) gry o równowagę z państwami Zachodu. Nie jest nim – chyba nie ma co do tego wątpliwości – z racji kwitnącej gospodarki, innowacyjności czy jakichś szczególnych zalet własnego projektu cywilizacyjnego.

Rosja nie jest atrakcyjna cywilizacyjnie, więc musi poprzez wojnę nowej generacji (groźbę i działania) mieć sprawczość wobec swojego otoczenia geopolitycznego (limitrofów) i poprzez działania pozytywne (stabilizujące bezpieczeństwo) i negatywne (destabilizujące bezpieczeństwo) być „udziałowcem w spółce", która się nazywa „system europejski". W zamian za to liczy na kapitały i inwestycje. Generalnie liczy na współpracę gospodarczą na warunkach dogodnych dla siebie, która umożliwi jej modernizację i wykorzystanie jej dywidendy geograficznej w punkcie ciężkości Eurazji.

Istotne jest to, że ta współpraca z zachodnią Europą musi się według Rosji odbywać na zasadach partnerskich. Rosja nie chce podrzędności w tym układzie, jak to było w latach 90. XX wieku. To, co chce wnosić Rosja do takiego układu, to „stabilizacja" systemu poprzez rosyjską *hard power*, co odbyć się może jedynie kosztem strefy zgniotu, w której znajduje się Polska.

Trzeba nam zatem pokonać rosyjskie instrumentarium wojny nowej generacji. A zatem trzeba pokonać rosyjską siłę. Niby oczywiste, ale zdanie sobie z tego sprawy prowadzi do radykalnych wniosków. Ponadto przez ostatnie 30 lat nigdy nie postawiono w Polsce w ten sposób tej sprawy, zamiast tego rozprawiając teoretycznie o ogólnych przygotowaniach do ewentualnej (acz niemal niemożliwej) wojny albo do mgliście rozumianego „odstraszania", bez wskazywania, co to konkretnie oznacza, czyli jaki jest cel polityczny ewentualnej wojny, czyli jaka jest polska teoria zwycięstwa.

Piszemy te słowa w styczniu 2022 roku. Jest już bardzo późno i wydarzenia na naszej wschodniej granicy potwierdzają wszystkie bazowe założenia, które doprowadziły do pracy nad Armią Nowego Wzoru.

Rosja prowadzi przemyślną grę o równowagę w Europie i Eurazji

Rosja jest potrzebna mocarstwom zachodnim z powodu:
1. energii (gaz, ropa, niebawem wodór, inne);
2. położenia geograficznego
   • coraz bardziej, jeśli będzie powstawała Eurazja pod kierownictwem gospodarczym Chin, a Europa będzie podążała

tropem samodzielności strategicznej od USA, łamiąc jedność świata atlantyckiego istniejącą od 1945 roku;
- coraz mniej, jeśli samodzielność strategiczna Europy nie będzie jednak powstawała, a świat atlantycki pozostanie jednością;
- chyba że Rosja będzie coraz bardziej potrzebna Amerykanom do rywalizacji z Chinami, w tym w razie wojny USA z Chinami na zachodnim Pacyfiku, co będzie skutkowało amerykańskimi koncesjami na rzecz Rosji w nadchodzących latach, również w naszej części świata;

3. siły wojskowej realizowanej na wojnie nowej generacji dla stabilizacji peryferii Europy i dla gry o równowagę państw zachodnioeuropejskich wobec Turcji, Chin, Bliskiego Wschodu, a może kiedyś nawet wobec USA. Marzeniem Moskwy jest stać się „siłą ekspedycyjną i zapewniać wojskową projekcję siły” dla „miękkiego imperium europejskiego z pełną jego samodzielnością od USA” w zamian za umożliwiające Rosji rozwój kapitały, technologię i decydujący wpływ na bieg spraw w rosyjskim sąsiedztwie geopolitycznym.

Metody niekinetyczne oczywiście są preferowane w ramach wojny nowej generacji, ale są realizowane pod parasolem dominacji wojskowej w pełnym zakresie tzw. drabiny eskalacyjnej. Są to:
- ekonomia (sankcje, ograniczenia przepływów strategicznych i manipulowanie nimi),
- polityka (izolacja państwa na arenie międzynarodowej),
- dyplomacja,
- nowoczesne technologie,
- nawet działania humanitarne (Gruzja/Donbas, migranci),
- działania informacyjne oraz dezinformacyjne,
- destabilizacja i podważanie prestiżu danego kraju na arenie międzynarodowej,
- akcje w mediach tradycyjnych i społecznościowych,

● wszelkie działania degradujące sprawny i spójny proces decyzyjny, kwestionujące wiarygodność przeciwnika wobec jego sojuszników lub wobec opinii międzynarodowej.

Granica pokoju i wojny jest zatarta. Ważna jest walka o sprawczość polityczną i wpływ Rosji na decyzje innych.

Otwarte działania wymierzone w oponenta zwiastują kolejną fazę wojny nowej generacji. Rozpoczyna się ona zazwyczaj od blokad szlaków i węzłów komunikacyjnych (fizycznych i wirtualnych) czy działalności miejscowych grup paramilitarnych wrogich wobec obecnej władzy w swoim państwie. Wywiad rozpoznaje warunki, w jakich przyjdzie działać wojskowym (jeśli zajdzie taka potrzeba), którzy dzięki systemowi świadomości sytuacyjnej (C4ISR) mogą stosunkowo łatwo realizować zlecane im zadania, a dowództwo ma wgląd w zespołową świadomość sytuacyjną. Jednostki rozpoznania i specnazu zaczynają operacje. Kontynuują one na terenie przeciwnika na przykład wcześniejsze działania przygotowujące ten teren pod dalsze poczynania państwa rosyjskiego. Innym ich zadaniem może być na przykład rozpoznanie terytorium przeciwnika, aby można było potem wykorzystać broń dalekiego zasięgu.

W momencie, gdy działania pozakinetyczne nie przyniosą oczekiwanego skutku politycznego albo gdy działania w ramach wojny nowej generacji tylko przygotują grunt pod jawne operacje wojskowe, w ruch wprawiana jest machina wojenna i to ona ma doprowadzić do osiągnięcia celów. Z tą oczywiście różnicą, iż obecnie coraz większą rolę w walkach odgrywa i będzie odgrywać broń dalekiego zasięgu w ramach tzw. aktywnej obrony i kompleksu uderzeniowo-rozpoznawczego, względnie ograniczone rajdy kombinowanych grup pancerno-zmechanizowanych lub specnazu w celu dezorganizacji przeciwnika i demonstracji swojej pełnej i niepodlegającej dyskusji dominacji eskalacji przemocy w tzw. drabinie eskalacyjnej. Przy jednoczesnym stałym poszukiwaniu rozwiązania politycznego, które dzięki zademonstrowanej dominacji obsługuje rosyjskie interesy i przesuwa na rzecz Rosji pole manewru gry politycznej. W tym wypadku przesadzenie z użyciem siły komplikuje uzyskanie korzystnego rozwiązania politycznego na warunkach rosyjskich, dlatego Rosjanie starają się kalibrować eskalację przemocy z celami politycznymi; byli i są w tym od wieków bardzo sprawni.

Wojna nowej generacji dla swojej skuteczności wymaga kontroli przez Rosję drabiny eskalacyjnej podczas przesilenia wywołanego konfliktem interesów z państwem, które opiera się naporowi sprawczości rosyjskiej. Kontrola drabiny eskalacyjnej oznacza w praktyce zdolność do zadawania strat w celu zdobycia dominacji i narzucenia sprawczości, i tym samym zademonstrowania woli łamania oporu.

Kształtowanie otoczenia geopolitycznego Polski

Powtórzmy: celem Rosji jest uzyskanie stałego wpływu na system europejski i uzyskanie wpływu na kluczowe w nim decyzje i wydarzenia. Skutkiem bycia w systemie jest udział Rosji w modernizacji europejskiej. Chodzi o rozwój dzięki Europie – ale na zasadach dogodnych dla Rosji.

Co szczególnie ważne, dla Polski oznaczać to musi uzyskanie przez Rosję wpływu na los państw Europy Środkowo-Wschodniej położonych między Europą Zachodnią a Rosją, które można nazwać „pasem stabilizacji" relacji rosyjsko-europejskich lub – bardziej adekwatnie – strefą zgniotu. Państwa tej strefy automatycznie zostałyby pozbawione prawa wyboru własnej drogi rozwoju.

Z racji tej strategii Rosja chce mieć wpływ na sytuację bezpieczeństwa w naszej części świata i na rozwój państw w regionie. Prowadzi do tego droga przez uprzedmiotowienie sprawczości państw naszego regionu i złamanie architektury bezpieczeństwa z ostatnich 30 lat oraz spowodowanie nowych podziałów geopolitycznych. To wielkie niebezpieczeństwo dla naszej przyszłości, nawet jeśli nie chodzi o najgorszy scenariusz, jaki wiązałby się ze znaną z przeszłości rosyjską okupacją krajów naszego regionu Europy.

Konsolidacja gospodarcza, rozwój, budowa infrastruktury i dbanie o kształtowanie wewnętrznej i zewnętrznej struktury przepływów strategicznych, tak by służyły Polsce, poprzez „piastowskie" podłączenie do zachodnioeuropejskiej strefy gospodarczej ukierunkowanej przez ostatnie 30 lat na Atlantyk musi być uzupełnione nową polityką „jagiellońską", polegającą na ukształtowaniu przyjaznej państwu polskiemu przestrzeni na Wschodzie, z której nie będą pojawiały się zagrożenia dla „piastowskiej" konsolidacji. Optymalnie przestrzeń ta powinna być korzystnie ukształtowana geopolitycznie, współpracując z nami na przykład w kształtowaniu przepływów strategicznych, czyli ruchu ludzi, towarów, usług, handlu, kapitału, przesyłania energii, transmisji danych, wiedzy, technologii i surowców. Wtedy będzie „dodawała" do rozwoju Polski. Braki i zaniedbania w tym zakresie z ostatnich 30 lat uwidocznione są w obecnym kryzysie na naszej granicy z Białorusią i wywołują obawy związane z przebiegiem rosyjskich cyklicznych ćwiczeń Zapad.

Dawniej głównym źródłem siły, a zatem wpływów i powiązań, na których bazuje polityka, były ziemia i kapitał wynikający z pracy ziemi, z własności ziemi. A zatem z terytoriów, z których można czerpać podatki, płody, surowce i rekruta. Im więcej rekruta, tym lepiej, bo jego liczba też przecież miała znaczenie. W tym okresie ukształtowały się mapy mentalne dawnej Rzeczypospolitej i dawne jej Kresy oraz kultura kresowa, którą wspominamy z sentymentem, przeglądając stare albumy. Z tego rozumienia źródła potęgi wynikały oczywiście konflikty etniczne i różne napięcia polityczne.

W międzyczasie dokonała się jednak rewolucja przemysłowa, która na Kresy co do zasady nie zawitała aż do XX wieku, a tymczasem gdzie indziej zmieniła istotnie źródła potęgi.

Ogromne znaczenie zaczęły mieć właśnie przepływy strategiczne. Wciąż wielkie znaczenie miały przemarsze i pochody wojska, ale więcej zaczął znaczyć ruch ludzi pociągami, samochodami, samolotami, ruch towarów, surowców, energii, kapitału, technologii, wiedzy i danych; zaczęły się tworzyć łańcuchy wartości i idące za nimi wpływy gospodarczo-polityczne. Zaczął się rodzić zmienny i płynny system sił, które zorganizowane przez nowoczesne państwo decydowały o wpływach, instrumentach nacisku i kształtowaniu relacji z korzyścią dla siebie i swojej potęgi. W tym wyraża się sprawczość w sensie nowoczesnym. To przepływy strategiczne stanowią szachownicę gry międzynarodowej.

Oczywiście wciąż są ważne miejsca w regionie, jak Małaszewicze, węzeł komunikacyjny Baranowicze czy port w Gdańsku, ale ich waga wynika z przebiegu korytarzy przepływów strategicznych, które generują relatywne zmiany potęgi.

Kształtowanie przestrzeni na Wschodzie z korzyścią dla interesów państwa polskiego w ramach polityki „jagiellońskiej" w XXI wieku można osiągnąć zatem, wykorzystując kwestie kapitałowe, regulacyjne, biznesowe, generujące dźwignie nacisku politycznego, z którymi trzeba się liczyć w codziennej polityce. Ale do tego trzeba być i działać „w zwarciu" na Wschodzie, a nie zasłaniać się pozorną wyższością moralną, która tylko irytuje wszystkich poza nami. W szczególności narzędziem polityki na wschodzie kontynentu będzie teraz siła zbrojna i system odporności państwa, taki właśnie jak Armia Nowego Wzoru.

Na to nakłada się też trwająca rewolucja informacyjna. Obróbka i przesyłanie informacji stają się zarówno towarem, jak i bronią w walce o percepcję i o budowę potęgi sprawczości. To nasilające się zjawisko wzmacnia istotę kontroli zasad, na jakich odbywają się przepływy strategiczne.

To przepływy strategiczne i swoiste nimi manipulowanie są istotą wojny nowej generacji, a Armia Nowego Wzoru i nowy system odporności państwa ma na celu zabezpieczanie przepływów strategicznych i ochronę przed skutkami manipulowania przez przeciwnika tymi przepływami we wszystkich domenach funkcjonowania nowoczesnych społeczeństw.

Wystarczy ocenić, jak wygląda rosyjska polityka energetyczna, cyberdziałania, rosyjska wojna informacyjna czy rosyjskie destabilizujące dyslokacje wojskowe na wschodzie (na przykład w okolicach Grodna) systemów obrony powietrznej S-300/400, które ograniczają swobodę naszego nieba. Albo inne destabilizujące demonstracje wojskowe od wschodu, które skutkują rozmieszczeniem jednostek wojska polskiego nad granicą wschodnią, a przy okazji destabilizacją obszarów przygranicznych, naruszeniem stabilności ruchu handlowego. Przedmiotem tego są transmisje danych i cyberataki, sterowane migracje ludności, których skutki polityczne i gospodarcze obserwowaliśmy jesienią 2021 roku nad Bugiem.

Innymi słowy, Armia Nowego Wzoru ma zabezpieczać przed wszelkiego rodzaju destabilizacjami z zewnątrz, w nowoczesnym ujęciu współzależności państw i ich powiązań w regionie.

Armia Nowego Wzoru pomoże tym samym kształtować otoczenie geopolityczne państwa polskiego, bez którego po prostu nie ma rozwoju wewnętrznego. Gdyby powstała i sprostała naszym ambicjom, mogłaby dodatkowo w przyszłości, działając niczym system ochronny przed rosyjskimi ingerencjami o charakterze wojny nowej generacji (*protection by denial*), wspierać związanie społeczeństw ze Wschodu z polskim obszarem gospodarczym w korzystnym ruchu przygranicznym, w imporcie podaży pracy ze Wschodu, w rewersach rurociągów, przesyłach energii, korzystaniu z korytarzy transportowych, dzierżawie portów w Gdańsku, Kłajpedzie, Odessie. Wreszcie – wzmacniałaby potencjał współpracy wojskowej z naszymi sąsiadami i partnerami w ramach naszych systemów antydostępowych czy „aktywnej obrony na przedpolu", by jeszcze pewniej stępić sprawczość rosyjską i ambicje Moskwy zagrania w koncercie europejskim.

Pokonać Rosję, czyli jak być podmiotem, a nie przedmiotem polityki międzynarodowej

Natura wojny nie ulega zmianie (zmuszenie przeciwnika do realizacji woli zwycięzcy i poddania go jego sprawczości), ale zmienia się charakter wojny, czyli jej „gramatyka".

Aby snuć rozważania o wojnie, należy pamiętać, by planując działania, modernizację i wszelkie reformy czy też rozmyślając nad samym prowadzeniem wojny, zawsze trzymać się ściśle korelacji z konkretnymi celami politycznymi – jak przystało na poważne i trwałe państwo, które ma szansę wygrać rozgrywkę, a nie tylko rozpaczać i wołać innych na pomoc.

Wojna jest bowiem tylko instrumentem polityki, o czym nasza szarpana przez kolejne wojny kontynentalne i światowe ojczyzna i jej elity chyba zapomniały.

By zniwelować parcie Rosji na dołączenie do systemu europejskiego, należy złamać rosyjski punkt ciężkości tej polityki. Takim punktem ciężkości jest po prostu wojsko rosyjskie, jak również demonstracja jego zdolności. Pokonanie tego punktu ciężkości to trudne zadanie, ale w tym właśnie wyraża się nasza obawa przed nadchodzącymi trudniejszymi czasami. Nie należy jednak rozpaczać. Poza własnymi zdolnościami, które chcemy wystawić, wciąż mamy sojuszników, którzy mogą być angażowani na naszą rzecz w coraz bardziej złożoną grę o równowagę (jak to zrobić na niektórych szczeblach drabiny eskalacyjnej, proponujemy w części szczegółowej). Różnica polega na tym, że aby była jakakolwiek szansa, by nasi sojusznicy w ogóle chcieli się realnie zaangażować (i mieli w tym interes), należy prowadzić bardziej dynamiczną politykę bezpieczeństwa opartą na realnym instrumencie, jakim ma być Armia Nowego Wzoru.

Armia Nowego Wzoru ma uniemożliwić wytworzenie sytuacji po stronie Rosji poczucia dominacji w drabinie eskalacyjnej, w szczególności na niższych (mniejszej skali konfliktu i wojny) jej szczeblach. Celem jest uniemożliwienie Rosji osiągania

za pomocą domniemanej dominacji, jeśli chodzi o środki stosowania przemocy, swobodnej sprawczości politycznej w naszym
regionie. Próg osiągnięcia tego celu nie jest tak wysoki, jak myślą Polacy zduszeni przez dominację sowiecką, a potem ogłusze-
ni wizją końca historii, bojąc się domniemanej rosyjskiej potęgi, wobec której nie mają jakoby szans. A przynajmniej nie jest
ten próg na tyle wysoki, by się z tym nie zmierzyć i prosić tylko państwa Zachodu o interwencję, której one mogą nie chcieć
albo nie móc przeprowadzić, albo mogą nie mieć w tym interesu.

Kluczem do sukcesu jest zrozumienie złożonego, wielopo-
ziomowego i wielodomenowego mechanizmu kontroli drabiny eskalacyjnej i dynamiczne zarządzanie pojawiającymi się
nieustannie asymetriami na poszczególnych szczeblach drabiny eskalacyjnej i budowania zdolności, nie tylko w czasie kryzysu lub wojny, ale także w czasie pokoju. Musimy się sprawniej poruszać w dystrybucji przemocy na drabinie eskalacyjnej
i bardziej profesjonalnie zarządzać tym procesem. Asymetrie
dotyczą zresztą wielu zagadnień, na przykład zdolności materialnych i organizacyjnych czy technologicznych, ale także woli
politycznej, spójności społecznej i kompetencji w realizacji konkretnych zadań i operacji. Każda asymetria tworzy szansę dla
sprawniejszej strony, która dysponuje kompetentnym instrumentem. A takim ma być właśnie nasza Armia Nowego Wzoru.
Zastosowaliśmy tutaj metodę znaną z amerykańskiego Office
of Net Assessment w Pentagonie.

Tak przygotowany całościowy system odporności państwa
– Armia Nowego Wzoru – jest narzędziem polityki państwa
także w czasie pokoju, służy bowiem do sygnalizacji strategicznej i jako takie działa odstraszająco na agresora przez poka-
zanie mu, ile będą go kosztowały pomysły narzucenia Polsce
własnej woli. Taka Armia Nowego Wzoru będzie też zauwa-
żalnym czynnikiem równowagi w regionie, w czasie gdy odchodzi obecny ład międzynarodowy. Konieczność zmian jest pilna.
Potrzebujemy narzędzia, jakim jest Armia Nowego Wzoru, i do

tego potrzebujemy naszej własnej, wymyślonej w Warszawie koncepcji operacyjnej dla Armii Nowego Wzoru.

Polska na szpicy

Zmienia się struktura ładu światowego – świadczą o tym kolejne wydarzenia. Amerykańskie wpływy słabną (Irak, Gruzja, Ukraina, Afganistan, Syria, Nord Stream 2). Waszyngton zmienia także naturę swoich zobowiązań sojuszniczych w Eurazji (NATO, Australia, Kurdowie, wschodnia flanka NATO, EFP) na bardziej elastyczną dla Amerykanów, z mniejszą liczbą amerykańskiego wojska.

Przed Amerykanami ogromne wyzwanie potęgi Chin na zachodnim Pacyfiku. Największe, z jakim kiedykolwiek się mierzyli w swojej historii mocarstwa światowego. Niewykluczona jest wojna na Pacyfiku już do 2030 roku, a na tamtym teatrze Amerykanie potrzebują zupełnie innych zdolności wojskowych niż na europejskim (Air-Sea Battle, Dispersed Lethality Concept itp.).

Zmienia się też charakter wojny i ewolucja pola walki, co skłania Amerykanów do preferencji oddziaływania na Eurazję z daleka, „spoza linii horyzontu" (Offshore Balancing, sposób finansowania obecności w Eurazji, powołanie US Space Force, Multi-Domain and Cross-Domain Battle, Dispersed Lethality Concept).

Także w Rosji w ramach reform po 2008 roku wprowadzono głębokie zmiany w siłach zbrojnych; działo się to za kolejnych ministrów Sierdiukowa i Szojgu. Rosjanie chcieli w ten sposób wypracować skuteczny instrument polityki, przede wszystkim w swoim bezpośrednim otoczeniu. Mądrze przewidzieli nadchodzącą zmianę ładu międzynarodowego i wypracowali sobie instrument polityki, który ma pomóc jak najlepiej przetrwać czas zmian, stać się wówczas istotnym podmiotem gry międzynarodowej i mieć możliwość zajęcia dogodnego miejsca w nowym ładzie, który na pewno powstanie.

Tym samym Polska poddana będzie presji kontynentalnej w nowej grze o równowagę między mocarstwami zachodnimi a Rosją (mocarstwa te także są niepewne, gdzie wylądują w nowym ładzie i jak on będzie wyglądał). Po 30 latach drzemki geopolitycznej przed Polską stoi wybór. Stąd biorą się powyżej zarysowane dwa scenariusze bazowe i dwa stronnictwa polityczne. W obu scenariuszach potrzebujemy Armii Nowego Wzoru.

W scenariuszu „europejskim" nowy federalizujący się konstrukt geopolityczny będzie siłą rzeczy naturalnie „negocjował" przestrzeń polityczną na Wschodzie oraz zasady funkcjonowania Rosji na jego perymetrze. Rosja tradycyjnie będzie chciała wynegocjować dla siebie dogodne warunki demonstracjami siłowymi.

W scenariuszu „atlantyckim" będziemy natomiast wysuniętą „kasztelanią" sił atlantyckich, na szpicy starcia, między oceanem światowym (źródłem siły Zachodu), który będzie bronił swojego stanu posiadania, a mocarstwami kontynentalnymi Eurazji. Ciesząc się jakimś stopniem zgrania operacyjnego (pytanie jak bardzo?) z rotującymi się okresowo wojskami amerykańskimi w regionie. Zmierzymy się wówczas z pełnym oddziaływaniem rosyjskiej presji jako państwo frontowe w walce o kształt nowego ładu międzynarodowego.

Armia Nowego Wzoru bardzo się przyda również w scenariuszu niewykluczonych porozumień Waszyngtonu z Moskwą w obliczu wzrostu potęgi Chin. Wówczas bardzo możemy potrzebować Armii Nowego Wzoru ukształtowanej zgodnie z naszymi propozycjami w S&F, by wziąć udział w kluczowej dla nas grze, którą inaczej Rosjanie i Amerykanie mogliby przeprowadzić wyłącznie ponad naszymi głowami, bez jakiegokolwiek liczenia się z nami. Jesteśmy to winni naszym przodkom, którzy płacili w swoich czasach straszną cenę za zaniedbania tego rodzaju. Dotyczy to na pewno posiadania samodzielnej pętli decyzyjnej, własnych systemów rozpoznania i rażenia na duże odległości. Innymi słowy nie ma czasu do stracenia – potrzebujemy Armii Nowego Wzoru.

Transformacja w kierunku Armii Nowego Wzoru ma zapewnić sygnalizację strategiczną dwojako:

1. odstraszać przez drastyczne podniesienie Rosji kosztów narzucenia nam woli politycznej, w tym poprzez zachwianie rosyjskiej pewności co do kontroli przewagi eskalacyjnej;
2. podwyższyć cenę kontroli eskalacji przez inne mocarstwa chcące uzyskać wpływ na przebieg konfliktu.

Ma tym samym zapewnić pożądaną ewolucję układu sił w Europie Środkowo-Wschodniej, w tym wyprzedzająco kształtować pożądaną przez Polskę spójność i właściwą politykę naszych sojuszników w NATO i w regionie. Ma w rezultacie dać państwu instrument polityczny do wpływu na status Polski, jeśli chodzi o architekturę bezpieczeństwa naszej części świata. Celem jest eliminacja możliwości dogadywania się przez mocarstwa na temat statusu regionu ponad naszymi głowami poprzez uniemożliwienie wykorzystania nieprawidłowych zależności do kontroli zachowania Polski w trakcie kryzysu lub wojny.

Jaka wojna?

Nie chodzi o wielką wojnę na podobieństwo wojen, które znamy z XX wieku, ani nie chodzi o okupację całego naszego kraju, czego doświadczaliśmy przez większość ostatnich 200 lat. Chodzi o negatywne wpływanie na nasz rozwój. To arcyważna sprawa, która rozstrzyga o poczuciu godności polskiego społeczeństwa, decyduje o dobrobycie lub jego braku oraz o wolności wyboru i podążaniu (lub niemożności podążania) w kierunku nowoczesności.

Armia Nowego Wzoru ma skutecznie działać przede wszystkim we wszelkich sytuacjach rywalizacji i walki z Rosją aż do realnego uruchomienia kolektywnej obrony zgodnie z art. 5. traktatu waszyngtońskiego, najważniejszego postanowienia Sojuszu NATO, które stanowić ma gwarancję naszego bezpieczeństwa.

Przy czym nie deklarowanego uruchomienia, lecz realnego, gdziekolwiek próg realności tego się będzie znajdować. Gdzie ten próg realnie jest, dowiemy się bowiem dopiero w trakcie kryzysu, a potem wojny. Do tego czasu Armia Nowego Wzoru musi „pokryć" wszystkie zagrożenia i scenariusze (w tym zupełnie nieprzewidziane obecnie), aż do zadziałania art. 5. To bardzo ważne, bo Rosja poprzez wojnę nowej generacji z premedytacją rozgrywa na swoją rzecz wszystkie mechanizmy przemocy pod ochroną domniemanej dominacji eskalacji, uzyskując sprawczość polityczną w całej gamie działań poniżej antycypowanego art. 5.

Zresztą do realnego uruchomienia art. 5. trzeba mieć całkowitą spójność polityczną członków Sojuszu, potem oni wszyscy muszą mieć realne zdolności do udzielenia pomocy i, co najważniejsze, tożsamą ocenę sytuacji wojskowej. Do tego czasu może być już dawno po wojnie, zważywszy na to, jak wygląda współczesne pole walki oraz co o współczesnej wojnie mówią Rosjanie w swoim piśmiennictwie, jak się ćwiczą oraz jak szykują swoje wojska.

Grozi nam to, że Rosjanie osiągną swoje cele polityczne, na przykład wymuszony przez zewnętrzne mocarstwa rozejm na warunkach rosyjskich (ze względu na rosyjskie ewidentne sukcesy na polu walki od samego początku konfrontacji) z pozbawieniem zaatakowanej ofiary pola manewru w polityce bezpieczeństwa, zagranicznej lub energetycznej, zanim zostanie uruchomiony art. 5., co liczne społeczeństwa zachodniej Europy przyjmą z ulgą (i tamtejsi politycy również), bo nikt nie będzie chciał wojny kontynentalnej z mocarstwem nuklearnym.

Ważne, by zrozumieć, że nigdy z góry nie możemy być pewni, w którym momencie, czy w pełnym zakresie i czy w ogóle art. 5. traktatu NATO zostanie uruchomiony. Do tego czasu musimy być gotowi do walki samodzielnej, ewentualnie z pojedynczymi sojusznikami, którzy z racji własnych interesów bezpieczeństwa przyjdą nam w takiej czy innej formie z pomocą. Przy czym zrobią to tylko i wyłącznie, jeśli nie będziemy wyraźnie przegrywać od samego początku, bo w takim wypadku przyjście nam z pomocą może nie być w ich interesie.

Na szczęście duża, długa i intensywnie eskalująca do niebezpiecznych rozmiarów wojna nie jest w interesie Rosji, która chce zagrać w grę o nową architekturę bezpieczeństwa, ale bez nagłego łamania globalnej równowagi strategicznej, bo to mogłoby się skończyć jednak wojną kontynentalną lub światową z udziałem USA i innych mocarstw zachodnich, w tym wymianą nuklearną. Rosjanie eskalując zbyt ostro, zniszczyliby sobie więc cel polityczny wojny, być może niechcący uruchamiając jednak kolektywną obronę z art. 5. traktatu o NATO, gdy świat zachodni zjednoczyłby się w obliczu tak potężnego zaburzenia równowagi na kontynencie.

To ewidentna słabość strategiczna Rosji, którą trzeba bezwzględnie wykorzystać, „stając twardo na nogach w ringu" na wszystkich szczeblach konfrontacji przedkinetycznej oraz na rozlicznych niskich szczeblach konfrontacji kinetycznej.

Innymi słowy musimy się przygotowywać przede wszystkim do wojny aż do uruchomienia art. 5., a nie do wojny po uruchomieniu art. 5., jak robimy to obecnie. To zupełnie inna wojna, inne są jej cele polityczne, inne wojsko jest w niej potrzebne, inaczej winno być ono uszykowane, inaczej się stawia gotowość bojową wojska i jego ukompletowanie i zupełnie inne są szanse na skuteczne odstraszanie. Obecne „ustawienie" z natury rzeczy eliminuje działania ofensywne, w tym bardzo potrzebne – poniżej progu starcia kinetycznego.

To wszystko wyznacza różnicę między klęską a zwycięstwem, co jasno zdefiniowaliśmy wyżej. Nasza propozycja uszykowania Armii Nowego Wzoru oraz przyjęcie modelu aktywnego odstraszania w sposób oczywisty wzmacnia szansę na udzielenie nam pomocy przez sojuszników, a nie odwrotnie.

Wojna będzie nielinearna i bez ustalonych frontów, które znamy z XX wieku, a to ze względu na charakter współczesnego pola walki oraz niskie nasycenie siłą żywą. Za to spore będzie nasycenie sensorami i systemami rozpoznawczymi. Dominacja informacyjna oraz przewaga w nowoczesnej bitwie zwiadow- czej oznacza, że inne są zasady funkcjonowania wojska i sys- temów uzbrojenia na polu walki, inne jest też nasycenie pola walki siłą materialną.

Niejasne będą stale granice wojny i pokoju, co będzie powodowa- ło zamieszanie u naszych sojuszników i będzie generowało rozziew interesów wynikających z trudnych i jak zawsze brzemiennych w skutki polityczne obowiązków ewentualnej kolektywnej obrony. To uwypukli rozdział interesów państwa zaatakowanego i tych położonych daleko od ryzyka wojny, a należących do Sojuszu, jak Francja, Włochy, Portugalia czy Hiszpania. Szara strefa wojny i stałe kłamstwo towarzyszyć będą takiej konfrontacji, tym bar- dziej rozbijając spójność Sojuszu Północnoatlantyckiego. W takiej wojnie można być jedynie albo jej podmiotem, albo przedmiotem. Przed Polską zatem stoi wybór.

Dlatego Polska musi wykorzystać strategiczny cel (i za- razem słabość) Rosjan – czyli brak ochoty i zdolności do du- żej wojny. Musi to uczynić poprzez twarde utrzymywanie się w walce na niskich szczeblach drabiny eskalacyjnej (i twar- de odpowiadanie, w tym akcje ofensywne poniżej progu kine- tycznego). Musi też uzyskać dominację, jeśli chodzi o przekaz informacyjny, narrację i percepcję, tworząc asymetrię percep- cji u obserwatorów zewnętrznych, którzy będą arbitrami prze- biegu starcia. Przyda się do tego wcześniej wyćwiczona zdol- ność do „namiętnej" akcji ofensywnej w fazie pozakinetycznej, przejmowanie inicjatywy w fazie kinetycznej, sianie zamętu na wszystkich szczeblach drabiny-kratownicy, a przede wszyst- kim zakotwiczenie tego wszystkiego w postulowanym świet- nie zorganizowanym i ultranowoczesnym Centrum Informacji przy Prezesie Rady Ministrów, działającym w porozumieniu ze Sztabem Generalnym Wojska Polskiego, które będzie 24 godziny na dobę odpowiedzialne za kształtowanie domeny in- formacyjnej w kraju, a także poza jego granicami (w języku angielskim), wzmacniając tym samym system odporności państwa w zaostrzającej się rywalizacji o narrację i postrzeganie Polski przez światową opinię publiczną i kluczowych graczy międzynarodowych.

Eskalacja

Powtórzmy: kluczem do skutecznego działania w tego rodzaju wojnie jest umiejętne zarządzanie tzw. drabiną eskalacyjną, czyli stopniem eskalacji przemocy i demonstracji swojej dominacji przeciwnikowi na kolejnych szczeblach własnych możliwości robienia mu krzywdy. Właściwie wypada stwierdzić, że ze względu na współcześnie obserwowaną jednoczesność działań i szybkość akcji w wielu domenach: na lądzie, w powietrzu, w cyberprzestrzeni, w spektrum elektromagnetycznym, a nawet w kosmosie oraz w kluczowej domenie informacyjnej, brak jest dawnej sekwencyjności działań. Dzisiaj wszystko może dokonywać się jednocześnie, co przypomina nawet bardziej kratownicę niż drabinę, a przy tym zwiastuje nagłość i tempo współczesnej wojny.

Na tym polega fundamentalna zmiana charakteru wojny, który był do niedawna sekwencyjny (zgromadzenie masy lub siły ognia, podciągnięcie logistyki, uderzenie, przegrupowanie, obrona lub kontruderzenie i tak w kolejnych cyklach). Dzisiaj kto sprawniej porusza się po kratownicy aplikowania przemocy, sprawia wrażenie dominowania, co łatwo może czynić, mając również przewagę w domenie informacyjnej wobec świata, własnego społeczeństwa i wobec przeciwnika. Zgrabną i przekonującą narracją można łatwo zamieniać sukcesy taktyczne w wielkie zwycięstwa strategiczne, dając walutę polityczną negocjatorom, którzy przy stole negocjacyjnym będą stale negocjować rozejm, zawieszenie broni, pokój czy jakkolwiek nazwiemy kolejne spotkania, dyskusje, co potocznie nazywa się grą dyplomatyczną.

To wszystko powoduje, że Armia Nowego Wzoru powinna mieć skłonność i zdolność do „namiętnej" ofensywy w fazie pozakinetycznej, by wykorzystać ten relatywnie mało niebezpieczny moment do demonstracji swojego potencjału i sprawności, tak aby można było odmówić narzucenia nam woli przeciwnika. Zresztą w fazie pozakinetycznej tylko akcja ofensywna jest w stanie stępić przekonanie Rosji o domniemanej dominacji eskalacji.

W fazie kinetycznej celem jest zachwianie obecnym przekonaniem rosyjskim o niekwestionowanej dominacji eskalacji poprzez skuteczną walkę na niższych szczeblach oraz brak klarownego polskiego punktu ciężkości, które Rosjanie mogliby chcieć wyeliminować, by spektakularnie zademonstrować własną dominację i zmusić do pokoju na swoich warunkach. Im mniej przekonująco Rosjanie będą sobie radzić w wojnie z Polską na kolejnych szczeblach eskalacji, tym bardziej będą chcieli pokazać swoją dominację, podwyższając stawkę, ale tym samym stopniowo niszczyć będą swój cel polityczny – demonstrację swojej dominacji wojskowej. Z każdą godziną i każdym dniem erodować będzie domniemanie dominacji przemocy rosyjskiej i tym samym odebrana zostanie Rosjanom waluta do zmiany architektury bezpieczeństwa i stania się udziałowcem systemu europejskiego bez inicjowania dużej wojny kontynentalnej, która mogłaby jednak doprowadzić do zaangażowania się państw europejskich, Amerykanów, a nawet do wojny nuklearnej.

Im Polska dłużej, skuteczniej i bardziej profesjonalnie będzie stała na nogach, tym Rosjanie będą wyraźniej przegrywać. Zwłaszcza jak zdominujemy warstwę komunikacyjną i narracyjną obrazu starcia idącego w świat.

Można sobie wyobrazić, jak diametralnie inaczej wyglądałyby dziś dymitriady z XVII wieku albo kontrola zachowania Rzeczypospolitej stosowana przez Rosję w XVIII wieku, gdyby można wtedy było zarządzać przekazem informacyjnym na dzisiejszą skalę. Nasz król Stefan Batory dobrze to rozumiał i wyprzedzał swą epokę, gdy zabierał na wojny z Moskwą drukarnię polową, która miała odpowiadać za domenę informacyjną i propagowanie informacji zgodnych z interesem Rzeczypospolitej.

W tego rodzaju konfrontacji kluczem jest zarządzanie nieustannym „kryzysem", którym jest współczesna wojna, i zdolność skuteczniejszego od przeciwnika działania w warunkach tego kryzysu. To nie masa, ilość czy liczba, tylko przede wszystkim gotowość wojska, jego ukompletowanie, łączność, prawidłowe zadaniowanie są decydujące. Generalnie rzecz biorąc, odporność całego systemu państwowego, mobilność wojska, elastyczność reakcji i jej szybkość – oto klucze. Najważniejsi będą w związku z tym w Armii Nowego Wzoru ludzie i ich morale, czyli postawa.

Żyjemy w czasie głębokich zmian technologicznych wynikających z rewolucji digitalnej i technologicznej. To dotyczy równie mocno pola bitwy i konfliktu, których granice poszerzają się, zamazują. Punktem ciężkości konfliktu staje się zarządzanie jego dynamiką eskalacyjną we wszystkich jego fazach, w tym w coraz istotniejszej fazie przedkinetycznej. Eskalacja sterowana jest ruchem przepływów strategicznych: ruchem ludzi, wojska, systemów bojowych, wymianą danych, w tym danych digitalnych, ruchem towarów, kapitałów, pieniędzy, informacji, propagandy itp. To te przepływy stają się najważniejsze, generując konflikt polityczny w walce o sprawczość.

To kontrola skomplikowanej i bardzo wrażliwej manetki z przepływami strategicznymi wyznaczy sprawność Armii Nowego Wzoru i sprawność państwa. Liczą się aktywna obrona, coraz więcej elementów pozakinetycznych, mniej zajmowania terytorium, a więcej oddziaływania na punkt ciężkości przeciwnika. Obecny kierunek rozwoju sztuki wojennej jest idealny do stosowania asymetrii, a zatem jest dogodny dla nas, czyli według wszelkich tradycyjnych wskaźników – strony słabszej od Rosji.

Dlatego obecnie nie ma nic ważniejszego w systemie odporności państwa i sztuce wojennej niż ustanowienie i utrzymanie sprawnej pętli decyzyjnej, o czym niżej w raporcie. Umożliwia ona zintegrowanie systemu odporności państwa i walki Armii Nowego Wzoru. Same efektory w ostatniej sekwencji pętli są mniej znaczące. Przykład upadku Afganistanu w 2021 roku pokazuje to dobitnie. Ale nie tylko. Świetnie jak na warunki afrykańskie wyposażona armia somalijska (odrzutowce itp.) rozpadła się, jak tylko rozpadły się Sowiety, pozbawiając Somalijczyków logistyki i wsparcia technicznego. Nie wolno nam iść taką drogą w kontekście naszych nieprawidłowych zależności od sojuszników, ich systemów rozpoznania i dowodzenia, łączności, ich kompleksu zbrojeniowego oraz systemu napraw i konserwacji. To surowe memento, które niniejszym dedykujemy naszym decydentom.

Jaka armia?

Nasze społeczeństwo poddane modernizacji ostatnich 30 lat wykonało wielki skok w nowoczesność. Jednakże wojsko i system bezpieczeństwa państwa pomimo udziału w licznych misjach ekspedycyjnych nie zmodernizowały się w stopniu równie imponującym. Czas wyrównać tę różnicę i taka jest również rola Armii Nowego Wzoru.

Posługujemy się taką wbijającą się w pamięć nazwą, by społeczeństwo poczuło, że zmiana ma się dokonać na poważnie, że nie jest to jedynie pudrowanie tu i ówdzie. Ma to być głęboka transformacja całego systemu i struktury oraz sposobu myślenia o wojsku na miarę XXI wieku, naszego położenia geopolitycznego i naszych możliwości ekonomicznych, wcale już niemałych w porównaniu z 1989 rokiem czy innymi okresami.

Pamiętajmy, że innowacja wojskowa to zmiana, dzięki której wojsko tak się przygotowuje i walczy, że wygrywa wojnę. Wynika ona ze zmian koncepcyjnych, kulturowych, organizacyjnych i technologicznych. W tej kolejności. To bardzo ważne, byśmy to zrozumieli.

Poniżej kilka uwag zbiorczych na temat Armii Nowego Wzoru (w części szczegółowej będzie rozwinięcie).

- Należy zachować w armii obecną (planowaną) strukturę jednostek operacyjnych (ewentualnie z dodaniem jednej brygady do 18. Dywizji rozlokowanej na wschód od Wisły; więcej w części szczegółowej raportu), ale stałe wojsko ma skokowo zwiększyć zdolności bojowe (tak się współcześnie mierzy siłę wojska), co wymaga pełnego ukompletowania i maksymalnie wysokiej gotowości bojowej pododdziałów. W Armii Nowego Wzoru ma być przede wszystkim komponent bojowy i służby bezpośrednio związane z komponentem bojowym.

- Armia Nowego Wzoru to ma być świetnie opłacane wojsko na poziomie porównywalnym z wybranymi armiami zachodnimi, ma być też świetnie wyposażone technicznie, zwłaszcza na poziomie taktycznym i konkretnych pododdziałów, by zbudować prestiż służby i wysokie morale oficerów i żołnierzy, polegające m.in. na przekonaniu o niepodlegającej dyskusji własnej wyższości bojowej i organizacyjnej nad przeciwnikiem w starciach taktycznych.

- Konieczne jest wyrobienie przekonania w żołnierzu i społeczeństwie, że Armia Nowego Wzoru oznacza głęboką transformację systemu odporności państwa i nie jest dawnym „październierzem".

- Armia Nowego Wzoru powinna być organizacją działającą w oparciu o własną, sprawną i autonomiczną (w tym autonomiczną od sojuszników) pętlą decyzyjną.

- Dodatkowo trzeba rozlokować jednostki wojskowe na wschód od Wisły, w szczególności nowe eksperymentalne brygady dronowe 6 i 25, a główny odwód całej 11 Dywizji Kawalerii Pancernej podciągnąć na stałe między Warszawę a Łódź, by elastycznie i błyskawicznie reagować na zagrożenia ze wschodu. Dzisiejsza wojna przebiega błyskawicznie i zagrożenia powstają nagle. Nie możemy sobie pozwolić na trwające zbyt długo przerzuty wojska przez terytorium Polski z zachodu na wschód dopiero w trakcie kryzysu czy konfrontacji. W szczegółowej części mamy zamiar przedstawić założenia koncepcji operacyjnej dla wojny manewrowej na wschód od Wisły. Tak samo zrobimy z bitwą powietrzną, dronowym polem walki, domeną morską, cyberdomeną i pomysłem na zarządzenie elementem groźby eskalacji nuklearnej. Celem Armii Nowego Wzoru jest wygrywanie z przeciwnikiem. Nie mamy zamiaru już więcej imitować cudzych całościowych rozwiązań. Armia Nowego Wzoru nie ma zadania opóźniać, zwalniać czy osłaniać. Armia Nowego Wzoru ma zostać powołana, by wygrywać.

- Wojska Obrony Terytorialnej winny być siłami pomocniczymi dla armii stałej. Będą w nich obowiązywać te same zasady promocji z uwzględnieniem specyfiki wojska czasowego, jakim jest WOT. Więcej w części szczegółowcj.
- Zmiany należy wprowadzać stopniowo, acz stanowczo, począwszy od wojsk specjalnych, które staną się inkubatorem zmian. Od nich zaczyna się przegląd kadr i procesów szkoleniowych. Powinno to pójść szybko, bo siły te są nieduże, za to sprawne; to one były w ostatnich latach inkubatorem nowoczesności w wojsku polskim, i to inkubatorem wysoko ocenianym przez sojuszników. Chcemy, by one najszybciej zaczęły spełniać założenia Armii Nowego Wzoru i promieniowały na resztę wojska.
- Potem reforma winna objąć 6 Brygadę i 25 Brygadę, które zmienią swoją formułę operacyjną i staną się jednostkami eksperymentalnymi nowego rodzaju lekkiej piechoty wyposażonej w robotykę i drony różnego rodzaju. Następnie reforma obejmie samodzielne pułki rozpoznawcze, potem wprowadzony zostanie nowy sposób działania całej

18 Dywizji, następnie wszystkich pododdziałów rozpoznawczych począwszy od tych na wschód od Wisły, by dotknąć kolejno 16 i 12 Dywizji, ich wyposażenia i logistyki; na końcu reforma obejmie 11 Dywizję Kawalerii Pancernej. Przy jednoczesnym reformowaniu pozostałych formacji, w tym w szczególności artylerii i jej współdziałania z pododdziałami rozpoznania i siłami specjalnymi.

Józef Piłsudski pisał w „Roku 1920", że „Polacy walczą tylko ci, co chcą, lub głupcy". Trzymając się wskazania Marszałka, uważamy, że zdolności Armii Nowego Wzoru wynikają z prawidłowego jej ukształtowania oraz z wolności autonomicznej wytwarzającej etos profesjonalizmu kadry. Nie należy Polaków zmuszać do służby wojskowej. Na szczęście współcześnie nie ma takiej potrzeby, niezależnie od słabnących zdolności demograficznych.

Tendencja rozwoju pola walki sprzyja krajom takim jak Polska oraz wojsku wysoce profesjonalnemu, mniejszemu i bez takiego ciężaru służb tyłowych jak w XX wieku – za to bardzo nowoczesnemu i nasyconemu techniką wojskową.

Armia Nowego Wzoru ma być znacznie potężniejsza dzięki wystawianiu realnych zdolności. Nie potrzebujemy armii bardzo licznej, ale armii w pełni ukompletowanej i w pełnej gotowości bojowej, armii składającej się jedynie z komponentu bojowego i wyłącznie ze służb ściśle z tym komponentem związanych. Inne elementy wojska zostaną przeniesione do komponentu cywilnego obsługującego system wojskowy. Koniec z rozbudowanymi nadmiernie służbami tyłowymi, gryzipiórkami, niepotrzebnymi etatami niezwiązanymi bezpośrednio z polem walki, ale generującymi wydatki personalne i emerytalne, które są dla budżetu wojskowego niczym kula u nogi. System odporności państwa w XXI wieku coraz bardziej będzie wymuszał fuzje zdolności cywilnych i wojskowych dla swojej skuteczności. Wychodzimy temu naprzeciw.

System Armii Nowego Wzoru

Zintegrowany, „antykruchy" system odporności
w wojnie nowej generacji

Zasięg
Cały zakres działań, aż do art. 5. (realnego, a nie deklarowanego)

Komunikacja i decyzje
C2 i C4 - namiętna akcja ofensywna w razie umiarkowanego etapu kinetycznego); amorficzny C2 w razie starcia kinetycznego - brak punktu ciężkości w razie degradacji C2

OBSERVE

ORIENT

- ludzie w centrum
- pełne ukompletowanie i gotowość bojowa (standing force, lean and agile), pieniądze
- i związany z nim świetnie opłacane wyposażenie
- prestiż

ACT

DECIDE

Ruch na drabinie eskalacyjnej
Na kolejnych szczeblach drabiny eskalacyjnej (a właściwie kratownicy lub zachodzących na siebie szczebli eskalacji), chaos nowoczesnej wojny, brak sekwencyjności, jednoczesność

Drabina eskalacyjna
Dwa zakresy: kinetyczny i pozakinetyczny

Oznaczać to będzie rewolucję w logistyce i służbach tyłowych poprzez odchudzenie nadmiernie rozbudowanych struktur wojska. Proces ten należy zacząć od zbędnego i nieperspektywicznego postsowieckiego sprzętu na trakcji gąsienicowej, którego utrzymanie i walka generują koszty w znaczeniu finansowym i logistycznym. „Na papierze" mamy sprzęt, ale nie przedstawia on istotnej wartości bojowej, a generuje koszty i upośledza moralnie postawę wojska. Należy rozważyć wprowadzenie cywilnych sposobów zarządzania logistyką, naprawami i konserwacją i zlecanie tego cywilnym firmom. Wojsko ma się skupić na wojowaniu. Należy skończyć z wojskiem jako organizacją społeczną o funkcji socjalnej, gdzie otrzymuje się emerytury i uposażenia za robienie rzeczy niezwiązanych z ryzykowaniem życia dla ojczyzny.

Jednocześnie należy zwiększyć jednak wydatki na obronę (procent PKB), co dą skokowy wzrost uposażenia żołnierzy i oficerów, którzy przejdą pozytywnie przegląd osobowy do Armii Nowego Wzoru. Stawiać powinniśmy na wysokie morale, etyczną stronę kadry i innowacyjność myślenia oficerów, podoficerów i żołnierzy. Warto skończyć ze starymi nawykami, rozrośniętymi służbami zaplecza, brakiem rotacji kadry, wygodnymi posadami i synekurami.

To ludzie będą punktem ciężkości reformy i będą w centrum systemu Armii Nowego Wzoru. Będą się liczyły morale i dyscyplina, wiara w skuteczność Armii Nowego Wzoru i w jej wartość dla naszego państwa. Służba ma być prestiżowa. Członek tej armii po zakończeniu służby ma znaleźć łatwo zatrudnienie w gospodarce, bo będzie posiadał wysokie zdolności interpersonalne, dobre nawyki samodyscypliny i umiejętność działania w nowoczesnym i dynamicznym środowisku. Są takie kraje na świecie, gdzie tak to działa. Tak powinno być nad Wisłą.

Przy produkcji wojskowej i dostawach powinniśmy ściślej niż do tej pory współpracować z państwami, które dzielą z nami los państw średnich, jak Korea Południowa, Australia, Turcja i inne. Kraje te wiedzą, jakie zdolności własne muszą rozwijać,

jak kształtować swoje wojsko i współdziałać z własnym przemysłem, by nie być obezwładnionymi wolą wielkich mocarstw.
Dlatego musimy uważać, by nie popaść w zależność od mocarstw, które mogą poświęcać nasze interesy w celu obrony
swoich. Mocarstwa te mogą również nie być zainteresowane dzieleniem się technologiami zaawansowanymi, jak nowoczesna broń rakietowa, amunicja precyzyjna czy nowoczesne
drony.

Naszymi partnerami coraz częściej powinny być państwa śred-
nie, które nie mają sprzecznych interesów, a państwa mające
(lub mogące mieć) sprzeczne interesy z Polską nie będą mogły
wywrzeć na nie skutecznego nacisku, by te zerwały lub saboto-
wały współpracę wojskowo-zbrojeniowo-technologiczną z Polską.
Współczesne wojsko jest jeszcze bardziej zależne niż kiedyś od
systemu certyfikacji, konserwacji i napraw. Powyższe uwagi odnoszą się także do naszych wyborów w tym zakresie.

Należy publicznie i uroczyście ogłosić koniec z zakupami nie-
zgodnymi z modelem i celami Armii Nowego Wzoru. Wszelkie
zakupy powinny być realizowane zgodnie z planem całego rządu, a nie być już jedynie w gestii ministra obrony narodowej,
co generuje strukturalny rozziew interesów między potrzebą
wzmacniania zdolności a ambicjami politycznymi ministrów
dysponujących zbyt dużym polem władzy i pieniędzmi publicz-
nymi. Zakupy te będą podlegały planom koalicyjnym i rządo-
wym. Dokonana powinna być zmiana systemu zakupów, czyli
zmiana ustawy o zamówieniach dla wojska.

Wprowadzić należy cywilne i błyskawiczne metody zakupów, zwłaszcza nowinek technicznych wymaganych na nowoczesnym polu walki.

Armia Nowego Wzoru oznacza znaczą rozbudowę zdolności
do rywalizacji pozakinetycznej, czy to poprzez operacje specjalne, czy cyberrywalizację, czy działania nieszablonowe. Nie powinna się bać operacji ofensywnych, wystawiania listów żelaznych, tzw. listów kaperskich, w nowych domenach rywalizacji,

na przykład w cyberprzestrzeni. Rzeczpospolita stać musi twardo na nogach i bronić swoich interesów.

Są pieniądze na Armię Nowego Wzoru. Ważne jest jednak to, jak się te pieniądze wyda. Zmniejszenie liczby etatów i wyższy procent wydatków z budżetu nie wystarczą. Ważna jest zmiana mentalna. Znakiem firmowym ma być promowanie kompetencji, a nie protekcji, nepotyzmu i feudalnych zależności, tudzież lenistwa, braku rozwoju i niechęci wobec nowoczesności. W Armii Nowego Wzoru nie ma miejsca dla osób niekompetentnych. Szczególnie należy zadbać, by społcczeństwo poczuło, że Armia Nowego Wzoru oznacza „nowe", by uwierzyło w zmianę na poważnie. Służba w Armii Nowego Wzoru ma budzić respekt Polaków.

Pętla decyzyjna w Warszawie. Żołnierz Nowego Wzoru

Jakiekolwiek myślenie o ukształtowaniu Wojska Polskiego czy – szerzej – w systemie odporności państwa polskiego należy zacząć od prawidłowego ukształtowania tzw. pętli decyzyjnej oraz podporządkowania elementów tej pętli wyłącznie własnej kontroli. Prawidłowo ukształtowana i zintegrowana pętla decyzyjna jest kręgosłupem nowoczesnego wojska i w ogóle zdolności państwa w razie konfliktu, w tym również konfliktu hybrydowego.

Jest wiele zagadnień dotyczących niezbędnych reform wojska, którymi należy się zająć, ale zacznijmy od najważniejszego. Od czegoś, co nazywamy pętlą decyzyjną. Od niej należy zacząć budowanie Armii Nowego Wzoru, a potem myśleć o reszcie.

Rywalizacja na nowoczesnym polu walki dotyczy przede wszystkim dominacji informacyjnej. Wszystko jedno, jak ją nazwiemy – nowoczesną bitwą zwiadowczą, świadomością sytuacyjną, siecią bitewną (ang. *battlenetwork*) czy zdolnością do rozpoznania i precyzyjnego oraz szybkiego rażenia. Oparta jest na mechanizmie pętli decyzyjnej, a precyzyjniej mówiąc, na pętli sekwencji zdarzeń: obserwacja – orientacja – decyzja – działanie.

Pętla ta opiera się na koncepcji Johna R. Boyda dotyczącej se-
kwencjonowania przepływów informacji między węzłami obserwacji, orientacji, podejmowania decyzji i działań, która dominuje na współczesnym polu bitwy, gdzie dokładne informacje
przekazywane szybko i w odpowiednim czasie determinują wyniki starć i sytuację.

W przeszłości obserwację zapewniały czynniki wywiadowcze,
czyli szpiedzy, zdrajcy, dezerterzy, zwiadowcy, potem samoloty
i sensory naziemne czy powietrzne. Ale orientacja w sytuacji,
czyli przetwarzanie danych przez system pętli decyzyjnej, zajmo-
wała wieki. Ostatnio drony, satelity, osieciowanie systemów bojowych i żołnierzy, możliwe w epoce digitalnej dzięki błyskawicznej transmisji masy danych całkowicie zmieniły zasady tej gry.

Pamiętajmy, że naszym przeciwnikiem jest wojsko rosyjskie,
co ustawia nam pułap tempa poruszania się po pętli decyzyjnej.
To do wojska rosyjskiego się porównujemy, to od niego musimy
być szybsi i lepsi w poruszaniu się po tej pętli.

Mając pierwszy stopień sekwencji, czyli nowoczesny system obserwacji na wielu poziomach i w wielu domenach (czego
w Wojsku Polskim nie mamy w jakimkolwiek stopniu wyma-
ganym na współczesnym polu walki), musimy następnie mieć
sprawny system analizy, przetwarzania i segregacji wielkich
ilości danych oraz syntetyzowania świadomości sytuacyjnej (ca-
łościowo tego nie mamy). Mając dwie pierwsze sekwencje pętli,
musimy następnie mieć dowódców, którzy będą potrafili podjąć
decyzję szybciej i lepiej niż nasi przeciwnicy – dowódcy rosyjscy. Niezbędne są też procedury, które umożliwią wystarczająco szybkie podejmowanie decyzji. Odpowiednie kadry dowódcze
trzeba szkolić, wychowywać, dbać o ich jakość charakterologicz-
ną i moralną w nowych czasach. Samodzielność, inicjatywa,
zdolność syntezy, rozumienie równowagi przepływów na polu
walki (danych i oddziałów) – oto kunszt dowódcy. Obecnie często jest też tak, że technologia potrafi zaburzyć rozumienie pola
walki, tym ważniejsze jest wychowanie prawdziwych „wodzów".

Intuicja wciąż ma znaczenie w podejmowaniu decyzji i należy szkolić kadrę odpowiednio także w tym zakresie i podług tego oceniać zasługi w kontekście promocji i awansów.

Trzy stopnie sekwencji obserwacji i orientacji oraz decyzji pozwalają na wydanie szybko i prawidłowo polecenia do efektora – czy to do samolotu, czy do rakiety, czy do plutonu czołgów. Są one tylko efektorami wpiętymi w sieć obsługującą pętlę decyzyjną działającą pod ogromną presją czasu i rozpoznania przeciwnika. Nie są więc najważniejsze, co może być szokujące dla licznych nad Wisłą entuzjastów technologii wojskowych. Pokazały to dobitnie wydarzenia w Afganistanie i w innych miejscach. Talibowie nie musieli mieć świetnych efektorów, by osiągnąć cele wojenne i polityczne. Na pewno za to mieli świetne rozpoznanie: wiedzieli, co przeciwnik robi, co zamierza, w ogóle co się u niego dzieje. Byli także doskonale zgrani, jeśli chodzi o podejmowanie decyzji.

Zasada pozostaje taka sama – zachowanie na polu bitwy i zwycięstwo zależą od kontrolowania przepływów i od korelacji między nimi. Chodzi o przepływ danych z wywiadu, logistyki, o ocenę dostępności własnych zasobów w porównaniu ze zdolnościami przeciwnika. Współczesna wojna przypomina zarządzanie eskalacją lub taniec, względnie balet. Choć bywa tak szybka i jednoczesna, że może przypominać też antybalet, bez sekwencyjności działań, za to z ogromnym chaosem sytuacyjnym. Właściwy i terminowy rytm oraz dostosowana organizacja zapewniają zwycięstwo poprzez podtrzymywanie działań, tworzenie przewagi, wykorzystywanie pojawiających się asymetrii i ustanawianie dominacji w pożądanych okienkach czasowych i wybranych domenach. Należy to korelować z przekazem informacyjnym, który idzie w świat. Stałe i skoordynowane przepływy we właściwym rytmie zapewniają dziś płynność operacji. Tak więc pętla decyzyjna bierze się z uprzedniej dominacji informacyjnej i własnego odpornego systemu komunikacji, którego efektywność w obliczu szoku zadanego przez przeciwnika jeszcze się poprawia.

Jak to się mówi za Nassimem Talebem – system ten musi być „antykruchy".

Wojska dawnej Rzeczypospolitej odnosiły wielkie sukcesy nie tyle z powodu siły uderzeniowej i taktycznego mistrzostwa husarii (jak często myślimy), lecz z powodu mistrzowskiego opanowania koncepcji użycia różnych rodzajów sił zbrojnych do zadanego celu wojskowego; dzięki właściwemu poruszaniu wojskiem, manewrowaniu na teatrze wojny i w obliczu przeciwnika. Zawsze starano się zachować przewagę manewru i dbałość o znajomość terenu, a także dbałość o szczegółową znajomość poczynań wroga. Umiano w sposób asymetryczny wykorzystywać rozpoznane słabości przeciwnika dzięki lepszej od niego pętli decyzyjnej. Z tego słynęła staropolska koncepcja operacyjna zwana „starym urządzeniem polskim". Kircholm, Kłuszyn i inne sukcesy dawnego wojska Rzeczypospolitej były wynikiem opanowania właśnie tej sztuki, a nie efektem naszej przewagi liczebnej czy technologicznej, ani nawet nie rezultatem taktycznej doskonałości husarii. Trzeba było bowiem wiedzieć jak, kiedy, gdzie, na jakiego przeciwnika, czego i z jaką przewagą użyć. W naszej geografii wojskowej ówczesna pętla decyzyjna wojsk Rzeczypospolitej znakomicie odpowiadała relacji koszt–efekt i na długo dawała poczucie, że to wystarczy. Można nawet powiedzieć, że przekonanie o naszej przewadze w pętli decyzyjnej dodawało argumentów tym ze szlachty, którzy nie chcieli wydawać zbyt wiele na wojsko. Paradoksalnie pośrednio z tego powodu dawne państwo zawsze miało za mało żołnierza.

Zabrakło panowania nad pętlą decyzyjną podczas kolejnych klęsk na Ukrainie w 1648 roku, nie mówiąc już o wrześniu roku 1939. Niezależnie od fatalnej sytuacji geopolitycznej, która zawisła nad wojną wrześniową, to słabość (a potem upadek) pętli decyzyjnej była największym problemem wojskowym kampanii wrześniowej. Dużo ważniejszym niż brak podobnej do niemieckiej liczby czołgów, samolotów czy karabinów, czego nas uczą, przesadnie to akcentując, w polskiej szkole.

Tymczasem 20 lat wcześniej, w kampanii 1919–1921 polskie wojsko wyraźnie górowało w tym aspekcie nad sowieckim przeciwnikiem. Dlatego w latach międzywojennych podczas szkolenia wojskowego kładziony był duży nacisk na akcję ofensywną i inicjatywę taktyczną. Ona jest możliwa tylko i wyłącznie przy przewadze w poruszaniu się w pętli decyzyjnej. Kiedyś uważano, że to właśnie inicjatywa ofensywna i przewaga świadomości sytuacyjnej jest naszym wojskowym DNA, zwłaszcza w obliczu słabszego materiału ludzkiego u naszego rosyjskiego i sowieckiego wroga. A jak jest teraz? Czas odpowiedzieć sobie na to pytanie.

Jeśli kontrolujesz przepływy i ich kolejność, jak w balecie, i jesteś w tym sprawniejszy niż twój przeciwnik, możesz również zablokować jego przepływy lub wpływać na nie (w fazie przedkinetycznej i w fazie kinetycznej), zakłócając jego pętlę decyzyjną, czy nawet wchodzić do niej, do środka, a więc do jego sieci, centrów dowodzenia, wnikać w jego przepływy logistyczne czy w sposób rozumowania. Możesz wówczas zakłócić lub złamać rytm, w tym sekwencję przetwarzania informacji. Dwie pierwsze sekwencje pętli decyzyjnej, czyli obserwacja i orientacja, mogą się w przyszłości zlać w jedno dzięki zastosowaniu szybko rozwijającej się sztucznej inteligencji. Tu należy poszukiwać asymetrycznych przewag przyszłej Armii Nowego Wzoru.

Obieg informacji w pętli decyzyjnej ma na celu zwycięstwo. Działanie musi być precyzyjne, skuteczne i skoordynowane. Kto jest bardziej kompetentny i szybszy w poruszaniu się w pętli, ten pierwszy zabije i sam przeżyje. Strona przegrywająca zostaje odpowiednio trafiona i zabita lub wyeliminowana. Najlepszą opcją byłoby wejście w pętlę decyzyjną wroga i przecięcie jego łańcucha dowodzenia i kontroli. To jest środek ciężkości współczesnego pola bitwy.

To właśnie od zbudowania sprawnej i niezależnej (od nikogo) pętli decyzyjnej należy zacząć reformy Wojska Polskiego i całego systemu odporności państwa, bo współczesny konflikt angażuje dużo bardziej niż w przeszłości cały jego pozamilitarny system. Nic nie jest obecnie ważniejsze.

Dotyczy to ustalenia linii dowodzenia i podejmowania decyzji politycznych i wojskowych w błyskawicznej sekwencji pętli decyzyjnej. Dotyczy to również przepisów prawnych (żeby pozwalały na błyskawiczne, a nawet wyprzedzające działanie w tzw. okienkach decyzyjnych, by w momencie próby było wiadomo, kto ma podejmować decyzje i że ten ktoś jest do tego przygotowany mentalnie i merytorycznie – dotyczy to w szczególności polityków), co i jak w razie sytuacji konfliktowej, przed wojną i w trakcie jej przebiegu. Dotyczy to wreszcie ukształtowania sekwencji elementów pętli, powiązania dowództw i rodzajów sił zbrojnych.

Pętla decyzyjna nie może zależeć od nikogo z zewnątrz, nawet od najbliższych sojuszników, którzy w razie naszego konfliktu uzyskaliby w ten sposób kontrolę drabiny (kratownicy) eskalacyjnej, czyli pozbawiliby nas decyzyjności i mogli wpływać na to, co chcemy osiągnąć na polu bitwy czy w czasie narastania kryzysu.

W nowoczesnym starciu i w fazie przed konfliktem kinetycznym, w tym w razie realizacji scenariusza wojny hybrydowej lub scenariusza poniżej progu kolektywnej obrony uruchamianego art. 5. NATO, rola polityków jest większa niż kiedykolwiek w historii, są oni bowiem kluczowym elementem pętli decyzyjnej, czego do tej pory nie było. Muszą się do tego przygotowywać już teraz, by unieść brzemię odpowiedzialności. Wojna nie należy do wojskowych, a tym bardziej wojna współczesna, gdzie tempo zdarzeń i obiegu informacji wpływa na rozstrzygnięcia polityczne, i to co chwilę.

Czołgi, samoloty, artyleria to są tylko efektory mające umożliwić wykonanie podjętej decyzji w czwartej sekwencji pętli decyzyjnej. Bez sprawnej pętli nie mają one znaczenia, niczym breloczki przy spodniach czy modna fryzura na deszczu. Dokładnie tego zabrakło armii afgańskiej pozbawionej kluczowych technologicznych elementów pętli decyzyjnej po wycofaniu się Amerykanów. Dodatkowo zabrakło im morale, czyli przekonania, że cel walki, jakim jest istnienie rządu i państwa, jest wart wysiłku i podjęcia śmiertelnego ryzyka.

Podobnie zawiodło morale w naszej wojnie w obronie konstytucji 1792 roku, gdy po nie najgorszym początku i bitwach pod Zieleńcami i Dubienką król przystąpił do targowicy i ostatecznie wojsko się rozeszło, nie wierząc w końcowy sukces swoich starań. Nie było nikogo, kto by króla powstrzymał i zahamował negatywny proces rozkładu. Cokolwiek mówić o Niemcach, to do kwietnia 1945 roku zachowali przyzwoitą sprawność pętli decyzyjnej pomimo przytłaczającej dysproporcji wojskowej na korzyść aliantów.

Nad tym musimy w Polsce popracować. Morale w wojsku i w instytucjach państwa odpowiedzialnych za wojnę, w tym za wojnę hybrydową, musi być jeszcze wyższe niż w przeszłości, gdyż zjawisko *warstreamingu* z pola walki w połączeniu z wojną informacyjną może wywołać kaskadowy, wręcz destrukcyjny jego spadek, a to może spowodować rozpad wspólnoty wysiłku.

Widać to było w Afganistanie i w Górskim Karabachu, a także częściowo na Ukrainie w 2014 roku. Rosjanie będą to rozgrywali nie tylko od pierwszych minut, ale jeszcze przed nimi. Sprawna pętla decyzyjna poparta wysokim morale wszystkich elementów systemu odporności państwa będzie punktem ciężkości naszego wysiłku.

Pętla decyzyjna musi być odporna na zakłócenia i wrogie przejęcie oraz redundantna, czyli taka, że w razie uszkodzenia można ją będzie zastąpić w sposób niejako automatyczny. Najlepiej, aby było kilka alternatywnych systemów technologicznych, które się wzajemnie zastępują. Musimy się też dobrze zastanowić, czy chcemy pętlę całkowicie scentralizować, czy uczynić jej pewne elementy amorficznymi, by nie można ich było wyeliminować szybko, w ramach jednej sekwencji działań przeciwnika. Centralizacja pętli decyzyjnej była grzechem we wrześniu 1939 roku. W modelu amorficznym sojusznik nie będzie nas mógł również zmusić politycznie do zawarcia pokoju na zasadach, których nie będziemy chcieli. Amorficzny system powoduje też podwyższenie ryzyka ataku przeciwnikowi, bo raz puszczony w ruch wykonuje działania niezależnie od nacisków z góry.

Zademonstrowanie rozwijania takich zdolności podczas pokoju dałoby Rosjanom, Niemcom i Amerykanom sporo do myślenia, że nie można nas ogrywać ponad naszymi głowami, a to ze względu na brak kontroli eskalacji przez silniejszych od nas. Samo podjęcie reformy pętli decyzyjnej w tym zakresie będzie silnym sygnałem dla wszystkich stolic, że Polacy wiedzą, o co chodzi, i są poważni. Kupowanie efektorów bez przeprowadzenia reformy wszystkich sekwencji pętli decyzyjnej może wywołać efekt przeciwny – wrażenie Polski jako państwa postkolonialnego, peryferyjnego. Brak integracji pętli decyzyjnej prowadzi do klęski, nawet jeśli ma się lepsze efektory. Pamiętajmy, że reformy i innowacje w wojsku wymagają przede wszystkim zmian koncepcyjnych, kulturowych i organizacyjnych.

Innowacja

Powtórzmy: innowacja wojskowa (trudno o ogólnie akceptowaną definicję) to zmiana, dzięki której wojsko tak się przygotowuje i walczy, że wygrywa wojnę. Wynika ona ze zmian koncepcyjnych, kulturowych, organizacyjnych i technologicznych. W tej kolejności.

Reformy i innowacje wojskowe to proces, a nie stan ani nawet wynik. Zawsze znajdą się przeciwnicy reform. Relacja między technologią a innowacją wojskową to konstrukt społeczny. To rozbudza grę statusową przeciw zmianie, bo godzi we wpływy tzw. ludzi Saula z opowieści starotestamentowej o Dawidzie i Goliacie, czyli w tych, którzy bronią swojej pozycji statusowej oraz prestiżu w społeczeństwie i w systemie powiązań finansowo-gospodarczych.

Poza tym może pojawić się imitacja, która niszczy innowację – jak na przykład gonienie Rosjan pod względem liczby czołgów albo kupowanie sprzętu od Amerykanów, „bo u nich się sprawdził", i grzeczne pełnienie funkcji wojska „uzupełniającego" armię mocarstwa dominującego. To błąd. Rozumienie asymetryczności i dynamiczne zarządzanie asymetrycznością jest źródłem innowacji, a w rezultacie wygranej i transgresji w kierunku „nowego sposobu wojowania". Przede wszystkim kiedy mamy do czynienia z realną innowacją, nigdy nie dotyczy ona samej technologii, ale zawsze nowego sposobu organizacji i dzięki temu nowego sposobu użycia siły.

Na sposób reformowania wpływa kultura strategiczna, na którą składają się ocena aktualnego zagrożenia, wielka strategia państwa, kultura ogólna (w tym materialna) społeczeństwa, doświadczenie bojowe, zasoby, moce produkcyjne i wytwórcze, technologia oraz kompetencje organizacyjne. Sam sposób wojowania może wynikać z ambicji i otoczenia geopolitycznego – wojna może być ofensywna, morska, defensywna, prewencyjna, może to być obrona aktywna itd.

Reformy uruchamiane są wskutek zmian w aktualnym środowisku bezpieczeństwa. Środowisko bezpieczeństwa wynika ze zmiany w równowadze sił w regionie. Na przykład w S&F widzimy potrzebę szykowania się na wojnę nowej generacji z Rosją, bo widzimy strukturalne słabnięcie USA w naszej części świata, erozję spójności politycznej oraz zdolności wojskowych NATO, a także rozwój sztuki wojennej faworyzującej siły kontynentalne w relacji do potęgi amerykańskiej. To wszystko skutkować będzie turbulencjami.

Bardzo ważny jest kontekst socjopolityczny. Chodzi o to, by odpowiedzieć sobie na pytanie, czy społeczeństwo zgadza się na reformy. Zgoda potrzebna była na wojsko kwarciane, na piechotę wybraniecką, na wojsko Sejmu Wielkiego czy na potężne reformy Batoriańskie. Niestety, wieczne niedofinansowanie wojska stanowiło przez wieki stały element kultury strategicznej

Rzeczypospolitej. Wyjątkiem była II RP i dlatego tym większym szokiem dla społeczeństwa był tak negatywny przebieg wojny wrześniowej 1939 roku.

Często nowego paradygmatu nie chce zaakceptować samo wojsko. Na przykład w 2021 roku z jakiegoś powodu nie można wprowadzić dużej liczby tanich dronów dla sekcji bojowych obu istniejących brygad lekkiej piechoty (6 i 25) zamiast bezcelowego zrzucania słabo uzbrojonych żołnierzy na spadochronach czy w desancie. Taka prosta zmiana rewolucyjnie zwiększyłaby zasięg oddziaływania i skokowo poprawiłaby siłę bojową lekkiej piechoty. Byłoby to wykorzystanie asymetrii, o czym w szczegółowej części niniejszego raportu. Żołnierz lekkiej piechoty ma nikłą sygnaturę emisyjną, nie używa ciężkiego sprzętu. Po proponowanej zmianie organizacyjnej i koncepcyjnej rozproszone sekcje z relatywnie tanimi i licznymi dronami rozpoznawczymi lub stanowiącymi amunicję krążącą miałyby ogromne oddziaływanie na przeciwnika, także psychologiczne. Mogłyby nasycić ogromny teren lub kanalizować ruch przeciwnika. Taka stosunkowo niewielka i wcale nie kosztowna zmiana ogromnie zwiększyłaby skuteczność tego samego żołnierza, z tym samym uposażeniem. Nowa technologia nie może być używana w stary sposób, więc trzeba przełamać stare przyzwyczajenia i zmienić koncepcję użycia lekkiej piechoty. Słabość zamienić w siłę. To, o czym tutaj napisaliśmy, nadaje się do zmiany od razu, dzisiaj.

Zatem prawdziwa zmiana i reforma nie jest łatwa do imitowania, bo nie wynika z samej technologii, jest raczej splotem kultury i organizacji. I dlatego zazwyczaj pojawiają się tzw. inkubatory nowoczesności, gdzie testuje się nowy sposób działania. W Polsce Wojska Specjalne mogłyby być świetnym miejscem testowania nowej pętli decyzyjnej Armii Nowego Wzoru, w tym w ramach działań wojny nowej generacji czy wobec zagrożeń poniżej art. 5. NATO.

Demonstracje wojskowe i ćwiczenia

Każdego roku powinny się odbywać regularne ćwiczenia wojskowe mające na celu eliminację każdej osi ataku na Warszawę. Na przykład zawsze we wrześniu, gdy kończy się rosyjski cykl szkoleniowy w wojskach lądowych. Ćwiczenia nasze powinny być organizowane bez wsparcia międzynarodowego, przynajmniej w skali brygady, przy czym można by wykorzystać oddziały 18 Dywizji stacjonującej na wschód od Wisły jako odgrywające wojska rosyjskie, które uczyłyby się terenu i rosyjskiego myślenia o nowoczesnej wojnie manewrowej, by potem jej przeciwdziałać.

Należy podczas ćwiczeń potwierdzać, ile siły będzie wymagać każda oś ataku, by ją wyeliminować, w ten sposób demonstrując tę zdolność samodzielnie (rozeznać, czego brakuje przy okazji) – bez pomocy sojuszników. Dotyczy to w szczególności obszaru między Wisłą, Narwią, Bugiem i Wieprzem, na przedmościu warszawskim, przesmyku suwalskim, kierunku lubelskim wzdłuż Wieprza aż po wyłom ukraiński w Szackim Parku Narodowym. Istotne jest przygotowanie do szybkiego przemieszczenia się do obwodu wołyńskiego, aby zapobiec każdemu południowemu atakowi na kierunku na Lublin z użyciem terytorium ukraińskiego i każdy taki atak kontrować; ćwiczenie użycia lotnictwa i dronów nad Polesiem i Parkiem Szackim i tym samym zapewnienie substytutu efektu wiązania sił przeciwnika z kierunku Ukrainy; wykorzystanie bezzałogowych pojazdów latających UAV na całym odcinku Elbląg–Suwałki–Lublin w celu nagłego zwiększania obecności w powietrzu; stałe demonstrowanie obecności zlokalizowanej przewagi rozpoznawczej w dobie kryzysu, w tym rozpoczęcie śledzenia ruchów cywilnych w rejonach przygranicznych oraz namierzanie celów wojskowych przeciwnika, rejestrowanie sygnatur systemów obronnych przeciwnika, wreszcie odpowiadanie na lokalne prowokacje działaniami demonstrującymi zdolności przeciw C2 przeciwnika.

Powinniśmy demonstrować dostępność odwodu strategicznego za Pilicą i Wisłą ze zdolnością reakcji na wszystkie kierunki przez Wisłę i warszawski węzeł komunikacyjny. Brak informowania sojuszników o szczegółach naszych ćwiczeń, brak uprzednich konsultacji z Amerykanami przekona Rosjan, że podejmujemy decyzje samodzielnie, i skłoni do ewentualnych rozmów z nami w ramach odwiecznej praktyki „negocjuj i walcz". Paradoksalnie dzięki temu zyskamy szacunek w NATO i w USA, wzmacniając „realność" Sojuszu Północnoatlantyckiego.

Ćwiczenia powinny obejmować szkolenie dwóch eksperymentalnych brygad lekkiej piechoty (dronowych) we wschodniej Polsce do działań lekkich, rozproszonych, sabotażowych, gdyby zaszła potrzeba – do działań opóźniających, w tym na Białorusi. Należy umieć zabezpieczyć tymi siłami (lub ćwiczonym wcześniej ogniem pośrednim i naszym kompleksem rozpoznawczo-uderzeniowym) jak najwięcej węzłów kolejowych na wschodzie (Grodno, Brześć, Wołkowysk, Baranowicze, Lida, Łuniniec, przedmieścia Mińska: Ratomka, Pomyśliszcze).

Gdy wywiad zacznie oceniać wojnę jako prawdopodobną, należy rozpocząć ofensywne włamania do wrogich sygnałów i baz danych, stopniowo przechodząc przez wszystkie dostrzeżone luki w zabezpieczeniach. Trzeba odpowiadać na lokalne prowokacje za pomocą zakłócania sygnałów i wypracować gotowość do uderzenia przez amunicję krążącą natychmiast po przekroczeniu granicy przez przeciwnika i jego systemy bojowe.

Przygotować się do odpowiedzi „ząb za ząb", w tym użycia na teatrze w regionie współczesnych lisowczyków, którzy nie będą obciążać politycznie decyzji o wojnie *per procura*.

Systemy i efektory, które należy pozyskiwać, muszą spełniać dwa warunki:
1. pozostawać w naszej kontroli pętli decyzyjnej,
2. nadawać się do powyżej zdefiniowanego rodzaju wojny, a nie wojny pomocniczej u boku USA i z amerykańskim C2/C5.

Etapy tworzenia koncepcji Armii Nowego Wzoru

Wyjście na świat, szansa na najnowocześniejszą koncepcję wojny w Europie. Amerykanie (wojsko i stratedzy) widzieli Armię Nowego Wzoru - pokazujemy ją w S&F. Część interesariuszy w kraju również.

Opracowaliśmy szczegółowe szczeble drabiny eskalacyjnej zgodnie z zasadą poszukiwania asymetryczności i ich wykorzystywania.
- dynamiczne asymetrie
  przewaga narracyjna i percepcyjna
- żadnych „białych słoni"
- oko za oko, ząb za ząb
- trzymamy się ringu twardo, przedkinetycznie nawet eskalujemy
- kiedy zbudujemy system Armii Nowego Wzoru, przeciwnicy i sojusznicy będą w szoku
- rozszerzymy go na całą wschodnią flankę – jeśli będzie trzeba.

Sztuka szukania - a nie przyjmowania czegokolwiek za pewnik.
W tym trybie należy budować każdy szczebel drabiny eskalacyjnej: od starć sił specjalnych i następnie pancernych po dziedzinę atomową i zdolności kosmiczne. Pamiętajmy, że polityka i wojna to sztuka szukania sił swoich i cudzych – wrogich i sojuszniczych.

Efektory niespełniające obydwu powyższych punktów nie mają sensu. To może wpłynąć na relacje z USA, ze względu na:

1. kwestię władzy nad kontrolą eskalacji,
2. to, że USA działają w C2 w dominacji informacyjnej, a my w amorficznym lub mocno zdegradowanym,
3. niekompatybilność C2 i C5 w wojnie, co może doprowadzić do kolapsu polskiego systemu wojny,
4. miraże interoperacyjności w zdegradowanym środowisku informacyjnym, na przykład szkolenie pilotów w stylu amerykańskim oraz zakupy sprzętu do wojny koalicyjnej, a w istocie wojska pomocnicze wobec USA.

Wiara społeczeństwa

Społeczeństwo zasługuje na to, by się przekonać, że transformacja dokonuje się na poważnie, w Armii Nowego Wzoru panują zasady dające szansę na sukces i dominuje wiara, że Armia Nowego Wzoru to wielka sprawa. Ma oznaczać nowoczesność i szansę, w tym szansę na rozwój dla gospodarki cywilnej. Armia Nowego Wzoru nie ma ciążyć na gospodarce cywilnej, ale zacząć ją „ciągnąć" technologicznie i organizacyjnie, stając się jej kołem zamachowym. Robotyka, drony, sztuczna inteligencja, technologie pętli decyzyjnej, amunicja precyzyjna powinny wyznaczać krok do przodu – transgresję i nowe otwarcie dla skonstruowania systemu naszego przemysłu zbrojeniowego. Naszą przyszłością mogłyby się stać drony (tanie, ale nie musiałyby być ultranowoczesne, tak by można je byłotracić bez zbędnych emocji); to mogłoby wygenerować wysyp inżynierów „w każdym garażu" i instytucie.

Moglibyśmy rozwijać takie dziedziny, jak robotyka, sztuczna inteligencja, amunicja precyzyjna. I oczywiście produkcja elementów technologicznych zapewniających sprawną pętlę decyzyjną.

Przydałaby się zmiana modelu zamawiania (teraz obarczonego szwankującą kulturą organizacyjną), co wymagałoby złamania feudalnego systemu zależności, w którym chodzi o budowę wpływu polityka (i „jego ludzi" szukających siły politycznej do własnych rozgrywek lub „renty" w łańcuchu zleceń), czyli zamiany „wschodniego" kryterium otępiającej lojalności na „zachodnie" podejście kompetencyjne.

Armia Nowego Wzoru ma oznaczać nowoczesność i wzór dla reszty dziedzin aktywności społeczeństwa. Prawdziwa transformacja w kierunku Armii Nowego Wzoru ma spowodować, że ludzie uwierzą w „nowe". Dzięki Armii Nowego Wzoru polityka zagraniczna państwa polskiego ma mieć większy wpływ na kierunkach strategicznych w nowych niespokojnych czasach, w tym na uzyskanie regionalnej zdolności koalicyjnej.

Dokonana zostanie reforma szkolnictwa wojskowego. Pozostanie jedna akademia wojskowa oraz zreformowana zostanie nauka oficera, a także wprowadzony bezwzględny obowiązek rotowania kadry między jednostkami a uczelnią. Nie może być dłużej tak, że instruktorzy i kadra ucząca innych nie mają doświadczenia liniowego ani bojowego.

Rosja o PKB w wysokości 1687 mld dolarów wydaje na wojsko 61,7 mld dolarów, a zatem tylko 4,5 razy więcej od Polski (choć kupuje u siebie, więc ma taniej), ale też cztery razy mniej niż Chiny i prawie tyle co Arabia Saudyjska. A musi przecież utrzymać wielkie terytorium, teatry operacyjne i bardzo drogie siły atomowe i strategiczne, musi sprostać lądowemu charakterowi wojny, ma też różne strefy klimatyczne, w tym Arktykę.

Na wojsko (w tym wydatki osobowe) wydajemy więcej niż Pakistan, Tajwan i Singapur czy Holandia, do tego mamy specjalne programy zakupowe. Iran wydaje 15,8 mld dolarów – niewiele więcej niż Polska, a ma pociski balistyczne. Izrael wydaje trochę mniej niż Kanada i dużo mniej niż Australia czy Włochy, ale ma znacznie lepsze wojsko. Arabia Saudyjska wydaje mnóstwo – 57,5 mld dolarów, ale efekty są nie najlepsze, choć rozumiemy, że trend wzrostowy w wydatkach na wojsko trwa od niedawna.

Wydatki nie muszą się więc przekładać na jakość wojska. Liczy się przede wszystkim to, jak wydajemy, w jakim czasie (i zgodnie z planem, by wystawić daną zdolność bez ciągłych zmian decyzji), jak organizujemy zakupy i serwis sprzętu, w tym jak zarządzamy własnym przemysłem zbrojeniowym i na jaką wojnę (i ile pochłaniają wydatki osobowe, zwłaszcza na rozdęte służby tyłowe i administrację).

Kim jesteśmy

Wojna, podobnie jak sztuka, jest pochodną duszy narodu i jego organizacji. Niektóre narody, znajdując się na skrzyżowaniu historii i geografii tak jak Polacy, są zmuszone przez okoliczności do reorganizacji i innowacji na polu walki, w obliczu przeciwności muszą dokonać transformacji swoich metod wojowania.

Dawna Rzeczpospolita nie imitowała sztuki wojennej. Stworzyła swoją własną, szczególną. Owszem, stosowała obce elementy – jak na przykład zapożyczony od Węgrów atak jazdy zwężonym szykiem w pełnym cwale wywołujący szok uderzeniowy czy walka w obronnym obozie taborowym (Wagenburg) na wzór czeski. Jednakże mieliśmy naszą polską (staropolską) sztukę wojenną, która pod pewnymi względami przewyższała tak zachodnią, jak wschodnią konkurencję, dając syntezę Wschodu i Zachodu. A już na pewno było tak, jeśli chodzi o stosunek kosztów do efektów i o sprawność pętli decyzyjnej dostosowanej do naszej konkretnej geografii wojskowej.

W Armii Nowego Wzoru nie chodzi wyłącznie o wojsko, a nawet nie tylko o klasę polityczną i system odporności państwa. Chodzi o społeczeństwo, które zasługuje na to, by się przekonać, że transformacja naszego systemu obronnego dokonuje się na poważnie, a ludzie w systemie dobierani są według klucza,

Pieniądze nie wydają się problemem...

Kraj	PKB (mld USD)	Wydatki na wojsko (mld USD)
Polska	596	13 (19. miejsce)
Izrael	395	21,7 (14. miejsce)
Turcja	761	17,7 (16. miejsce)
Tajwan	608	12,2 (21. miejsce)
Arabia Saud.	793	57,5 (6. miejsce)
Singapur	374	10,9 (22. miejsce)

To nie jest bajka o żelaznym wilku. Wystarczy spojrzeć na armię izraelską. Rosja z PKB 1687 mld dol. wydaje na wojsko tylko 4,5 razy więcej od Polski (choć kupuje u siebie, więc ma dużo taniej), ale też cztery razy mniej niż Chiny, prawie tyle co Arabia Saudyjska, a musi utrzymać wielkie terytorium, teatry operacyjne, lądowy charakter wojny i bardzo drogie siły atomowe i strategiczne, ma różne strefy klimatyczne.

Na wojsko (w tym wydatki osobowe) wydajemy więcej niż Pakistan, Tajwan i Singapur czy Holandia, do tego mamy specjalne programy zakupowe. Iran wydaje 15,8 mld dol. – niewiele więcej niż Polska. Izrael wydaje trochę mniej niż Kanada i dużo mniej niż Austalia czy Włochy, ale ma znacznie lepsze wojsko. Arabia Saudyjska wydaje mnóstwo – 57,5 mld dol., ale efekty są nie najlepsze. Wydatki nie muszą się przekładać na jakość wojska. Liczy się przede wszystkim to, jak wydajemy i na jaką wojnę (i ile pochłaniają wydatki osobowe, zwłaszcza rozdętych służb tyłowych i administracji).

https://pl.tradingeconomics.com/country-list/gdp

który jest wzorcem akceptowanym przez szybko modernizujące się społeczeństwo. Że w Armii Nowego Wzoru panują zasady moralne dające szansę na sukces i dominuje wiara, że jest ona wielką sprawą. Ma to oznaczać nowoczesność i szansę, w tym szansę rozwoju dla gospodarki cywilnej. Bo tym charakteryzuje się zazwyczaj transformacja wojska w kierunku nowego modelu, czyli nowego sposobu funkcjonowania, że przestaje ono ciążyć gospodarce cywilnej, a zaczyna ją ciągnąć, także technologicznie i organizacyjnie, stając się jej kołem zamachowym, nawet – można powiedzieć górnolotnie – aspiracją obywateli. Nowe sposoby organizacji i technologie mogą wówczas być absorbowane przez gospodarkę cywilną, zwłaszcza w nowych dziedzinach.

Znajdą się niezadowoleni. Głębokie reformy wojska w historii Rzeczypospolitej były potrzebne. Reformy Sejmu Wielkiego, reformy Batoriańskie czy reformy Władysława IV budziły opór ówczesnych interesariuszy systemu polityczno-wojskowego. Ale trzeba było je przeprowadzić.

Jaki jest zatem i jaki będzie nasz sposób działania w wojnie nowej generacji w XXI wieku? Czy będziemy tylko imitować rozwój i reformy, jak robiliśmy to w PRL, czerpiąc wzorce od Związku Sowieckiego? Czy może tak, jak to było w III RP, kiedy wzorowaliśmy się głównie na Amerykanach i szykowaliśmy wojsko zawsze gdzieś u boku Amerykanów i korzystając z ich systemów i elementów pętli decyzyjnej, w tym z sensorów i systemu logistycznego do utrzymania sprawności sprzętu?

Czy może jednak nareszcie przygotujemy się do wyzwań naszej własnej geografii, naszego własnego położenia geopolitycznego, naszych własnych uwarunkowań strategicznych, by zrealizować słuszne ambicje pełnej kontroli pętli decyzyjnej, w której podejmowane decyzje będą wynikać z kilkusetletniej kultury strategicznej Rzeczypospolitej, jej interesów i własnego rozeznania sytuacji strategicznej i operacyjnej? Czy odszukamy w sobie, w swoim DNA, w zasobach, którymi dysponujemy, przewagi asymetryczne, aby wokół nich zbudować Armię Nowego Wzoru, która zabierze nas w przyszłość?

Armia Nowego Wzoru ma oznaczać nowoczesność. Po 30 latach transformacji, gdy społeczeństwo musiało poddać się forsownej modernizacji i rozejrzało się po świecie, zasługujemy na nowe podejście do kwestii bezpieczeństwa.

CZĘŚĆ SZCZEGÓŁOWA

MAREK BUDZISZ

REALNY POTENCJAŁ NATO W PERSPEKTYWIE WOJNY Z ROSJĄ A SYTUACJA POLSKI

Polska swą politykę bezpieczeństwa buduje w oparciu o uczestnictwo w Pakcie Północnoatlantyckim, co wiąże się z ugruntowanym przekonaniem o sile gwarancji związanych z art. 5. traktatu waszyngtońskiego. Na wschodniej flance, w obliczu coraz bardziej agresywnej Federacji Rosyjskiej rozbudowującej w ostatnich latach swój potencjał wojskowy, NATO realizuje politykę odstraszania, która polega, z grubsza rzecz biorąc, na takim ukształtowaniu własnego potencjału wojskowego i użyciu innych środków presji, które łącznie traktowane wpływają na rachunek korzyści i strat, jakie planując operacje wojskowo-polityczne, przeprowadzają władze Federacji Rosyjskiej. Im większe koszty (wojskowe, finansowe, polityczne, społeczne) w związku z ewentualną agresją poniesie Moskwa, im mniej prawdopodobny jest scenariusz „małej zwycięskiej wojny", tym bardziej prawdopodobne jest, że to Rosja nie zdecyduje się na agresję.

I odwrotnie, im strona NATO-wska gorzej przygotowana jest do ewentualnej obrony, a dysproporcja sił się powiększa, tym polityka odstraszania staje się mniej skuteczna, a perspektywa konfliktu rośnie. Uprawnia to do stawiania pytań, zwłaszcza w obliczu trwających dyskusji o europejskiej samodzielności strategicznej i koncentracji Stanów Zjednoczonych w rejonie Indopacyfiku, o rzeczywisty potencjał wojskowy zarówno NATO, jak i państw członkowskich na wschodniej flance oraz o wyzwania i obowiązki, którym Polska będzie musiała w najbliższych latach podołać.

Państwa europejskie więcej wydają na obronność, ale mniej na wspólną politykę w zakresie bezpieczeństwa. Z raportu opublikowanego przez European Defence Agency[1] na temat kształtowania się w ostatnich latach wydatków państw Unii Europejskiej, będących również w większości członkami NATO, przeznaczonych na własne bezpieczeństwo wynika, że w 2020 roku

---

[1] European Defece Agency, „Defence Data 2019–2020. Key findings and analysis", https://eda.europa.eu/docs/default-source/brochures/eda---defence-data-report-2019-2020.pdf. (12.12.2021).

łączne wydatki na obszar wojskowy 26 państw tworzących Unię Europejską, objętych badaniem, zamykały się w kwocie 198 mld euro, co oznacza, że w relacji do PKB wzrosły one w ciągu roku o 5% i dziś stanowią średnio 1,5% łącznego PKB. Ten wzrost, który może napawać optymizmem, jest najprawdopodobniej wynikiem spadku PKB w wielu krajach w efekcie kryzysu związanego z pandemią, ale i tak mamy do czynienia z pozytywnym trendem, który warto odnotować. Tym bardziej że porównując obecne wydatki państw Unii na bezpieczeństwo na przykład z rokiem 2014, mamy do czynienia z wyraźnym wzrostem. Wówczas Unia wydała na obronę łącznie 159 mld euro, a w 2020, jak już pisałem, 198 mld. Mamy do czynienia z szóstym z rzędu rokiem wzrostu wydatków państw członkowskich w tym obszarze. Pozytywne jest zdaniem analityków European Defence Agency również to, że obecny kryzys, odmiennie niźli to było w roku 2008, nie doprowadził do znaczących redukcji wydatków na obronność, co w ich opinii może oznaczać, iż mamy do czynienia z odwróceniem wieloletniego niekorzystnego trendu, co potwierdza i to, że tylko siedem państw z 26 ujętych w raporcie zmniejszyło w latach 2019–2020 swe wydatki na obronność.

Wydatki krajów członkowskich na inwestycje w zakresie obronności, w tym na badania i rozwój, osiągnęły w 2020 roku poziom 44 mld euro, co w porównaniu z rokiem 2014, gdzie były na historycznie niskim poziomie (26 mld), stanowi wzrost o 70%. Rok 2019 i 2020 to dwa kolejne lata, kiedy przekroczyły one poziom 20% ogółu wydatków na obronność, co oznacza, że wskaźnik ustalony na NATO-wskim szczycie został osiągnięty, choć łącznie, bo indywidualnie możemy mieć do czynienia z pewnymi odstępstwami. W 2020 roku 14 państw członkowskich osiągnęło 20-procentowy udział w swych budżetach wojskowych wydatków na inwestycje, podczas gdy rok wcześniej było to 15 państw.

Czy w tym obszarze Europejczycy mają powody do zadowolenia? Wątpliwe, skoro Amerykanie na inwestycje w sektorze militarnym, w tym na badania nad nowymi rodzajami broni, wydają 30% swego znacznie zresztą większego budżetu wojsko-wego, Chińczycy podobnie, a Rosjanie nawet 50%.

Obraz jest jeszcze bardziej ponury, jeśli zwrócić uwagę wy-łącznie na to, ile państwa członkowskie Unii Europejskiej obję-te tym raportem wydają na badania i rozwój w sektorze wojsko-wym. Było to w 2020 roku osiem miliardów euro, co oczywiście oznacza wzrost o 100% w porównaniu z rokiem 2016, ale gdyby wielkości te odnosić na przykład do roku 2005, kiedy wydano siedem miliardów euro, to mamy w gruncie rzeczy do czynienia z symbolicznym zwiększeniem nakładów. Wydaje się, że upraw-nione są głosy pesymistów mówiących, iż Europa przy tym po-ziomie wydatków nie będzie w stanie dogonić uciekających jej światowych mocarstw.

Eksperci z European Defence Agency, analizując wydatki na obronność państw Unii Europejskiej, odkryli jeszcze jeden nie-zwykle ciekawy trend, który pokazuje stan nastrojów i być może to, co się będzie działo w przyszłości. Otóż o ile mówimy o wzro-ście wydatków na obronność, w tym przeznaczonych na zakupy nowego sprzętu, a nawet o wzroście nakładów na badania i roz-wój, o tyle wspólne europejskie projekty, w których łączone są wysiłki kilku państw, przeżywają regres. Można nawet powie-dzieć, że państwa europejskie zbroją się, ale indywidualnie, nie bardzo chyba wierząc we wspólną obronę (bo w nią nie inwestu-ją), nie mówiąc już o samodzielności strategicznej.

W 2020 roku na tego rodzaju projekty, zakładające współ-pracę w dziedzinie obronności kilku państw Unii Europejskiej, w skali całej organizacji wydano skromne 4,1 mld euro, co stano-wi w porównaniu z rokiem wcześniejszym spadek o 13%. Mamy dziś do czynienia z trzecim najniższym poziomem wydatków na wojskową kooperację, licząc od 2005 roku, czyli od chwili, kiedy dane na ten temat są zbierane i publikowane w corocznych ra-portach. W 2020 roku państwa członkowskie wydały tylko 11% swoich budżetów przeznaczonych na zakupy sprzętu wojsko-wego i uzbrojenia w ramach tzw. ram europejskich, zupełnie zapominając o tym, że w świetle porozumienia PESCO miało to być docelowo 35%. Jeszcze ważniejszą informacją, którą znaleźć można w raporcie, jest ta, że od 2016 roku zaangażowanie państw członkowskich Unii Europejskiej w wojskową kooperację, mierząc to wydatkowanymi środkami, ciągle maleje.

Priorytety państw członkowskich Unii Europejskiej są inne, bardzie partykularne, mniej nastawione na współpracę, przynajmniej w dziedzinie obronności. Bardzo dobrze widać to, kiedy się weźmie pod uwagę wydatki państw członkowskich Unii Europejskiej na badaniu i rozwój w sektorze wojskowym, o czym również piszą analitycy European Defence Agency. Otóż o ile możemy mówić o ich łącznym wzroście, wynoszącym w 2020 roku w porównaniu z rokiem poprzednim 46%, bo wydano 2,5 mld euro, podczas gdy rok wcześniej było to jedynie 1,5 mld, o tyle w wypadku wspólnych projektów możemy mówić o stagnacji finansowania na poziomie zupełnie nieistotnych wielkości, wynoszących w ramach całej Wspólnoty śmieszne 0,14 mld euro. Wniosek jest oczywisty. Państwa wchodzące w skład Unii Europejskiej zwiększają nakłady na badania w sektorze wojskowym, ale nie mają zamiaru dopuścić do sytuacji, kiedy ewentualne wyniki tych prac staną się „wspólną własnością". I w tym obszarze interes partykularny przeważył nad poczuciem wspólnoty.

Nawet realizacja planów państw europejskich w zakresie obronności w 100% nie oznacza uzyskania nowych zdolności, które pozwoliłyby na samodzielne kształtowanie europejskiej przestrzeni bezpieczeństwa i adekwatne reagowanie na rysujące się wyzwania, również – a może przede wszystkim – ze strony Federacji Rosyjskiej. Złudzeniem jest w tej sytuacji przekonanie, że tzw. europejska samodzielność strategiczna oznacza istotne wzmocnienie Europy w zakresie obronności. Jest zupełnie odwrotnie. Grupa badaczy z Center for Strategic & International Studies, waszyngtońskiego think tanku specjalizującego się w sprawach międzynarodowych, w tym wojskowych, opublikowała niezwykle ciekawy i pouczający raport na temat wojskowych możliwości Europy w umownym roku 2030[2], w którym dochodzi do wniosków tego rodzaju.

Powód tych rozważań jest oczywisty. Zarówno w stolicach naszego kontynentu coraz częściej mówi się o strategicznej suwerenności i potrzebie posiadania własnych możliwości oddziaływania militarnego, jak i w Waszyngtonie na tego rodzaju perspektywę spogląda się, zwłaszcza pod rządami obecnej administracji, nieco bardziej życzliwym okiem. Wreszcie Europa wydaje więcej na zbrojenia; 2020 rok był szóstym z rzędu, kiedy nasz kontynent zwiększał wydatki na własne bezpieczeństwo. Autorzy raportu zdają sobie jednak sprawę, że przeznaczenie większych pieniędzy na siły zbrojne, w tym na zakup nowego sprzętu, nic musi oznaczać nowych zdolności.

Jest to istotne zwłaszcza w sektorze wojskowym, gdzie poziom wyszkolenia, jakość kadr, myśli strategicznej czy choćby dostępność na rynku sprzętu, który chcemy nabyć, ma nie mniejsze znaczenie niż proste zwiększenie budżetów. Z tego też względu zadali sobie trud szukania odpowiedzi na pytanie, jak będą wyglądały możliwości wojskowe Europy w umownym 2030 roku, jakie misje będą państwa naszego kontynentu w stanie realizować samodzielnie, a kiedy będą zmuszone do korzystania z pomocy Stanów Zjednoczonych. Eksperci CSIS założyli, co ważne, że ogłoszone przez europejskie państwa programy zostaną zrealizowane w 100% w założonych ramach czasowych, nie będzie cięć czy politycznych trzęsień ziemi. Innymi słowy, na podstawie analizy już zapowiedzianych zmian starają się określić, jakie skutki zapowiedziane zmiany w zakresie polityki obronności będą miały dla możliwości Europy. Warto jednak nadmienić, że nie zajmują się oni w swym opracowaniu polityką, również w obrębie NATO, nie analizują, czy państwa należące do Sojuszu

---

[2] CSIS, „Europe's High-End Military Challenges: The Future of European Capabilities and Missions", 10th November 2021, https://www.csis.org/analysis/europes-high-end-military-challenges-future-european-capabilities-and-missions (12.12.2021).

będą chciały użyć posiadanych przez nie zdolności wojskowych, a jedynie jakiego rodzaju politykę posiadane zdolności będą warunkowały. Nie analizują też działań państw uznawanych przez Europę za potencjalnych strategicznych rywali, czyli Rosji, Chin oraz Iranu. Raport nie prowadzi do wniosków na temat relacji sił, na przykład między Europą a Rosją, w umownym 2030 roku, tylko jakiego rodzaju działania wojskowe Europejczycy będą w stanie zrealizować samodzielnie.

Punktem wyjścia do analiz tego rodzaju musi być spojrzenie na wojskowe możliwości głównych państw NATO w Europie, poszukiwanie odpowiedzi na pytanie, w jaki sposób realizowane przez nie reformy i, szerzej rzecz ujmując, przebudowa własnego potencjału wojskowego wpłyną na zdolność do uczestnictwa w konflikcie na wschodniej flance o wysokim poziomie intensywności. Taki charakter może mieć ewentualna wojna z Federacją Rosyjską.

Francja

Francja zwiększa swój budżet wojskowy w latach 2019–2025 o kwotę 198 mld euro, zapowiadając, że średni wzrost wydatków na obronność w każdym roku wyniesie 7,4 mld euro w porównaniu z latami 2014–2018. Na rozbudowę jakich zdolności postawił Paryż? W opinii ekspertów CSIS można mówić o trzech priorytetach we francuskiej polityce wojskowej. Po pierwsze chodzi o działania zwiększające autonomię i samodzielność francuskich sił zbrojnych. Nakłady są przewidziane na modernizację francuskiej triady nuklearnej, pozyskanie nowych typów rakiet średniego zasięgu powietrze-ziemia, również rakiet balistycznych przenoszonych przez okręty podwodne. Paryż chce inwestować w swe siły kosmiczne, samoloty patrolowe czy drony zwiadowcze. Drugim priorytetem jest rozbudowa sił powietrznych – Paryż planuje pozyskać do 2024 roku 28 nowych myśliwców typu Rafale oraz zmodernizować 55 Mirage 2000D. Dodatkowo mówi się o powiększeniu lotnictwa transportowego i zakupie systemów, których brak jest piętą achillesową Europy, takich jak samoloty cysterny – umożliwiające uzupełnianie paliwa w powietrzu. Wreszcie trzecim priorytetem Paryża jest zwiększenie mobilności własnych sił zbrojnych. W tym celu ma być zbudowanych do 2030 roku 15 nowych fregat, mają zostać zakupione śmigłowce transportowe, a przestarzałe wozy pancerne zastąpione nowymi, budowanymi w ramach programu SCORPION. W opinii ekspertów CSIS modernizacja francuskich sił lądowych jest mniej ważnym zadaniem, o czym świadczy choćby to, że francusko-niemiecki program zastąpienia czołgów Leclerc nowymi konstrukcjami nie zostanie zrealizowany wcześniej niźli w 2035 roku. Paryż znacząco rozbudowuje też swoje siły działające w cyberprzestrzeni, przeznaczając na nie 1,9 mld euro, oraz zdolności kosmiczne.

Do podobnych wniosków, jeśli chodzi o francuskie priorytety w zakresie obronności, doszli analitycy zarówno amerykańskiego RAND[3], jak i szwedzkiego FOI[4].

Analitycy RAND zwracają uwagę[5] na fakt, że francuskie siły zbrojne należą do najlepiej rozbudowanych i o największym poziomie gotowości wśród państw kontynentalnej Europy. Jednak ich struktura, organizacja i zaobserwowane priorytety świadczą o tym, że jest to armia przede wszystkim o charakterze ekspedycyjnym, zdolna do realizacji misji stabilizacyjnych, antyterrorystycznych czy interwencyjnych, w mniejszym zaś stopniu będąca w stanie uczestniczyć w konfliktach o wysokim stopniu intensywności.

Ambicją Francji jest inwestowanie w rozbudowę sił zbrojnych, które będą w stanie uzyskać duży stopień autonomii i możliwość

---

[3] RAND, „A Strong Ally Stretched Thin. An Overview of France's Defence Capabilities from a Burdensharing Perspective", https://www.rand.org/pubs/research_reports/RRA231-1.html (12.12.2021).

[4] Anna Sundberg, FOI, „France's Military Capability 2020", https://www.foi.se/report-summary?reportNo=FOI%20Memo%207592 (12.12.2021).

[5] RAND, op. cit., s. 3.

samodzielnej projekcji siły w regionach, gdzie tradycyjnie zlokalizowane są strategiczne interesy Paryża, czyli przede wszystkim w basenie Morza Śródziemnego i w Afryce Północnej. Oznacza to położenie większego nacisku na rozbudowę, oprócz komponentu nuklearnego, marynarki wojennej i lotnictwa, a mniejszego na priorytety dla sił lądowych. W efekcie francuskim siłom zbrojnym brakuje „strategicznej głębi" rozumianej jako posiadanie wystarczających zasobów i zapasów niezbędnych do prowadzenia długotrwałej wojny z przeciwnikiem o porównywalnym potencjale. Oznaczą to zarówno niedobór personelu i szczupłość rezerw, jak również brak niezbędnych, w razie dłuższego konfliktu o wysokim stopniu intensywności, zapasów w zakresie amunicji i części zamiennych. Działaniom w zakresie modernizacji potencjału wojskowego nie towarzyszy alokowanie odpowiednio większych nakładów, niezbędnych w obliczu faktu, że nowe systemy są zazwyczaj droższe niżli stare, co oznacza, że ich wprowadzanie na wyposażenie sił zbrojnych oznacza redukcję potencjału ilościowego. Najlepszym przykładem w tym zakresie jest polityka zmierzająca do zastąpienia przestarzałych 155-milimetrowych haubic mniejszą liczbą bardziej zaawansowanych systemów CAESAR. Ta polityka, której celem jest utrzymanie zdolności trudnych do odbudowania w razie ich utraty, równa się jednak zmniejszeniu potencjału, co szczególnie widoczne jest w siłach lądowych[6]. W październiku 2018 roku szef Połączonych Sztabów Francuskich Sił Zbrojnych generał François Lecointre powiedział, występując na posiedzeniu Senatu, że biorąc pod uwagę stały udział francuskich sił zbrojnych w operacjach wymierzonych w przeciwników o znacznie słabszym potencjale, głównie w misjach interwencyjnych i stabilizacyjnych, a także trwający proces modernizacji, „w 2025 roku francuskie siły zbrojne będą skonsolidowane i zmodernizowane, ale niezdolne do uczestniczenia w konflikcie o większej

---

[6] Tamże, s. 9–10.

intensywności w postaci wojny z państwem dysponującym porównywalnym potencjałem".

Co więcej, francuski system planowania operacyjnego, zakładający możliwość równoległego uczestnictwa w trzech operacjach o charakterze koalicyjnym, kiedy to w co najmniej jednym przypadku Francja ma być „państwem ramowym", nie przewiduje możliwości konfliktu z Rosją[7]. Analitycy RAND, którzy na potrzeby swego raportu przeprowadzili serię rozmów z francuskimi dowódcami, dowodzą, że „wojna na dużą skalę z Rosją jest uważana za mało prawdopodobną", ponadto zauważają, że we francuskich kręgach dowódczych silnie ugruntowane jest przekonanie, że wojna w Europie Wschodniej szybko „może eskalować do poziomu konfliktu nuklearnego, a Rosja nie zaryzykuje wojny jądrowej"[8].

Symboliczna obecność francuskiego kontyngentu na wschodniej flance NATO, w ramach NATO Enhanced Forward Presence (EFP), wynosząca 300–400 żołnierzy sił lądowych, nie będzie też w najbliższym czasie (brak na to jakichkolwiek oznak) rozszerzona[9]. W opinii szwedzkich analityków z FOI decyduje o tym obecny stan francuskich sił zbrojnych. Oprócz jednostek już zaangażowanych w misje zagraniczne potencjał, którym dysponuje Paryż, jest skromny. Obejmuje on, jeśli chodzi o siły lądowe, półtora batalionu posiadającego możliwości przerzutu lotniczego i jeden batalion sił specjalnych. Te jednostki są w stanie wejść szybko do działania. Pięć kolejnych batalionów (zmechanizowanych) wejść może do walki w terminie do 30 dni od chwili wydania stosownych rozkazów pod warunkiem rozwiązania problemów logistycznych. Być może dwa, trzy bataliony (z tych pięciu) mogą osiągnąć gotowość bojową w terminie do tygodnia. Do tego należałoby dodać jeden batalion piechoty morskiej i jeden strzelców górskich. Jeśli chodzi o możliwości mobilizacyjne

---

[7] Tamże, s. 11–12.
[8] Tamże, s. 23–24.
[9] Anna Sundberg, op. cit., s. 7.

Nawet gdyby była wola polityczna, to możliwości, którymi dysponuje Paryż, są skromne

- 1.5 batalionu dysponującego możliwościami przerzutu lotniczego i 1 batalion sił specjalnych (te jednostki są w stanie wejść szybko do działania.

- 5 kolejnych batalionów (zmechanizowanych) wejść może do walki w terminie do 30 dni od chwili wydania stosownych rozkazów (pod warunkiem rozwiązania problemów logistycznych).

- Być może 2-3 bataliony (z tych 5) mogą osiągnąć gotowość bojową w terminie do tygodnia.

- 1 batalion piechoty morskiej i 1 strzelców górskich.

- Jeśli chodzi o możliwości mobilizacyjne francuskiego lotnictwa i marynarki wojennej, to analitycy FOI są zdania, biorąc pod uwagę obecne problemy z personelem i częściami zamiennymi, że w ciągu tygodnia będą one w stanie dysponować zaledwie 1/3 swych jednostek.

francuskiego lotnictwa i marynarki wojennej, to analitycy FOI są zdania, biorąc pod uwagę obecne problemy z personelem i częściami zamiennymi, że w ciągu tygodnia będą one w stanie dysponować jedną trzecią swych jednostek[10].

Ocena sytuacji w zakresie prawdopodobieństwa wojny z Rosją na większą skalę dokonana przez francuski establishment strategiczny i dowództwo sił zbrojnych, a także wieloletnia polityka oszczędzania wpłynęły na obecną znaczną redukcję, zwłaszcza w zakresie potencjału lądowego, możliwości francuskiej armii. O ile w 1990 roku Francja dysponowała 1300 czołgami podstawowymi (*main battle tanks*) typu AMX-30, o tyle obecnie ma 220 nowszych, typu Leclerc. Potencjał sił lądowych został zredukowany z dwóch ciężkich dywizji pancernych w 1990 roku do dwóch brygad obecnie[11]. Dodatkowym problemem jest niski poziom gotowości sprzętu do działania. I tak w latach 2016 i 2017 stosowne wskaźniki kształtowały się na poziomie od 30% w wypadku ciągnika Renault TRM 700/100, co znacznie ogranicza mobilność, do 74%, jeśli brać pod uwagę bojowy wóz piechoty VBCI. W wypadku śmigłowców bojowych, jak wynika z raportu dla Senatu, w 2018 roku jedynie jedna trzecia znajdowała się w stanie, który umożliwiał pełnienie służby. Bardzo słabo prezentowały się też, w opinii analityków RAND, francuskie zdolności, jeśli brać pod uwagę zapasy rakiet i amunicji, szczególnie dla artylerii o większym kalibrze.

Wszystko to razem skłania do wniosku, że obserwowany w ostatnich latach wzrost nakładów Francji na obronność, a trzeba pamiętać, że przekroczony został dwuprocentowy poziom ich wysokości w relacji do PKB, nie przekłada się na wzrost możliwości uczestniczenia w konflikcie o większym stopniu intensywności, w który zaangażowane byłyby przede wszystkim siły lądowe. Paryż, nie wierząc w wybuch wojny z Rosją na wschodniej flance NATO, nie przygotowuje się do konfliktu tego

---

[10] Tamże, s. 7–8.
[11] RAND, op. cit., s. 27–28.

rodzaju, mało tego, jego możliwości uczestniczenia w takiej wojnie ulegają zmniejszeniu, bo priorytety modernizacyjne nie obejmują roli sił lądowych.

Wielka Brytania

„The Integrated Review", podstawowy dokument strategiczny brytyjskiego rządu, w którym określony zostanie kształt zapowiadanych już od ubiegłego roku reform w zakresie polityki zagranicznej i sił zbrojnych Wielkiej Brytanii, zakłada wzrost wydatków na obronność wynoszący 16,5 mld funtów w ciągu następnych czterech lat. Mają być one jednak przeznaczone przede wszystkim na rozbudowę marynarki wojennej i unowocześnienie armii, a nie jej liczebne powiększenie, co szczególnie dotknie brytyjskie siły lądowe[12].

Premier Borıs Johnson zapowiedział, że reformy „zaczynają się w domu", co oznacza, że planowane zwiększenie nakładów ma być też jednym z impulsów na rzecz pobudzenia gospodarki brytyjskiej. W praktyce oznacza to budowę kolejnych okrętów w Szkocji, systemów kosmicznych i satelitów w Irlandii Północnej oraz transporterów opancerzonych w Walii, a także zwiększenie nakładów na prace nad sztuczną inteligencją czy utworzenie dowództwa kosmicznego[13]. Jednak położenie akcentu na nowe domeny rywalizacji mocarstw, w tym współzawodnictwo w cyberprzestrzeni i w kosmosie, oznacza dalszą redukcję brytyjskich sił lądowych, co zagraża wypełnianiu zobowiązań w ramach NATO. Warto przypomnieć, że Wielka Brytania w ramach podziału obowiązków i odpowiedzialności w ramach Sojuszu Północnoatlantyckiego odpowiada za wysuniętą szpicę w państwach bałtyckich oraz wspiera obecność

---

[12] „Global Britain in a Competitive Age: the Integrated Review of Security, Defence, Development and Foreign Policy", https://www.gov.uk/government/publications/global-brita-in-in-a-competitive-age-the-integrated-review-of-security-defence-development-and-foreign-policy (12.12.2021).

[13] Tamże (14.12.2021).

wojskową na Morzu Czarnym. Plany rozbudowy i modernizacji floty wojennej temu ostatniemu zadaniu nie szkodzą, ale jak to się ma do potencjału wojsk lądowych Zjednoczonego Królestwa? Sir Mike Jackson, emerytowany generał i były szef sztabu armii brytyjskiej, wyraził w niedawno opublikowanym na łamach „The Daily Telegraph"[14] artykule pogląd, że propozycje rządu mają na celu również redukcję sił lądowych, których liczebność miałaby się zbliżyć do niebezpiecznie niskiego poziomu 73 tys., co w jego opinii równa się temu, iż Wielka Brytania stanie się państwem „strategicznie niewiele znaczącym" i z pewnością nie będzie w stanie podołać wyzwaniom na wschodniej flance NATO, a już z pewnością nie będzie mogła stawić skutecznego oporu ewentualnej agresji rosyjskiej. Jak napisał, „urzędnicy resortu obrony obiecują szczuplejszą i bardziej mobilną armię. Obliczają, że zdolności naszych sił specjalnych, siła cybernetyczna i siła lotnictwa – wsparte inwestycjami w zaawansowane technologie i innowacyjne systemy uzbrojenia – są bardziej odpowiednie do przeciwdziałania zagrożeniom jutra. Może mają rację". Ale jednocześnie jest on zdania, że dalsze cięcia stanu wojsk lądowych oznaczają przewagę liczebną Rosji na ewentualnym polu wojny przyszłości.

Lewicowy „The Guardian" ujawnił, że głównym kierunkiem zmian w zakresie polityki zagranicznej Wielkiej Brytanii, co zapowiedziane zostało w „The Integrated Rewiev", ma być położenie większego nacisku na politykę powstrzymywania Chin i generalnie na wzrost brytyjskiej obecności, również wojskowej, w basenie Oceanu Indyjskiego i na Pacyfiku. Temu ma służyć wysłanie nowego lotniskowca Queen Elisabeth II na południowy Pacyfik i na Morze Południowochińskie oraz zmniejszenie minimalnej liczebności sił zbrojnych z obecnego poziomu 82 tys. żołnierzy i oficerów (obsadzonych jest aktualnie 75 310 etatów) do 72,5 tys. Planowana jest ponadto redukcja o jedną trzecią

---

[14] Mike Jackson, „The Armed Forces can help define Global Britain", https://www.telegraph.co.uk/news/2021/03/15/armed-forces-can-help-define-global-britain/ (14.12.2021).

liczby czołgów Challanger[15]. Portal Defense News alarmował w lutym 2021 roku, że zagrożony jest również program modernizacji brytyjskich bojowych wozów piechoty, czyli jedno z najistotniejszych przedsięwzięć mających zwiększać mobilność sił lądowych, a komisja obrony brytyjskiego parlamentu opublikowała alarmistyczny raport na temat obecnego stanu wojsk pancernych i zmechanizowanych, które zdaniem autorów opracowania są dziś przestarzałe, praktycznie niezdolne do działania i w razie jakiegokolwiek starcia z Rosją będą na straconych pozycjach. W raporcie można znaleźć m.in. informacje, że brytyjskie siły lądowe, które jeszcze w 1990 roku dysponowały liczbą 1200 zdolnych do walki czołgów, obecnie dysponują jedynie liczbą 227 przestarzałych już dziś pojazdów[16].

Przesunięcie uwagi brytyjskiego rządu na kwestie związane z nowoczesnymi technologiami wojskowymi oraz możliwością projekcji siły w Azji oznacza postawienie pod znakiem zapytania możliwości w zakresie reagowania wojskowego na Wschodzie w razie pogarszania się relacji z Rosją. Z pewnością wzrost brytyjskiego budżetu wojskowego i podkreślanie siły więzi atlantyckich, o czym premier Boris Johnson mówił choćby na ostatniej Monachijskiej Konferencji Bezpieczeństwa, nie musi w tym wypadku oznaczać zwiększenia możliwości sił NATO, których kontyngent brytyjski jest istotnym elementem na wschodniej flance[17].

Brytyjski program zwiększenia wydatków na obronność o 14% w ciągu najbliższych czterech lat do poziomu 256 mld dolarów jest niezbędny, jak piszą analitycy CSIS, „aby załatać dziury"

---

[15] https://www.theguardian.com/politics/2021/mar/16/trident-aid-and-spies-key-points--in-uks-integrated-review (12.12.2021)

[16] „Report: Obsolescent and outgunned: the British Army's armoured vehicle capability, British Parliament", 15.03.2021, https://committees.parliament.uk/committee/24/defence--committee/news/152744/report-obsolescent-and-outgunned-the-british-armys-armoured--vehicle-capability/ (12.12.2021).

[17] Piotr Szymański, „The UK's Integrated Review and NATO's north-eastern flank", OSW, 10.06.2021, https://www.osw.waw.pl/en/publikacje/osw-commentary/2021-06-10/uks-integrated-review-and-natos-north-eastern-flank (12.12.2021).

w zdolnościach sił zbrojnych Zjednoczonego Królestwa. Zdaniem tych analityków oznacza to, że nowe będą one w stanie pozyskać najwcześniej w drugiej połowie tego dziesięciolecia, czyli w latach 2025–2030. Zwracają też uwagę na to, że Londyn, planując skokowo zwiększyć nakłady na badania i rozwój w sektorze wojskowym, a także dokonać modernizacji swej triady nuklearnej, w tym wymienić strategiczne okręty podwodne, zmuszony będzie, co już zapowiedział, do cięcia nakładów na siły lądowe. Docelowo Wielka Brytania chce mieć w siłach lądowych odpowiednią do zadań realizowanych w ramach NATO dywizję pancerną, w której skład wchodzić będą dwie zmodernizowane brygady pancerne dysponujące ciężkim sprzętem. John Healy, szef ministerstwa obrony w gabinecie cieni, krytykował plany redukcji liczebności sił lądowych ogłoszone przez Londyn, które przewidują zmniejszenie stanów z obecnych 76 tys. żołnierzy i oficerów do 72 tys. w 2025 roku, twierdząc, że oznacza to zmniejszenie zdolności brytyjskich sił lądowych. Argumentację, z którą nie zgadza się obecny brytyjski minister obrony, zdają się podzielać analitycy CSIS, pisząc, że „jakkolwiek plany Zjednoczonego Królestwa wyglądają imponująco „na papierze", to jednak nie jest jasne, czy ten poziom ambicji uda się zrealizować, dysponując tak małymi siłami zbrojnymi", tym bardziej że po ostatnich cięciach są one dziś na poziomie 40% potencjału US Marine Corps.

Priorytety, którymi kierował się Londyn, ogłaszając plan modernizacji własnych sił zbrojnych i zapowiadając skokowe zwiększenie ich budżetu, wyraźnie widać na przykładzie marynarki wojennej, która jest w opinii ekspertów głównym beneficjentem zapowiadanych zmian. Nakłady na budowę nowych okrętów mają ulec w czasie najbliższych pięciu lat podwojeniu, co związane jest zarówno z szybkim starzeniem się floty będącej w służbie, jak i chęcią Londynu pozyskania nowych możliwości projekcji siły, głównie o charakterze ekspedycyjnym.

Analizie potencjału brytyjskich sił lądowych w kontekście ewentualnej wojny z Federacją Rosyjską nieco uwagi poświęcił

Jack Watling, autor raportu[18], w którym analizuje możliwości powstrzymywania Rosji przy użyciu konwencjonalnych sił zbrojnych. Kluczowym pytaniem, które stawia brytyjski analityk, jest kwestia, czy Londyn stojący w obliczu konieczności modernizacji swych sił pancernych powinien podjąć tego rodzaju decyzję czy może raczej skoncentrować się na rozbudowie swych sił rozpoznania i możliwości ogniowych, zmieniając charakter dotychczasowego wkładu Wielkiej Brytanii w misje NATO i gwarancje bezpieczeństwa na kontynencie, szczególnie w bezpieczeństwo na wschodniej flance. Jak przedstawia się obecny potencjał sił lądowych Wielkiej Brytanii, biorąc pod uwagę ich możliwości logistyczne, związane z szybkim przerzuceniem jednostek w rejon konfliktu?

W zakresie logistyki dysponują one dziś 92 ciężkimi platformami i porównywalną liczbą lżejszych, do przewozu czołgów i innych pojazdów wojskowych. Założenie, że możliwy jest transport przy użyciu tych środków tysiąca pojazdów pancernych różnego rodzaju, które znajdują się na wyposażeniu klasycznej dywizji, nawet gdyby operacja ta miała przebiegać w sposób niezakłócony atakami przeciwnika i potrwać krótko, jest naiwnym optymizmem. Jeszcze gorszy obraz wyłania się, jeśli poddać głębszej analizie to, jak wyglądają dziś brytyjskie siły pancerne. Rosyjska dywizja zmotoryzowana dysponuje dziś 214 czołgami, a pancerna 322, podczas gdy na przykład w skład 3 Brytyjskiej Dywizji Pancernej wchodzi obecnie tylko 112 czołgów. Co więcej, jak argumentuje brytyjski analityk, „więcej niż wątpliwe" są ich zdolności do zwalczania zmodernizowanych rosyjskich T-72BS i T-90MS.

Różnica potencjałów w pozostałej sile ognia (jednostki artyleryjskie) jest jeszcze bardziej uderzająca. Watling argumentuje: „Rosyjska dywizja czołgów ma 222 działa artyleryjskie, co

---

[18] Jack Watling, „By Parity and Presence: Deterring Russia with Conventional Land Force", RUSI, 14 July 2020, https://rusi.org/explore-our-research/publications/occasional-papers/parity-and-presence-deterring-russia-conventional-land-forces (14.12.2021).

trzeba porównać z 48 samobieżnymi haubicami i 27 wielopro-
wadnicowymi systemami rakietowymi dostępnymi w całych siłach zbrojnych Wielkiej Brytanii".

Dzisiaj, jak argumentuje, Londyn dysponuje dywizją pancerną „na papierze", a nie w rzeczywistości. I oczywiście o tym
wszystkim wiedzą rosyjscy planiści wojskowi. Co więcej, wiedzą również o niesłychanie ściętych z powodów oszczędnościo-
wych zapasach amunicji we wszystkich państwach członkowskich NATO w Europie, co doprowadzić może w jego opinii do
tego, że „lufy ucichną już po kilku dniach prowadzenia operacji
wojskowej". Osobną kwestią jest system podejmowania decyzji
o użyciu sił zbrojnych w Wielkiej Brytanii. Zdaniem analityka
RUSI jest on obecnie tak skonstruowany, że w gruncie rzeczy
nie pozwala na działania wyprzedzające, jedynie na reagowanie, co w sytuacji eskalacji konfliktu przez drugą stronę stwarza
silną pokusę, aby się wycofać. Wszystko to razem wzięte powoduje według niego, że „Wielka Brytania może nie być w stanie
realizować zaawansowanej polityki odstraszania" wobec Rosji
przy użyciu swych sił konwencjonalnych. Jeżeli bowiem nie będzie w stanie wyprzedzać działań potencjalnych przeciwników,
to zawsze „grać będzie w grę, której zasady ustalają wrogowie".

Co gorsza, jak pisze Watling w konkluzji swego raportu, „stara brytyjska tradycja przegrywania pierwszych bitew i wygrywania wojen może nie mieć współcześnie zastosowania, bo budowa nowoczesnego potencjału wojskowego zajmuje całe lata.
W skrócie: jeśli powstrzymywanie okaże się nieskuteczne, a armia nie będzie w odpowiedni sposób przygotowana, nie będzie
żadnego *come backu*. Będzie po prostu klęska".

Niemcy

Sporo uwagi eksperci CSIS[19] poświęcają też polityce Niemiec
w zakresie obronności, tym bardziej że są zdania, iż jest to

---

[19] CSIS, op. cit.

państwo „kluczowe w NATO-wskiej polityce odstraszania i obrony". Obecnie, jak zauważają, „niemieckie siły zbrojne starają się odbudować swe zdolności po dziesięcioleciach niedoinwestowania i redukcji, które trwały od 1990 do 2014 roku". Te 15 lat to postawienie przez Berlin w zakresie planowania operacyjnego na realizowanie działań ekspedycyjnych, takich jak operacje w Afganistanie czy na Bałkanach, które wymagają znacznie mniejszych sił niźli zadania w zakresie obrony zbiorowej, tym bardziej wojny lądowej z przeciwnikiem o porównywalnym potencjale. Inne obecne bolączki niemieckich sił zbrojnych to braki kadrowe, niewielki stopień gotowości, braki w sprzęcie czy zapasach amunicji.

Dzisiaj „wyzwaniem dla Niemiec jest, jak naprawić chroniczne problemy z gotowością i wypełnić istniejące luki, a także zmodernizować swoje siły zbrojne". Jądrem, jak piszą eksperci CSIS, Bundeswehry są jej siły lądowe. Niemcy starają się aktualnie odbudować zdolności i gotowość swych istniejących ośmiu brygad, co nie jest zadaniem łatwym, w związku z problemami demograficznymi i wieloletnimi zaniedbaniami. Zgodnie z ogłoszonymi planami Niemcy do 2023 mają odbudować jedną samodzielną brygadę, do 2027 trzy kolejne, a w 2031 zakończyć cały proces przywracania gotowości i modernizacji swych sił lądowych. „Jeśli te plany zostaną zrealizowane – konkludują rozważania na temat Niemiec eksperci CSIS – co jest mało prawdopodobne, biorąc pod uwagę zaniedbania i problemy z zakupami sprzętu i przemysłem obronnym Niemiec, gotowość sił NATO znacznie wzrośnie dopiero około roku 2031".

Jedną z kluczowych kwestii w zakresie niemieckiego potencjału wojskowego jest skłonność władz w Berlinie do wywiązania się z przyjętych w tym zakresie zobowiązań. Daniel Kochis, analityk z think tanku Heritage Foundation, przypomina[20], że

---

[20] Daniel Kochis, „The Next German Government Should Maintain NATO Commitments", https://www.realcleardefense.com/articles/2021/11/04/the_next_german_government_should_maintain_nato_commitments_802079.html (12.12.2021).

już w 2006 w NATO dyskutowano o konieczności zwiększenia wydatków na obronność do poziomu 2%, z czego co najmniej 20% miało być przeznaczone na „duże" projekty modernizacji sprzętowej, a stosowne ustalenia przyjęto na szczycie Sojuszu Północnoatlantyckiego w Walii w 2014 roku. Wówczas też poczyniono ustalenie, że państwa członkowskie wywiążą się z tych zobowiązań do roku 2024. W wypadku Niemiec jest to kompletnie nierealne, bo Berlin jeszcze przed pandemią, w 2019 roku, mając, co warto zauważyć, nadwyżkę budżetową, oświadczył, że będzie w stanie osiągnąć dwuprocentowy cel dopiero w roku 2031. Oczywiście nie oznacza to, że Berlin nie zwiększył swoich wydatków wojskowych – dziś na obronność Niemcy asygnują 25 mld dolarów więcej niźli w 2015 roku. Nie zmienia to jednak faktu, że jest to nadal tylko 1,53% PKB kraju.

Amerykański analityk napisał też, że nie ma czasu na zwłokę. Nie tylko dlatego, że sytuacja w zakresie bezpieczeństwa w Europie się pogarsza, choć to też, ale również z tego powodu, iż, jak argumentuje, „Niemcom zajmie trochę czasu, aby odbudować swoje zdolności".

Tego rodzaju uwaga zmusza nas do postawienia pytania o rzeczywisty stan niemieckich sił zbrojnych. W Polsce bowiem, jak się wydaje, utrwaliło się przekonanie, że kraj wydający w 2020 roku na bezpieczeństwo tak jak Niemcy 58,9 mld dolarów, liczonych według metodologii NATO, a zatem bez wydatków na wojskowe emerytury, musi mieć znaczące możliwości w zakresie obronności.

„Na papierze" liczebność niemieckich sił lądowych według brytyjskiego think tanku IISS, który każdego roku wydaje „The Military Balance", opisujący stan sił zbrojnych każdego państwa świata, jest niewiele większa niż polskich[21]. Niemcy mają 62 150 żołnierzy i oficerów, my 58 500. W wypadku lotnictwa siły niemieckie to 16,6 tys., nasze 14,3 tys. Mają sporo liczniejszą marynarkę wojenną, my za to zdecydowanie silniejszy

---

[21] IISS, „The Military Balance 2021", s. 106–109.

komponent wojsk specjalnych. Jeśli „papierowe" stany niemieckich sił zbrojnych niewiele odbiegają od naszej armii, to może górują wyposażeniem w sprzęt, wyszkoleniem, stopniem gotowości? Chcąc uzyskać odpowiedź na to pytanie, odwołajmy się do opublikowanego właśnie przez Heritage Fundation raportu „Index of Military Strenght"[22], którego częścią jest analiza środowiska operacyjnego, w tym możliwości głównych amerykańskich sojuszników w świecie. Nieco uwagi w tym opracowaniu poświęcono też potencjałowi militarnemu Niemiec. Oddajmy zatem głos amerykańskim analitykom.

Otóż w ich opinii „niemieckie siły zbrojne pozostają niedofinansowane i są źle wyposażone". Autorzy opracowania powołują się przy okazji na cytowaną przez dziennik „Financial Times" wypowiedź anonimowego niemieckiego dyplomaty, który to dyplomata miał powiedzieć, że „Niemcy powinny podwoić swój budżet obronny do poziomu 3,0 – 3,5% PKB, w przeciwnym razie ryzykują, że będą kompletnie głuche, ślepe i bezbronne". W ich opinii niemieckie siły zbrojne, które podejmują się nowych obowiązków ekspedycyjnych, są bowiem obecne nie tylko na Litwie, w Albanii czy w Kosowie, nadal pozostają na niskim poziomie gotowości bojowej, który dziś wynosi 74%. Międzynarodowa obecność niemieckich sił zbrojnych, tak było zarówno w wypadku misji w Mali, jak i ma miejsce w związku na przykład z patrolowaniem przestrzeni powietrznej państw bałtyckich, jest możliwa zdaniem amerykańskich analityków tylko dlatego, że „ogołacane", po to aby być w stanie realizować misje, ze sprawnego sprzętu są niemieckie siły operacyjne, co negatywnie odbija się na ich sprawności i szkoleniu. Skalę problemów ujawnił też ostatni, z tego roku, raport Bundestagu[23], w którym stwier-

---

[22] Heritage Foundation, „2022 Index of U.S. Military Strength, Assessing the Global Operating Environment Europe, Middle East, Asia", https://www.heritage.org/military/assessing-the-global-operating-environment (12.12.2021).

[23] „German Bundestag Printed paper" 19/26600, 23 February 2021, „Information from the Parliamentary Commissioner for the Armed Forces", Annual Report 2020 (62nd Report).

dzono m.in., iż jedynie 13 czołgów Leopard 2 (zamiast 35 niezbędnych do szkolenia) było sprawnych. Nie rozwiązano również problemów kadrowych.

Braki dotyczą zresztą nie tylko sił lądowych. Jak zauważają
eksperci Heritage Foundation, „prawie połowa pilotów Luftwaffe
nie jest w stanie sprostać wymogom szkoleniowym NATO, ponieważ brak dostępnych samolotów spowodował niemożność
wypełnienia kryteriów w zakresie liczby godzin w powietrzu".
Nie ma zresztą pilotów, bo tylko 106 z 220 etatów dla pilotów
myśliwców bojowych jest obsadzonych, w wypadku śmigłowców ten wskaźnik wygląda podobnie – służy 44 pilotów, a potrzebnych jest 84. Sytuacja w niemieckiej marynarce wojennej nie jest lepsza, nie tylko ze względu na braki kadrowe, ale
również na fakt wycofywania jednostek ze służby. Zresztą, jak
ujawniono w marcu 2021 roku, ponad 100 niemieckich jednostek, w tym okręty podwodne, posługuje się rosyjskimi systemami nawigacyjnymi, które nie spełniają NATO-wskich standardów. Jak napisano, istnieje możliwość ich „zhakowania", co
może pozbawić znakomitą część niemieckiej marynarki wojennej „zdolności operacyjnych".

Niemcy chcą rozbudować liczebność swoich sił zbrojnych,
głównie komponentu rezerwowego, ale jak oceniają eksperci
Heritage Fundation, plany te, choć należy uznać je za celowe, są
realizowane z trudnością. W 2020 roku liczba ochotników, którzy
zadeklarowali chęć udziału w szkoleniu, spadła o 19% i nadal
w niemieckich siłach zbrojnych jest 20,2 tys. wakatów. Średni
wiek żołnierza wzrósł o trzy lata od roku 2012 i dziś jest to 33,4.

W marcu 2021 Bundestag zaakceptował udział Niemiec we
wspólnym europejskim programie budowy dronów (uczestniczą
w nim również Francja, Włochy i Hiszpania), ale zakazał zakupu uzbrojenia, a ich operatorzy nie będą mogli ćwiczyć posłu-
giwania się dronami w charakterze „broni taktycznej", co powoduje, że i w tym obszarze niemieckie siły zbrojne pozostaną
najprawdopodobniej w tyle.

We wrześniu 2021 roku specjalny raport poświęcony możliwościom niemieckich sił zbrojnych opublikował również szwedzki think tank wojskowy FOI[24]. Nie ma sensu powtarzać wszystkich ustaleń, bo w większej części pokrywają się one z tym, co napisali amerykańscy eksperci. Warto jednak zwrócić uwagę, że zdaniem autorów opracowania Niemcy w razie wojny byliby w stanie wystawić w terminie do tygodnia od umownej „godziny W" jedynie trzy do czterech batalionów zmechanizowanych, i to jeszcze w miejscach ich stałej dyslokacji, oraz dodatkowo dwa, może trzy lżej uzbrojone bataliony lekkiej piechoty, która może być przerzucona w rejon działań drogą lotniczą. Nie jest to imponujący potencjał, z pewnością nie taki, który wystraszyłby Moskwę i skłonił rosyjskie elity do rezygnacji z ewentualnych agresywnych posunięć. Ambicją niemieckiego resortu obrony jest to, aby w umownym 2031 roku mieć możliwość „rzucenia do boju" trzech pełnych dywizji sił lądowych w terminie do trzech miesięcy od dnia rozpoczęcia wojny.

Z naszej perspektywy komunikat jest jasny. Nawet jeśli Berlin zrealizuje swe plany i wreszcie wywiąże się z przyjętych w 2014 roku zobowiązań, to niemiecka „odsiecz" może przyjść dopiero w trzy miesiące od rozpoczęcia wojny na wschodniej flance. Oczywiście o ile te „ambitne" zamierzenia nie zostaną przez nową koalicję zablokowane i jeśli w Berlinie zapadnie decyzja, aby walczyć z Rosją.

Europejska współpraca wojskowa

Co się zmieni, jeśli wszystkie plany modernizacji europejskich sił zbrojnych zostaną zrealizowane? Wzrosną możliwości samodzielnego działania państw naszego kontynentu, ale w opinii ekspertów CSIS głównie w zakresie realizowania misji stabilizacyjnych, antyterrorystycznych, o niewielkiej intensywności działań. Takich, które nie wymagają ani zaangażowania

---

[24] https://www.foi.se/report-summary?reportNo=FOI%20Memo%207593 (12.12.2021)

Z polskiej perspektywy komunikat jest jasny

– Nawet jeśli Berlin zrealizuje swe plany i wreszcie wywiąże się z przyjętych w 2014 roku zobowiązań, to niemiecka „odsiecz" może przyjść dopiero w trzy miesiące od rozpoczęcia wojny na wschodniej flance.

– Oczywiście o ile te „ambitne" zamierzenia nie zostaną przez nową koalicję rządową w Berlinie zablokowane.

– Ponadto w Berlinie musiałaby zapaść decyzja, aby walczyć z Rosją.

znacznych sił, ani szybkiego ich wejścia do akcji. Wzrosną też możliwości projekcji siły, ale raczej na peryferiach Europy, w Afryce Północnej i na Bliskim Wschodzie, nie zaś w rejonie Indopacyfiku. Poważniejszych operacji, w tym wojny regionalnej na wschodniej flance, Europa nie będzie w stanie prowadzić, nie mówiąc już o rozstrzygnięciu jej na swoją korzyść, bez znaczącego zaangażowania się Stanów Zjednoczonych. Poświęćmy nieco uwagi tej, kluczowej z naszej perspektywy, kwestii. „Państwa europejskie staną przed problemem, chcąc stawić czoło poważnym wyzwaniom – piszą eksperci CSIS – zwłaszcza w zakresie prowadzenia misji bojowych na dużą skalę, szczególnie w takich obszarach jak ciężkie pancerne siły manewrowe, czy zdolność do operacji na morzu, czy w zakresie wsparcia, w obszarach takich jak logistyka i wsparcie ogniowe". I dalej: „Jest również mało prawdopodobne, aby europejskie siły zbrojne były w stanie działać na dużą skalę w scenariuszach konfliktu o wysokim stopniu intensywności przeciwko krajom takim jak Rosja i Chiny bez znaczącej pomocy USA". To oznacza, że w razie wojny o państwa bałtyckie europejscy członkowie NATO „nie mają zdolności prowadzenia z powodzeniem misji w warunkach intensywnego konfliktu"[25]. Prawdopodobne jest to, co przewidywały niektóre scenariusze gier wojennych, że wojska rosyjskie w ciągu tygodnia są w stanie okrążyć Warszawę, oczywiście o ile nie przyjdą nam z pomocą Amerykanie.

Na wsparcie innych państw NATO, naszych europejskich sojuszników, nie bardzo można w realiach takiego konfliktu liczyć, bo ich siły lądowe, jak piszą analitycy, „kurczą się", a plany modernizacyjne, w tym wzrost budżetów wojskowych, nie oznaczają pozyskania nowych zdolności niezbędnych, aby wygrać wojnę konwencjonalną z Rosją. Innymi słowy, każdy, kto myślał, że już odnotowywany wzrost budżetów obronnych w europejskich państwach NATO zwiększy bezpieczeństwo wschodniej flanki,

---

[25] CSIS, op. cit.

ten się mylił i to poważnie. Nasi zachodni sojusznicy, zwiększając wydatki na obronność, raczej nie przygotowują się do wojny z Rosją, obrony Europy Środkowej i państw bałtyckich.

Realizacja planów europejskiej współpracy wojskowej w ramach programów PESCO, choć często wyraźnie są one formułowane na wyrost, również nie doprowadzi do znaczącego wzrostu interoperacyjności sił zbrojnych państw należących do Unii Europejskiej. Powód jest prosty. Plany te są realizowane niezmiernie opieszale, co ujawnia prawdziwe nastawienie państw członkowskich. Portal politico.eu w lipcu 2021 roku ujawnił treść specjalnego raportu na temat stopnia zaawansowania sztandarowego unijnego projektu w zakresie obronności, jakim jest inicjatywa PESCO[26]. Właściwie można w tym wypadku mówić o kilkudziesięciu realizowanych pod tym wspólnym kryptonimem projektach, do których na zasadzie dobrowolności przyłączyły się państwa unijne. Ta zapoczątkowana w 2018 roku inicjatywa, skupiająca 25 państw członkowskich, to dziś 46 różnego rodzaju przedsięwzięć w zakresie obronności, których celem było zwiększenie samodzielności Europy w zakresie obronności.

Rozpoczęcie PESCO, którego wielkim zwolennikiem był poprzedni szef Komisji Europejskiej, miało również na celu, czego Jean-Claude Juncker nigdy nie skrywał, stanowić ważny krok na drodze do uzyskania przez Wspólnotę „suwerenności strategicznej", o której wiele się ostatnio dyskutuje. Jak zatem po trzech latach realizacji wyglądają programy PESCO? Powiedzieć, że źle, to właściwie nic nie powiedzieć. Ze specjalnego 115-stronicowego raportu, który został opracowany przez stały sekretariat inicjatywy, wynika, że większość zapowiadanych przedsięwzięć notuje spore opóźnienia. W wypadku 15 projektów, nad którymi pracują państwa członkowskie, można

---

[26] Jacopo Barigazzi, „EU military projects face delays, leaked document shows. More than three years after launch of new pact, most programs have yet to bear fruit", https://www.politico.eu/article/leaked-document-shows-delays-in-eu-military-pact/ (12.12.2021).

mówić o poślizgach w porównaniu z pierwotnym harmonogramem. Jeśli chodzi o kolejne 14, termin ich realizacji „został przesunięty", a następne osiem ma przynosić rezultaty później, niźli zaplanowano. Jak relacjonują dziennikarze, nie ma za to nawet jednego realizowanego w ramach PESCO projektu, który zostałby zakończony przed wyznaczonym terminem.

Jeden z przedstawicieli Komisji Europejskiej, pytany o przyczyny opóźnień, miał powiedzieć Politico, że „niektóre projekty były po prostu niedojrzałe" i generalnie „nadal znajdujemy się na wznoszącej się krzywej uczenia". Problemem nawet nie są pieniądze. Jak można przeczytać w ujawnionym raporcie, państwa członkowskie wyasygnowały środki niezbędne do uruchomienia 20 przedsięwzięć w ramach PESCO. Opóźnienia notują jednak projekty niewymagające wkładu finansowego, takie jak ten realizowany pod egidą Niemiec, dotyczący zarządzania kryzysowego, który sprowadza się do wymiany informacji między krajami członkowskimi, jakimi siłami będącymi „w gotowości" Unia Europejska może dysponować w sytuacji kryzysowej. Innym przykładem opóźnień, których powodem jest nie brak pieniędzy, ale brak zainteresowania ze strony państw członkowskich i przewlekłość biurokratycznych procedur, jest zaproponowany przez Paryż projekt, którego celem jest umożliwienie wspólnego wykorzystywania baz wojskowych przez oddziały z różnych krajów, co wręcz może prowadzić do oszczędności. W raporcie można też znaleźć oceny na temat niewielkiego zainteresowania państw członkowskich projektami, w których zadeklarowały uczestnictwo, co prowadzi do powstania opóźnień. Są też oczywiście wyjątki, takie jak pilotowany przez Litwę program w zakresie cyberbezpieczeństwa, który wszedł już w fazę realizacji. Oficjalnie przedstawiciele Komisji Europejskiej są zadowoleni, jak informuje Politico, z zaawansowania przedsięwzięć realizowanych w ramach PESCO, ale ten urzędowy optymizm nie przykryje faktu niewielkiego ich zaawansowania i występowania istotnych opóźnień.

Europejska współpraca wojskowa

Co zmieni się, jeśli wszystkie plany modernizacji europejskich sił zbrojnych zostaną zrealizowane?

Wzrosną możliwości samodzielnego działania państw naszego kontynentu, ale w zakresie realizowania misji stabilizacyjnych, antyterrorystycznych, o niewielkiej intensywności działań, które nie wymagają ani zaangażowania znacznych sił, ani szybkiego wejścia ich do akcji.

Wzrosną też możliwości projekcji siły, ale raczej na peryferiach Europy, w Afryce Północnej i na Bliskim Wschodzie niż w rejonie Indopacyfiku.

Poważniejszych operacji, w tym wojny regionalnej na wschodniej flance, Europa nie będzie w stanie prowadzić, nie mówiąc już o rozstrzygnięciu jej na swoją korzyść bez znaczącego zaangażowania się Stanów Zjednoczonych.

Europejska współpraca wojskowa

Co zmieni się, jeśli wszystkie plany modernizacji europejskich sił zbrojnych zostaną zrealizowane?

- Wzrosną możliwości samodzielnego działania państw naszego kontynentu, ale w zakresie realizowania misji stabilizacyjnych, antyterrorystycznych, o niewielkiej intensywności działań, które nie wymagają ani zaangażowania znacznych sił, ani szybkiego wejścia ich do akcji.
- Wzrosną też możliwości projekcji siły, ale raczej na peryferiach Europy, w Afryce Północnej i na Bliskim Wschodzie niż w rejonie Indopacyfiku.
- Poważniejszych operacji, w tym wojny regionalnej na wschodniej flance, Europa nie będzie w stanie prowadzić, nie mówiąc już o rozstrzygnięciu jej na swoją korzyść, bez znaczącego zaangażowania się Stanów Zjednoczonych.

Administracja Joe Bidena ocenia stan przygotowania wojskowego państw europejskich

Na dwa tygodnie przed tegorocznym brukselskim szczytem NATO, w którym uczestniczył prezydent Joe Biden, waszyngtoński think tank Center for American Progress opublikował raport[27] poświęcony kwestii europejskich zdolności w zakresie obrony i amerykańskiej polityce wobec zjawiska, które szerszej publiczności znane jest pod nazwą „suwerenności strategicznej" Unii Europejskiej. Ten ważny i ciekawy materiał jest istotny nie tylko z tego powodu, że Center for American Progress uznawany jest za jeden z ośrodków będących zapleczem kadrowym i koncepcyjnym nowej administracji. Lektura tego opracowania daje pewien wgląd w to, o czym myślą liberalne elity Stanów Zjednoczonych. Formułowane diagnozy i proponowane kierunki polityki pozwalają zrozumieć, jak elity amerykańskie i obecna

---

[27] Max Bergmann, James Lamond, Siena Cicarelli, „The Case for EU Defence", https://www. americanprogress.org/article/case-eu-defense/ (12.12.2021).

administracja postrzegają ewolucję porządku światowego, układu sił oraz, co chyba najważniejsze, możliwości Ameryki w nowych realiach. A są to, z naszego punktu widzenia, istotne i pouczające informacje.

Główną tezą materiału napisanego przez Maxa Bergmanna, w przeszłości pracownika Departamentu Stanu i sekretarza Johna Kerry'ego, oraz Jamesa Lamonda i Sienę Cicarelli jest akcentowanie konieczności zmiany polityki Stanów Zjednoczonych wobec propozycji zbudowania przez Unię Europejską swych sił wojskowych. W przeszłości polityka Waszyngtonu w tej kwestii kształtowana była w oparciu o głęboko zakorzenione wśród amerykańskich elit przekonanie, że ewentualne uzyskanie przez Unię Europejską możliwości w zakresie wojskowym jest dla amerykańskich interesów co najmniej z kilku powodów niekorzystne. Po pierwsze, idea budowy europejskich sił zbrojnych musi, jak uważano, doprowadzić do dublowania kompetencji i zdolności z NATO, co oznacza nie tylko marnowanie pieniędzy, ale również osłabianie Sojuszu Północnoatlantyckiego, który był uznawany za podstawowe narzędzie utrzymania wpływów Stanów Zjednoczonych w Europie. Ponadto amerykańscy eksperci byli zdania, że biurokratyczna kultura organizacyjna Unii Europejskiej doprowadzi do stworzenia sił zbrojnych, które będą funkcjonować w podobny sposób, a w związku z tym będą dalekie od elastyczności i sprawności, jakimi cechować się musi nowoczesna armia. Wreszcie, co było szczególnie silnie akcentowane za czasów administracji Donalda Trumpa, powstanie jednego ośrodka budującego europejską armię wymusi adaptację w znajdujących się na naszym kontynencie firmach sektora zbrojeniowego, co w efekcie musi w związku z polityką wspierania rodzimego potencjału oznaczać powstanie barier dla firm amerykańskich.

W planie politycznym zaś formułowano obawy, iż bardziej samodzielna w kwestiach polityki zagranicznej Unia Europejska, mająca podstawowe narzędzie uprawiania polityki, jakim jest armia, wcale nie musi być podmiotem bliskim Ameryce, mało tego, drogi Waszyngtonu i Brukseli mogą zacząć się rozchodzić. Wychodząc z takich założeń, amerykańska dyplomacja od czasów administracji Billa Clintona, niezależnie od tego, czy w Waszyngtonie rządzili demokraci czy republikanie, koncentrowała się na torpedowaniu wysiłków w zakresie powołania europejskich sił zbrojnych, wykorzystując w tym celu poparcie państw ze wschodniej części Europy, znacznie bardziej proamerykańskich niźli Zachód i bardziej liczących w związku z rosyjskim zagrożeniem na amerykańskie wsparcie militarne.

Jednak teraz sytuacja na tyle się zmieniła, również jeśli chodzi o podstawowe zagrożenia w wymiarze międzynarodowym, że obecnie Stany Zjednoczone powinny zrewidować tę linię i uznać, że budowa przez Unię Europejską wspólnej armii leży w ich interesie narodowym. Co więcej, jej powstanie byłoby z punktu widzenia Ameryki zjawiskiem korzystnym i pożądanym.

Co doprowadziło autorów raportu do tych rewolucyjnych z punktu widzenia linii politycznej Waszyngtonu konkluzji? Po pierwsze, z wojskowego punktu widzenia Europa jest, jak piszą bez ogródek, „w szokującym stanie". Najlepiej to widać na przykładzie tego, co autorzy nazywają „nowym problemem Niemiec". W przeszłości, po II wojnie światowej, Stanom Zjednoczonym chodziło o to, aby Niemcy nie stały się zbyt silne i z powrotem militarystyczne, ale teraz mamy do czynienia z problemem, który polega na tym, że największe i nadające ton Europie państwo jest zbyt słabe i nie przejawia chęci, aby ten stan rzeczy zmienić. Chodzi nie tylko o to, że według ostatnich danych tylko osiem z 53 niemieckich śmigłowców bojowych Tiger jest zdolnych do służby, a w wypadku śmigłowców transportowych możemy mówić, że sprawnych jest 12 na 99. Mamy do czynienia z problemem znacznie głębszym.

Słabość niemieckich sił zbrojnych jest bowiem pochodną innego, znacznie bardziej niepokojącego zjawiska. Autorzy opracowania mają na myśli panujący w niemieckim społeczeństwie konsens, w myśl którego rozbudowa sił zbrojnych i uzyskanie nowych zdolności w zakresie wojskowości nie jest na czele listy preferowanych celów społecznych. Wyborcy nie chcą większych, nowocześniejszych i mających większe pole odpowiedzialności sił zbrojnych, a to powoduje, że niemieckie partie polityczne nie zdobędą się w dającej się przewidzieć przyszłości na spełnienie obietnic w zakresie podniesienia budżetu wojskowego do 2% PKB, tak jak to uzgodniono na szczycie NATO w Walii. Nie zdobędą się nawet mimo niewielkiego długu publicznego i nadwyżki budżetowej, jaką Niemcy miały w ostatnich latach. Niemcy traktowane są przez wiele europejskich państw w kategoriach *trendsettera*, co oznacza, że przełamanie oporów w zakresie wydatków na wojsko mniejszych państw, przede wszystkim europejskiego Południa, nie będzie możliwe, jeśli pierwszego ruchu nie wykona Berlin. A to znaczy, że bez zmiany tych trendów Europa nie wzmocni swoich możliwości wojskowych, czego dziś bardzo potrzebują Stany Zjednoczone, i nie stanie się „silniejszym partnerem geopolitycznym w mniejszym stopniu zdanym na amerykańską pomoc wojskową".

„Na papierze" Europa wydaje na obronność dużo, bo 200 mld dolarów, ale niewiele w zamian uzyskuje, bo, jak piszą autorzy raportu, jej siły zbrojne charakteryzują się „szokująco niewielką gotowością bojową". Armie państw europejskich w ogóle nie dysponują podstawowymi na współczesnym polu walki zdolnościami i w wielu obszarach zdane są w 100% na wsparcie amerykańskie. Chodzi o tak kluczowe zdolności, jak możliwość tankowania samolotów bojowych w powietrzu oraz o wszystko to, co związane jest z systemami zwiadu, rekonesansu, łączności i dowodzenia. Na dodatek w ostatnich dekadach państwa europejskie znacząco się rozbroiły. O ile w roku 1995 dysponowały 141 okrętami podwodnymi, to teraz mają ich 78. Z liczby 11 tys. wozów pancernych zostało 7,5 tys. Większość posiadanego przez państwa europejskie sprzętu jest dziś przestarzała, brakuje części zamiennych, nie ma amunicji, nie mówiąc już o wyszkolonym personelu. Na dodatek dubluje się w Europie podstawowe systemy broni i uzbrojenia, co powoduje, że problemy logistyczne na wypadek konfliktu urastają do poważnych rozmiarów. Siły zbrojne Stanów Zjednoczonych mają obecnie 30 podstawowych platform bojowych, w Europie jest ich 178. Na to nakładają się trudności, a właściwie brak koordynacji polityki w zakresie wojskowości w państwach Unii, co oznacza, że niektóre wydatki są dublowane, często zresztą nakłady mają na celu pozyskanie przychylności wyborców, a nie poprawę złego stanu rzeczy. W wielokrotnie przywoływanym w dyskusjach na temat europejskiego potencjału wojskowego raporcie firmy audytorskiej McKinsey & Company, na który powołują się również autorzy tego materiału, formułuje się tezę, że Europa mogłaby zaoszczędzić 15 mld dolarów rocznie, gdyby tylko wyeliminowała dublowanie wydatków w sektorze wojskowym.

Dziś ta sytuacja staje się również niebezpieczna z punktu widzenia Stanów Zjednoczonych, które zaczynają mieć inne interesy i priorytety geostrategiczne, a słabość Europy zaczyna być postrzegana w Waszyngtonie jako czynnik blokujący możliwość przesunięcia części amerykańskiego potencjału militarnego w inne, istotniejsze regiony.

Co zatem zrobić? Autorzy raportu Center for American Progress są zdania, że jedynym rozwiązaniem jest powrót do idei armii europejskiej tworzonej przez Brukselę. Opowiadają się za ambitną polityką w tym zakresie, nawiązującą do porozumienia, nigdy zresztą niezrealizowanego, Blair–Chirac, które mówiło o utworzeniu 60-tysięcznej armii europejskiej. Ich zdaniem, a powołują się na badania opinii publicznej w państwach Wspólnoty, wyborcy proeuropejscy, a taka jest większość, wzrost wydatków na siły zbrojne państw narodowych postrzegają w kategoriach obiektywnego czynnika osłabiającego integrację i dlatego są przeciw, co zmieniłoby się, gdyby powstanie jednej europejskiej armii było elementem pogłębienia integracji. Chodzi w gruncie rzeczy o stworzenie, co otwarcie proponują, jednego państwa europejskiego, którego władze w Brukseli musiałyby dysponować siłami wojskowymi, aby bronić europejskiej tożsamości. Co więcej, jeśli Unia uzyska samodzielny potencjał wojskowy, a najlepiej byłoby, gdyby to była armia unijna, bez narodowych oznaczeń, dowodzona i finansowana przez całą Wspólnotę, w której narodowe identyfikacje nie byłyby uwzględniane, a nawet realizowana byłaby polityka celowego mieszania rekrutów z różnych części kontynentu, to wówczas będzie zmuszona zbudować narzędzia poważnej samodzielnej polityki zagranicznej, dlatego że dysponowanie siłą wojskową i możliwościami jej projekcji to fundamenty samodzielności i dojrzałości w polityce zagranicznej.

Z punktu widzenia amerykańskich interesów, tak jak je rozumieją i definiują eksperci Center for American Progress, znacznie większym zagrożeniem jest Unia Europejska niechcąca wydawać więcej na swoje bezpieczeństwo niźli taka, która staje się jednym państwem. Ten drugi scenariusz jest w gruncie rzeczy pozytywny, bo jego realizacja zakłada, że Unia będzie zmuszona w większym niźli dzisiaj stopniu troszczyć się o siebie. Chodzi w tym wypadku nie tylko o ideowe czy ideologiczne nastawienie analityków z tego amerykańskiego liberalnego think tanku, choć i ono jest widoczne jak na dłoni, ale o ocenę potrzeb i możliwości Ameryki. Stara strategia przymuszenia Europy do zwiększenia wydatków na obronność się nie sprawdziła, teraz trzeba spróbować innego podejścia. Nie zmienia się jednak, niezależnie od retoryki, to, że Stany Zjednoczone obronę Europy zaczynają w coraz większym stopniu postrzegać w kategoriach ciężaru, który, aby mogły być aktywniejsze gdzie indziej, powinny możliwie szybko zrzucić z własnych ramion. Chodzi oczywiście też o to, aby zbudować pozytywny, reformatorski kontekst zwrotu politycznego, którego dokonanie proponują eksperci z Center for American Progress. Jednak jego istota jest w gruncie rzeczy jasna. Europa będzie musiała w większym stopniu liczyć na siebie. A tradycyjnie proamerykańskie państwa naszego

Amerykański punkt widzenia

Z punktu widzenia amerykańskich interesów większym zagrożeniem staje się Unia Europejska niechcąca więcej wydawać na swoje bezpieczeństwo niż taka, która staje się jednym państwem.

Stara strategia przymuszenia Europy do zwiększenia wydatków na obronność nie sprawdziła się, teraz trzeba spróbować innego podejścia.

Jednak jego istota jest w gruncie rzeczy jasna. Europa będzie musiała w większym stopniu liczyć na siebie.

Tradycyjnie proamerykańskie państwa naszego regionu, z Europy Środkowej, nie mają dużego znaczenia?

Nas jedynie trzeba poinformować o zmianie amerykańskich preferencji, zwracając przy tym uwagę, że „hydra nacjonalizmu" wręcz pod znakiem zapytania stawia potrzebę obrony przez postępowy Zachód tego peryferyjnego obszaru.

regionu, z Europy Środkowej? Nas jedynie trzeba poinformować o zmianie amerykańskich preferencji, zwracając przy tym uwagę, że „hydra nacjonalizmu" stawia wręcz pod znakiem zapytania potrzebę obrony przez postępowy Zachód tego peryferyjnego obszaru.

Czy Stany Zjednoczone są przygotowane, aby bronić Europy?

Słabość wojskowa państw europejskich, ich wieloletnie zaniedbania, zwłaszcza jeśli chodzi o potencjał wojsk lądowych, uzasadniają, szczególnie w kontekście pytania o skuteczność polityki odstraszania, postawienie kluczowej kwestii, a mianowicie: czy Stany Zjednoczone są przygotowane do wojny na wschodniej flance NATO, z przeciwnikiem o porównywalnych zdolnościach, operującym w bezpośredniej bliskości swego terytorium i bazy zaopatrzeniowej? Amerykańscy specjaliści nie mają co do tego pewności, warto odnotować w związku z tym ich głos. Bruce Held i Brad Martin, eksperci renomowanego think tanku RAND, opublikowali na specjalistycznym portalu „War on the Rocks" artykuł[28], będący podsumowaniem ich studiów oraz analiz, w którym postawili kluczowe z naszej perspektywy pytania.

Amerykańscy eksperci zaczynają od mocnego akcentu, pisząc, że „Stany Zjednoczone są nieprzygotowane na obecne wyzwania strategiczne. Od zakończenia zimnej wojny żaden naród nie mógł poważnie zagrozić integralności terytorialnej lub politycznym interesom Ameryki i jej sojuszników. Ale to się zmieniło i amerykańscy decydenci uważają obecnie, że Stany Zjednoczone są zaangażowane w strategiczną rywalizację z Chińską Republiką Ludową, która rozwija swoją armię, aby rywalizować ze Stanami Zjednoczonymi o dominację na zachodnim Pacyfiku i poza nim.

---

[28] Bruce Held, Brad Martin, „An American Force Structure for the 21st Century", 08.07.2021, https://warontherocks.com/2021/07/an-american-force-structure-for-the-21st-century/ (14.12.2021).

Ponadto Rosja zrewitalizowała i zmodernizowała swoje siły zbrojne na tyle, aby stanowić zagrożenie na wschodniej flance NATO, a także wykazała chęć odebrania terytoriów sąsiednim narodom".

Held i Martin są zdania, iż w czasie amerykańskiej dominacji na świecie naruszona została strategicznie kluczowa relacja, jeśli chodzi o strukturę i wyposażenie sił zbrojnych, między siłami pierwszego rzutu a całym zapleczem. Nadmiernie rozbudowano potencjał interwencyjny, wojska biorące udział w walce, a zapomniano, że trzeba je w region konfliktu dowieźć, podobnie jak niezbędne zaopatrzenie.

Pentagon, nie mając po rozpadzie ZSRS poważniejszego rywala, mógł spokojnie, przez nikogo nie niepokojony przygotowywać miesiącami operacje wojskowe wymierzone w słabszych przeciwników niebędących w stanie zagrozić amerykańskim liniom komunikacyjnym, kluczowym dla rytmicznych dostaw sprzętu, amunicji i paliwa. Tak było w wypadku obydwu wojen z Irakiem czy w Afganistanie, ale tak nie będzie, jeśli amerykańskim siłom zbrojnym przyjdzie się zmagać z przeciwnikiem o podobnym potencjale, mającym jeszcze tę przewagę, że jego centra zaopatrzenia leżą znacznie bliżej niźli amerykańskiej armii, a tak jest przecież w wypadku Chin i Rosji.

Te trzy dziesięciolecia „komfortu" z wojskowego punktu widzenia doprowadziły w opinii Helda i Martina do sytuacji, że dziś Pentagon ma zbyt dużo sił ekspedycyjnych, wojsk pierwszego rzutu, a jednocześnie dysponuje zbyt małym potencjałem w kluczowym obszarze, jakim jest możliwość dowiezienia tych sił w rejon potencjalnego konfliktu zbrojnego, nie mówiąc już o uzupełnieniu i niezbędnym zaopatrzeniu. Jak piszą, „zarządzanie tą nową rzeczywistością strategiczną będzie wymagało od amerykańskich przywódców ponownego przemyślenia podejścia do obrony, nie tylko pod kątem nowych zdolności bojowych — w takich domenach jak przestrzeń kosmiczna i cyberprzestrzeń — ale także pod względem równowagi między siłami walczącymi i wspierającymi. Wojsko USA nie ma dziś wystarczających zdolności logistycznych, aby szybko dotrzeć w rejon konfliktu i podtrzymać walkę z przeciwnikiem równorzędnym. Jednak skala nierównowagi oraz fakt, że budżet obronny USA prawdopodobnie nie wzrośnie wystarczająco, aby zaradzić tej nierównowadze, przy jednoczesnym finansowaniu obecnych zdolności bojowych wymagają rozpoznania bardzo trudnej prawdy. Umożliwienie Stanom Zjednoczonym zwycięstwa w walce z przeciwnikiem równorzędnym, oddalonym o oceany – w potencjalnie przedłużającym się konflikcie – wymaga przesunięcia dużej części obecnego budżetu obronnego ze zdolności bojowych na rzecz budowy środków umożliwiających dyslokację wojsk i ich zaopatrzenie".

Amerykańscy eksperci powołują się na doświadczenia z I oraz II wojny światowej, kiedy to Stany Zjednoczone, podjąwszy już decyzję polityczną o uczestnictwie w tych wojnach, potrzebowały ponad roku, aby zbudować swe zdolności do zaangażowania się w konflikty toczone za oceanem.

Dało to przeciwnikom rok na wzmocnienie swych możliwości, co oznaczało znaczny wzrost ceny, jaką trzeba było zapłacić za zwycięstwo. W czasie II wojny światowej ta budowa zdolności do przerzucenia wojsk za ocean oznaczała skoncentrowanie uwagi Waszyngtonu na budowie wielkiej floty transportowej. Zbudowano wówczas, jak argumentują Held i Martin, sześciokrotnie więcej statków transportowych niźli okrętów wojennych. Podobnie było, jeśli chodzi o ciężarówki o ładowności powyżej półtorej tony, ich również zbudowano sześć razy więcej niż pojazdów wojskowych różnego typu używanych w walce. A jak to jest obecnie?

Jak wyliczają, Military Sealift Command dysponuje 60 statkami transportowymi i tankowcami, z których większość już obsługuje obecne siły, co oznacza, że nie zrobią wiele więcej. Ponadto w rezerwie znajduje się 40 statków transportowych, które jednak są już coraz starsze i niedługo trzeba będzie je wymienić na nowsze modele. W czasie ostatniej próby sprawdzenia gotowości do służby tej floty rezerwowej okazało się, że rzeczywista jej gotowość jest mniejsza niźli 50%. Dodatkowo, w ramach tzw. Maritime Security Program, zawarto umowy z armatorami 60 statków handlowych, które w razie potrzeby mają obowiązek wykonać usługowe rejsy na potrzeby amerykańskich sił zbrojnych. Ale, jak piszą Held i Martin, statki te są cały czas komercyjnie wykorzystywane, co oznacza, że znajdują się w różnych zakątkach świata i ich ściągnięcie zająć może długie tygodnie, jeśli nie miesiące; abstrahujemy tutaj od chęci ich cywilnych załóg do wykonywania trudnych i niebezpiecznych misji wojskowych.

Na dodatek amerykańska marynarka wojenna, jak argumentują, ma niewystarczającą liczbę mniejszych okrętów, w tym desantowych, które zwłaszcza na zachodnim Pacyfiku mogą w razie konfliktu zbrojnego odegrać kluczową rolę, jeśli chodzi o możliwość dowiezienia wojska i jego zaopatrzenie. W wypadku konfliktu w Europie zasadniczą rolę odegrają możliwości dowiezienia ludzi, sprzętu i zaopatrzenia w rejon walk, o setki kilometrów oddalony od portów, do których mają docierać amerykańskie siły interwencyjne. Jeśli chodzi o liczbę specjalistycznych ciężarówek, to armia amerykańska jest lepiej zaopatrzona, niźli to jest w wypadku niewielkich jednostek desantowych, niemniej jednak „większość z nich znajduje się – jak dowodzą – w Stanach Zjednoczonych, w magazynach rezerwowych. Zmobilizowanie i rozmieszczenie tych zasobów zajmie miesiące".

Bez zbudowania zdolności transportowych nie będzie możliwe nie tylko przerzucenie z Ameryki niezbędnej ilości wojska i sprzętu, ale wręcz toczenie nowoczesnej wojny, która, jak argumentują, „pochłonie ogromne ilości amunicji, paliwa, części zamiennych i innej klasy zaopatrzenia. Bez ciągłego ich uzupełniania operacje szybko staną się niemożliwe, a przeżywalność rozmieszczonych sił stanie się problemem".

Na dodatek planiści w Pentagonie, których doświadczenie nie obejmuje wojen toczonych z równorzędnym przeciwnikiem, zdają się w opinii Helda i Martina nie do końca rozumieć skalę stojącego przed amerykańskimi siłami zbrojnymi wyzwania. Strategiczni przeciwnicy, jakimi są Chiny i Rosja, dysponują nie tylko sprawnymi i dobrze wyszkolonymi siłami zbrojnymi, ale również przewagą wynikającą z faktu, że ewentualną wojnę toczyć będą blisko własnego terytorium. Ich linie zaopatrzenia będą krótkie i dobrze chronione, czego nie można powiedzieć o państwach NATO w Europie czy sojusznikach Stanów Zjednoczonych w Azji.

Trochę przypomina to wypowiedź marszałka Mannerheima, który zapewniany w czasie wojny z Rosją przez Londyn i Paryż, że oba państwa przyjdą Finlandii z pomocą, miał zapytać wysłanników obydwu rządów, w jaki sposób zamierzają dostarczyć swe siły w rejon toczących się walk.

Opinia amerykańskich ekspertów ważna jest z oczywistych względów również, a może przede wszystkim w Polsce. Wynika z niej nie tylko to, jakim wyzwaniom, przede wszystkim w zakresie wewnętrznej modernizacji i zmiany myślenia o przyszłym konflikcie, podlegać będą w najbliższym czasie siły zbrojne Stanów Zjednoczonych. Skłania również do postawienia pytania, czy jeśli konflikt z Rosją wybuchnie, to chcąc przyjść nam z pomocą, w co nikt nie ma powodów wątpić, będą fizycznie w stanie tego dokonać? Jeśli nie mamy w tym zakresie 100% pewności, to należy zacząć myśleć, co powinniśmy zrobić, aby zwiększyć zdolności przerzutu amerykańskich wojsk do Europy i skrócić ich czas dotarcia na linię frontu. Od tego może bowiem zależeć to, jak długo będziemy czekać na odsiecz, innymi słowy: czy mamy szansę taki konflikt wygrać.

Czekając na odsiecz

• Przypomina to rozmowę marszałka Mannerheima, który zapewniany w czasie to-czonej wojny Finlandii ze Związkiem Sowieckim, miał zapytać wysłanników z Francji i Wielkiej

Czekając na odsiecz

Przypomina to rozmowę marszałka Mannerheima, który zapewniany w czasie toczonej wojny Finlandii ze Związkiem Sowieckim, miał zapytać wysłanników z Francji i Wielkiej Brytanii, w jaki sposób zamierzają dostarczyć swe siły w rejon toczących się walk.

Czy jeśli konflikt z Rosją wybuchnie, będą fizycznie w stanie tego dokonać?

Czy mamy 100 proc. pewności?

Co należy zrobić, aby zwiększyć zdolności przerzutu amerykańskich wojsk do Europy i skrócić ich czas dotarcia na linię frontu?

Od tego może bowiem zależeć to, jak długo będziemy czekać na odsiecz, innymi słowy, czy mamy szansę taki konflikt wygrać.

Brytanii, w jaki sposób zamierzają dostarczyć swe siły w rejon toczących się walk.

- Czy jeśli konflikt z Rosją wybuchnie, będą fizycznie w stanie tego dokonać?
- Czy mamy 100% pewności?
- Co należy zrobić, aby zwiększyć zdolności przerzutu amerykańskich wojsk do Europy i skrócić ich czas dotarcia na linię frontu?
- Od tego może bowiem zależeć to, jak długo będziemy czekać na odsiecz, innymi sło-wy, czy mamy szansę taki konflikt wygrać.

Sytuacja wojskowa na wschodniej flance NATO

Amerykański think tank RAND opublikował w czerwcu 2021 roku raport na temat wojskowych aspektów rywalizacji Stanów Zjednoczonych i państw NATO z Federacją Rosyjską, która, przypomnijmy, w przyjętej w 2018 roku nowej amerykańskiej strategii bezpieczeństwa określona została mianem rywala strategicznego (wraz z Chinami)[29]. Materiał ten, będący zresztą w pewnym sensie podsumowaniem wieloletnich analiz, symulacji i gier wojennych tego renomowanego ośrodka, jest o tyle istotny, że skupia się na ocenie sił państw NATO z jednej strony, a Rosji z drugiej. Amerykańscy eksperci nie przewidują rychłego wybuchu wojny, a nawet są zdania, że ewentualny konflikt zbrojny na większą skalę jest obecnie mało prawdopodobny, jednak kładą w tym wypadku nacisk raczej na sformułowanie „na większą skalę", a nie na samo prawdopodobieństwo starcia wojskowego. Doskonale też zdają sobie sprawę, że analiza potencjałów rywalizujących ze sobą bloków czy państw wpływa na podejmowane decyzje polityczne, warunkując to, jaka polityka jest realizowana.

---

[29] Clint Reach, Edward Geist, Abby Doll, Joe Cheravitch, „Competing with Russia Militarily Implications of Conventional and Nuclear Conflicts", https://www.rand.org/pubs/perspectives/PE330.html (14.12.2021).

Zacznijmy od wniosków, a potem zrekonstruujmy tok rozumowania zespołu z RAND. Po pierwsze, piszą oni otwarcie: „Jakkolwiek ogólna potęga militarna Stanów Zjednoczonych i sojuszników z NATO znacznie przewyższa Rosję, to jednak konflikt regionalny w pobliżu granic Rosji byłby ogromnym wyzwaniem i może skutkować porażką Zachodu". W opinii ekspertów RAND konflikt na niewielką skalę na peryferiach Federacji Rosyjskiej przyniósłby NATO porażkę, bo Federacja Rosyjska „ma lokalnie znacząco większy potencjał" niźli najdalej na wschód wysunięci członkowie Paktu Północnoatlantyckiego. Dalej piszą oni, że „obecne kierownictwo Federacji Rosyjskiej zdaje się nie mieć apetytu, aby wykorzystać tę lokalną przewagę, ale nie można wykluczyć, że w przyszłości to się nie zmieni". Mamy w tym wypadku do czynienia z czynnikiem kluczowym dla zrozumienia amerykańskiej, czy w ogóle poważnej, strategii państwowej. Jeśli chcemy zachować pokój, odpowiedzialnie myśleć o strategii odstraszania, to rachunek korzyści dla potencjalnego agresora musi wypadać tak źle, aby powstrzymał się on od ewentualnej napaści.

Jeśli zatem będziemy słabi, to ewentualne straty, z którymi napastnik musi się liczyć, będą mniejsze, a nasz opór będzie łatwiej przełamać. Wojna może wtedy okazać się krótsza i szybciej można będzie przejść od fazy konfliktu kinetycznego do fazy negocjacyjnej. Nasi sojusznicy mogą nie zdążyć przyjść nam z pomocą, a opinia publiczna państw nienarażonych na uderzenie Rosjan może dojść do wniosku, że nie ma sensu bronić przegranej sprawy, i może zacząć oponować przeciw wypełnieniu zobowiązań sojuszniczych. Dla analityków wojskowych rachunek sił i środków obydwu sił potencjalnego konfliktu jest jasny, a to oznacza, że każda ze stron wie, jakimi przewagami dysponuje i gdzie są jej i rywala „słabe punkty".

W innym opracowaniu[30] eksperci RAND zauważają, że rosyjskie reformy wojskowe ostatnich lat w połączeniu ze znacznymi

---

[30] Mark Cozad, „Strategic Warning on NATO's Eastern Flank. Pitfalls, Prospects, and Limits", https://www.rand.org/pubs/research_reports/RR2080.html (14.12.2021).

nakładami na modernizację własnych sił zbrojnych miały na celu znaczne skrócenie tego, co określa się mianem *warning time*. Ten „okres ostrzegawczy", jak należałoby dosłownie przetłumaczyć angielski termin, to kluczowy w rozumieniu rosyjskich strategów czas, kiedy przeciwnik decyduje, jakiego rodzaju działania podjąć w obliczu zagrożenia. Mamy w tym wypadku do czynienia z tzw. pętlą decyzyjną, z grubsza rzecz biorąc sprowadzającą się do obserwacji tego, co się dzieje, oceny sytuacji, podjęcia decyzji i reakcji. Zakłócenie każdej z faz tego działania przez dezinformację, uniemożliwienie prawidłowej oceny dostępnych danych czy opóźnienie podjęcia decyzji, na przykład w wyniku sprzeciwu opozycji i części mediów, powoduje, że reakcja zaatakowanego państwa na zagrożenie będzie opóźniona, a to już daje stronie agresywnej przewagę mogącą prowadzić do sukcesu w starciu.

Ta zmiana relacji sił ma oczywiste implikacje polityczne, bo skłania silniejszą stronę tego równania do uprawiania polityki z pozycji siły, co wyjaśniać może wzrost w ostatnim czasie rosyjskiej asertywności. W ramach porządku międzynarodowego, w którym przestrzegane są prawidła i umowy, w tym dotyczące poszanowania granic, ta skłonność do uprawiania polityki z pozycji siły nie jest aż tak widoczna, jednak sytuacja zmienia się w czasach (a w taką fazę historii wchodzimy), kiedy kruszy się poprzedni stan równowagi i państwa poszukują nowego. To polityka kultywowania słabości prowokuje agresywnego sąsiada do politycznego wyzyskania swoich przewag, zaostrzania języka i eskalacji żądań.

Warto zwrócić zatem uwagę na to, jak zdaniem ekspertów RAND w 2021 roku wygląda porównanie potencjałów wojskowych Federacji Rosyjskiej na wschodniej flance NATO z siłami NATO? Diagnozują sytuację, pisząc tak: „Jak pokazały wielokrotnie przeprowadzane przez RAND gry wojenne, Rosja może szybko pokonać któregokolwiek lub wszystkich swoich bałtyckich sąsiadów (Estonię, Łotwę i Litwę), którzy nie są wspierani przez sojuszników z NATO wystarczająco, aby powstrzymać skoordynowany atak na ich terytorium". Co więcej, zespół analityków RAND jest zdania, że Rosja, wykorzystując posiadany potencjał i słabości infrastruktury wojskowej państw NATO, może być w stanie „osłabić zdolność sił NATO do przeprowadzenia operacji kontrnatarcia". Warto przypomnieć w tym miejscu, że strategia Sojuszu na wypadek wojny z Federacją Rosyjską, jeśli oczywiście zawiedzie polityka odstraszania i Moskwa zdecyduje się na atak, opiera się na podstawowym założeniu. Pierwsza faza wojny będzie z dużym prawdopodobieństwem przegrana, Rosjanie osiągną swe cele operacyjne, kwestią otwartą jest tylko, jak szybko to się stanie, ale potem NATO przystąpi do kontrnatarcia i odzyska utracone obszary.

W tym ostatnim wypadku dyskusyjne do tej pory było jedynie to, ile czasu Pakt Północnoatlantycki będzie potrzebował na przeprowadzenie skutecznego kontruderzenia i wyparcie Rosjan. Teraz jednakże pojawia się nowy wątek. Analitycy RAND wyrażają wątpliwość, czy z wojskowego, nie politycznego, punktu widzenia do tego rodzaju kontrnatarcia NATO będzie w ogóle zdolne. To novum, które w naszych polskich dyskusjach o bezpieczeństwie regionalnym powinniśmy potraktować poważne i wziąć pod uwagę.

Rozumowanie ekspertów RAND można w gruncie rzeczy przedstawić w punktach.

1. Nie ma obecnie przesłanek, aby twierdzić, że rosyjskie kierownictwo przygotowuje się do wojny konwencjonalnej na dużą skalę ze Stanami Zjednoczonymi czy państwami NATO.
2. Rozmieszczenie, skład osobowy, potencjał wojskowy rosyjskich sił zbrojnych wskazują na to, że Moskwa chce mieć zdolności wywierania presji wobec państw położonych na jej peryferiach. Eksperci RAND sugerują po przeanalizowaniu potencjału rosyjskich okręgów wojskowych, że pierwszym obiektem takiego zainteresowania jest Ukraina.
3. Ta strategia Rosji może szybko ulec zmianie, bo Moskwa dysponuje możliwościami szybkiej mobilizacji, koncentracji

i przerzucania sił na terenach swego Zachodniego i Południowego Okręgu Wojskowego.

4. Scenariusz agresji Rosji na państwa bałtyckie musi być przedmiotem poważnych analiz nie dlatego, że prawdopodobieństwo wojny jest wysokie, ale z tego powodu, iż obrona tego obszaru z racji jego położenia geograficznego jest najtrudniejsza z punktu widzenia NATO i może stanowić wyzwanie, jeśli chodzi o „wypełnienie przez Stany Zjednoczone swoich zobowiązań sojuszniczych". Mamy w tym wypadku do czynienia z czymś w rodzaju stres-testu, który najlepiej ujawnia słabe punkty Sojuszu Północnoatlantyckiego.

5. Rosyjski potencjał wojskowy, demograficzny i przemysłowy skłania do wniosku, że zdolności Moskwy do prowadzenia i przesądzenia na swoją korzyść wojny na wielką skalę, która toczyłaby się w oddaleniu od obszaru Rosji, są ograniczone. W takim konflikcie Federacja Rosyjska nie wygrałaby, nie eskalując konfliktu do poziomu nuklearnego. Inaczej sytuacja wygląda w wypadku niewielkiego, jeśli chodzi o skalę i intensywność, konfliktu zbrojnego na obszarach peryferyjnych dla Rosji. Tu Moskwa ma przewagę, do takiej wojny się przygotowuje i jest gotowa ją prowadzić.

Obecnie zdaniem amerykańskich ekspertów rosyjskie siły lądowe liczą około 270–280 tys. oficerów i żołnierzy, z których około połowa, maksymalnie 60%, to zawodowi, kontraktowi wojskowi. Daje to (obliczenia dla 2018 roku, ale nadal utrzymują one swą aktualność) 79 batalionowo-taktycznych grup bojowych (BTW), jeśli chodzi o siły lądowe, i dodatkowo 25 w siłach powietrznodesantowych i we Flocie Północnej. Więcej o liczebności wojsk lądowych Rosji w części szczegółowej raportu.

Jak zauważają w swym raporcie, w ostatnim czasie w rosyjskiej armii zaczęto częściowo przywracać dywizje, co świadczy zdaniem RAND o zmianie podejścia strategicznego na bardziej agresywne, tego bowiem rodzaju organizacja sprzyja w większym stopniu natarciu i toczeniu wojny na froncie o większej długości. Trzeba zwrócić uwagę na jeszcze jedno, a mianowicie na to, że siła ogniowa rosyjskiej BTW jest obecnie, jak piszą Amerykanie, znacznie większa niż podobnych struktur po stronie NATO[31]. Duża manewrowość i siła ognia rosyjskich grup batalionowo-taktycznych umożliwia nagły, niezwykle silny atak i natychmiastową zmianę położenia swych oddziałów, tak aby nie były one narażone na uderzenie z powietrza.

Ten rosyjski potencjał wojskowy, zestawiony z tym, czym dysponuje NATO na swej wschodniej flance, skłania ekspertów RAND do napisania, że „w dziesiątkach prowadzonych przez RAND gier wojennych z różnymi graczami, strategiami i różnymi warunkami początkowymi najdłuższy czas, jaki zajęło siłom rosyjskim dotarcie do obrzeży stolic Estonii i Łotwy w krótkiej inwazji, to 60 godzin"[32]. Mało tego, obecne siły NATO znajdujące się na Wschodzie w ramach tzw. wysuniętej obecności są „niewystarczające, aby powstrzymać" Rosję przed polityką faktów dokonanych (*fait accompli*)[33]. Innymi słowy, koszty takiego ataku, z którymi musi się liczyć Rosja, są przy obecnej relacji sił zbyt małe, aby skutecznie odstraszyć Moskwę. Co dalej? „Odległość od linii frontu, ograniczona przepustowość linii kolejowych i brak doświadczenia w szybkim przemieszczaniu się pod ostrzałem spowalniają tempo, w jakim rozproszone jednostki i wstępnie rozmieszczony amerykański sprzęt będą w stanie wzmocnić front bałtycki, przybywając z Holandii, Belgii, Niemiec i Polski"[34].

Co gorsza, analizując obecny rosyjski potencjał w zakresie broni radioelektronicznej, obrony przeciwlotniczej i możliwości precyzyjnych ataków rakietowych, eksperci RAND dochodzą do wniosku, że przewaga NATO w powietrzu, co do tej pory było kluczowym elementem strategii Paktu w scenariuszach wojny z Rosją, niewiele daje, bo w tym scenariuszu konfliktu „braki

---

[31] Clint Reach, Edward Geist, Abby Doll, Joe Cheravitch, op. cit., s. 13.
[32] Tamże, s. 9.
[33] Tamże, s. 10.
[34] Tamże, s. 9.

w siłach lądowych nie mogą być kompensowane przewagą w powietrzu"[35]. Na korzyść Rosji w tego rodzaju ograniczonym konflikcie działa też „geografia", krótkie łańcuchy zaopatrzenia i niewielka odległość od teatru ewentualnego przyszłego konfliktu. Odmiennie niźli Zachód, który w sytuacji wojny o państwa bałtyckie będzie zmuszony przemieszczać swe siły pod ogniem i na wielkie odległości.

Piszę o tym celowo, bo w niektórych środowiskach polskich ekspertów pokutuje pogląd, że myślenie o położeniu geograficznym jako jednym z czynników istotnych w scenariuszach konfliktów jest przejawem rozumowania archaicznego. W RAND nie podzielają tego punktu widzenia i zauważają, że „tak duży i złożony ruch wojskowy (jakim jest przerzucenie na Wschód sił zbrojnych zdolnych stawić skutecznie opór rosyjskiej agresji – przyp. M.B.) przy ograniczonych obecnie zdolnościach i doświadczeniu NATO najprawdopodobniej zająłby miesiące"[36]. Ambitny, ogłoszony publicznie plan zbudowania przez NATO sił szybkiego reagowania na poziomie 4 x 30 nie jest realizowany i jak zauważają, największe państwa Sojuszu (chodzi o Wielką Brytanię, Francję i Niemcy) mają obecnie potencjał w zakresie głównej uderzeniowej siły lądowej, jaką są wojska pancerne, na poziomie od jednej dziesiątej do jednej piątej tego, czym dysponowały w momencie zakończenia zimnej wojny. Więc o jakim scenariuszu kontruderzenia mówimy?

Każde z tych mocarstw „miałoby wielkie problemy z wystawieniem obecnie jednej brygady pancernej"[37]. Wszystko to razem skłania analityków RAND do sformułowania ostrzeżenia, iż „bez znaczącego wzmocnienia sił NATO w ramach »wysuniętej obecności« i bez poprawy zdolności w zakresie przerzutu wojsk NATO obecnie nie jest czynnikiem skutecznego odstraszania

---

[35] Tamże, s. 9–10.
[36] Tamże, s. 11.
[37] Tamże, s. 11.

konwencjonalnego, który mógłby powstrzymać Rosję przed atakiem na państwa bałtyckie".

Raport RAND jest znacznie obszerniejszy, analitycy amerykańskiego think tanku oceniają też możliwość odwołania się Rosji w razie konfliktu do jej taktycznego arsenału nuklearnego i nie odrzucają takiej ewentualności. Poza obrębem ich zainteresowania pozostają kwestie polityczne, zdolności i chęci państw członkowskich NATO, zwłaszcza niezagrożonych przez rosyjską agresję, aby wywiązać się z postanowień art. 5. Nie to jest zresztą w ich opracowaniu istotne. Ważne jest co innego. Otóż sam rachunek sił i środków między NATO a Rosją na wschodniej flance i słabość Paktu Północnoatlantyckiego zdają się czynnikami wręcz zachęcającymi Moskwę do uprawiania bardziej agresywnej polityki. Jeśli w najbliższym czasie słabość ta nie zostanie wspólnym wysiłkiem znacząco zredukowana, to będzie to też czytelny dla Moskwy sygnał, jeśli chodzi o intencje naszych sojuszników. Rosja nie zwykła tego rodzaju wiadomości nie zauważać.

Bez Polski i Rumunii nie ma możliwości obrony wschodniej flanki NATO

Sytuacja geostrategiczna na wschodniej flance NATO skłania do formułowania poglądu, w którego świetle bez znaczącego zaangażowania państw frontowych, wśród których z racji swego położenia i potencjału demograficznego największe znaczenie mają Polska i Rumunia, nie ma w ogóle mowy o skutecznej polityce odstraszania Federacji Rosyjskiej, a jeśli ta polityka zawiedzie – o obronie wschodniej flanki NATO. Tytułem egzemplifikacji tych poglądów powołajmy się na artykuł Brennana Deveraux poświęcony zagadnieniu obrony krajów bałtyckich przed ewentualną rosyjską agresją i, szerzej, rozważaniom, co NATO może zrobić, w razie gdyby Rosja zdecydowała się rozpocząć wojnę, czyli w momencie, kiedy strategia odstraszania

Zmienia się nie tylko przeciwnik i natura ewentualnego konfliktu, do którego musi przygotowywać się NATO, ale również rola państw frontowych, które w nowych realiach muszą wiele przemyśleć

Niedostrzeganie obecnej słabości NATO, nawet jeśli ma ona charakter „odcinkowy" czy lokalny, kontentowanie się deklaracjami o sile i możliwościach Sojuszu, którego jesteśmy członkiem, nie jest polityką rozsądną z perspektywy interesów Polski.

Zaciemnia ona obraz, w którego świetle NATO jest w stanie wygrać wojnę z Rosją w dłuższej perspektywie, ale w krótszej, lokalnie, nie ma w takim konflikcie szans.

przestanie działać[38]. Deveraux jest majorem w służbie czynnej, obecnie wykłada w Army Command and General Staff School w Fort Leavenworth, co czyni jego poglądy jeszcze bardziej interesującymi z naszego punktu widzenia. Odmiennie bowiem niż politycy, którzy dużo mówią i jeszcze więcej obiecują, wojskowi nie tylko nie szafują obietnicami, ale również opisują sytuację taką, jaka jest, bez niepotrzebnych upiększeń.

Punktem wyjścia rozważań Deveraux są konkluzje gry wojennej, jego zdaniem nadal aktualne, przeprowadzonej przez think tank RAND w roku 2016. Warto przypomnieć, że analizując możliwe scenariusze wojny z Rosją o państwa bałtyckie, amerykańscy eksperci doszli wówczas do wniosku, że w ciągu 60 godzin od momentu rozpoczęcia aktywnej fazy operacji Federacja Rosyjska może zdobyć wystarczająco duże obszary, aby być w stanie „wykazać niezdolność NATO do ochrony swoich najsłabszych członków i w efekcie doprowadzić do podzielenia sojuszu".

Efektem dyskusji w NATO, jaka zaczęła się m.in. po analizach przeprowadzonych przez RAND, były decyzje o budowaniu „wysuniętej obecności", której celem miało być wojskowe wzmocnienie państw bałtyckich i, szerzej, całej wschodniej flanki. Jakie są strategiczne skutki rozpoczętych wówczas działań? Amerykański specjalista nie sili się na dyplomatyczną uprzejmość i argumentuje, że stworzenie przez NATO czterech wysuniętych grup brygadowych o sile od 1000 do 1400 żołnierzy każda, które dziś stacjonują w państwach bałtyckich, to „dramatycznie mniej niźli postulowane przez RAND siedem brygad koniecznych, aby móc zatrzymać rosyjską agresję".

Sytuacja zatem poprawiła się jedynie w niewielkim stopniu i nadal NATO na wschodniej flance przegrywa z Rosją. To, co

---

[38] Brennan Deveraux, „Rocket Artillery can keep Russia out of the Baltics", 20.05.2021, https://warontherocks.com/2021/05/rocket-artillery-can-keep-russia-out-of-the-baltics/ (14.12.2021).

zbudowano, jest pewnym potencjałem odstraszającym, ale jeśli tego rodzaju strategia okaże się nieskuteczna i Rosjanie zdecydują się zaatakować, to siły NATO na wschodniej flance, przede wszystkim w państwach bałtyckich, będą musiały przeszkadzać Rosjanom w osiągnięciu przez nich celów operacyjnych tak długo, aż siły Aliansu będą w stanie przejść do kontrataku. Aby to jednak było w ogóle możliwe, konieczne będzie w razie rosyjskiego ataku natychmiastowe wzmocnienie jednostek wojskowych na wysuniętych rubieżach w państwach bałtyckich.

Deveraux, który jest specjalistą od wojsk rakietowych, zwraca uwagę na możliwości, jakie w tym względzie daje stworzona przez Stany Zjednoczone w 2018 roku i stacjonująca w Niemczech 41 Brygada Artylerii Polowej dysponująca 32 wyrzutniami systemu HIMARS oraz zakupienie przez Rumunię i Polskę łącznie 74 wyrzutni tego systemu. Według amerykańskiego specjalisty daje to siłom NATO znaczący potencjał. Pozostawmy z boku kwestię, że Polska zakupiła zbyt mało, jak się wydaje, HIMARS-ów (20) i zdecydowanie za mało do nich pocisków. Tak czy owak wyraźnie widać podejście Amerykanów do kwestii obrony wschodniej flanki Sojuszu.

Dla każdego, kto choćby powierzchownie interesuje się tą problematyką, nie jest to odkrycie, ale dla szerszej opinii publicznej być może nowiną będzie informacja, że to nie „NATO nas obroni", ale sojusznicy wesprą nas w obronie, której ciężar będą musiały ponosić nasze i innych państw frontowych siły zbrojne. Deveraux twierdzi, że regionalny potencjał Sojuszu w zakresie wyrzutni HIMARS jest ważnym atutem, ale nie proponuje zwiększenia amerykańskiej obecności, wiedząc zapewne, że takie postulaty są nierealistyczne. Amerykanie mogą pomóc państwom frontowym w budowie sprawnego systemu operacyjnego, w którym lepiej można wykorzystać posiadany potencjał, mogą dostarczyć danych wywiadowczych, mogą wreszcie wesprzeć dowodzenie, ale o fizycznym przysłaniu dodatkowych wyrzutni nie ma w propozycji Deveraux mowy.

Zdaniem Deveraux w pierwszej fazie wojny z Rosją jednym z głównych zadań obrony NATO winno być rozbicie rosyjskich systemów antydostępowych i obrony przeciwrakietowej, aby osiągnąć dominację w powietrzu. Z punktu widzenia rosyjskiej obrony systemy rakietowe takie jak HIMARS, które cechują się mobilnością, co wynika z faktu, że zamontowane są na ciężarówkach, stanowią największy problem. Ich rakiety, w zależności od typu, mają możliwość przenikania na odległość od 70 do 300 km, co oznacza, że w związku z położeniem geograficznym państw bałtyckich są w stanie razić cele zlokalizowane głęboko na terytorium Federacji Rosyjskiej. Deveraux proponuje, aby jeszcze znacznie zwiększyć mobilność tych systemów, tworząc ich organiczny związek z samolotami transportowymi typu C-130 lub większymi. Każdy z nich może zabrać na pokład co najmniej jednego HIMARS a, który w ciągu 10–15 minut od wylądowania powinien być gotów do odpalenia salwy rakietowej. Później można natychmiast się wycofać z potencjalnie wrogiego obszaru i uderzyć w podobny sposób w zupełnie innym miejscu. Samoloty transportowe tej klasy mogą lądować prawie wszędzie, a ich użycie w takich zestawach daje wedle amerykańskiego specjalisty „mobilny środek zdolny do neutralizacji rosyjskich systemów obrony powietrznej i gwarantuje całkowitą swobodę poruszania się i manewru siłom NATO".

Propozycja ta uzmysławia też szerokiej publiczności, jak będzie wyglądała zdaniem wojskowych specjalistów ewentualna wojna lądowa przyszłości toczona na wschodniej flance NATO. Nie będzie frontów i linii okopów z dziesiątkami tysięcy żołnierzy, ale niezwykle szybko przemieszczające się manewrowe i uderzające w różnych punktach niewielkie oddziały o dużej sile ogniowej i wielkiej precyzji rażenia wspomaganej elektronicznymi systemami naprowadzania, aby można było wyzyskać efekt zaskoczenia.

Tego rodzaju sposób działania jednostek artylerii rakietowej Amerykanie ćwiczyli już w ramach listopadowych (w 2020 roku) manewrów Rapid Falcon, kiedy to dwa zestawy HIMARS zostały zapakowane do samolotów transportowych w Niemczech i przerzucone do Rumunii, gdzie na poligonie zlokalizowanym nad Morzem Czarnym odpaliły rakiety, po czym zostały natychmiast dyslokowane w inne miejsce. W czasie manewrów Defender Europe 21 w maju tego roku w Estonii ćwiczono podobny manewr, tylko w stopniu znacznie bardziej zaawansowanym. Chodzi nie tylko o szybkie przerzucenie baterii wyrzutni rakietowych, ale o zbudowanie całego systemu, opartego na sensorach rozpoznających położenie sił przeciwnika, a przede wszystkim na zgraniu i skoordynowaniu różnych i nie zawsze współpracujących ze sobą systemów będących na wyposażeniu armii państw wchodzących w skład Sojuszu.

Konkluzję artykułu Brennana Deveraux warto przytoczyć w całości, bo oddaje ona sposób myślenia amerykańskich dowódców. Devraux określa perspektywy rozwoju sił zbrojnych, ale również bez ogródek opisuje rolę i znaczenie w całym systemie państw frontowych. Bez Polski, bez Rumuni nie ma możliwości obrony wschodniej flanki NATO i to na nas będzie spoczywał główny w tym zakresie obowiązek. Oznacza to nie tylko wielką odpowiedzialność i konieczność wielkiego wysiłku modernizacyjnego naszych sił zbrojnych, ale warto zauważyć, że obiektywnie rzecz biorąc podnosi polityczne znaczenie Warszawy i Bukaresztu. Warto by było, aby ta zmiana w układzie sił została przez naszą klasę polityczną dostrzeżona i wykorzystana.

Deveraux pisze w konkluzji swego wystąpienia: „Wraz z wyjściem z traktatu INF o siłach jądrowych średniego zasięgu i przyjęciem przez siły zbrojne Stanów Zjednoczonych nowych priorytetów rozwojowych, wśród których na pierwszym miejscu jest uzyskanie zdolności precyzyjnego rażenia celów na średnich dystansach, potencjał artylerii rakietowej wzrośnie najprawdopodobniej w najbliższych pięciu latach w sposób wykładniczy. W tym kontekście nadszedł czas, aby uznać, że artyleria rakietowa powinna stać na czele strategii wojskowej NATO.

To systemy rakietowo-artyleryjskie mogą służyć jako narzędzie umożliwiające działanie lotnictwa sojuszniczego, kompensować brak wsparcia powietrznego w konflikcie i pomagać NATO w atakowaniu celów w miejscach, w których uderzenie z powietrza byłoby trudne lub niebezpieczne. Dlatego pomyślna integracja rumuńskich i polskich systemów rakietowych artylerii wysokiej mobilności ma kluczowe znaczenie dla przyszłości NATO".

Państwa NATO, szczególnie położone na wschodniej flance, muszą przemyśleć wiele kwestii. Na ile osłabione siły lądowe europejskich „głównych graczy" są w stanie przyjść im z pomocą w razie wybuchu konfliktu kinetycznego? Co to oznacza dla skuteczności polityki odstraszania? Czy wreszcie Stany Zjednoczone mają wystarczający potencjał i odpowiednio dopasowaną do współczesnych wyzwań strukturę własnych sił zbrojnych, zwłaszcza w obliczu fundamentalnej zmiany, jaką jest perspektywa konfliktu o wysokim stopniu intensywności toczonego z przeciwnikiem o podobnym potencjale (*peer competitor*)? Osobnym zagadnieniem, którego tu nie poruszałem, jest przygotowanie państw Sojuszu Północnoatlantyckiego w zakresie działań w szarej strefie, poniżej uruchomienia art. 5. Zmienią się nie tylko przeciwnik i natura ewentualnego konfliktu, do którego musi przygotowywać się NATO, ale również rola państw frontowych, które w nowych realiach muszą wiele przemyśleć.

Niedostrzeganie obecnej słabości NATO, nawet jeśli ma ona charakter „odcinkowy" czy lokalny, kontentowanie się deklaracjami o sile i możliwościach Sojuszu, którego jesteśmy członkiem, nie jest polityką rozsądną z perspektywy interesów Polski. Zaciemnia ona obraz, w którego świetle NATO jest w stanie wygrać wojnę z Rosją w dłuższej perspektywie, ale w krótszej, lokalnie, nie ma na to szans. Oznacza to, że w gruncie rzeczy musimy przygotowywać się dziś do dwóch wojen, a nie do jednej, o ile oczywiście tę pierwszą przegramy. Jeśli bowiem Rosja uderzy i będzie w stanie zrealizować swe cele operacyjne, a obecny rachunek sił i środków na wschodniej flance NATO wskazuje, że osiągnie to w czasie do 60 godzin, to wówczas w nieco dłuższej perspektywie, zapewne kilkumiesięcznej, będziemy mieli do czynienia z NATO-wską kampanią przywrócenia stanu sprzed rosyjskiej agresji. Strategia ta przypomina trochę realia pierwszej wojny w Zatoce, z tą wszakże różnicą, że przeciwnikiem będzie armia Federacji Rosyjskiej, a nie bliskowschodniego dyktatora. Z polskiej perspektywy ten plan strategiczny (ale również wnioski, jakie wyciągnąć można z rachunku sił) oznacza, że przegrywamy pierwszą batalię (wojnę), a drugą, jeśli się ona rozpocznie, mamy szansę wygrać. Będzie ona jednak toczona na naszych ziemiach, z użyciem wszelkich dostępnych wojskowych środków oddziaływania.

MAREK BUDZISZ

STRATEGIA SALAMI I POLITYKA POLSKI

W związku z powyższymi rozważaniami warto przywołać opinię Michaela J. Mazarra, który analizując w 2015 roku konflikty w szarej strefie w ramach rozpoczętego przez Strategic Studies Institute projektu koncentrującego się na zmieniającej się naturze współczesnych konfliktów, pokusił się o sformułowanie siedmiu hipotez na temat przyszłości. Otóż Chiny i Rosja są zainteresowane rewizją porządku światowego, a przynajmniej niektórych jego obszarów. Głównym celem ich działania nie jest obalenie światowego systemu norm i zasad, ale jego korekta w taki sposób, aby ich relatywna pozycja rosła.

Będziemy zatem mieli do czynienia nie z frontalnym atakiem, bo tego rodzaju rewizjonizm kończy się najczęściej otwartym konfliktem zbrojnym na większą skalę, ale odwołaniem się przez nie do strategii gradualistycznych, powolnych i nietradycyjnych narzędzi zmiany regionalnego, a następnie globalnego układu sił.

Najlepszym środkiem tego rodzaju polityki jest oddziaływanie w szarej strefie, poniżej progu wojny. Strategie działania w szarej strefie wymuszają sformułowanie nowej teorii konfliktu. Przede wszystkim z tego względu, że intencją strony atakującej, państwa rewizjonistycznego, jest postawienie państwa podlegającego presji w sytuacji dylematu strategicznego. Tradycyjna odpowiedź wojskowa w nowych realiach może nie działać, a nawet okazać się kontrproduktywna. Wymaga ona bowiem położenia nacisku na koncentrację wojsk, tempo działania i szybkości podejmowania decyzji, podczas gdy konflikty w szarej strefie rządzą się zupełnie odmiennymi zasadami, a w związku z tym należy na nie reagować inaczej. Podstawowymi mechanizmami konfliktu w szarej strefie są:

1. Podporządkowanie celów wojskowych interesom politycznym. Ujmując rzecz w skrócie, użycie wojska, sił *proxy* czy paramilitarnych nie ma na celu rozstrzygnięcia konfliktu w jednorazowym, decydującym starciu, tak jak to następuje w tradycyjnej wojnie po obezwładnieniu sił i woli oporu

przeciwnika. W tym wypadku celem agresji, w tym odwołania się do argumentu wojskowego (siły), jest stworzenie nowych faktów politycznych, które mogą być rozgrywane przez
atakujące państwo.

2. Sukces operacji w szarej strefie uzależniony jest od zdolności prowadzącego je państwa do utrzymania konfliktu poniżej
poziomu tradycyjnej wojny (konfliktu kinetycznego), co oznacza, że nie szybkość i zdecydowanie w działaniu ma kluczowe znaczenie, ale to, co można określić mianem „strategicznej cierpliwości", czyli zdolność prowadzenia działań przez
dłuższy czas, w sposób wyważony i zarazem wprowadzający
w błąd przeciwnika, i taki, w którym fazy eskalacji konfliktu przeplatane są okresami uspokojenia, aby osłabić czujność
i mobilizację drugiej strony.

3. W konfliktach prowadzonych w szarej strefie rośnie znaczenie koordynacji działania w wielu domenach, zarówno wojskowych, jak i traktowanych do tej pory w kategoriach odpowiedzialności innych służb (straż graniczna, policja, straż
pożarna), wreszcie całkowicie cywilnych (obszar polityczny
i narracyjny).

4. Konflikt w szarej strefie zaciera podział na wojskowy i cywilny obszar odpowiedzialności. A to oznacza, że dowodzą-
cy obroną muszą przemyśleć, co jest ich głównym wysiłkiem,
a co jedynie opcją lub możliwością. Jest to niezbędne z tej racji, że tradycyjne formuły reagowania w sytuacji konfliktu
w nowych realiach przestają się sprawdzać.

5. W większości wypadków wszystko będzie zależeć od skutecznej narracji, która zostanie szeroko zaakceptowana, przynajmniej w populacjach docelowych (...). W klasycznych operacjach wojskowych bezwarunkowe zwycięstwa mogą odnieść
państwa o całkowicie nieskutecznej narracji. W szarej strefie będzie to rzadkością.

6. Prowadzenie kampanii w szarej strefie będzie wymagało
znacznego stopnia innowacyjności, zarówno na poziomie

strategicznym, jak i operacyjnym, ale również technicznym. Szybko zmieniająca się sytuacja „w polu" wymuszać będzie podobnie szybką i elastyczną reakcję. Oznacza to, że w dłuższej perspektywie większe szanse sukcesu mają strony o lepszej, ale szeroko rozumianej świadomości sytuacyjnej i reagujące szybciej, a także w bardziej nowatorski sposób na to, co się dzieje.

7. Sukces lub porażka starcia w szarej strefie związane są z systemem odpornościowym państwa i jednością społeczeństwa. W konflikcie w szarej strefie rywale będą się odwoływać w większym stopniu do mocnych i słabych stron przeciwnika niż do jakości zastosowanych narzędzi. Na przykład gdy państwa cechują się osłabioną jednością polityczną, rywale mogą wykorzystać to jako podstawę do konstruowania agresywnych narracji i destabilizacji państwa.

Konflikty w szarej strefie, przede wszystkim z tego względu, że prowadzone będą w sposób celowy poniżej progu tradycyjnej wojny kinetycznej, związane będą z trudnością zaatakowanego państwa oceny, czy znajduje się ono w stanie wojny czy pokoju. Ma to przede wszystkim istotne konsekwencje, jeśli chodzi o instytucje natury prawnej, trudno adaptowalne do realiów „półcienia" czy szarej strefy. Państwa podlegające atakowi tego rodzaju będą zmuszone wypracować instrumentarium formalne, w jaki sposób i przy użyciu jakich narzędzi prawnych reagować na rysujące się zagrożenia.

Konflikty w szarej strefie zwiększają ryzyko wybuchu konfliktu na większa skalę. Jest to związane przede wszystkim z tym, że intencje przeciwnika są celowo zamglone, niejasne, nieprzejrzyste, a narzędzia, którymi się posługuje, niekonwencjonalne. Stronie zaatakowanej trudno, szczególnie gdy zablokowane są kanały komunikacji, ocenić, co w istocie się dzieje. Obiektywnie rzecz biorąc, zwiększa to ryzyko nieadekwatnej, ponadwymiarowej reakcji, zaistnienia niebezpiecznych incydentów, a w związku z tym przypadkowej eskalacji konfliktu.

Konflikty w szarej strefie nie dają się łatwo sprowadzić jedynie do wymiaru wojskowego. Ich wynik jest zdeterminowany przez większą liczbę czynników, głównie o charakterze niewojskowym. Sukces kampanii wojskowej nie implikuje, jak w tradycyjnym konflikcie zbrojnym, finalnego rezultatu. Bardziej liczą się w tym wypadku czynniki natury społecznej, politycznej i narracyjnej niźli sprawność i możliwości sił zbrojnych.

Agresja w szarej strefie ma też swoje ograniczenia. Koncentrowanie się państw rewizjonistycznych na poziomie poniżej otwartego konfliktu wojskowego w sytuacji nieustępliwości drugiej strony może nie prowadzić do pożądanych rozstrzygnięć, a jedynie oznaczać przedłużający się stan napięcia, co w dłuższej perspektywie oddziaływa negatywnie na pozycję międzynarodową państwa odwołującego się do tego rodzaju narzędzi.

Operacje w szarej strefie nie oznaczają rezygnacji z używania tradycyjnych narzędzi wojskowych ani unikania konfliktów o charakterze kinetycznym. Możemy jedynie mówić o mniejszej intensywności działania, dążeniu do ograniczenia czasu trwania konfliktu i obszaru nim objętego, a także o koncentrowaniu się na niższych szczeblach drabiny eskalacyjnej przy jednoczesnym utrzymaniu możliwości eskalowania i realizacji strategii faktów dokonanych. Federacja Rosyjska już obecnie osiągnęła przewagę w nowych obszarach, zwłaszcza rozbudowała swe instrumentarium oddziaływania w konfliktach asymetrycznych, toczonych poniżej progu wojny kinetycznej starego typu. Rosja w swym działaniu stosuje „strategiczną mieszankę" podejścia tradycyjnego, w którym o sukcesie decyduje zarówno zajęcie terytorium przeciwnika, jak i wyniszczenie jego sił, z nowoczesnymi, asymetrycznymi formami oddziaływania, tylko w ostateczności odwołującymi się do argumentu siły wojskowej. Celem tych ostatnich operacji jest destabilizacja sytuacji wewnętrznej zaatakowanego państwa i odebranie mu woli stawienia oporu.

Operacje w szarej strefie oznaczają też znaczny stopień taktycznej i operacyjnej innowacyjności strony atakującej, która poszukuje nowych form oddziaływania i sposobów osiągnięcia swoich celów o charakterze strategicznym. Atakując Gruzję, Rosjanie zasłaniali się chęcią obrony zagrożonych mniejszości etnicznych, zajmując Krym, uciekli się do wysłania tam tytułowych „małych zielonych ludzików", wreszcie w Donbasie pojawili się umowni „traktorzyści i kombajniści", którzy przesiedli się z maszyn rolniczych do czołgów. Inaczej też wyglądała rosyjska inwazja w Syrii, nie mówiąc już o zaangażowaniu w Libii czy krajach Afryki Subsaharyjskiej. Zawsze jest to coś nowego. Rosjanie nie wchodzą dwa razy do tej samej rzeki, więc planując agresję na przykład na państwa bałtyckie, odwołają się zapewne do innej formuły. A zatem trzeba myśleć nie o tym, co Moskwa robiła w przeszłości, bo to raczej się nie powtórzy, ale analizować jej obecne działania i zastanawiać się, co może zrobić w przyszłości, starając się zaskoczyć geostrategicznych przeciwników.

Nawet jeśli Rosja nie ma zamiaru w perspektywie kilku tygodni czy miesięcy przedsięwziąć agresywnych kroków, to już dziś stara się tak kształtować otoczenie, w którym przyjdzie jej działać, aby szanse na ostateczny sukces były większe. W tym sensie Moskwa zarówno zbiera doświadczenia, jak i wpływa na realną sytuację w państwach traktowanych jako cel ewentualnej agresji.

Agresja w warunkach nowoczesnego konfliktu, gdzie wszystko dzieje się przed kamerami światowych stacji telewizyjnych, musi mieć charakter „szybki i dwuznaczny". Tylko tak agresor jest w stanie osiągnąć swe cele strategiczne – działając w sposób zdecydowany i energiczny oraz zaciemniając obraz sytuacji, zamazując i skrywając własne intencje, aby zdezorganizować linię obrony przeciwnika, przede wszystkim pozbawić go możliwości oceny, co się dzieje, a potem skierować jego energię na inne, mniej w ostatecznym rachunku istotne obszary. Aby tego rodzaju „strategiczna maskirowka" była możliwa, należy w pierwszej kolejności przejąć inicjatywę w infosferze, narzucić dominującą narrację i własną interpretację sytuacji. Przy czym, co warto podkreślić, elementem rosyjskiej strategii nie jest uzyskanie dominacji w przestrzeni narracyjno-medialnej. Aby mogła osiągać cele strategiczne, Rosji wystarczą dwie „bańki medialne" w państwie będącym ofiarą agresji. Bańki, które konstruują sprzeczne ze sobą, wzajemnie się wykluczające narracje. Utrudnia to zrozumienie, co się dzieje, utrudnia społeczną mobilizację i konsolidację wokół obrony zagrożonej państwowości, wreszcie utrudnia, a optymalnie uniemożliwia wsparcie ze strony sojuszników.

Po tym jak już Moskwa zaburzy percepcję państwa poddanego presji, skonfliktuje wewnętrznie jego elity i utrudni pozyskanie wsparcia sojuszniczego, może myśleć o przejściu do kolejnej fazy operacji, czyli o klasycznej polityce faktów dokonanych. Jeśli państwo poddane asymetrycznej presji przystanie na propozycje nowych relacji formułowane przez Moskwę, to wdrożenie scenariusza bardziej agresywnego nie jest wcale przesądzone.

W takim ujęciu rosyjskie operacje w szarej strefie należy traktować jako wstępną, być może przygotowawczą, fazę działania, które określa się mianem „strategii salami" (*salami slicing*) lub polityki faktów dokonanych (*fait accompli*). Rosjanie już stosują strategię salami, przemyślaną i konsekwentnie realizowaną sekwencję posunięć, które w efekcie mają doprowadzić do zmiany statusu geostrategicznego naszej części Europy. Strategia salami nie jest zresztą rosyjskim wynalazkiem, inne państwa odwoływały się, skutecznie zresztą, do podobnych technik.

Taktyka salami jest atrakcyjną opcją. Ekspansjonistyczne potęgi, realizując politykę faktów dokonanych, mogą rozszerzać swe wpływy, unikając potencjalnej eskalacji. Na Zachodzie często uważa się, że polityka Władimira Putina jest w gruncie rzeczy oportunistyczna. Tymczasem mamy do czynienia z działaniem przemyślanym, strategią na poziomie państwowym, jedynie realizowaną małymi krokami, które są pozornie ze sobą niezwiązane, jednakże kiedy się patrzy na politykę Moskwy z pewnej perspektywy, łatwo uchwycić powtarzający się wzór i generalny schemat.

Strategia salami jest skuteczna z kilku powodów. Po pierwsze przywrócenie *status quo ante*, na przykład sprzed agresji w Donbasie czy secesji Abchazji, nie mówiąc już o Krymie, jest kosztowne, zwłaszcza w obliczu wsparcia udzielanego tym organizmom przez Rosję. Nie chodzi tu wyłącznie o kwestie finansowe, ale o konieczność mobilizowania wielkich sił i nakładów, również o perspektywę wojny na większą skalę, co utrudnia politykę państwa chcącego przeciwdziałać rosyjskim faktom dokonanym. To oznacza, i to drugi powód atrakcyjności tego rodzaju strategii, że przywrócenie stanu sprzed agresji jest mało prawdopodobne. Po trzecie wreszcie cele uderzenia są tak wybierane, że perspektywa sukcesu jest większa niźli w innych przypadkach. Albo mamy do czynienia z obszarami słabo bronionymi, albo Moskwa podejmuje działania w sytuacji, kiedy państwo będące obiektem wrogiej akcji jest w kryzysie, albo mając, jak to było w wypadku Krymu czy Donbasu, lokalnych sojuszników.

Strategię faktów dokonanych zaczyna się realizować, kiedy są widoki na kolejne zdobycze. Nie chodzi zatem o finalne rozstrzygnięcie sprawy, ale o pewien proces, który nawet jeśli miałby być rozciągnięty na lata, ma na celu nie ograniczone zdobycze terytorialne, ale zmianę geostrategiczną o znacznie głębszym charakterze. W strategii tej nie chodzi o opanowanie całego czy części terytorium przeciwnika, ale o podważenie całego systemu. W przypadku polityki rosyjskiej mamy do czynienia z nieskrywanym dążeniem do podważenia obecnego statusu geostrategicznego, również w zakresie bezpieczeństwa, całego regionu Europy Środkowej, o czym Putin otwarcie mówił na poszerzonym kolegium Ministerstwa Spraw Zagranicznych FR.

Państwo, które jest zaatakowane, stawiane jest w obliczu konieczności dokonania bolesnego wyboru – akceptacji nowych realiów albo rozpoczęcia wojny na większą skalę. Tego rodzaju sytuacja umożliwia też Moskwie odwrócenie narracji na temat tego, kto jest agresorem. Jeśli bowiem jej terytorialne „zdobycze" nie obejmują kluczowych dla funkcjonowania zaatakowanego państwa obszarów, to próba ich wojskowego odbicia może być i jest przedstawiana przez rosyjską narrację w kategoriach działań agresywnych, bo wybucha konflikt na większą skalę. Dotyczy to Donbasu; wcześniej w podobny sposób przedstawiana była aktywność Gruzji wobec Osetii Południowej, ale tego rodzaju podejście może być aplikowane również w innych sytuacjach.

Kluczem do sukcesu strategii salami jest odpowiednie skalibrowanie podejmowanych działań. Im wyglądają one na mniej groźne, im bardziej uda się zaciemnić obraz tego, co się dzieje, i tego, kto podejmuje w istocie wrogie wobec zaatakowanego państwa kroki, tym lepiej. Chodzi o to, żeby osłabić determinację drugiej strony i uczynić mało prawdopodobną jej zbrojną reakcję. Jest rzeczą oczywistą, że każdy naród, którego stolica zostanie zaatakowana, będzie walczył. Ale nie jest to takie oczywiste, kiedy następuje wtargnięcie i zajęcie obszarów o marginalnym znaczeniu, słabo zaludnionych, peryferyjnych, oddalonych od centrum. Skandynawowie będą walczyć z rosyjską agresją, jeśli uderzenia będą skierowane na ich stolice, ale czy w wypadku zajęcia skrawka terenu na Dalekiej Północy, gdzie nikt nie mieszka, ich determinacja będzie taka sama?

Jeśli kluczowym warunkiem powodzenia polityki faktów dokonanych z punktu widzenia agresora jest podniesienie progu „odwojowania" czy raczej odwrócenia tego, co się stało, przez stronę zaatakowaną, to rozsądną polityką w jej wykonaniu jest uprzednie rozbudowanie arsenału możliwych odpowiedzi na agresję.

Jeśli bowiem jedynym narzędziem, którym można się posłużyć, jest wojna na dużą skalę, to decyzja o jej rozpoczęciu nie należy do łatwych. Jeśli jednak jesteśmy w stanie uderzyć w słabe punkty agresora, nie eskalując do poziomu wojny regionalnej, to nasze szanse rosną. Trzeba jednak najpierw te cele zidentyfikować, a potem umieć wykorzystać. Równie ważne jest uniemożliwienie agresorowi zrealizowania drugiego warunku skutecznej polityki faktów dokonanych, jakim jest łatwe zajęcie zaatakowanego obszaru.

Trzeba się po prostu bronić, zawsze, i nie wykazywać oznak wahania. Polityka faktów dokonanych, niezależnie od tego, czy realizowana przy użyciu sił zbrojnych, „zielonych ludzików" czy strumieni migrantów, jeśli nie jest w stanie doprowadzić do zmiany sytuacji „w terenie", jest polityką nieskuteczną. Aby uniknąć zagrożenia powtórki, trzeba poświęcić wiele wysiłku na zbudowanie społecznego konsensu w tej kwestii „u siebie w domu".

Jeśli chcemy powstrzymać agresora przed ponowną próbą odwołania się do strategii salami, musimy być w stanie wysyłać niebudzące wątpliwości sygnały o charakterze strategicznym, co wymaga zarówno jedności wewnętrznej, jak i determinacji, ale także zbudowania w tym celu odpowiednich narzędzi, choćby w postaci kanałów komunikacji i relacji dyplomatycznych.

Strategia salami, polityka faktów dokonanych czy działania w szarej strefie są również wojną, ale prowadzoną przy użyciu innych narzędzi.

Perspektywa konfliktu na pełną skalę zmniejsza się, co nie oznacza, że spada do zera. Otworzenie się „okienka możliwości", czym z rosyjskiej perspektywy byłoby na przykład uwikłanie się Stanów Zjednoczonych w wojnę z Chinami o Tajwan, może skłonić Moskwę do rozpoczęcia działań otwarcie agresywnych, rozpoczęcia „małej zwycięskiej wojny", która zmieni geostrategiczną geografię naszej części Europy. Oznacza to, że Polska musi być przygotowana na obydwie ewentualności: zarówno chroniczne konflikty w szarej strefie, jak i otwartą agresję militarną.

JACEK BARTOSIAK

POLSKA W ROSYJSKIM MYŚLENIU WOJSKOWYM

Nasze miejsce na mapie świata jest Rosjanom solą w oku. Dzieje się tak z ważnych powodów strategicznych, w tym także ściśle wojskowych. Odcisnęły one w ostatnich wiekach piętno na rosyjskiej kulturze strategicznej, która przez pokolenia utrwalała się i utrwala w instytucjach, powodując wykształcenie się map mentalnych strategów, wojskowych i wszelkich decydentów rosyjskich (i sowieckich).

W zasadzie nigdy pozycja Rosji na Nizinie Środkowoeuropejskiej i Wschodnioeuropejskiej nie zaspokoiła w pełni strategicznego niepokoju Rosjan. Przede wszystkim istnienie niepodległej Polski zawsze w jakiś sposób blokuje rosyjskie wpływ na sprawy europejskie. Ponadto blokuje rosyjską projekcję siły na zachód kontynentu, a do tego stwarza (w przekonaniu Rosjan) obawę naporu geopolitycznego, w tym wojskowego wobec Rosji, gdy ta jest słaba.

Zmorą strategii rosyjskiej było przez ostatnie 300 lat to, że na wschód od linii Elbląg–Kraków fizyczna przestrzeń regionu jest trójkątem, którego podstawa rozszerza się, im dalej posuwamy się w głąb dawnego imperium rosyjskiego, a rosyjskie siły kordonowe do jego obrony stają się siłą rzeczy coraz słabsze. Daje to przeciwnikowi Rosji możliwość wyboru kierunku uderzenia i wyzyskania przewagi na wybranych kierunkach.

Ta wielka przestrzeń polskiego teatru wojny od linii Elbląg –Kraków, zanim osiągnie obecne granice Rosji, ma już tysiące kilometrów szerokości, a teren jest na niej płaski jak stół i za bramą smoleńską samym swoim układem „zaprasza" do zajęcia Moskwy. Jednocześnie jednak pojawia się w kontekście ofensywy z zachodu kwestia coraz dłuższych linii komunikacyjnych na całym obszarze od doliny Wisły do przedpola Smoleńska i dalej Moskwy. Na tym obszarze poległa potęga Napoleona i Hitlera. Przez ten obszar do Moskwy dotarli Polacy w roku 1605, 1610 i 1812. Szwedzi po 1708. Francuzi w 1812. Niemcy napierali tamtędy w latach 1914–1917 i 1941–1942. Od czasu inwazji Napoleona Rosjanie walczyli na Nizinie Środkowoeuropejskiej i w bramie smoleńskiej średnio co 33 lata. Można sobie wyobrazić, jak stratedzy i planiści rosyjscy mają dobrze opanowaną geografię wojskową tego teatru wojny.

Co warte podkreślenia, Rosjanie traktują wszelkie działania ograniczające ich sprawczość na tym terenie jak wojnę, dlatego tak charakterystyczne rosyjskie myślenie „wojenne" dotyczące politycznej walki o „wpływy" i „kontrolę" przestrzeni jest wszechobecne i odczuwalne w rosyjskich elitach.

Takimi drogami biegnie zatem myśl rosyjska. Na Nizinie Środkowoeuropejskiej Rosja miała w historii trzy opcje. Każda z nich wiązała atencję strategiczną mocarstw zachodnich, gdyż przez nie Rosja wpływała na układ sił w Europie, poczucie bezpieczeństwa Niemców, Anglików, Turków czy Habsburgów.

Pierwsza opcja wiąże się z wykorzystaniem głębi strategicznej, wynikającej z przestrzeni i klimatu, do wessania siły przeciwnika do wnętrza bezmiarów zachodnich obszarów buforowych imperium, a potem jej zniszczenia (Napoleon, Hitler, Szwedzi i ich klęska połtawska). Ale wtedy zachodzi ryzyko, że przeciwnikowi jednak uda się Rosję pobić. Do tego dochodzi najczęściej do całkowitego zniszczenia zachodnich prowincji imperium objętych wojną.

Drugą opcję stanowi zmierzenie się z wrogiem dużymi siłami zaraz na granicy i wykrwawienie tych sił. Strategii tej próbowano w 1914 roku – wydawało się to wówczas dobrym pomysłem – zważywszy na korzystniejszą demografię Rosji niż Niemiec i Austro-Węgier, ale okazało się jednak pułapką ze względu przede wszystkim na chybotliwe warunki społeczne wewnątrz imperium. Słabnięcie aparatu przymusu i kontroli spowodowało tam w roku 1917 upadek reżimu.

Trzecią opcją jest przesunięcie granic tak daleko na zachód, jak się tylko da, i tworzenie kolejnych obszarów buforowych, jak uczyniono podczas zimnej wojny. Polska została w ten sposób po II wojnie światowej ograniczona do swojego obszaru rdzeniowego bez żadnych buforów na wschodzie oraz z dodanym jej terenem poniemieckim na zachodzie i północy, który czynił ją zależną od Związku Sowieckiego jako gwaranta bezpieczeństwa wasalnego PRL. Ta strategia długo wydawała się Sowietom atrakcyjna ze względu na wielką głębię strategiczną i szansę na zwiększanie zasobów ekonomicznych imperium pochodzących z wyzysku i eksploatacji podbitych obszarów buforowych. Ale rozproszyła ona jednocześnie zasoby imperium na cały pomost bałtycko-czarnomorski i dalej aż do Łaby i Dunaju, zwiększając koszty obecności wojskowej tak daleko od obszaru rdzeniowego państwa. To ostatecznie złamało Sowietów i skończyło się porozumieniem w Białowieży dekretującym rozpad imperium w 1991 roku.

Obecnie Rosja jest w trakcie wykuwania nowego podejścia i nowej metody „kontroli" zachowania państw u swoich granic, w tym na swoim zachodnim kierunku, metodami wojny nowej generacji. Tymi metodami narzuca sprawczość polityczną lub testuje odporność danego państwa. Jesteśmy już obiektem tych poczynań.

Niby tyle się na świecie zmienia, ale w istocie nic się tak bardzo nie zmienia.

JACEK BARTOSIAK

KWESTIA BIAŁORUSI

Status Białorusi ma znaczenie dla polskich planów rozbudowy wojska i planów bitwy manewrowej z bardzo prostego powodu. Niezależnie od zagrożenia wynikającego z rozwinięcia rosyjskiego kompleksu rozpoznawczo-uderzeniowego za Bugiem, który szachowałby wnętrze Polski z bezpośredniej odległości, istotna rosyjska obecność wojskowa na Białorusi spowodowałaby, że podobnie jak ze Śląskiem w 1939 roku Rosjanie mogliby z tej dogodnej podstawy operacyjnej z dwu co najmniej kierunków: Grodna i Wołkowyska na północ od Narwi oraz między Narwią a Bugiem, a także z Brześcia oraz Damaczowa/Sławatycz wykonać uderzenie główne na Warszawę kilkoma możliwymi drogami: na Białą Podlaską, Radzyń, Siedlce, Międzyrzec, Mińsk Mazowiecki i dalej na przedmoście warszawskie od strony Pragi.

Dodatkowo mogliby uderzyć (w historii robili to kilka razy) między Włodawą a Chełmem w kierunku na Lublin, a potem do Dęblina, w kierunku przepraw na Wiśle między Radomką a Pilicą, obchodząc Warszawę od południa, tak jak w latach 1944 i 1945. Przy naruszeniu suwerenności Ukrainy mogliby stworzyć jeszcze jedną linię operacyjną przez Chełm, Lublin i Puławy, rozpraszając nasz wysiłek obronny na kierunku warszawskim.

Pomocnicze uderzenie rosyjskie mogłoby wówczas wyjść z obwodu kaliningradzkiego wzdłuż doliny Wisły, dodatkowo rozpraszając nasz wysiłek obronny na ogromnej wschodniej części kraju pociętej barierami głównych rzek Polski: Wisły, Bugu i Narwi.

Wniosek jest następujący: w razie wojny z Rosją Białoruś w rękach rosyjskich w sposób oczywisty eliminuje możliwość pomocy państwom bałtyckim przez korytarz suwalski, bezpośrednio uzależniając bezpieczeństwo tych państw od woli Rosji. Równie groźne będzie to dla Ukrainy, dla której zagrożenie pojawi się od północnej granicy blisko Kijowa i głównych dróg kraju na zachód, zagrażając komunikacji z Polską i Zachodem.

Realna linia obrony Polski w tzw. strefie śmierci mogłaby być oparta dopiero na Wiśle i przedmieściach Warszawy przy uwzględnieniu strefy nękania między granicą państwa a linią Łomża–Siedlce. Historyczne dowody wojen z przeszłości i właściwości terenowe też na to wskazują. To wymusi konieczność powstania planu bitwy manewrowej, starannego przygotowania się do niej, w tym przygotowań terenowych i stosownych dyslokacji wojskowych. Dalej w raporcie szczegółowo przedstawiamy plan takiej bitwy.

W każdym razie status bezpieczeństwa wschodniej Polski byłby dyskusyjny – na pewno na wschód od linii Łomża–Siedlce, a strefa między tymi miastami a Wisłą aż do przedmieść Warszawy po praskiej stronie byłaby śmiertelną strefą starcia, gdzie musielibyśmy rozbić siły rosyjskie w całej serii bardzo intensywnych walk.

Podobnie jak w przeszłości, również dzisiaj Moskwa nie dysponuje wystarczającymi siłami, aby odpowiednio osłonić tego rodzaju operację przed możliwym kontratakiem z południa – lub, jeżeli Rosjanom udałoby się przeprawić przez Wisłę na południe od Warszawy, aby zamknąć ją w okrążeniu. Rzecz w tym, że taktyka ta może nie mieć na celu zdobycia Warszawy, ale raczej odciągnięcie sił polskich na południe od Bugu, dzięki czemu rosyjskie oddziały mogłyby przemieścić się szybkim manewrem na północ od Bugu w stronę Narwi. Ewentualny sukces na południe od Bugu mógłby również odciągnąć siły polskie lub sojusznicze od mostów na Wiśle na północ od Warszawy.

Jeżeliby podzielić obecne terytorium Polski na kwadraty, których granice na kierunku południkowym wyznaczałaby linia Gdańsk–Łódź, a na równoleżnikowym linia Poznań–Warszawa, to okazałoby się, że Wisła i Bug stanowią przeszkody mogące być zabezpieczeniem flank operacji okrążającej wyprowadzanej ku południu z Kaliningradu i ku zachodowi z Białorusi. Ponieważ rzeki te zbiegają się 30 kilometrów na północ od Warszawy, to stolica państwa polskiego co prawda znalazłaby się poza terenami okupowanymi, ale byłaby jednocześnie w zasięgu rosyjskich środków rażenia/rosyjskiej artylerii. Kontrola znaczącej części terytorium państwa oraz trzymanie w szachu jego ośrodka decyzyjnego z pewnością poprawiłyby pozycję Moskwy w wypadku negocjacji pokojowych.

(na podstawie NGWC w Waszyngtonie)

Operacja okrążająca, wykorzystująca Wisłę i Bug jako zabezpieczenie zachodniej i południowej flanki, byłaby możliwa jedynie w wypadku uzyskania kontroli nad mostami nad tymi dwiema rzekami. Pomimo ryzyka związanego z takimi operacjami rosyjski sztab generalny tradycyjnie je preferował. Tak zwane operacje penetrujące są zazwyczaj szybkie i zakładają przeprowadzenie uderzeń daleko w głąb linii obrony przeciwnika. Są również „kosztowne"; przewidywane straty to 50% wszystkich poniesionych podczas trwania operacji okrążającej. Celem jest stoczenie pojedynczej bitwy penetracyjnej i zniszczenie sił przeciwnika, zanim zdąży on się wycofać i skonsolidować siły na kolejnej linii obrony.

Utrata manewrowości politycznej przez Łukaszenkę i Białoruś względem Rosji oraz nieskrępowana rosyjska obecność wojskowa w tym kraju w razie wojny z Polską wymusi zatem na Polsce zmianę pokojowych i alarmowych dyslokacji wojskowych oraz przyjęcie planu bitwy manewrowej na wschód od Wisły.

MAREK BUDZISZ,
JACEK BARTOSIAK,
NICHOLAS MYERS

LICZEBNOŚĆ: JAKIE MA ZNACZENIE? ILE WOJSKA PRZECIW POLSCE?

Musimy zacząć od sprawy podstawowej: jakie siły wystawia nasz przeciwnik. Chodzi o siły, których gotów byłby użyć przeciw Polsce.

Jeśli chodzi o wojnę manewrową przy wykorzystaniu przestrzeni (domeny lądowej), w tym przy wykorzystaniu terytorium państwa polskiego, zdolności te liczy się współcześnie liczbą batalionowych grup taktycznych (względnie nazywa się je też batalionowymi grupami bojowymi) – BGT, które są podstawową jednostką bitewną, czyli podstawą zdolności do bitwy manewrowej na lądzie, który to ląd Polskę z oczywistych przyczyn najbardziej interesuje.

Rzecz jasna, do tego dochodzi cały kompleks rozpoznawczo-uderzeniowy, który stanowi fundament pożądanej przez Rosję kontroli dominacji eskalacji przemocy w razie wojny z Polską (dlatego, jak piszemy obszernie wcześniej, wojna wygląda inaczej niż w XX wieku), a którego jedynie elementem manewrowym są batalionowe grupy taktyczne. Na kompleks rozpoznawczo-uderzeniowy składają się rozliczne systemy i efektory, czyli wszelkie sensory, nasłuchy, radary, satelity, drony, system agregacji danych, ich przesyłania, systemy dowodzenia i kontroli oraz efektory, takie jak pociski manewrujące, balistyczne i hipersoniczne, amunicja klasy *stand-off*, artyleria dalekiego zasięgu, obrona powietrzna, samoloty wielozadaniowe, szturmowe, bombowce, okręty itp. Nie ulega zatem kwestii, że Polska powinna wystawić własny kompleks rozpoznawczo-uderzeniowy, by podjąć walkę o ustalenie dominacji stosowania przemocy, bo to jest główny wymiar współczesnej wojny. Samo to pokazuje, jak nieadekwatna jest nasza krajowa dyskusja, w której centrum jest liczba żołnierzy, a nie wystawiane zdolności, w tym cały „gmach" kompleksu rozpoznawczo-uderzeniowego.

Samo liczenie realnych rosyjskich batalionowych grup taktycznych też nie jest sprawą łatwą, wynika ono bowiem nie tylko z wiedzy teoretycznej o stanie wojska rosyjskiego w deklarowanym oficjalnie szyku (ani deklaracji polityków lub wojskowych) – w porównaniu do jego realnego ukompletowania, gotowości bojowej, osobowej i sprzętowej, ale przede wszystkim z regularnej analizy wzorców szkolenia, tempa uzupełniania stanów osobowych i przebiegu cyklicznego przecież poboru rekruta oraz ćwiczeń poligonowych.

Ogromne znaczenie ma strategiczno-wojskowa rola konkretnej jednostki w jej rejonie stacjonowania i odpowiedzialności (na przykład na kierunku kaukaskim albo ukraińskim czy fińskim) oraz stawianyche jej wymogi strategiczno-operacyjnych w danym roku czy okresie. Ustalenie, ile Rosja jest w stanie wystawić batalionowych grup taktycznych w razie wojny manewrowej z Polską, wymaga zatem umiejętnego równoważenia oceny tych czynników, co da się zrobić jedynie obserwując ten cykl i stan konkretnych jednostek przez wiele lat z rzędu oraz aktualny stan rosyjskiej myśli wojskowej.

Zresztą nie jest w pełni klarowna kwestia zdolności do dużego ataku rosyjskiego na całą Polskę, na skalę taką, jakiej Polska doświadczała w XX wieku, co widać po kolejnych rosyjskich ćwiczeniach. Ta kwestia jest podnoszona zarówno przez wielu amerykańskich ekspertów i strategów, takich jak Michael Kofman[39], jak i rosyjskich wojskowych, jak chociażby generał pułkownik Władimir Zarudnicki[40], szef Akademii Sztabu Generalnego.

Według niego na przykład Rosja nie przygotowuje się do tego rodzaju wojny i zajęcia całości lub części terytorium jednego z państw członków NATO, najwyżej realizuje „strategię nękania"[41]

---

[39] Michael Kofman, „Getting the Faith Accompli Problem Right in US Strategy", https://warontherocks.com/2020/11/getting-the-fait-accompli-problem-right-in-u-s-strategy/ (31.10.2021).

[40] Владимир Зарудницкий, „Характер и содержание военных конфликтов в современных условиях и обозримой перспективе", "Военная Мысл", 01.2021, s. 34–34.

[41] Michael Kofman, "Raiding International Brigandry: Russia's Strategy for Great Power Competition", https://warontherocks.com/2018/06/raiding-and-international-brigandry-russias-strategy-for-great-power-competition/ (31.10.2021).

lub operacje w szarej strefie[42], koncentrując swą aktywność na działaniach poniżej progu wojny kinetycznej. Wystawianie przy tym rosyjskiego kompetentnego kompleksu rozpoznawczo-uderzeniowego daje poczucie dominacji eskalacyjnej bez potrzeby poszukiwania rozstrzygnięć przestrzennych, zwłaszcza wobec słabego i nieodpornego psychologicznie przeciwnika i jego społeczeństwa.

Niemniej jednak rozwój wydarzeń na Dalekim Wschodzie, zwłaszcza ewentualny wybuch wojny o Tajwan i zaangażowanie się tam sił zbrojnych Stanów Zjednoczonych, może spowodować otwarcie (z perspektywy Władimira Putina) „okienka możliwości" i skłonić Moskwę do rozpoczęcia działań wymierzonych w państwa NATO na wschodniej flance[43].

Wojna może też eskalować od konfrontacji na szczeblach pozakinetycznych i kinetycznych (ale niskointensywnych) do wojny konwencjonalnej, w którą zaangażowane zostaną całe siły zbrojne Rzeczypospolitej.

Wróćmy zatem do podstawowej kwestii, a mianowicie do tego, czym dysponują Rosjanie. Zacznijmy od publicznych wypowiedzi strony rosyjskiej, które, co trzeba jasno stwierdzić, są klasycznym napinaniem muskułów w celu uzyskania efektów na arenie międzynarodowej. Z ostatnich oficjalnych wypowiedzi ministra obrony Siergieja Szojgu z lata 2021 roku wynika[44], że obecnie Rosja dysponuje rzekomo 170 batalionowymi grupami taktycznymi, które są według Szojgu w stanie wejść do działań zbrojnych w swoich rejonach odpowiedzialności w trybie 24-godzinnym.

---

[42] Na temat tego rodzaju działań zob. Antulio J. Echevarria II, „Operating in the Grating in the Gray Zone: An Alternativ one: An Alternative Paradigm for U.S. Military Strategy", „US Army War College", 2016; Michael J. Mazarr, „Mastering the Gray Zone: Understanding a Changing Era of Conflict", „US Army War College", 2015.

[43] Bradley Bowman, John Hardie, Zane Zovak, "Don't Assume the US Will Fight China and Russia One at a Time", https://www.defenseone.com/ideas/2021/10/dont-assume-us-will-fight-china-and-russia-one-time/186453/ (31.10.2021).

[44] TASS, „Russian Army operates around 170 battalion tactical groups — defense Chief", 10.08.2021, https://tass.com/defense/1324461

Z grubsza rzecz biorąc, w rosyjskich siłach zbrojnych batalionowa grupa taktyczna, która może być budowana w rozmaitych konfiguracjach, liczy około 900 żołnierzy i oficerów, co wraz ze służbami zabezpieczenia tyłów (około stu osób personelu) oznacza, że można mówić o sile zbliżonej do tysiąca[45]. Jeśli mówimy o rosyjskiej strategii „krótkiej wojny" w ramach strategicznej „aktywnej obrony", to przede wszystkim winniśmy brać pod uwagę rosyjskie siły, które mogą realnie się na niej pojawić, a nie wszystkie siły, które Rosjanie mają rozrzucone po całym imperium od Pacyfiku po Arktykę, przez Ural, Kaukaz czy pod Smoleńskiem.

Inne wskazówki na temat rosyjskich możliwości to ostatni „alarm wojskowy" na wiosnę na granicy z Ukrainą i Krymem oraz siły zaangażowane w ramach niedawnych ćwiczeń Zapad 2021. Wyobraźnię opinii publicznej ożywiły wówczas słowa generała Jewgienija Ilina[46], zastępcy szefa sztabu rosyjskich sił zbrojnych, który mówił o udziale w tym przedsięwzięciu 200 tysięcy żołnierzy i oficerów. Jednak bliższa analiza tego, co rosyjscy sztabowcy określali mianem manewrów Zapad 2021, wskazuje, że mieliśmy do czynienia z serią różnego rodzaju manewrów i ćwiczeń sprawdzających gotowość rodzajów sił zbrojnych, prowadzonych w tym samym czasie, ale geograficznie rozciągniętych od Oceanu Arktycznego i Dalekiej Północy (Ziemia Franciszka Józefa, półwysep Kola) przez poligony w centralnej Rosji po rubieże południowe. Nie lekceważąc skali tych manewrów, trudno jednak przypuszczać, aby świadczyły one o możliwości koncentracji rosyjskich sił zbrojnych wyłącznie na „kierunku polskim".

---

[45] Александр Федорченкоб,Александр Дюков,Сергей Дащенко, „СОСТАВ И НАЗНАЧЕНИЕ БАТАЛЬОННОЙ ТАКТИЧЕСКОЙ ГРУППЫ, СПЕЦИАЛЬНАЯ ТЕХНИКА И ТЕХНОЛОГИИ ТРАНСПОРТА Сборник научных статей", Санкт-Петербург, 2020, s. 7–13.

[46] TASS, „В Минобороны заявили, что по замыслу учений »Запад-2021« нет конкретизации противника", https://tass.ru/armiya-i-opk/12181487 (01.11.2021).

Analitycy amerykańskiego RAND w raporcie z czerwca 2021 roku[47], który to raport poświęcony był militarnym wymiarom ewentualnego starcia NATO z Rosją, nie lekceważąc istniejących zagrożeń i obecnej nierównowagi sił na korzyść Moskwy, stwierdzają, że rosyjskie siły lądowe liczą teraz około 270–280 tysięcy oficerów i żołnierzy, z których około połowa, maksymalnie 60%, to zawodowi wojskowi kontraktowi. Daje to liczbę (obliczenia dla 2018 roku, ale nadal zachowują one aktualność) 79 batalionowo-taktycznych grup bojowych (BGT), jeśli chodzi o siły lądowe, i dodatkowo 25 w siłach powietrznodesantowych (WDW) i Flocie Północnej.

Zauważają też, że w rosyjskiej armii zaczęto częściowo przywracać dywizje, co świadczy zdaniem analityków RAND o zmianie podejścia strategicznego na bardziej agresywne, gdyż tego rodzaju organizacja sprzyja w większym stopniu natarciu i toczeniu wojny na froncie oraz operacjom ofensywnym o większej głębokości uderzenia (i utrzymaniu *momentum* ofensywy). Jest to lekcja z wojny z Ukrainą i z jej sporych przestrzeni.

Trzeba zwrócić jeszcze uwagę na to, że siła ogniowa rosyjskiej BGT jest obecnie, jak piszą Amerykanie, znacznie większa niż podobnych struktur po stronie NATO. Jednakże generalna konkluzja amerykańskich ekspertów jest taka, że analiza rosyjskiego potencjału wojskowego, demograficznego i przemysłowego skłania do wniosku, że zdolności Moskwy do poprowadzenia i przesądzenia na swoją korzyść wojny na wielką skalę, która toczyłaby się w oddaleniu od rdzenia obszaru Rosji, są ograniczone. Jak pisaliśmy wcześniej, w takim konflikcie Federacja Rosyjska nie wygrałaby, nie eskalując konfliktu do poziomu nuklearnego. Inaczej wygląda sytuacja w wypadku niewielkiego, ograniczonego, jeśli chodzi o skalę i intensywność, konfliktu zbrojnego na obszarach peryferyjnych Rosji. Tu Moskwa

---

[47] Clint Reach, Edward Geist, Abby Doll, Joe Cheravitch, „Competing with Russia Militarily. Implications of Conventional and Nuclear Conflicts", RAND, https://www.rand.org/pubs/perspectives/PE330.html (01.11.2021).

ma przewagę, do takiej wojny się przygotowuje i jest gotowa ją prowadzić.

A zatem istnieje poważne ryzyko konfliktu zbrojnego z Rosją na wschodniej flance NATO, które to ryzyko utrzymywać się będzie i narastać, jeśli nierównowaga sił na korzyść Rosji będzie się pogłębiać. Jednakże trzeba tu raczej mówić o wojnie ograniczonej, przede wszystkim w oparciu o kompleks rozpoznawczo-uderzeniowy z elementem manewru, w który jednak nie byłyby zaangażowane wszystkie rosyjskie siły, które zresztą, ogólnie rzecz biorąc, nie są tak liczne jak w XX wieku.

Analiza S&F i bitwa manewrowa

Analizy, które przeprowadzaliśmy w Strategy&Future i z których korzystaliśmy przy realizacji projektu Armii Nowego Wzoru, a były one prowadzone w cyklu wieloletnim obserwacji jednostek rosyjskich (i gier wojennych w Polsce i za granicą od 2015 roku), skłaniają nas do wniosku, że w obecnych realiach na „kierunku polskim" (określamy w ten sposób generalnie wschodnią flankę NATO), w tym również biorąc pod uwagę możliwość uderzenia na państwa bałtyckie, Rosja ma do dyspozycji 64 batalionowe grupy taktyczne (BGT).

W grę wchodzą siły jej Zachodniego Okręgu Wojskowego. „Na papierze" rosyjska brygada sił lądowych winna być w stanie wystawić cztery BGT, a dywizja 12 BGT. Dywizja WDW, czyli desantowa, może wystawić dwie batalionowe grupy bojowe na jeden pułk, a brygada WDW zapewne nawet trzy BGT. Mniejsza liczba kompensowana jest lepszą jakością i ukompletowaniem jednostek desantu rosyjskiego, jego manewrowością i wyszkoleniem. Jeśli chodzi o Polskę, to wojska do wojny z nią wystawiałby przede wszystkim Zachodni Okręg Wojskowy, a on składa się z 1 Gwardyjskiej Armii Pancernej (Moskwa), 6 Armii (Sankt Petersburg),

20 Armii Gwardyjskiej (Woroneż) i 11 Korpusu Armijnego (Kaliningrad)[48].

1 Gwardyjska Armia może teoretycznie wystawić 32 BGT,
6 Armia – 8 BGT,
20 Gwardyjska Armia – 24 BGT,
11 Korpus Armijny – 12 BGT.
Ogółem jest to 76 BGT.

Ale to tylko „na papierze". Biorąc pod uwagę monitorowaną jakość szkolenia i wzorce ćwiczeń jako wskaźnik gotowości bojowej i ukompletowania, w 2021 roku realne liczby są mniejsze i wynoszą:

1 Armia Gwardyjska – 28 BGT,
6 Armia – 6 BGT,
20 Gwardyjska Armia – 20 BGT,
11 Korpus Armijny – 4 BGT[49].
Razem jest to 58 BGT.

Do tego wojska desantowe WDW mogą wystawić na naszym kierunku do 10 BGT.

Ponadto, w tym konkretnym wypadku dotyczącym ataku na Polskę 6 Armia musiałaby zabezpieczać obszar państw bałtyckich i granicę fińską. 20 Armia Gwardyjska realnie mogłaby oddelegować jedynie cztery BGT z granicy ukraińskiej. Niemniej jednak cała 1 Gwardyjska Armia Pancerna byłaby dostępna w wojnie przeciwko Polsce wraz z większością wojsk powietrznodesantowych Zachodniego Okręgu Wojskowego. To daje 40 BGT plus cztery BGT z Kaliningradu z 11 Korpusu Armijnego.

---

[48] Jesienią 2021 roku pojawiły się pogłoski o intencji wystawienia nowej dodatkowej armii ogólnowojskowej w Zachodnim Okręgu Wojskowym. Sprawa wymaga dalszego badania.

[49] Stosunkowo niska liczba realnych BGT w obwodzie wynika ze świeżego formowania dywizji w obwodzie, która na razie jest raczej strukturą dowódczo-szkieletową niż spójną i gotową jednostką.

To może być uzupełnione przez wojska Centralnego Obwodu Wojskowego, które „na papierze" dają 38 BGT (bez 201 bazy w Tadżykistanie) oraz dodatkowo trzy BGT desantu (WDW), choć większość z nich jest w ten czy inny sposób związana sytuacją w Górskim Karabachu. Do tego wiele ze wspomnianych tu jednostek ma ograniczone ukompletowanie. Można zatem przyjąć, że około 24 BGT mogłoby ruszyć na Białoruś do wojny z Polską z Centralnego Okręgu dopiero w trakcie trwającej już zapewne wojny.

To daje łącznie do wojny z Polską w roku 2021 64 BGT (w tym 40 z Zachodniego Okręgu Wojskowego) oraz cztery BGT z Kaliningradu.

Powtórzmy, bo to ważne, na potrzeby debaty krajowej na temat pożądanej liczebności wojska polskiego: łącznie 1 Gwardyjska Armia Pancerna (Moskwa), 6 Armia (Petersburg), 20 Armia Gwardyjska (Woroneż) i 11 Korpus Armijny (Kaliningrad) mogą według stanów obecnych wystawić 76 BGT, jednak analiza ich dotychczasowej aktywności, przeprowadzanych ćwiczeń i manewrów skłania nas do wniosku, że ich obecne możliwości to 58 BGT, do czego należałoby dodać maksymalnie 10 BGT wojsk powietrznodesantowych. Trzeba jednak brać również pod uwagę obecne obszary odpowiedzialności. I tak 6 Armia (Petersburg) realizuje również obronę na linii granicy z Finlandią i brzegów Morza Bałtyckiego, 20 Armia odpowiada również za sytuację na granicy rosyjsko-ukraińskiej. W naszej opinii oznacza to, że zaangażowanie sił rosyjskich z Zachodniego Okręgu Wojskowego nie będzie większe niźli 40 BGT, które mogą zostać dodatkowo wzmocnione czterema BGT z Kaliningradu. Należy wziąć również pod uwagę możliwość ich wzmocnienia jednostkami Centralnego Okręgu Wojskowego. Według naszych analiz Rosjanie mogliby zatem przy obecnym stanie własnych sił zbrojnych przesunąć „na kierunku polskim" 24 BGT w celu wzmocnienia sił atakujących. Daje to łącznie potencjał na poziomie 64 BGT; wraz ze stacjonującymi w Kaliningradzie daje to potencjał 68 BGT.

To nadal bardzo znacząca siła, tym bardziej że Rosjanie mają przewagę w wielu elementach wojny manewrowej, jak na przykład w artylerii, rozpoznaniu taktycznym i operacyjnym czy w prowadzeniu wojny radioelektronicznej. Ale nie jest to milionowa armia, której należy, aby powstrzymać jej natarcie, przeciwstawić odpowiednio wielkie zgrupowanie naszych wojsk lądowych, już niezależnie od wyżej przedstawionej argumentacji o kompleksie rozpoznawczo-uderzeniowym jako głównej sile sprawczej współczesnej wojny.

Jest to liczba rosyjskich wojsk dostępnych na potrzeby wojny manewrowej, które już nie dominują tak bardzo pod względem liczebności nad stroną polską w razie pełnego ukompletowania wojska polskiego w obecnie istniejących (choć aktualnie rozbudowywanych – 18 Dywizja Zmechanizowana) strukturach. Kluczowa jest konieczność wysokiej gotowości bojowej naszego wojska – tak jak pracują nad tym od 10–12 lat z dobrym skutkiem Rosjanie.

Dlaczego uważamy, że obecnie rozbudowywane polskie struktury wystarczą? Przede wszystkim z tego względu, że rosyjscy sztabowcy nadal są zdania, podzielanego zresztą przez analityków amerykańskich[50], że przewaga strony atakującej nad broniącą się i korzystającą z faktu, że ta broni się na uprzednio przygotowanych i rozpoznanych pozycjach, winna wynosić (w zależności od okoliczności) nawet jeden do czterech, a na rubieżach przełamania również więcej. Łatwo zatem obliczyć, i takie wnioski formułowane są również dość powszechnie przez amerykańskich ekspertów, iż skuteczna strategia odstraszania może być realizowana, jeśli na wschodniej flance NATO będzie dysponowało siłami na poziomie 17 BTW dyslokowanymi w regionie. Inna sprawa, że dziś tego potencjału NATO nie ma, ale nie oznacza to też, że powstrzymanie Rosjan, w razie gdyby

---

50 Richard D. Hooker Jr, „How to defend the Baltic States", Jamestown Foundation, https://jamestown.org/wp-content/uploads/2019/10/How-to-Defend-the-Baltic-States-full-web4.pdf?x76553 (01.11.2021).

Moskwa zdecydowała się na atak, będzie wymagało gigantycznej rozbudowy potencjału sił lądowych. Tym bardziej nie wymaga budowania liczonych w setkach tysięcy sił lądowych skuteczna polityka odstraszania.

W naszej propozycji bitwy manewrowej (w dalszej części raportu) tłumaczymy, jak pokonać tak zdefiniowane wojska rosyjskie przy pomocy Armii Nowego Wzoru w sytuacji pełnego jej ukompletowania i pełnej gotowości w wielkiej bitwie manewrowej na wschód od Wisły i na pomocniczych flankach głównego teatru.

Armia bardzo duża czy sprawna?

Naszym zdaniem mówienie o 250 tys. ludzi w naszych siłach zbrojnych jest pięknym marzeniem, którego nie będziemy w stanie zrealizować, choć wszyscy w Polsce szanujący swoją ojczyznę są skłonni tego rodzaju ideę emocjonalnie poprzeć. W istocie oznacza to jednak wystawienie na szwank koncepcji wzmocnienia wojskowego Polski, przede wszystkim z tego względu, że brak realizmu w ocenie własnych możliwości jest nie mniejszym zagrożeniem niż bezczynność w tej kwestii.

„Na papierze" każda z trzech istniejących od jakiegoś już czasu polskich dywizji winna mieć możliwość wystawienia dziewięciu batalionów. Dodatkowo dwie nasze elitarne brygady „desantowe" – 6 i 25 – mają także swoje bataliony. Do tego dochodzą pułki rozpoznawcze w Hrubieszowie i Białymstoku oraz Lidzbarku Warmińskim, pułk przeciwpancerny w Suwałkach, Wojska Specjalne i Wojska Obrony Terytorialnej.

Dodatkowo nowa, właśnie budowana, 18 „Żelazna" Dywizja docelowo w 2026 roku ma mieć 12 batalionów w trzech brygadach (po cztery bataliony w każdej)[51]. Mamy mieć zatem „na papierze" w wojskach lądowych 14 brygad (plus kilka jednostek

---

[51] https://www.polityka.pl/tygodnikpolityka/kraj/1917334,1,wojsko-buduje-najsilniejsza--dywizje.read (01.11.2021).

rozpoznawczych) i wystawiamy czysto teoretycznie ponad 40 batalionów. Ile z tego można będzie wystawić realnych batalionowych grup taktycznych, właściwie nie wiadomo (to jest płynne, jak u Rosjan), nie mówiąc już o kulejących w Wojsku Polskim gotowości bojowej, szkoleniu i ukompletowaniu.

Do tego dochodzą brygady artylerii, które należy znacząco rozbudować (o tym dalej przy opisie bitwy manewrowej). Wspomniane wojska specjalne (rozbudowywane), wcale już niemałe, trzeba zsynchronizować (na przykład jeśli chodzi o łączność) z resztą wojska, skoro przygotowujemy się już raczej na wojnę z Rosją, a nie na odległe ekspedycje u boku Amerykanów.

Gdybyśmy zatem dysponowali siłami zbrojnymi w pełni rozwiniętymi i w pełnej gotowości (lub zbliżonej do pełnej), to nawet samodzielnie bylibyśmy w stanie bronić się przed Rosją w bitwie manewrowej, przy założeniu, że działałby cały system wojny, który nazywamy systemem Armii Nowego Wzoru. Rosja ma oczywiście możliwość zmobilizowania znacznych sił drugiego rzutu, ale wymaga to czasu, wysiłku strategicznego, akceptacji ryzyka na innych kierunkach – Kaukaz, Ukraina, Azja Środkowa. Wreszcie nie pozostaje taka mobilizacja i relokacja niezauważona, umożliwiając przyjście z pomocą przez wolniej organizujące się państwa sojusznicze, w ramach NATO, ze względu na oczywiste złamanie równowagi na kontynencie wskutek wybuchu długiej i ciągnącej się wojny, do której Rosjanie kierują już nawet drugi rzut, nie mogąc rozstrzygnąć sprawy szybko, by narzucić rozwiązanie polityczne w oparciu o *fait accompli*.

Dla analityków wojskowych rachunek sił i środków obydwu stron potencjalnego konfliktu jest jasny, a to oznacza, że każda ze stron wie, jakimi przewagami dysponuje i gdzie są jej oraz jej rywala słabe punkty. Ma to oczywiste implikacje polityczne, skłania silniejszą stronę tego równania do uprawiania polityki z pozycji siły.

Dane szczegółowe nie zawsze są jawne czy wiarygodne w kraju, którego dotyczą, kluczowa jest zatem kwestia, jak w tym równaniu sił wygląda polska armia? Realnie, a nie w deklaracjach politycznych czy „papierowych" zapisach. Odwołajmy się zatem do danych brytyjskiego think tanku IISS publikującego corocznie The Military Balance[52]. Łączna liczebność naszych sił zbrojnych określona jest w tym opracowaniu na 114 050 żołnierzy i oficerów, jednak warto zwrócić uwagę na to, co składa się na ten potencjał. I tak siły lądowe to 58,5 tys., lotnictwo – 14,3 tys., marynarka wojenna 6 tys., siły specjalne 3,15 tys., WOT 3,8 tys. oraz 28,3 tys. rezerwistów. Podobnego rodzaju bilans sporządzili analitycy szwedzkiego think tanku wojskowego FOI[53].

Zdaniem autorki tego bilansu rozmieszczenie terytorialne polskich wojsk lądowych determinowane jest dostępną infrastrukturą, „co może mieć wady operacyjne", a generalnie, jak pisze, nasza armia „cierpi na niedobór personelu wojskowego". Z tego właśnie powodu istniejące polskie dywizje sił lądowych ukompletowane są w dwóch trzecich, co oznacza, że dysponują średnio około 10 tys. żołnierzy i oficerów w miejsce 15 tys. Nie oznacza to, że ich gotowość bojowa jest na poziomie 75%. Jest to znacznie mniej, a właśnie gotowością bojową liczy się dostępną liczbę formowanych do konkretnych zadań batalionowych grup bojowych jako jednostek taktycznych realnie walczących i zdolnych do walki.

Jeśli chodzi o plany polskiego resortu obrony, aby powiększyć nasze siły zbrojne do 200 tys. w roku 2026, to, jak zauważa szwedzka ekspert, „biorąc pod uwagę obecne niedobory, ambicja ta będzie prawdopodobnie trudna do osiągnięcia w tym czasie".

Co gorsza, w jej opinii 75% sprzętu będącego na wyposażeniu polskich sił zbrojnych zaliczyć należy do kategorii „przestarzały".

---

[52] The International Institute for Strategic Studies, „The Military Balance 2021", Routledge 2021.

[53] Diana Lepp, „Poland's Military Capability 2020", https://www.foi.se/report-summary?reportNo=FOI%20Memo%207597 (02.11.2021).

Andrew Michta pisze, że sprzęt używany przez polskie siły zbrojne „pozostaje jakościowo nierówny", a szczególnie istotne zapóźnienia mają miejsce w lotnictwie i w marynarce wojennej[54]. Program modernizacji sprzętowej, choć realizowany, nie doprowadził jeszcze do przełomu w tym zakresie. Wszystkie te czynniki razem wzięte oznaczają, że zdaniem FOI każda z istniejących trzech polskich dywizji jest obecnie w stanie wystawić w terminie do tygodnia (to i tak zbyt długo jak na ryzyko wybuchu wojny z Rosją) od jednej do dwóch batalionowych grup taktycznych, zmechanizowanych lub pancernych (BGT). Do tego formowana jest dodatkowa 18. Dywizja Zmechanizowana. Wojska specjalne i wojska powietrznodesantowe mają większy poziom gotowości i niektóre ich pododdziały mogą wcześniej wejść do działania, czasem nawet tego samego dnia.

Ale to oznacza, że Polska w obecnej sytuacji jest w stanie w godzinie W (z tygodniowym alarmem) wystawić łącznie być może do 10 batalionowych grup taktycznych (BGT), a to stanowczo zbyt mało, aby polityka odstraszania na wschodniej flance NATO mogła być prowadzona skutecznie.

Jednak głównym problemem polskich wojsk lądowych, czy szerzej sił zbrojnych, nie jest zbyt mała liczba związków operacyjnych i konieczność tworzenia nowych, ale niewystarczający poziom ukompletowania istniejących i zbyt mała realna ich gotowość bojowa. W kontekście niewystarczającego ukompletowania istniejących związków operacyjnych i ich relatywnie niewielkiej gotowości deklaracje o rozbudowie polskich sił zbrojnych do poziomu 250 tys. żołnierzy i oficerów nie brzmią wiarygodnie i przekonująco. Tym bardziej że nasze możliwości determinowane są czynnikiem niezależnym, jakim jest sytuacja i perspektywy demograficzne Polski.

---

[54] Andrew Michta, „Poland: History Returns" (w:) Gary J. Schmitt, „A Hard Look at Hard Power: Assessing the Defense Capabilities of Key US Allies and Security Partners", Second Edition, Carlisle 2020, s. 240.

Sytuacja demograficzna Polski a wzrost liczebności sił zbrojnych

Z danych[55] ujawnionych przez resort obrony narodowej wynika, że w latach 2010–2020 udało się doprowadzić do powiększenia naszych sił zbrojnych łącznie o 15 573 osób, a średni roczny bilans powołań i odejść z wojska wyniósł w tym czasie 1416 osób. Jednak warto zauważyć, że w latach 2019 i 2020 znacząco wzrosła liczba odchodzących na emeryturę żołnierzy służby czynnej (odpowiednio 4405 w 2019 i 5133 w 2020) w porównaniu z latami poprzednimi (w okresie 2015–2018 odchodziły z wojska średnio 3624 osoby rocznie).

Oczekiwania, iż w ramach dobrowolnej służby wojskowej polskie siły zbrojne każdego roku zasili od 15 do 20 tys. chętnych[56], wydają się zarówno w świetle dotychczasowych doświadczeń, jak i przede wszystkim prognoz demograficznych bardzo optymistyczne.

Andrew Michta, autor rozdziału poświęconego polskiej armii w zbiorczym opracowaniu US Army War College[57] opisującym aktualny potencjał wojskowy państw sojuszników Stanów Zjednoczonych, zwraca uwagę, a pisał to jeszcze, zanim ogłoszony został obecny plan rozbudowy polskich sił zbrojnych, na demograficzne ograniczenia możliwości rozbudowy polskich sił zbrojnych. Według danych z 2018 roku mężczyźni w wieku od 20 do 24 lat stanowią jedynie 3% populacji Polski (38 mln), kobiety zaś 2,8%. Ponad połowa Polaków to ludzie w wieku powyżej 30. roku życia, o ograniczonej przydatności do służby wojskowej (25,2% mężczyźni, 25,7% kobiety). Sytuacja wygląda jeszcze gorzej, jeśli brać pod uwagę liczebność grupy wiekowej 15–19 lat, z której przede wszystkim mają się rekrutować kandydaci

---

[55] https://www.defence24.pl/ilu-zolnierzy-przychodzi-i-odchodzi-z-wojska-mon-ujawnia-dane-z-dekady

[56] https://www.defence24.pl/blaszczak-250-tys-zolnierzy-to-nasz-plan-minimum

[57] Andrew A. Michta, op. cit., s. 225–255.

do dobrowolnej służby wojskowej. W wypadku mężczyzn jest to 2,5% całej populacji, a kobiet 2,4%[58].

Trendy zaobserwowane już w latach 2012–2016 polegające na systematycznym zmniejszaniu się liczby 19-letnich mężczyzn podlegających obowiązkowi stawienia się do kwalifikacji wojskowej (z 245 tys. do 204 tys. – to jest o 17%) ulegną w kolejnych latach prawdopodobnie pogłębieniu, podobnie jak inne zjawisko polegające na systematycznym corocznym wzroście liczby osób, które nie dopełniają obowiązku stawienia się do kwalifikacji wojskowej. Z danych wojewódzkich sztabów wojskowych wynika, że w latach 2015 i 2016 nie dopełniło obowiązku rejestracji odpowiednio 16,2 i 15,7% osób do tego zobowiązanych. Szczegółowe analizy NIK wskazują, że problem ten jest znacznie bardziej dotkliwy w województwach charakteryzujących się dużą aktywnością emigracyjną, co oznacza, że ewidencje wojskowe mogą nie uwzględniać zjawiska czasowej lub trwałej emigracji[59].

Dokładniejsze dane na temat struktury demograficznej ludności Polski w interesujących nas grupach wiekowych przedstawia poniższa tabela.

Struktura demograficzna Polski w grupach wiekowych 7–24 lata:

Grupy wieku	1989	2000	2010	2016	2017	2018	2019	Średnio w roczniku
OGÓŁEM	37988	38254,0	38529,9	38433,0	38433,6	38411,1	38382,6	–
7–14	5093	4406,0	3060,9	3081,5	3141,6	3188,0	3221,6	402,7
15–18	2248	2706,0	1890,9	1513,1	1475,8	1446,3	1426,5	356,6
w tym: 18	536	667,6	503,4	390,6	379,3	376,0	365,9	365,9
19–24	3049	3765,1	3382,0	2708,7	2596,7	2492,6	2404,9	400,8

(Źródło: GUS, https://stat.gov.pl/obszary-tematyczne/ludnosc/ludnosc/struktura-ludnosci,16,1.html)

---

[58] Tamże, s. 236–237.
[59] NIK, „Wykonywanie zadań zleconych z zakresu rejestracji osób na potrzeby kwalifikacji wojskowej i ich ewidencji", Warszawa 2017.

Trudno nie zauważyć, że w związku z niekorzystnymi trendami demograficznymi liczba osób w wieku 19–24, płci obojga, spadła między rokiem 2010 a 2019 o niemal milion, a jeśli chodzi o roczniki 15–18, to ich liczebność jest jeszcze mniejsza niźli w wypadku starszych grup wiekowych. Oznacza to, że wysiłek rekrutacyjny polskich sił zbrojnych będzie przebiegał w trudniejszych warunkach demograficznych, które to warunki w najbliższych latach nie ulegną zmianie na korzyść.

Szkolenie żołnierzy i podoficerów

Truizmem jest stwierdzenie, że nowoczesna armia, chcąc utrzymać gotowość, musi stale ćwiczyć, zwłaszcza w sytuacji ciągle zmieniających się warunków współczesnego pola walki i dokonującej się właśnie kolejnej rewolucji w sztuce wojennej. Również i w Polsce, zgodnie z Doktryną Szkolenia Sił Zbrojnych Rzeczypospolitej Polskiej DD/7, szkolenie wojsk – oprócz szkolenia dowództw i sztabów – jest podstawowym zadaniem Sił Zbrojnych Rzeczypospolitej Polskiej realizowanym w czasie pokoju[60].

Jak wyglądają w tym zakresie nasze możliwości? Najwyższa Izba Kontroli w 2019 roku opublikowała na ten temat raport[61], którego główną konkluzję warto przytoczyć w całości: „W ocenie Najwyższej Izby Kontroli szkolenie podoficerów i szeregowych zawodowych w jednostkach szkolnictwa wojskowego podległych Dowódcy Generalnemu Rodzajów Sił Zbrojnych nie było prowadzone w sposób pozwalający na zgodne z potrzebami Sił Zbrojnych RP przygotowanie żołnierzy do realizacji zadań"[62].

A teraz trochę szczegółów.
1. W latach 2016–2018 potrzeby szkoleniowe, mierzone liczbą żołnierzy zgłaszanych przez jednostki do przeszkolenia,

---

[60] „Doktryna szkolenia Sił Zbrojnych Rzeczypospolitej Polskiej DD/7(A)", Ministerstwo Obrony Narodowej Sztab Generalny Wojska Polskiego, Warszawa 2010.

[61] NIK, „Szkolenie podoficerów i szeregowych zawodowych w jednostkach szkoleniowych", Warszawa 2019.

[62] Tamże, s. 7.

zaspokajane były średnio na poziomie od 63 do 66%. Najgorzej pod tym względem było m.in. w Centrum Szkolenia Marynarki Wojennej (48,2% i 45,4% w latach 2016 i 2017) oraz w Centrum Szkolenia Wojsk Lądowych (48,6%).

2. Stan ukompletowania kadry szkolącej w badanych 13 ośrodkach był niski, w kolejnych latach średnio na poziomie 81%, 78% i 77%. Co gorsza, największą część kadry, zarówno dydaktycznej, jak i instruktorskiej, stanowili żołnierze i oficerowie w wieku 41–50 lat (34,8% w roku 2016 i 44,5% w 2018) służący w wojsku polskim 20 lat i dłużej, co oznacza, że w najbliższej przyszłości można będzie spodziewać się zwiększonej liczby odejść na emeryturę.

3. Centra szkoleniowe nie dysponowały odpowiednią ilością sprzętu treningowego. Spośród dziewięciu centrów szkolenia w 2016 roku nie zapewniono pełnego ukompletowania w siedmiu, a w latach 2017–2018 w ośmiu.

4. „Stwierdzono ponadto, że etatowy sprzęt szkoleniowy, jakim dysponowały centra szkolenia, w znacznej mierze był sprzętem starszej generacji lub sprzętem prototypowym, odbiegającym pod względem wyposażenia i oprogramowania od użytkowanego w jednostkach bojowych". Na przykład w Centrum Szkolenia Wojsk Lądowych średni wiek sprzętu przekraczał 30 lat.

5. Nie chodzi tylko o braki w sprzęcie szkoleniowym. Jak stwierdzili kontrolerzy NIK, „w podległych DG RSZ jednostkach szkolnictwa wojskowego wystąpiło niepełne zabezpieczenie potrzeb materiałowo-technicznych w zakresie amunicji strzeleckiej ślepej, lontu prochowego, petard, ręcznych granatów dymnych i innych środków pozoracji pola walki niezbędnych do prawidłowej realizacji programów szkoleń".

6. Nie aktualizowano też (albo aktualizowano w niedostatecznym stopniu) programów szkoleniowych. Kontrola stwierdziła braki w literaturze przedmiotu, w tym takiej, która była wymagana w trakcie szkolenia. W ankietach uczestnicy szkoleń

wskazywali m.in. na zbyt małe nasycenie realizowanych programów kwestiami natury praktycznej.

Generalnie rzecz biorąc, Polskie Siły Zbrojne już obecnie z trudem radzą sobie z zadaniami związanymi z realizacją planu szkoleń żołnierzy i podoficerów. W jaki sposób mamy zamiar przeszkolić falę ochotników, która ma zasilić naszą armię, nie zostało do tej pory zaprezentowane przez MON. Sprawia to, że za uzasadnione należy uznać obawy, czy w ogóle zwiększenie liczebności naszej armii przyczyni się do wzrostu jej możliwości.

Osobną kwestią jest stan infrastruktury technicznej, która może zostać spożytkowana na potrzeby nowych jednostek wojskowych. Wyniki kontroli NIK w zakresie gospodarowania mieniem w jednostkach wojskowych o niskim wskaźniku rozwinięcia[63] wskazują, że jakkolwiek większość budynków i budowli można było bez większych nakładów dalej użytkować, to ograniczenia budżetowe powodowały, że skala przeprowadzanych remontów i prac modernizacyjnych była wielokrotnie niższa od potrzeb. I tak w roku 2014 wydatki na inwestycje były dwunastokrotnie niższe niźli zgłaszane przez dowódców jednostek wojskowych, w 2015 były one dziewięciokrotnie niższe, a w 2016 sześciokrotnie niższe[64]. W rezultacie na przykład „w ponad połowie garnizonów (oraz w 10 skontrolowanych jednostkach wojskowych), w których zlokalizowane były jednostki podległe Dowództwu Generalnemu Rodzajów Sił Zbrojnych, nie było czynnych strzelnic garnizonowych umożliwiających przeprowadzenie szkolenia, co skutkowało koniecznością korzystania z takich elementów infrastruktury będących w dyspozycji innych jednostek wojskowych"[65].

Nie wydaje się, aby w zakresie infrastruktury wojskowej nastąpił w ostatnich latach przełom, trzeba zatem zadać

---

[63] NIK, „Gospodarowanie mieniem w jednostkach wojskowych o niskim wskaźniku rozwinięcia", Warszawa 2017.
[64] Tamże, s. 18–19.
[65] Tamże, s. 14.

publicznie pytanie pod adresem kierownictwa Ministerstwa Obrony Narodowej o to, czy i z tego punktu widzenia jesteśmy przygotowani do powiększenia naszych sił zbrojnych do poziomu 250 tys. żołnierzy i oficerów.

Jak to robią sojusznicy

Analitycy Government Accountability Office, instytucji kontrolnej Kongresu, obliczyli, że na jednego amerykańskiego żołnierza wysłanego do Iraku przypadał jeden „kontraktor" z prywatnej firmy, jednak w Afganistanie proporcje te zmieniły się w ten sposób, że 70% zaangażowanych sił stanowili pracujący dla prywatnych firm wojskowych. Sean McFate z waszyngtońskiego National Defence University jest zdania[66], że „kontraktowanie stało się nowym amerykańskim sposobem prowadzenia wojny, a trendy wskazują, że Stany Zjednoczone mogą w przyszłości outsourcować 80 do 90% przyszłych wojen".

W tym wypadku zdecydują względy ekonomiczne, bo prywatne firmy wojskowe są po prostu znacznie tańsze. Biuro budżetowe Kongresu obliczyło, że utrzymanie w warunkach wojennych batalionu piechoty lekkiej kosztuje amerykańskiego podatnika przez miesiąc 110 mln dolarów, podczas gdy prywatnej firmie za wystawienie podobnego oddziału nie płaci się więcej niż 99 mln dolarów miesięcznie. W czasie pokoju jest jeszcze taniej, bo rozwiązuje się kontrakt, podczas gdy miesięczne koszty utrzymania podobnej jednostki regularnych sił zbrojnych wynoszą 60 mln dolarów.

W swym ostatnim raporcie poświęconym kwestii rozwoju satelitarnych usług telekomunikacyjnych firma konsultingowa Euroconsult[67] sformułowała tezę, że do roku 2030 wartość tego

---

[66] Sean McFate, „Mercenaries and War: Understanding Private Armies Today", Washington 2019.

[67] https://www.computerweekly.com/news/252507093/Satellite-connectivity-and-video-market-expected-to-double-over-next-decade

rynku wyniesie 20 mld dolarów, a w trzech czwartych zostanie on opanowany przez firmy prywatne, co oznacza, że dotychczasowa dominacja instytucji i agencji państwowych przechodzi do historii. Eksperci Euroconsultu są zdania, że w ciągu najbliższych pięciu lat 90% nowych mocy w zakresie satelitarnej transmisji danych, które wejdą do eksploatacji, będzie należało do prywatnych firm w rodzaju One Web czy Starlink lub innych start-upów kosmicznych. W efekcie tak szybkiego rozwoju „usług kosmicznych" transmisja danych za pośrednictwem prywatnych satelitów Ziemi znajdujących się na wszystkich orbitach ma wzrosnąć z 3,7 Tb/s w 2020 roku do odpowiednio 23 Tb/s w 2022 i ponad 50 Tb/s w 2026. Jak powiedział mediom Nathan de Ruiter, jeden z dyrektorów firmy, która przygotowała raport, 97% przyrostu tych możliwości będzie wynikiem aktywności firm prywatnych i już realizowanych inwestycji. Innymi słowy, kosmos, a przede wszystkim przesył danych i systemy obserwacji satelitarnej właśnie komercjalizują się w przyspieszonym tempie, co wymusi w nieodległej przyszłości liczne zmiany, w tym również w wojskowości i w działalności wywiadowczej. Erik Lin-Greenberg z Massachusetts Institute of Technology i Theo Milonopoulos z Uniwersytetu Pensylwania w artykule opublikowanym na łamach periodyku „Foreign Affairs"[68] formułują tezę, że w najbliższej przyszłości w związku z rewolucyjnymi zmianami w zakresie możliwości umieszczania na orbitach geostacjonarnych przez sektor prywatny małych i tanich sztucznych satelitów ukształtuje się coś w rodzaju partnerstwa publiczno-prywatnego w tym zakresie. Już nie ociężałe i niezwykle kosztowne agencje finansowane z funduszy publicznych, które zazwyczaj pochłaniają miliardy i dają relatywnie niewiele w zamian, ale sprawnie poruszające się na szybko rosnącym rynku podmioty prywatne będą odpowiedzialne za obserwację

---

[68] Erik Lin-Greenberg, Theo Milonopoulos, „Private Eyes in the Sky. How Commercial Satellites Are Transforming Intelligence", https://www.foreignaffairs.com/articles/world/2021-09-23/private-eyes-sky (02.11.2021).

satelitarną, łączność i transmisję danych – również w celach wojskowych, a podmioty publiczne, w tym wywiad i armia, będą kupować ich usługi. Mało tego, w związku z zachodzącą na naszych oczach rewolucją technologiczną będą to systemy tańsze i trudniejsze do zniszczenia z racji wielkiej liczby sztucznych satelitów Ziemi.

Zdaniem ekspertów wywiad i analiza dostępnych danych, bezpieczeństwo w cybersferze, szkolenia, rozpoznanie strategiczne, ochrona danych wrażliwych, a nawet usługi w zakresie operowania dronami bojowymi, których użycie przesądziło o wyniku ostatniej wojny między Azerbejdżanem a Armenią, mogą być z powodzeniem wykonywane przez zakontraktowane firmy prywatne.

Nie chodzi o to, aby w sposób machinalny naśladować działania naszych sojuszników, ale warto zrozumieć trendy mające miejsce we współczesnych siłach zbrojnych, zwłaszcza dotyczące zdolności kompleksu rozpoznawczo-uderzeniowego. Nie sprowadzają się one do rozbudowy korpusu żołnierzy i oficerów, budowy wielkich sił zbrojnych opartych na komponencie lądowym, które miałyby toczyć wojny na podobieństwo II, a może nawet I wojny światowej. Trend jest odwrotny, postępuje outsourcing, wydzielanie i powierzanie operatorom zewnętrznym, kontraktowym całego szeregu czynności, obowiązków i operacji, którymi nie musi się zajmować komponent operacyjny (bojowy) sił zbrojnych, zwłaszcza na tyłach, na zapleczu, gdzie budowany jest system.

Koncentrujemy się na szkoleniu, profesjonalizacji, uzyskiwaniu nowych zdolności, interoperacyjności, systemach dowodzenia, zwiadu i rozpoznania (tę listę można jeszcze wydłużyć) ograniczonej liczby żołnierzy i oficerów. Siły zbrojne nie muszą, a wydaje się, że z punktu widzenia relacji nakładów do uzyskiwanych efektów wręcz nie powinny, „ciągnąć za sobą" w ramach struktury zawodowej całego „ogona" socjalnego i tyłowego.

Zobaczmy, jak wygląda struktura amerykańskich sił lądowych[69]. Liczą one obecnie 485 tys. żołnierzy i oficerów, 335 tys. Gwardii Narodowej, którą w pewnym uproszczeniu można porównać do naszego WOT, 189 tys. przeszkolonej rezerwy i 196,7 tys. pracowników cywilnych. Jednak zważywszy na rotacyjny tryb amerykańskiej obecności wojskowej, aktywny w danej chwili komponent operacyjny wynosi „171 000 żołnierzy dyslokowanych w 140 krajach na świecie na sześciu kontynentach"[70]. Jest to związane z faktem, że z grubsza jedna trzecia amerykańskich sił lądowych pełni służbę, jedna trzecia odpoczywa po rotacji w Eurazji i jedna trzecia realizuje plan ćwiczeń i szkoleń.

Mamy oczywiście świadomość faktu, że na całość amerykańskich sił zbrojnych składają się również inne, o znacznej liczebności, rodzaje wojsk. Nie o to jednak chodzi, aby niewolniczo kopiować rozwiązania amerykańskie, budowane zresztą w odpowiedzi na zupełnie inne wyzwania strategiczne. Zwróćmy uwagę na jeszcze jeden element. Otóż utrzymanie wojsk lądowych będzie kosztowało amerykańskiego podatnika w obecnym roku budżetowym 173 mld dolarów. Marynarka wojenna, lotnictwo, US Marine Corps, nie mówiąc już o siłach kosmicznych i triadzie nuklearnej, są znacznie droższymi niż wojska lądowe rodzajami sił zbrojnych. Ale nawet gdyby uznać, że nasze 250 tys. wojska to będzie czwarta część amerykańskich sił lądowych, należałoby się liczyć z wydatkowaniem każdego roku na ich utrzymanie trudnych dziś do precyzyjnego wyliczenia, ale o wiele wyższych kwot. Nie możemy sobie pozwolić na wystawienie sił zbrojnych starego typu – słabo uzbrojonych, źle wyszkolonych i skupionych na „liczbie" w polu – bez budowy zdolności i kompleksu rozpoznawczo-uderzeniowego, który mierzy się zdolnością.

---

[69] Mark F. Cancian, „U.S. Military Forces in FY 2022 Army", http://defense360.csis.org/wp-content/uploads/2021/10/211021_Cancian_MilitaryForcesFY2022_Army_v2.pdf (01.11.2021).

[70] Tamże, s. 6.

Nic tylko nie będziemy w ten sposób realizować skutecznej strategii odstraszania wobec Rosji, ale prezentując program rozbudowy naszej armii, który na pierwszy rzut oka wygląda na, oględnie rzecz biorąc, mało realne myślenie życzeniowe, wręcz skłonimy Moskwę do bardzo asertywnej polityki, bo hołdowanie tromtadrackiej retoryce nie świadczy o nas dobrze. Innymi słowy, osłabimy potencjał odstraszania, zamiast go wzmocnić.

JACEK BARTOSIAK,
NICHOLAS MYERS,
DAVID MIZRACHIN

PLAN BITWY MANEWROWEJ DLA ARMII NOWEGO WZORU

Wnioski

- Gdyby wojna wybuchła dzisiaj, czyli na przełomie roku 2021 i 2022, byłaby krótka i skończyłaby się naszą przegraną. Konkretnie rzecz ujmując, gdyby Polska została dziś zaatakowana przez rosyjski kompleks rozpoznawczo-uderzeniowy, a potem najechana przez rosyjskie wojska manewrowe, to przy dzisiejszym stanie gotowości, ukompletowania, stacjonowania, wyposażenia oraz przy takiej, a nie innej doktrynie użycia naszych sił zbrojnych, a także przy aktualnym stanie odporności państwa nasza ojczyzna zostałaby szybko pokonana i zmuszona do zaakceptowania bardzo niekorzystnego rozwiązania politycznego kończącego przegraną wojnę. Taki koniec wojny zaważyłby decydująco na losie Polski, jej samostanowieniu i rozwoju w XXI wieku.
- Wojna będzie krótka, acz bardzo intensywna, z dużym zużyciem i zniszczeniem sprzętu.
- Rosjanie uważają, że kto będzie lepiej przygotowany do wojny, ten ją wygra, bo tak przebiegać będą nowoczesne wojny. Rosjanie nie chcą wojny dłuższej niż dwa tygodnie, chcą uzyskać szybkie zwycięstwo i to nie poprzez wielkie bitwy pancerne tylko przez manewr ogniowy i pozbawienie przeciwnika woli walki.
- Należy założyć, że Polska będzie w wojnie sama, najpierw podczas eskalacji poniżej progu wojny kinetycznej, a potem w trakcie wojny konwencjonalnej. Jedyną nadzieją są siły powietrzne USA, które mogą wejść do naszej wojny bardzo szybko, ale aby tak się stało, będzie potrzebna decyzja polityczna w Waszyngtonie, czego nie można uznać za oczywiste. Z tego powodu musimy się przygotowywać do wojny samodzielnej, która się skończy, zanim jakiekolwiek duże jednostki lądowe sojuszników z NATO wejdą do walki, jeśli w ogóle wejdą.
- Musimy wiedzieć, co konkretnie uznamy za zwycięstwo w wojnie konwencjonalnej z Rosją i, co trudniejsze, kiedy

Rosjanie będą w stanie zaakceptować, że zostali pokonani. Potrzebujemy zatem przekonującej polskiej teorii zwycięstwa. Dopiero do tak zidentyfikowanego stanu „zwycięstwa" należy przysposabiać i kształtować narzędzie, jakim ma być Armia Nowego Wzoru.

- Obecnie istniejąca struktura organizacyjna wojska jest wystarczająca pod warunkiem jej pełnego ukompletowania i zachowania pełnej gotowości bojowej. Ewentualnie można utworzyć dodatkową brygadę do 18 Dywizji Zmechanizowanej na wschód od Wisły (18 Dywizja jako czterobrygadowa).

- Pełne ukompletowanie i gotowość bojowa jednostek Armii Nowego Wzoru są nieodzowne. Nie będzie czasu na mobilizację, rozwijanie jednostek itp. Wojna będzie relatywnie krótka i bardzo intensywna, być może rozpoczęta przez Rosjan z marszu, prosto z ćwiczeń lub z rozwijającego się eskalująco kryzysu politycznego, poprzedzona skuteczną zapewne maskirowką, w czym Rosjanie są znakomici.

- W trakcie wojny Armia Nowego Wzoru musi oprzeć się na siłach i zasobach zgromadzonych w rejonie bitwy manewrowej i tylko tam dokonywać przemieszczeń taktycznych. Przemieszczanie się dużych jednostek na duże dystanse z zachodniej części kraju będzie wykluczone wskutek dominacji rosyjskiego kompleksu rozpoznawczo-uderzeniowego o zasięgu uderzeniowym daleko wykraczającym poza obszar bitwy manewrowej oraz niszczycielskich cech precyzyjnego pola walki. Nie będzie zatem można przerzucić naszych dużych jednostek ze Śląska, ziemi lubuskiej i Pomorza.

- Musimy wystawić nasz własny kompleks rozpoznawczo-uderzeniowy nie tyle po to, by dominować nad rosyjskim w stopniowaniu aplikacji przemocy, ale by zakwestionować aktualną całkowitą rosyjską pewność co do wyboru miejsca, czasu i intensywności aplikacji przemocy wobec nas na odległość, którą Rosjanie mogą stosować (bez konieczności stoczenia bitwy manewrowej), by narzucić nam bezdyskusyjną dominację. Chodzi o to, by Rosjanie musieli w tym celu stoczyć bitwę manewrową.

- Armia Nowego Wzoru musi niezwłocznie zbudować polski zintegrowany system świadomości sytuacyjnej dla wszystkich rodzajów sił zbrojnych, wielowarstwowy, o rozproszonej sieciocentryczności, wpięty w naszą własną i całkowicie niezależną również od sojuszników pętlę decyzyjną, od poziomu taktycznego po strategiczny. Piszemy o tym w części ogólnej niniejszego raportu. System ten musi się cechować łatwym dostępem dla własnych jednostek i oczywiście nie może mieć do niego dostępu przeciwnik. System ten musi mieć zlokalizowaną przewagę nad systemem rosyjskim (albo go umiejętnie „rolować", przynajmniej w strefie śmierci zlokalizowanej w planie bitwy manewrowej między Łomżą, Siedlcami a Warszawą; optymalnie byłoby, gdyby miał przewagę nad rosyjskim również w strefie nękania).

- Potrzebna jest zmiana podejścia do pozyskiwania dronów. Chodzi o masowe wprowadzenie tysięcy dronów różnego szczebla i amunicji krążącej, zmiana całej filozofii użycia sprzętu tak, by się nie bać jego utraty, a w zamian nasycić pole walki i „zużyć" przeciwnika liczbą środków bojowych, najlepiej polskiej produkcji, nawet jeśli nie najwyższej jakości, bo ten akurat system uzbrojenia będzie musiał być uzupełniany na polu walki w trakcie wojny. Konieczne jest nowe podejście – zgoda na wielkie straty, ale za możliwość „zamęczania" przeciwnika dronami. Drony muszą być tańsze, ale liczniejsze. Podejście do produkcji – *learn as you develop*.

- Należy kupować tylko takie systemy, których wizerunkowo nie będziemy się bali tracić, a skoro już je mamy, to należy zadbać, by nie stały się „białymi słoniami". Istnieje ryzyko, że obawa o takie systemy jak nieliczne fregaty lub F-35 – wizerunkowo piękne – doprowadzi do ich bezużyteczności na wojnie lub ewakuacji, by „lepiej" służyły w dalszej wojnie (nie wiadomo jakiej i jaki byłby jej cel polityczny), zamiast służyć Armii Nowego Wzoru.

- Zdobycie przewagi powietrznej bez sojuszników jest niemożliwe wobec rosyjskich sił powietrzno-kosmicznych. Siły Powietrzne RP powinny zamiast tego opracować skromniejszy plan bitwy powietrznej, gdzie połączone zostaną zdolności przechwytywania i przyszłej obrony powietrznej, aby przynajmniej odmówić wrogowi całkowitej dominacji w powietrzu.

- Rzeka Pilica, Wilga po drugiej stronie Wisły oraz Serock i Modlin na północy określają strategiczne punkty na mapie, które Rosjanie musieliby kontrolować, aby kontrolować Warszawę poprzez dominujący manewr ogniowy, który rozstrzygnąłby wojnę manewrową. Utrzymanie tych regionów pod kontrolą Armii Nowego Wzoru powinno być najwyższym priorytetem dowódców oddziałów w strefie śmierci.

- Nie możemy się bronić zaraz przy granicy, ponieważ Rosjanie mają doskonałą artylerię, która zniszczy nasze siły manewrowe, bo Rosjanie będą działać pod jej osłoną. Armia rosyjska jest lądową armią artyleryjską z czołgami – jak mówi często Michael Kofman. Nie możemy działać symetrycznie w tym zakresie. Trzeba zamienić głębię strategiczną na możliwość odseparowania rosyjskiej artylerii od batalionowych grup bojowych.

- Główny zamysł bitwy manewrowej polega na odcięciu rosyjskich wojsk pierwszorzutowych od ich podstawy operacyjnej dzięki „kalibrowanemu" oddziaływaniu bojowemu specjalnie wydzielonych do tego zadania jednostek Armii Nowego Wzoru w strefie nękania zlokalizowanej między granicą państwa a linią Siedlce–Łomża, z zakłóceniem rosyjskich ciągów logistycznych (niezbędnych do obsługi tak intensywnej operacji manewrowej), oddzieleniem batalionowych grup taktycznych nacierających w kierunku Warszawy od doskonałej rosyjskiej artylerii i systemów obrony powietrznej średniego i dalekiego zasięgu, które podążać będą za batalionowymi grupami taktycznymi, oraz osłabieniem działania rosyjskich systemów zapewniających rozpoznanie taktyczne i operacyjne koniecznie w strefie śmierci, a gdyby się udało, także w strefie nękania. Na tak „ukształtowanego" przeciwnika zostanie wyprowadzonych wiele bardzo intensywnych uderzeń z różnych kierunków. Zostaną one wyprowadzone na tyły i flanki przeciwnika, dzięki przygotowaniu terenu i specjalnie zorganizowanym i szkolonym oddziałom rajdowym 18 Dywizji oraz uzyskaniu lokalnej przewagi w świadomości sytuacyjnej i manewrze po bardzo krótkich liniach wewnętrznych (to dzięki wybudowanej podziemnej i naziemnej infrastrukturze wypadowej do rajdów czołgowych).

- Wojska specjalne Rzeczypospolitej będą głównym orężem Armii Nowego Wzoru na niskich szczeblach eskalacji prowadzącej do rozpoczęcia bitwy manewrowej i optymalnym orężem, by Armia Nowego Wzoru kontrolowała eskalację w celu uruchomienia art. 5. NATO. Wojska specjalne w czasie fazy przedkinetycznej muszą zostać wysunięte pod samą granicę i pod jednostki przeciwnika, a nawet za jego linie.

Teoria polskiego zwycięstwa

Uważamy, że „twarde" stanie na drabinie eskalacyjnej zapewni Polsce polityczne zwycięstwo. Poniżej podajemy opis najwyższych szczebli na drabinie eskalacyjnej już w trakcie wojny konwencjonalnej, kiedy to Polska może wytrwać w kinetycznym zwarciu, a nawet rozstrzygnąć walkę na swoją korzyść. Posiłkujemy się tu oczywiście zasadą racjonalności stron wojujących, która przejawia się tradycyjnie w historii świata, ograniczając zakres wojny (tak by jej rozwój nie zaprzepaścił osiągnięcia celu politycznego) oraz dumnie sięgając do skarbnicy dorobku wojskowości Rzeczypospolitej.

Dobrym przykładem skutecznej realizacji teorii zwycięstwa jest kampania roku 1660 prowadzona przez wojska

Rzeczypospolitej przeciw wojsku moskiewskiemu zakończona zwycięstwem pod Cudnowem i Słobodyszczami, która umożliwiła zawarcie zwycięskiego dla Polski rozejmu. Moskale, pokonani, mogli się wycofać, ale musieli pozostawić uzbrojenie i kluczowe tabory. W historiografii rosyjskiej ten sposób rozegrania sytuacji strategicznej przez Potockiego i Lubomirskiego uchodzi za główny powód pozostania prawobrzeżnej Ukrainy przy Rzeczypospolitej na kolejne sto lat, aż do rozbiorów.

Siedem lat później, podczas całej letnio-jesiennej kampanii 1667 roku zakończonej bitwą pod Podhajcami przeciw połączonym i przeważającym liczebnie siłom kozacko-tatarskim, hetman polny koronny Jan Sobieski pobił przeciwnika w błyskotliwej kampanii manewrowej, przy umiejętnym wykorzystaniu uwarunkowań terenowych, tworzących się dynamicznie przewag lokalnych, w oparciu o szereg punktów umocnionych i dzięki zdecydowanej dominacji wojska Rzeczypospolitej w ówczesnym systemie świadomości sytuacyjnej. Wszystko to razem umożliwiło skuteczny manewr po liniach wewnętrznych, specjalnie skróconych poprzez takie, a nie inne ukształtowanie przestrzeni walki i mądre rozmieszczenie wojska Rzeczypospolitej przez hetmana Sobieskiego.

Armia Nowego Wzoru w fazie kinetycznej konfrontacji ma się przygotowywać do ograniczonej wojny konwencjonalnej zaplanowanej i przeprowadzonej przez Rosję w taki sposób, by pokonać wojsko polskie i tym samym osiągnąć strategiczną przewagę w celu uzyskania rozstrzygnięć politycznych z pozycji siły. W rezultacie pozwoliłoby to Rosjanom szantażować Polskę, aby uzyskać wybrane cele polityczne, także poprzez wywieranie presji na Polskę za pośrednictwem jej zachodnich sojuszników niezainteresowanych eskalacją konfliktu, a więc mogących akceptować jego zakończenie na warunkach rosyjskich. Rosjanie mają zamiar uzyskać koncesje polityczne w architekturze bezpieczeństwa w Europie poprzez wymuszenie uznania polskiej przegranej w wybranym przez siebie momencie. Wszystko w celu „ocalenia światowego pokoju, a co najmniej pokoju w Europie".

Nasza propozycja poprowadzenia kampanii wojennej ma na celu uniemożliwienie realizacji tego planu poprzez wygranie bitwy manewrowej przez Armię Nowego Wzoru i zapewnienie sobie w ten sposób rozsądnie wynegocjowanego rozejmu w sytuacji, w której dla wszystkich będzie jasne, że Rosjanie wyraźnie przegrywają starcie wojenne i znaleźli się w trudnym położeniu operacyjnym. Na przykład wydzielone zgrupowania rosyjskie do ataku na Warszawę i uchwycenia kluczowych punktów trójkąta warszawskiego (szczegóły niżej) zostaną otoczone przez siły polskie w kolejnych manewrach w strefie śmierci między Siedlcami a Warszawą lub będą krok od zniszczenia w kontakcie z Armią Nowego Wzoru w niekorzystnej dla siebie sytuacji operacyjnej.

Wówczas podobnie jak pod Cudnowem w 1660 roku można byłoby się porozumieć i ustalić, że Rosjanie, owszem, mogą się wycofać, ale muszą pozostawić ciężki sprzęt. Ważne, żeby Rosjanie zrozumieli swoje położenie i uznali własną porażkę (a my, odwołując się do domeny informacyjnej, pięknie zaprezentowalibyśmy to światu), ale żeby to zrobili bez ulegania pokusie eskalowania do innego poziomu wojny, na przykład doprowadzenia do eskalacji nuklearnej przy użyciu taktycznej broni jądrowej. O zarządzaniu takim ryzykiem, o podjęciu gry związanej z groźbą eskalacji nuklearnej, o tym, jak taką grę przeprowadzić i jaka odbywa się wtedy gra psychologiczna, piszemy w kolejnej części naszego raportu.

Teorie zwycięstwa to bardzo delikatna materia i myśląc o polskim zwycięstwie, musimy być racjonalni, bo tylko przez umiejętne skalibrowanie zwycięstw militarnych z negocjacjami politycznymi (wojna, jak pisał Thomas Shelling, to „siłowe negocjacje, więc nie można przesadzić w aplikacji przemocy – nie za dużo i nie za mało, ale w sam raz") uzyskuje się trwałe sukcesy polityczne. Wojna, co już tłumaczyliśmy wcześniej, jest tylko instrumentem polityki.

Taka racjonalna i wykonalna teoria zwycięstwa (czyli co Rosjanie byliby w stanie zaakceptować po nieudanej dla nich wojnie, w której przegrali konfrontację kinetyczną, przy jednoczesnym niedoprowadzeniu ich do poczucia całkowitej klęski, które uniemożliwiałoby zawarcie porozumienia) jest bardzo potrzebna, chociażby po to, by wystawić takie wojsko (i tak zbudować system odporności państwa), za którego pomocą można by do tego doprowadzić, a nie wojsko „na wszystko" i tym samym „na nic".

Właściwa teoria zwycięstwa jest zatem kluczowym elementem realistycznej strategii dla Polski. Bardzo deprymujące jest to, że w debacie polskiej ostatnich lat nie dyskutujemy o polskiej teorii zwycięstwa, tylko o jakichś enigmatycznych wojnach i „wspólnych sojuszniczych obronach", bez refleksji, co byłoby właściwie polskim zwycięstwem. Musimy mieć naprawdę dobry pomysł na zakończenie wojny na racjonalnych warunkach, gdy podejmiemy decyzję o konfrontacji z – jakkolwiek by było – mocarstwem nuklearnym, które jest całkowicie przekonane o swojej dominacji w aplikowaniu nam przemocy na drabinie (kratownicy) eskalacyjnej. Zdecydowanie musimy wiedzieć, co chcemy osiągnąć na samym końcu wojny.

W S&F uważamy, że szczególnie ważne jest zmuszenie Rosjan do rozejmu po tym, gdy wojsko rosyjskie słabo wypadnie w boju z Armią Nowego Wzoru, poniesie poważne straty, okaże się niezdolne do szybkiego i przekonującego pokonania Armii Nowego Wzoru. Taki rozwój wydarzeń umożliwi zawarcie akceptowalnego rozejmu kończącego starcie konwencjonalne. To uczyni z Polski ważny czynnik gry geopolitycznej w Europie Środkowej i Wschodniej, a Rosję pozbawi aury siły bezspornie dominującej w naszym regionie, która musi być zaproszona do systemu europejskiego. Taki wynik wojny likwiduje bowiem główny cel rosyjskiej wielkiej strategii, szeroko omawiany wcześniej w raporcie, ponieważ uniemożliwia podniesienie Rosji do statusu wielkiego mocarstwa europejskiego z decydującym głosem w sprawach Europy Środkowej i Wschodniej. Obezwładniamy w ten sposób rosyjską rzekomą sprawność w wojnie nowej generacji, w tym w jej odsłonie kinetycznej – nowoczesnej wojnie konwencjonalnej, którą to sprawność Moskwa próbuje demonstrować i reklamować jako koronny argument, by jednak stać się nieodzownym udziałowcem w systemie europejskim. Widać to było nawet w listopadzie i grudniu 2021 roku podczas rosyjskich ruchów wojskowych wokół Ukrainy mających zademonstrować korzystny dla Rosji układ sił i przyczynić się do wymuszenia przez Rosjan na USA przystąpienia do negocjacji w sprawie statusu Ukrainy, a w istocie jej finlandyzacji, a być może docelowo także finlandyzacji całego naszego regionu.

Strategiczne miejsca w planie bitwy manewrowej

Polska zdolność do obrony i odporności przed stosowaniem wobec nas przemocy ze strony Rosji zależy od kilku czynników.

- Funkcjonowanie własnego kompleksu rozpoznawczo-uderzeniowego (którego obecnie nie mamy) zapewniającego dominację eskalacyjną (czyli kontrolę stopnia aplikowania przemocy oponującemu wobec naszych życzeń przeciwnikowi), a przynajmniej zapewniającego określony poziom zdolności do podjęcia rywalizacji o taką kontrolę eskalacyjną o umiarkowanym stopniu intensywności. Stąd wynika pierwszy wniosek dla Armii Nowego Wzoru: natychmiast musimy zacząć rozumieć potrzebę posiadania takiego kompleksu rozpoznawczo-uderzeniowego, dostosowanego do naszych możliwości (i potrzeb) i zacząć go budować. Miałby on co najmniej zapewniać zdolność do podważania rosyjskiej pewności co do własnej zdolności do całkowitej kontroli wszystkich stopni eskalacji przemocy i osiągania tym samym wymuszonych celów politycznych, i to bez angażowania rosyjskich sił manewrowych na terenie naszego kraju. W tym zawiera się własny system świadomości sytuacyjnej we wszystkich domenach współczesnej wojny (połączonych systemem C4ISR), a także wielowarstwowy system obrony powietrznej kraju (przy czym do dyskusji pozostaje, ile potrzeba nam systemów w ramach programu Wisła, ile dużo bardziej potrzebnych systemów z programu Narew, a ile pasywnych metod w kontekście zwłaszcza obrony balistycznej, ze względu na bilans koszt–efekty i ogólną efektywność bojową i asymetrię kompleksu rozpoznawczo-uderzeniowego, w której to dziedzinie Rosjanie w przewidywalnej przyszłości zawsze będą mieli sporą przewagę), własne systemy uderzeniowe na odległości operacyjne do 300 km (co najmniej), w tym pociski manewrujące i artyleria rakietowa, co wprowadzi Polskę w świat precyzyjnego pola walki i własnej jego kontroli. Kompleks rozpoznawczo-uderzeniowy, który zachwieje rosyjskim przekonaniem o całkowitej dominacji w aplikacji przemocy na odległość wsparty zdolnością do bitwy manewrowej ma dać zwycięstwo Polsce w fazie kinetycznej wojny nowej generacji.

- Terenowe uwarunkowania geografii obszaru.
- Właściwe uszykowanie i stacjonowanie wojska w czasie pokoju, jego ukompletowanie i wyszkolenie, zdolności operacyjne i taktyczne odpowiadające współczesnemu charakterowi wojny i wymogom nowoczesnego pola bitwy, dobrze współgrające ze skoordynowanym wysiłkiem rozpowszechniania informacji, by wygrywać w domenie informacyjnej i tym samym zamieniać zwycięstwa wojskowe na zyski polityczne.
- Zważywszy na rozległość przestrzenną działań i współcześnie niskie nasycenie wojskiem, najistotniejsze jest wyćwiczenie zdolności do aplikowania przemocy kinetycznej w kluczowym miejscu, w istotnych okresach czasu i tych, a nie innych konkretnych momentach. Zatem kluczem jest mobilność operacyjna i taktyczna, rajdy w przestrzeni, pokonywanie takich rajdów przeciwnika, manewr ogniowy, zwiększona rola rozpoznania na każdym szczeblu i rozproszone „osieciowanie", które zbiera informacje do naszego własnego zintegrowanego systemu świadomości sytuacyjnej, by móc aplikować przemoc

wedle naszego wyboru, w stosownym czasie i miejscu – na naszych warunkach.

Niniejsza propozycja bitwy manewrowej jest modelową propozycją odzwierciedlającą powyższe założenia. O ile trudno przewidzieć zawczasu wszystkie zawiłości i złożoność ewentualnej kampanii wojennej ("wszelkie plany wojenne upadają w pierwszym kontakcie z przeciwnikiem"), o tyle ćwiczenie umysłowe koncepcji operacyjnej do bitwy manewrowej i przygotowanie do niej Armii Nowego Wzoru jest ze wszech miar pożytecznym zadaniem. Pozwala się bowiem przygotować do najlepszej w kontekście wojny z Rosjanami strategii działania (a nie każdej możliwej), wymienia kluczowe determinanty polskiej geografii wojskowej i wnioski z nich wypływające, ściśle skalibrowane do parametrów nowoczesnego pola walki.

Rozpatrujemy zatem poniżej uszykowanie, ukompletowanie, stacjonowanie i sposób walki, by zaproponować, jak Armia Nowego Wzoru ma się organizować, by wygrać. A precyzyjnie – by maksymalizować swoje przygotowania do ataku ze strony Rosjan (i/lub pomocniczego wojska białoruskiego) i zapewnić realizację polskiej teorii zwycięstwa w kinetycznej fazie konfrontacji.

Najważniejszą właściwością terenową geografii wojskowej Polski jest rzeka Wisła i zlokalizowanie Warszawy, stolicy państwa. Wisła (i jej bardzo rozległa i często podmokła dolina otaczająca szeroko samo koryto rzeki) tworzy strategiczną barierę ze względu na swoje rozmiary oraz ukształtowanie biegu, zmuszając wojska walczące do polegania na ograniczonej liczbie przepraw stałych lub do stawiania mostów tymczasowych. Atak rosyjski na zachód od Wisły po jej przekroczeniu byłby natomiast sygnałem potężnej eskalacji wymierzonej w poczucie bezpieczeństwa państw Unii Europejskiej, w tym Niemiec, naszego zachodniego sąsiada.

Taki rosyjski ruch ze względu na szczupłość zdolności wojskowych wszystkich państw na zachód od Odry (w tym także

Niemiec) w obliczu sił rosyjskich wywołałby dylemat bezpieczeństwa, co złamałoby reguły wojny nowej generacji prowadzonej przez Rosję, naruszyłoby niekorzystnie dla Rosji równowagę systemową na kontynencie i mogłoby zniweczyć misterny plan realizacji wielkiej strategii rosyjskiej.

Warszawa jako siedziba rządu i władz państwa stanowi cel strategiczny, który musi zostać zdobyty bądź kinetycznie zagrożony i pozbawiony dojścia i wyjścia (kontrola dostępu). Bez tego trudno wyeliminować Polskę (jeśli jest zdeterminowana i ma wolę walki) jako zorganizowany czynnik siły w wojnie. Zagrożenie Warszawy powoduje bardzo intensywne myślenie strategiczne w Polsce już dzisiaj, ponieważ może do takiego zagrożenia dojść błyskawicznie. To zagrożenie odwraca ponadto uwagę strategiczną od przesmyku suwalskiego i od obrony państw bałtyckich w ramach kolektywnej obrony Sojuszu Północnoatlantyckiego. Mówiąc lapidarnie, znaczenie nagłego manewru z bramy smoleńskiej przez Brześć i Grodno oraz Wołkowysk na Warszawę i serce obszaru polskiego będzie zawsze priorytetem dla planistów i decydentów w Warszawie.

Ewentualna utrata niepodległości przez Ukrainę i jej podporządkowanie Rosji i tym samym uzyskanie podstaw wyjściowych do projekcji siły przeciw Polsce dodatkowo utrudnia utrzymanie spójności interesów członków NATO na wschodniej flance[71], ponieważ obrona rdzenia państwa polskiego wokół Warszawy

---

[71] O ile przez północny białoruski teatr wojenny przechodzą drogi z Warszawy do Moskwy i Petersburga łączące stolice państw na Nizinie Środkowoeuropejskiej i Wschodnioeuropejskiej, o tyle przez południowy teatr wojenny prowadzą one do pokrytych żyznym czarnoziemem prowincji ukraińskich i do zagłębia żelazowego oraz węglowego Krzywego Rogu i Donbasu, a dalej na Kaukaz i do systemu rzeki Wołgi, czyli Heartlandu i centrum rolniczego rdzennej części Rosji. Z kolei do Polski południowy teatr działań wojennych wiódł od razu do jej obszaru rdzeniowego – z najgęstszym zaludnieniem i niebezpiecznie blisko tyłów warszawskiego centrum dyspozycyjnego – mianowicie na Śląsk i do Wielkopolski – i dalej przez ziemię lubuską nawet do niemieckiego Berlina położonego przecież zaraz za Odrą. O ile zatem los stolic Polski i Rosji rozstrzygał się na północnym, białoruskim, teatrze wojennym, o tyle w przeszłości zdolność do prowadzenia wojny zasobowej – mogła zostać rozstrzygnięta także na południe od bagien Prypeci.

staje się wówczas coraz bardziej problematyczna, a co dopiero mówić o obronie państw bałtyckich zależnych od korytarza lądowego z Polski w razie prawdziwej wojny.

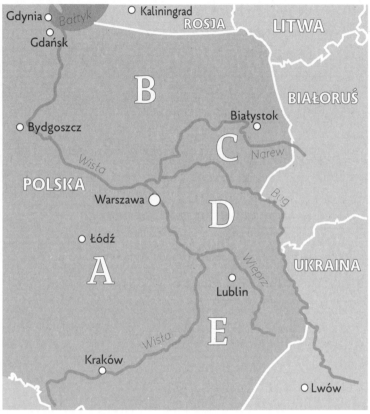

Mapa I. Sektory działania wyznaczane przez bieg rzek we wschodniej części współczesnego polskiego teatru wojny (na podstawie Google Earth)

Niniejsza propozycja dla Armii Nowego Wzoru dotyczy obrony Polski przed atakiem sił rosyjsko-białoruskich. Poza Wisłą dodatkowymi ważnymi barierami terenowymi są rzeki Narew, Bug oraz Wieprz, które są dopływami Wisły od wschodu. Wieprz oddziela Lublin od równin położonych zaraz na wschód od Warszawy i wpływa do Wisły w Dęblinie, około 94 km na południowy wschód od Warszawy. Bug biegnie granicą polsko-białoruską niedaleko Brześcia, by potem skręcić na zachód i wpłynąć do Narwi w Serocku, 31 km na północ od Warszawy. Narew płynie ze wschodu od Białorusi na południe od Białegostoku i przez Łomżę, by dalej na południu połączyć się z Wisłą w Nowym Dworze Mazowieckim, około 30 km na północ od Warszawy. Te cztery rzeki tworzą najważniejszy podział terenu wojskowego na wschodniej części współczesnego polskiego teatru wojny. Wyznaczają także w planie bitwy manewrowej pięć sektorów oznaczonych literami A, B, C, D, E na mapie 1. powyżej.

Sektor A oddzielony jest od reszty stref, pozostając na lewym brzegu Wisły, i „wciśnięty" jest między Warszawą a Łodzią na osi dwóch autostrad wschód–zachód oraz północ–południe, licznych dróg i linii kolejowych. Stanowi obecnie zaplecze strategiczne państwa w razie wojny z Rosją. Można zaryzykować twierdzenie, że to tutaj realizuje się głębia strategiczna państwa we współczesnej wojnie nowej generacji, w której bardzo trudno pokusić się o duże przemieszczenia mas wojska w obliczu precyzyjnych systemów rażenia dalekiego zasięgu przeciwnika.

Możliwość wojennego przemieszczania się dużych jednostek jest „płytsza" niż kiedyś, a jednocześnie wyjście ich z zaplecza do wojny musi być dziś znacznie szybsze niż kiedyś, zatem to nie Śląsk, ale obszar centralny schowany za Wisłą stanowi obecnie zaplecze wojskowe/głębię strategiczną w razie wojny z Rosją. Sektor A jest chroniony bardziej niż inne sektory rzekami i pozostaje schowany za dużą aglomeracją stolicy w bardzo dogodnym miejscu, z gęstą siecią dróg komunikujących we wszystkie strony. Stąd łatwo reagować w trzech kierunkach operacyjnych, z których może pojawić się zagrożenie: wschód przez Warszawę w stronę jej wschodnich przedmieść od strony Brześcia, północ od strony obwodu kaliningradzkiego oraz w kierunku osi ataku z Grodna na północ od Narwi oraz południowy wschód w kierunku Pilicy – ostatniej poważniejszej bariery obronnej przed Warszawą w razie próby zdobycia miasta po sforsowaniu Wisły przez Rosjan w okolicy miejscowości Dęblin /Kozienice/Maciejowice/Studzianki Pancerne.

Sektor B zlokalizowany pomiędzy Wisłą a Narwią graniczy z obwodem kaliningradzkim, Litwą i rejonem Grodna na Białorusi. Jest na nim kilka dużych miast, ale przede wszystkim właściwości terenowo-przestrzenne tego sektora wymuszają kanalizowanie ruchu przez Rosjan, co daje możliwość przewidzenia manewru rosyjskiego.

Sektor C pomiędzy Narwią a Bugiem jest co do zasady terenem otwartym, ale jest silnie skanalizowany na swoich skrzydłach właśnie tymi dwiema rzekami i to bez bezpośredniego dostępu tą osią do Warszawy. Do tego z Białorusi można wejść w sektor C tylko przez dość trudno dostępny i zalesiony teren.

Sektor D zlokalizowany pomiędzy Bugiem a Wieprzem i na wschód od Wisły daje najłatwiejszy dostęp do Warszawy od strony Brześcia i prawdopodobnie będzie on miejscem najcięższych walk w trakcie wojny.

Sektor E położony jest na południe od Wieprza i na wschód od Wisły. Sektor E jest południowym skrzydłem zamykającym sektor D. Jest tu kilka miejsc, z których potencjalnie można przeciąć akcje rosyjskie w kierunku zachodnim, tak jak to się zresztą wydarzyło podczas Bitwy Warszawskiej 1920 roku.

Mimo że sektor D wydaje się najważniejszą częścią mapy kampanii wojennej, każdy z sektorów na wschód od Wisły odgrywa istotną rolę w zrozumieniu strategicznych skutków geografii wojskowej Polski. Bardzo ważną obserwacją jest to, że próba zamknięcia manewru przeciwnika będzie najłatwiejsza na granicach (stykach) sektorów.

Historia polskiego
teatru wojny

Polski teatr wojny historycznie obejmuje teren od dorzecza Odry do dorzecza Dniepru i Dźwiny. Składa się na niego kilka obszarów działań wojennych, czyli – jak to nazywali pisarze wojskowi w XIX wieku – „szachownic". Ziemie na wschód od Niemna i Bugu aż po Dniepr i Dźwinę, a w części północnej również poza Dźwinę, były dla dawnych imperiów lądowych Rzeczypospolitej i Rosji odwiecznym terenem wojennym w strefie buforowej pomiędzy ich obszarami rdzeniowymi. Z punktu widzenia dawnej Rzeczypospolitej polski teatr wojny obejmował wschodnie tereny buforowe dawnego imperium lądowego, które dawały głębię strategiczną sercu państwa nad Wisłą i chroniły przed naporem rosnącego imperium carów. Tuż za jego ostatnią linią rzeczną – Bugiem i Niemnem, leżała Warszawa oparta o barierę Wisły. Po traktacie ryskim w 1921 roku obszar ten na długości ponad tysiąca kilometrów przecinała granica państwa od ujścia Zbrucza do ujścia Dzisieńki. Skrzydło południowe obszaru starcia zamykały Karpaty i granice przedwojennej Rumunii, a na północy bieg Dźwiny na Łotwie. Po obu stronach granicy z traktatu ryskiego nie było żadnych szczególnych różnic w fizjografii kraju. Jednolity był również układ komunikacyjny całej strefy. System dróg żelaznych idących ze wschodu, z dorzecza Dniepru i Dźwiny, od Petersburga po Odessę, zbiegał się koncentrycznie ku ziemiom środkowej Polski – do czołowego teatru wojennego przedrewolucyjnej Rosji.

Znaczenie wschodnich terenów dawnej Rzeczypospolitej doceniali ówcześni polscy stratedzy. Ludwik Mierosławski szukał koncentracji dla polskiego wojska nad Dnieprem i Dźwiną na bramie smoleńskiej – „grzbiecie oddzielającym Orszę od Witebska jako najwyższym kluczu geograficznym wschodnich prowincji". Jak pisał, „jest to plac dozoru strategicznego dla Polski i stanowisko jej awangardy wobec Moskwy". Następną linią obrony jest wklęsła linia Niemna i Bugu przedłużona linią Bohu i Dniestru. Na straży tej linii, wzmocnionej twierdzami Grodno i Brześć, stoi na południu wrzynający się w Wyżynę Podolską na kształt obronnego bastionu Lwów, a na północy odpowiednik Lwowa − Wilno, odgrywające rolę forpoczty wysuniętej na wschód od Niemna. Niemen jako strategiczna oś obszarów kresowych odgrywał na wschodzie dawnego państwa rolę analogiczną do tej, jaką gra Wisła wewnątrz kraju. W górnym biegu Niemen płynie wśród licznych zalesionych, a przez to trudnych do przejścia błot, by następnie znaleźć się w kraju pagórkowatym, gdzie wrzynając się w teren głęboko, bo nawet na 30 metrów, płynie wśród stromych i zwartych brzegów aż do Kowna, od którego nabiera cech rzeki wybitnie nizinnej. Na około 200 metrów szeroki w środkowym biegu − stanowi operacyjną barierę przecinającą w poprzek kierunki napadu rosyjskiego z bramy smoleńskiej. Od Niemna przez Puszczę Białowieską, też stanowiącą istotną przeszkodę, docieramy do środkowego Bugu osłaniającego wnętrze Polski. Bug, który od Drohiczyna płynie w kierunku północnym, zatacza następnie półkole, skręcając stopniowo na zachód, by po przejęciu swojego prawego dopływu, Nurca, płynąć już wyraźnie w kierunku zachodnim. Sunie leniwie w rozległej zabagnionej dolinie, która jest możliwa do sforsowania tylko w miejscach brodów, jest więc poważną przeszkodą terenową. Polesie i Niemen łączą się tutaj z Podlasiem, które przechodzi potem płynnie w Mazowsze położone po obu brzegach Wisły, z charakterystycznym przedmościem warszawskim i stołecznym węzłem komunikacyjnym.

Podlaski teatr operacyjny, idący naturalnym korytarzem od Niemna, stanowi bardzo słabo pofałdowaną płaszczyznę, łagodnie nachyloną za Bugiem, sięgającą przez Dęblin i Chełm aż po błota augustowskie. Od wschodu jego granicą jest Bug i Niemen, od zachodu Orzyc i Narew, a dalej linia Brok−Kałuszyn−Żelechów−Dęblin. Za nią zaczyna się mazowiecki teatr operacyjny dzielący się na część środkową i północną. Część środkowa, oparta na południu na Wyżynie Małopolskiej, sięga na północy po Bug i Narew; część północna dochodzi do Warmii i Mazur oraz do rzeki Drwęcy.

Jak Niemen oddzielał Litwę od Korony i Rusi Czerwonej, tak Boh odgranicza Ukrainę od Podola. Ludwik Mierosławski uważał, że ten łańcuch trójogniwowy sięgający od Królewca do Chersonia zakreśla zachodnią granicę pasa, którego wschodnim szlakiem są Dźwina i Dniepr. „Prostopadła do Dniepru dolina Prypeci odgradza Litwę od ziem ruskich i tworzy dwie szachownice – równe prawie co do objętości, ale jakże różne w przeznaczeniu". Również wybitny sztabowiec wojny listopadowej 1830–1831 Ignacy Prądzyński poświęcił sporą część rozważań wschodniemu wymiarowi polskiego teatru wojny w obszernym i ciekawym rozdziale swoich „Pamiętników": „Dwa zawsze były zupełnie odrębne teatry między Polakami a Moskwą. Kto trzymał Polesie, mógł przenosić swoją masę sił z jednego na drugi". Dlatego istnienie Ukrainy jest tak ważne dla Polski i dlatego bitwa manewrowa musi rozważać uzgodnione z Ukrainą bazy wypadowe Armii Nowego Wzoru na południe od Prypeci.

Cały obszar między „dalekim Dnieprem a rodzimą Wisłą" nazywał Władysław Sikorski rozległą Niziną Sarmacką, wymagającą stosowania na niej praw przestrzennego manewru na kształt systemu napoleońskiej wojny manewrowej. Jego żelazną regułą jest to, że nie można się w manewrze oderwać od podstawy operacyjnej, tak jak zrobił to z fatalnym dla siebie skutkiem Michaił Tuchaczewski, odchodząc bez zabezpieczenia linii komunikacyjnych od bramy smoleńskiej. Dlatego plan bitwy manewrowej wykorzystuje tę rosyjską słabość, nie pozwalając na powstanie własnej słabości tego rodzaju. Podobnie niepoprawnie uczynił Napoleon, odrywając się od podstawy operacyjnej, znajdującej się po zachodniej stronie bramy smoleńskiej, i ogólnie od przesłaniającej tę podstawę linii Dniepru i Dźwiny. Pojawiająca się głębia strategiczna przeciwnika na obszarach buforowych między Rzecząpospolitą a Rosją po prostu „wciąga i wysysa" siły walczących.

Napoleon Bonaparte, wybierając teatr działań jeszcze latem 1811 roku, omawiał plan wyprawy w Paryżu z Józefem Poniatowskim i Michałem Sokolnickim. Cesarz Francuzów odrzucił polskie propozycje rozwinięcia działań na południowo-wschodnich kresach dawnej Rzeczypospolitej, forsowane przez Polaków, by łatwiej można było odbudować dawne państwo, i w zamian wybrał strategiczny kierunek ofensywy na Moskwę. Po zajęciu Wilna podobno wybór ten skomentował słowami: „Gdybym poszedł na Petersburg, chwyciłbym Rosję za głowę, gdybym poszedł na Kijów, chwyciłbym ją za nogi: ale jeśli pójdę na Moskwę, ugodzę ją prosto w serce". Pierwotny plan Napoleona nie zakładał marszu w głąb Rosji. Zamierzał on bowiem dokonać gdzieś pomiędzy Niemnem a Dźwiną szybkiego, rozstrzygającego uderzenia, które doprowadziłoby do „kapitulacji politycznej" cara. Mimo że wkroczył do opuszczonego przez Rosjan Wilna, plan walnej bitwy w pobliżu granicy nie doszedł do skutku, ponieważ Rosjanie wycofali się w głąb kraju. Zmusiło to wojska sprzymierzone do rozpoczęcia pogoni. Wojska napoleońskie prowadziły następnie uderzenia kolejno na Witebsk i Smoleńsk, a celem tych działań było otwarcie drogi na Moskwę. Po sześciu tygodniach pobytu w zdobytej Moskwie Wielka Armia Napoleona została zmuszona do odwrotu w obliczu ogromnej głębi strategicznej państwa carów. Przegrana w bitwie pod Małojarosławcem zmusiła sprzymierzonych do powrotu tą samą drogą, którą wcześniej szli na Moskwę. Wielka Armia podczas ciężkiego odwrotu przeprawiła się przez Berezynę, ratując się co prawda przed zwinięciem w całości przez pogoń rosyjską, ale nie unikając straszliwego fiaska kampanii.

Rozłożenie wschodniej części polskiego teatru wojny w terenie przysparzało Rzeczypospolitej raz siły, raz słabości. Pogranicze wschodnie znajdowało się mimo wszystko zbyt blisko jądra państwa. Na północnym, białoruskim, teatrze działań wojennych krótki czas nie pozwalał na skoncentrowanie większości armii w wypadku wojny nadchodzącej z bramy smoleńskiej, w razie gdyby Rosjanom miało się udać rozegrać na swoją korzyść efekt zaskoczenia. Oczywiście ta prawidłowość jest tym bardziej niepokojąca w dniu dzisiejszym, i to nie tylko ze względu na brak kontrolowania przez Rzeczpospolitą samej bramy smoleńskiej, ale nawet ze względu na to, że węzły komunikacyjne Brześcia i Grodna znajdują się na obecnej Białorusi, która w sensie wojskowym znajduje się pod kontrolą Rosjan, co skraca czas na reakcję wojskową Polski na kierunku warszawskim i czyni tę reakcję znacznie trudniejszą. W wypadku ofensywy z kolei immanentną słabością Rzeczypospolitej pozostawał fakt, że armie polskie wychodzą z obszaru „20-milowego na 200-milowy", mając przed sobą układ dróg o kształcie wachlarzowatym. W miarę ich odsuwania się od rdzenia państwa przestrzeń, na której muszą operować, zwiększa się nie tylko na długość, lecz także na szerokość.

Józef Piłsudski tak wspominał znaczenie bramy smoleńskiej w swoim „Roku 1920": „Tuchaczewski stwierdza, że przedsiębiorąc operacje o daleko wytyczonym celu, miał do wyboru dwa główne kierunki dla swych głównych sił. Jeden z nich nazywa kierunkiem ihumeńskim, prowadzącym prosto do Mińska, drugi – jak sam określa – »Polacy nazywają smoleńskimi wrotami«. Tuchaczewski dla swych operacji wybrał ten drugi kierunek. Jak już zaznaczyłem, nasze określenie oznacza całkiem inny, bardziej zbliżony do samej nazwy szmat ziemi. Istotnie, dwie główne rzeki pogranicza, istniejącego niegdyś pomiędzy Rzecząpospolitą Polską a państwem carów, Dźwina i Dniepr, formują swym górnym biegiem względnie wąski korytarz, zamknięty u swego wyjścia ku wschodowi największym miastem w tamtym kraju – Smoleńskiem. Toteż wszystkie najazdy i wyprawy, czy to ze strony polskiej, czy rosyjskiej, z konieczności o Smoleńsk zawadzały, robiąc zeń jak gdyby wrota, do których pukano przede wszystkim, gdy chodziło o operacje w większych rozmiarach. Smoleńsk był zdobywany przez tę czy przez inną stronę w przeciągu wieków za każdym razem, gdy szło o większe wojny toczone w owych czasach. W nowszych czasach podczas marszu Napoleona na Moskwę znowu jedna z większych bitew stoczona została o panowanie nad tymi istotnymi wrotami".

Rosjanie także doskonale rozumieli znaczenie bramy smoleńskiej, o czym świadczą wspomnienia Tuchaczewskiego, a także Siergiejewa z wojny 1920 roku. Tuchaczewski wprost wspomina o znaczeniu pozostawania wrót smoleńskich w rękach sowieckich do czasu rozpoczęcia drugiej – lipcowej – ofensywy i przełamania polskiej obrony. W rosyjskich działaniach ofensywnych, wychodzących z rosyjskiego obszaru rdzeniowego, występuje z kolei zjawisko przeciwne: pogranicze buforowe między Moskwą a Warszawą jest obszarem bardziej odległym niż z punktu widzenia Warszawy i wszelki ruch wojskowy wymagał tutaj długiego czasu oraz sporych przygotowań. Za to zmniejszała się szerokość frontu, bo wraz z powodzeniem wojny z Polską kanalizował się coraz węziej ruch na Warszawę. W tym sensie przy równych siłach na początku wojny przewagę może osiągnąć strona polska, która przy należytej mobilizacji i koncentracji może szybciej wykonać swoje zadania. Tym można tłumaczyć skłonność strony polskiej do ofensywnych zachowań w wojnie polsko-sowieckiej z lat 1919–1921. W tym kierunku szkolono też wojsko polskie w czasach II Rzeczypospolitej.

Zachodnia granica opisywanego teatru działań wojennych jest tylko częściowo wzmocniona naturalnymi przeszkodami. Jest to krótki odcinek Bugu w okolicach Brześcia, a także dwa odcinki Niemna. Pierwszy z nich ciągnie się niedaleko Grodna, drugi zaś – to dolny bieg rzeki pokrywający się częściowo z dzisiejszą granicą Litwy i obwodu kaliningradzkiego. Z kierunku zachodniego istnieją najdogodniejsze warunki do przeprowadzenia operacji wojskowej ze względu na wspominane już nizinne ukształtowanie terenu i brak poważnych przeszkód terenowych. Obszar charakteryzuje się łagodnym pofałdowaniem z małą jedynie liczbą znaczniejszych wzniesień.

O ile przez północny białoruski teatr wojenny przechodzą drogi z Warszawy do Moskwy i Petersburga łączące stolice państw na Nizinie Środkowoeuropejskiej i Wschodnioeuropejskiej, o tyle przez południowy teatr wojenny prowadzą one do pokrytych żyznym czarnoziemem prowincji ukraińskich i do zagłębia żelazowego oraz węglowego Krzywego Rogu i Donbasu, a dalej na Kaukaz i do systemu rzeki Wołgi, czyli Heartlandu i centrum rolniczego rdzennej części Rosji. Z kolei do Polski południowy teatr działań wojennych wiódł od razu do jej obszaru rdzeniowego – z najgęstszym zaludnieniem i niebezpiecznie blisko tyłów warszawskiego centrum dyspozycyjnego, mianowicie na Śląsk i do Wielkopolski – i dalej przez ziemię lubuską nawet do niemieckiego Berlina położonego przecież zaraz za Odrą. O ile zatem los stolic Polski i Rosji rozstrzygał się na północnym, białoruskim teatrze wojennym, o tyle w przeszłości zdolność do prowadzenia wojny zasobowej mogła zostać rozstrzygnięta także na południe od bagien Prypeci.

Najbardziej niebezpieczny dla Polski kierunek północny, zwany także białoruskim, rozciągający się od Polesia po Dźwinę, a na zachodzie ograniczony przez Niemen, położony jest na białoruskiej wyżynie. To teren falisty i na ogół otwarty, dający względnie dobre warunki obserwacyjne. Poza górnym Niemnem i Szczarą oraz bagnistymi dolinami wymienionych rzek nie zawiera poważniejszych przeszkód terenowych. Leżą tam najkrótsze i najdogodniejsze drogi rosyjskiego napadu na Polskę, biorące swój początek w Smoleńsku, Orszy i Witebsku, a znajdujące oparcie w centrum rosyjskiego imperium. Rosjanie, uderzając na białoruskim obszarze działań wojennych wychodzącym z bramy smoleńskiej, mogą zwinąć cały polski front i przenieść wojnę – jak już wiele razy w historii bywało – nad środkową Wisłę, a więc do serca Rzeczypospolitej, paraliżując przez to główne ośrodki jej siły politycznej i obronnej. Brama wejściowa z polskiego obszaru rdzeniowego w kierunku na bramę smoleńską wynika z układu jezior, rzek oraz obszarów lesistych i nizinnych północno-wschodniej Polski. Tym głównym wejściem pomiędzy Białymstokiem i Wołkowyskiem Polska wyszła w swej historii wojskowej na białoruski teatr działań wojennych i dalej na bramę smoleńską oraz przekroczyła Dźwinę starym polskim szlakiem, w najwęższym przejściu pomiędzy błotami Biebrzy i Narwi a Puszczą Białowieską. Potem szlak wiódł z Baranowicz na Mińsk, a północna odnoga z Lidy przez Wilejkę na Połock lub wprost z Wilna na Połock – na górny zawias bramy smoleńskiej. Przerwa między górnym Dnieprem a Dźwiną, tworząca bramę smoleńską, ma około 80 kilometrów szerokości i jest to nizinna równina pokryta lasami i przecięta rzeczkami oraz w jednej trzeciej szerokości przegrodzona błotami (Błota Weretejskie – 25 km długości i 15 km szerokości). W ogólnym rozrachunku w pełni osłonięte i dogodne dla ruchu wielkich jednostek są najbardziej strefy nadbrzeżne Dźwiny i Dniepru. Z rzeczek przecinających bramę jedyne istotne (każda z nich ma około 20 m szerokości) to Łuczosa i Kaspla. Łuczosa (w górnym biegu zwana także Werchitą) bierze swój początek na północny wschód od Orszy w pobliżu Dniepru i przecina bramę smoleńską, niemal przez całą szerokość płynąc w brzegach przeważnie urwistych. Kaspla z kolei płynie w ogólnym kierunku na północny-zachód i wpada do Dźwiny pod Surażem.

Obie rzeczki mogą stać się przeszkodą taktyczną jedynie podczas obfitych wylewów. Przed bramą smoleńską od strony zachodniej w odległości 90–120 kilometrów znajduje się grupa Jezior Lepelskich, kanalizując ruch w kierunku tradycyjnego „wojennego" forsowania Berezyny pod Borysowem. Błotnista dolina Berezyny „zamyka" dostęp do bramy. Okolice Lepla są wielkim rozdrożem, z którego prowadzą naturalne szlaki na Moskwę – jeden południowy, mijając Dniepr po prawej stronie – do Wiaźmy przez bramę smoleńską i drugi północny przez Witebsk i brzegiem Dźwiny na Rżew. Trakcyjna siła tej wielkiej drogi wiodącej ku Moskwie wyznacza kierunek przez trzy wielkie miasta obszaru: Mińsk, Witebsk i Smoleńsk. Tylko Homel leży nieco na uboczu tego szlaku. Brama smoleńska zasłaniała Rosję od Rzeczypospolitej i osłaniała odległą zaledwie o 480 kilometrów stolicę Rosji – Moskwę. Na wschód za bramą smoleńską kraj staje się wyższy i bardziej suchy aż do środkowej części Wyżyny Rosyjskiej. Przed bramą od zachodu okolice Lepla obfitują w jeziora, które tworzą przeszkodę dla posuwania się w głąb bramy smoleńskiej od strony Rzeczypospolitej. Większa grupa jeziorna znajduje się także na lewym brzegu Dźwiny pomiędzy Połockiem a Bieszenkowiczami. Stanowi ona dogodny punkt obrony skrzydła tejże bramy wśród nielicznych wzniesień luźno porozrzucanych, o spadkach łagodnych i falującym horyzoncie, w terenie idealnym do wojny czołgowej. Dniepr od Orszy płynie doliną szeroką z obfitymi wylewami na wiosnę, licznymi starorzeczami, jeziorkami i jamami, a drogi przez nie prowadziły tradycyjnie po groblach. W przeciwieństwie do nigdy nienadającej się do brodzenia Wisły, w czasie posuchy można było forsować brody Dniepru aż do ujścia Berezyny. Berezyna do ujścia Hajny płynie w brzegach błotnistych porośniętych krzakami, z małą ilością miejsc do zejścia i forsowania i w ogóle jest trudna do przejścia, z dogodnym punktem przeprawowym z Borysowie – znanym dzięki legendzie odwrotu Wielkiej Armii jesienią i zimą 1812 roku. Wzdłuż rzeki ciągnęły się kompleksy leśne, trudne do przejścia, coraz szersze ku południowi, wzmagając znaczenie tej rzeki jako linii obronnej. Dolna Prypeć w ogóle nie ma brodów. Natomiast Dźwina dla odmiany ma ich całkiem dużo.

Wewnętrzny rdzeń bitwy manewrowej

Trójkąt warszawski

Warszawa jest równie istotna z powodów politycznych, jak z racji geografii wojskowej. Ważna jest wskutek bycia *hubem* komunikacyjnym kraju zlokalizowanym w gorsecie Wisły (zwężeniu biegu rzeki i doliny w jej środkowym położeniu), przez który siły wojskowe mogą się łatwo przemieszczać przez tę rzekę, by stawić czoło zagrożeniu ze wschodu, północnego wschodu, południowego wschodu, a nawet z północy. Historia zmagań wojennych dowiodła tej prawidłowości wiele razy. Utrzymanie mostów na Wiśle w Warszawie dawało przewagę obrońcom linii Wisły.

Zabudowania stolicy rozciągają się po obu stronach Wisły, ale ważniejsze i rozleglejsze są na jej lewym brzegu. Rozbudowa przedmieść we wszystkich kierunkach i po obu stronach rzeki spowalniająca ruch lądowy w razie wojny oraz fakt działania obu portów lotniczych na zachodnim brzegu rzeki spowoduje, że rząd polski może dokonać ewakuacji urzędów i władz dość łatwo i zdążyć, zanim miasto zostanie otoczone. Jednak jeśli się weźmie pod uwagę populację sięgającą dwóch milionów i obszar metropolitalny osiągający trzy miliony (dane się wahają), opuszczenie miasta przez władze byłoby trudną decyzją polityczną, która stanowiłaby duży cios psychologiczny w morale społeczeństwa i wojsko polskie broniące państwa i jego stolicy. Zwłaszcza że wciąż pozostaje w pamięci społecznej ewakuacja władz w sierpniu 1939 roku.

Niezależnie od skali zagrożenia przez rosyjski kompleks rozpoznawczo-uderzeniowy dalekiego zasięgu, w tym pociski manewrujące i balistyczne, który zdominował debatę o bezpieczeństwie w Polsce w ostatnich latach poprzez relatywizację znaczenia terytorium białoruskiego w razie wojny lądowej na wschodniej flance NATO, Białoruś jest śmiertelnym zagrożeniem dla Polski, jeśli stanowi bazę wypadową dla manewrowych sił rosyjskich. Ale oczywiście także dla rosyjskiego kompleksu rozpoznawczo-uderzeniowego, który skraca jakże istotny dystans i czas na reakcję strony polskiej.

Białoruś jako baza wypadowa dla Rosjan wymusza zmianę stacjonowania i uszykowania Armii Nowego Wzoru oraz planowania wojennego, podobnie jak rozbiór Czechosłowacji przed ostatnią wojną światową w istotny sposób wyeliminował szansę na sukces Polski w wojnie wrześniowej 1939 roku, zwłaszcza przy ówczesnej geopolitycznej potrzebie uszykowania kordonowego obrony państwa. Wniosek jest następujący: Białoruś w rękach rosyjskich w sposób oczywisty eliminuje możliwość pomocy państwom bałtyckim przez korytarz suwalski w razie wojny z Rosją, bezpośrednio uzależniając status bezpieczeństwa tych państw od woli Rosji. Równie groźnie brzmi to dla Ukrainy, dla której zagrożenie pojawi się od północnej granicy blisko Kijowa i głównych dróg kraju na zachód, zagrażając ukraińskiej komunikacji z Polską i Zachodem.

Mimo że zdobycie samej Warszawy również może być celem rosyjskiej operacji ofensywnej (w zależności oczywiście od twardości polskiej obrony), plan bitwy manewrowej nie zakłada istotnych walk w stolicy, zwłaszcza na dużą skalę. Rosyjska współczesna myśl wojskowa kładzie nacisk na wagę ograniczania kosztownych operacji w terenie zurbanizowanym, zwłaszcza w dużych miastach, na rzecz uchwycenia strategicznych punktów wokół nich pozwalających kontrolować dostęp do miast. Z tego powodu nasza propozycja nie podejmuje analizy topografii Warszawy i planów jej obrony wykorzystujących jej zabudowę i ciągi komunikacyjne. Jedynie zaleca podjęcie środków bezpieczeństwa, tak aby budynki rządowe i wojskowe, w tym dowództwo wojskowe, nie były narażone na działanie specnazu ani specjalnych grup operacyjnych, w tym najemników rosyjskich, którzy mogą dokonywać zleconych zabójstw lub porwań przywództwa polityczno-wojskowego Rzeczypospolitej.

Upadek Czechosłowacji a możliwości natarcia Niemiec na Polskę

W dwudziestoleciu międzywojennym aż do upadku Czechosłowacji Niemcy mogli na poważnie zaatakować Polskę jedynie z Pomorza Zachodniego. Tylko ten obszar dawał głębię strategiczną i wystarczającą podstawę operacyjną, która zapewniała oparcie dużym jednostkom niemieckim i liniom logistycznym do wyprowadzenia uderzenia na Polskę. Prusy Wschodnie nie dawały takiej podstawy i umożliwiały jedynie uderzenie pomocnicze. Brandenburgia miała z powodu bagien Warty bardzo złe skomunikowanie z Wielkopolską. Śląsk niemiecki był flankowany z Wielkopolski, a przede wszystkim z Czechosłowacji, sprzymierzonej wówczas z Francją, zatem Niemcy nie mogli stamtąd planować wyprowadzenia uderzenia na Polskę, bojąc się interwencji czechosłowackiej lub prewencyjnej akcji polskiego wojska na swoje tyły czy skrzydło i odcięcia od rdzenia Niemiec. Możliwość niemieckiego uderzenia głównego z jednego tylko kierunku głównego znakomicie poprawiała położenie strategiczne Polski i jej ewentualne przygotowanie obronne. Zwłaszcza że z tego kierunku było stosunkowo najdalej do Warszawy i do doliny górnej Wisły, która mogła stanowić strategiczną linię obrony w razie dłuższej wojny. Upadek Czechosłowacji dramatycznie zmienił ten stan rzeczy. Niemcy mogli teraz wyprowadzić uderzenie główne zarówno z Pomorza Zachodniego, jak i ze Śląska. I to właśnie zrobili. Zwłaszcza uderzenia ze Śląska na Armię Łódź i potem Armię odwodową Modlin otworzyły im drogę do Warszawy. Do tego wyprowadzili uderzenie pomocnicze z Prus Wschodnich (skąd było najbliżej do Warszawy), przecinając nasze linie obrony pod Mławą. Dzięki rozbiorowi naszego południowego sąsiada wykonali także pomocnicze, acz bardzo brzemienne w skutki, uderzenie ze Słowacji, co zadecydowało o oskrzydleniu kluczowej dla naszego planu wojny

Armii Kraków. Już drugiego dnia wojny doprowadzili do jej odwrotu, co złamało wzajemną asekurację skrzydeł wielkich polskich jednostek, i w konsekwencji do przegrania bitwy granicznej na całym długim froncie, i zarządzenia przez Naczelnego Wodza odwrotu za linię Wisły i Sanu dla wszystkich naszych armii. Na marginesie należy dodać, że Niemcy zażądali dostępu do Podkarpacia także od strony Węgier, które po rozbiorze Czechosłowacji zaczęły z Polską sąsiadować, ale satelickie wobec Niemiec Węgry odmówiły, narażając się zresztą na gniew Hitlera.

Do tego uwarunkowania geopolityczne zaistniałe w przededniu wojny stwarzały sytuację beznadziejną dla Polski. Pomińmy nawet pakt Ribbentrop–Mołotow, który czynił nasz kraj tylko przedmiotem gry o równowagę wielkich mocarstw (a nie jej podmiotem, jak myślano w Warszawie). Analizując sytuację śmiertelnej gry międzynarodowej, która zaczynała się wobec Polski, nasze kierownictwo uznało, że wojsko polskie ma do spełnienia dwa zadania militarne, które przełożą się na cele polityczne naszego rządu: nie dać się zniszczyć na zachód od Wisły i wytrwać w walce, eskalując sytuację aż do wojny europejskiej z udziałem sojuszniczych Francji i Wielkiej Brytanii. Taka eskalacja w opinii naszych przywódców musiała się skończyć klęską Niemiec, znacznie przecież ogólnie słabszych od mocarstw zachodnich. W ten sposób kalkulowano przetestowanie (jak sądzono) blefu Hitlera, który stawiał Polsce kolejne ultimata, mając na celu podporządkowanie polityki polskiej swoim własnym celom.

Tak postawione zadania wymuszały na wojsku polskim wysuniętą obecność wzdłuż bardzo długiej granicy, by mocarstwa zachodnie nie uznały, że się nie bronimy (jak Ukraińcy na Krymie w 2014 roku), i z ulgą nie przystąpiły do wojny, dalej licząc na powstrzymywanie apetytu Hitlera kosztem jedynie naszej części Europy – jak zrobiono w Monachium wobec Czechosłowacji.

Paradoksalnie, wojsko polskie wypełniło oba zadania, a zatem jako instrument polityki państwa spełniło pokładane w nim nadzieje. Nie dało się rozbić na zachód od Wisły, odwrót przebiegał sprawnie (nie zapominajmy, że kadra oficerska pamiętała wielkie odwroty roku 1920, a potem wielkie zwycięstwa), gros sił odbudowywało się za Wisłą i Sanem, a wielka bitwa nad Bzurą Armii Poznań i Pomorze oraz uporczywa obrona Warszawy wiązały siły niemieckie. Zabrakło oczywiście tylko interwencji naszych sojuszników, co było i tak raczej niemożliwe po pakcie niemiecko-sowieckim, który zmieniał rozkład sił w naszej części Europy, czyniąc z Polski przedmiot (czego ta zdawała się w ogóle nie dostrzegać). Tutaj zawiodła kalkulacja geopolityczna Becka. 17 września i wejście wojsk sowieckich do wojny ostatecznie podcięły nadzieje i starania naszego wojska.

Do lata 2020 roku Rosja nie była w stanie wyprowadzić uderzenia na Polskę z obwodu kaliningradzkiego bez wcześniejszej długotrwałej rozbudowy sił i logistyki na Białorusi. Mogła uderzyć na państwa bałtyckie z okolic Pskowa czy Petersburga, ale nie mogła uderzyć na Polskę. Mogła grozić przecięciem naszej linii komunikacyjnej do państw bałtyckich, ale nie pełnym i poważnym uderzeniem na Polskę, no chyba że większość naszych sił wysłalibyśmy za Niemen i Dźwinę. Obwód kaliningradzki w jeszcze mniejszym stopniu niż Prusy Wschodnie mógł stanowić dogodną podstawą operacyjną i Rosjanie raczej się obawiali, czy to my nie będziemy mieli zachcianki zająć obwodu. Dlatego wbrew obiegowym opiniom nie trzymali istotnych sił w „oblężonym" z punktu widzenia sztuki wojennej Kaliningradzie. Natomiast pełnowojskowa obecność rosyjska na Białorusi spowodowałaby, że podobnie jak to było ze Śląskiem w 1939 roku Rosjanie mogliby z tej dogodnej podstawy operacyjnej z dwu co najmniej kierunków: Grodna i Wołkowyska na północ od Narwi oraz między Narwią i Bugiem, a także z Brześcia oraz Domaczewa/Sławatycz, wykonać uderzenie główne na Warszawę kilkoma możliwymi drogami. Mogliby iść na Białą Podlaską, Radzyń, Siedlce, Międzyrzec, Mińsk Mazowiecki i dalej na przedmościa warszawskie od strony Pragi. Dodatkowo mogliby (w historii robili to kilka razy) uderzyć między Włodawą a Chełmem w kierunku na Lublin do Dęblina w kierunku przepraw na Wisłę między Radomką a Pilicą. Obchodząc Warszawę od południa tak jak w latach 1944 i 1945. Przy naruszeniu suwerenności Ukrainy mogliby stworzyć jeszcze jedną linię operacyjną przez Chełm, Lublin i Puławy, rozpraszając nasz wysiłek obronny na kierunku warszawskim. Pomocnicze uderzenie rosyjskie mogłoby wówczas wyjść z obwodu kaliningradzkiego wzdłuż doliny Wisły, dodatkowo rozpraszając nasz wysiłek obronny na ogromnej wschodniej części kraju pociętej barierami głównych rzek Polski: Wisły, Bugu i Narwi.

Poza tego rodzaju działaniami oraz poprzedzającymi działania manewrowe atakami rosyjskiego kompleksu rozpoznawczo-uderzeniowego wykonującego uderzenia w elementy polskiej pętli decyzyjnej lub zakłady użyteczności publicznej nie przewidujemy ciężkich walk w Warszawie.

Nie oznacza to braku obecności wojskowej w mieście. Mamy tu na myśli oddziały obrony powietrznej, wojsk ochraniających budynki rządowe oraz wszelkich służb ochrony strategicznych obiektów przed działaniami wrogich sił specjalnych, które mogłyby zdezorganizować machinę wojenną Rzeczypospolitej.

Strategiczna kontrola Warszawy przez Rosjan bez samego wejścia do miasta i walk w mieście zależeć będzie od zidentyfikowanych (po części) jeszcze przez Napoleona punktów strategicznych: zbiegu Narwi, Bugu i Wisły koło Modlina niedaleko Nowego Dworu Mazowieckiego, oraz Zegrza obok Serocka (styk sektorów: A/B/D i B/C/D). Napoleon zakładał ponad 200 lat temu, że dodatkowo potrzebna jest kontrola przyczółka w samym mieście na lewym brzegu rzeki, którędy przebiega trasa wschód–zachód (obecnie to Stare Miasto w Warszawie pod Zamkiem Królewskim). Dziś jest o tyle inaczej, że Rosjanie mogą sobie zapewnić kontrolę stolicy skoncentrowanym manewrem ogniowym, a nie tylko blokowaniem ruchu masą własnego wojska, jak w XIX wieku.

Artyleria rosyjska ma obecnie teoretyczny zasięg ognia skutecznego nawet do 90 km, ale efektywny obszar kontroli za pomocą manewru ogniowego wynosić powinien, można przyjąć, 40–50 km, jeśli chodzi o masowe, celne i responsywne (szybko reagujące wobec wykrywanego ruchu lub celu na tę odległość) użycie pocisków artyleryjskich. Dlatego Nowy Dwór Mazowiecki i Serock będą świetnymi lokalizacjami dla rosyjskiej artylerii, by kontrolować dostęp do miasta od północy, bez konieczności forsowania Wisły.

Na południu podobnie korzystna sytuacja jest trudniejsza do osiągnięcia, ale najbardziej prawdopodobna lokalizacja to ujście Pilicy do Wisły niedaleko Wilgi (ale po wschodniej stronie Wisły, bez jej forsowania), jeśli Rosjanie nie będą chcieli forsować Wisły. Jeśli ją sforsują na południu, to będą musieli podejść aż do linii Pilicy niedaleko Białobrzegów lub nawet dalej na północ, by osiągnąć zakładany efekt kontroli ogniowej. W wypadku podejścia od południa znajdująca się przed Warką Pilica, lewobrzeżny dopływ Wisły, stanowi poważną przeszkodę terenową – szczególnie że, patrząc od południa, Warka usytuowana jest na wzniesieniu za zakolem Pilicy. Na Pilicy znajduje się wiele starorzeczy i rozlewisk niebędących częścią głównego nurtu rzeki, co może skutkować omyłkowym przekonaniem przeprawiających się, że właśnie dokonano skutecznego desantu na drugi brzeg, podczas gdy w rzeczywistości dokonano lądowania na półwyspie lub wyspie.

Ukształtowanie terenu stwarza również wiele możliwości rozbicia operacji na serię mniejszych potyczek, dzielących siły przeciwnika i utrudniających sprawne dowodzenie oraz planowe manewrowanie siłami. Bariera Pilicy jest świetnym miejscem, by odwody pancerne Armii Nowego Wzoru oraz jej artyleria działające z bezpiecznego i dogodnego komunikacyjnie sektora A postawiły skuteczną linię obrony wobec manewru rosyjskiego na zachód od Wisły wzdłuż jej biegu na północ, na Warszawę.

Dlatego uważamy, że punkty wyznaczające obszar pomiędzy Nowym Dworem Mazowieckim, Serockiem i Wilgą nazwany trójkątem warszawskim muszą być chronione i powinien to być strategiczny cel Armii Nowego Wzoru. Ich utrata grozi pokonaniem Polski. Co najmniej ich utrata zmusi Polskę do szukania bezpośredniej interwencji sojuszników zachodnich, by zapobiec kolapsowi bezpieczeństwa Warszawy i wyraźnej dominacji aplikacji i eskalacji przemocy przez Rosjan.

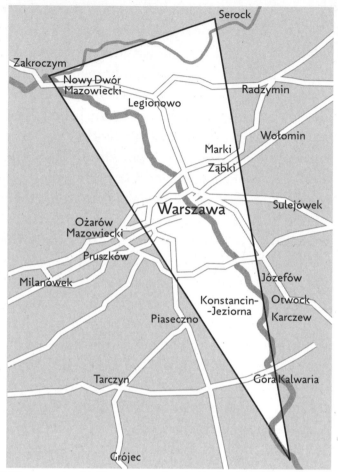

Mapa 2. Trójkąt warszawski: kluczowe punkty, których należy bronić (na podstawie Open Street Map)

Strefa nękania

Poza granicą trójkąta warszawskiego taktyka działania Armii Nowego Wzoru powinna być skupiona raczej na przeciwdziałaniu rosyjskiemu planowi operacyjnemu oraz rosyjskiej pętli decyzyjnej niż na kontrolowaniu konkretnego kawałka terytorium za wszelką cenę[72].

---

[72] I.A. Buvaltsev, O.A. Abdurashidov, A.V. Garvard, „Развитие тактики в современных условиях" [Rozwój taktyki we współczesnych warunkach], „Военная Мысль", vol. 10, 2021, s. 36.

Mapa 3. Schematyczny plan bitwy manewrowej, widać podział na cztery strefy w obrębie wcześniej zaznaczonych (na s. 186) sektorów działania

Takie postawienie zadań powoduje, że dobre rozegranie sprawy geografii wojskowej kraju jest kluczowe dla odniesienia strategiczno-operacyjnego sukcesu podczas wojny i sugeruje metody optymalizacji taktycznej. Nie jest natomiast cudownym rozwiązaniem, które samo w sobie prowadzi do zwycięstwa. Kontrolowanie różnych punktów na mapie ułatwia osiągnięcie zwycięstwa, ale go nie gwarantuje. Cechy terenowe jedynie stwarzają formę dla rozsądnych i dostosowanych do tych warunków rozmieszczeń i manewrów taktycznych.

Należy założyć, że w razie konwencjonalnego ataku na Polskę od wschodu pewna część polskiego terytorium znajdzie się w rękach Rosjan. I tak ma być, w ten bowiem sposób rozciągamy wojska rosyjskie oraz stwarzamy warunki do ich oderwania od podstawy operacyjnej (o czym za chwilę). Umożliwia to pokonanie przeciwnika na tym teatrze wojny. Zważywszy na liczebność sił zbrojnych FR i strukturę rosyjskiego wojska manewrowego, które liczbą absolutną przewyższają Armię Nowego Wzoru (chociaż jednak względnie i w zależności od przebiegu i konkretnego uwarunkowania tej kampanii oraz innych zadań wojska rosyjskiego na innych teatrach), łatwiej będzie pokonać wojska rosyjskie na terenie Polski, zmuszając Rosję do ekspozycji swoich sił na polskim terytorium przy wykorzystaniu naturalnej przewagi naszej znajomości terenu i naszych krótszych linii logistycznych oraz możliwości wewnętrznych linii manewru (pod warunkiem umiejętnego ukształtowania manewru przeciwnika).

Nie mówiąc już o walorze przedstawienia Rosji w takiej sytuacji jako agresora wobec społeczności międzynarodowej, co będzie można dobrze rozegrać w domenie informacyjnej, w której będzie się toczyła zajadła rywalizacja między Polską a Rosją przez cały czas trwania starcia na wszystkich szczeblach rywalizacji przedkinetycznej i kinetycznej.

Takie „strefowe" podejście zapewni znacznie większą szansę oddzielenia pierwszorzutowych batalionowych grup bojowych wojska rosyjskiego od ich zaplecza logistycznego, artylerii i poważniejszej obrony powietrznej dalekiego i średniego zasięgu. Rozciągnie także czas dolotu dla lotnictwa wsparcia pola walki, w tym dla śmigłowców szturmowych oraz dronów, stopniowo degradując ich zdolności. Zazwyczaj napastnik godzi się z utratą przewagi znajomości terenu, w który wchodzi ze swoją akcją, w zamian za inicjatywę operacyjną przejawiającą się w przeniesieniu wojny na teren broniącego i wyborze kierunku i czasu koncentracji wysiłku. Do tego obrońca musi się przygotować i starać się ukształtować ruch napastnika, by naprowadzić go na strefy, w których powstanie asymetria na niekorzyść napastnika (czy to terenowa, czy materiałowa, czy jakościowa, czy czasowa). Asymetria daje mu szansę stępienia siły ofensywnej, a nawet jej pobicia i przejęcia inicjatywy operacyjnej.

Nasza propozycja zakłada przygotowanie polskiej obrony w oparciu o całą serię miniofensyw na terenie Polski właśnie po to, by przechwycić inicjatywę z rąk agresora w procesie wsysania Rosjan w relatywną głębię strategiczną między Bugiem a Warszawą. Będzie to dokonane poprzez zaplanowane podzielenie pola walki na sektory i zastosowanie nowatorskiej taktyki wojennej oraz użycia logistyki i zaplecza, różnych w zależności od sektorów.

Najkrótszy dystans pomiędzy punktem w trójkącie warszawskim i terytorium Białorusi to trochę mniej niż 170 km między Brześciem a Wilgą. Niedużo – wydawałoby się – jednakże utrzymanie przez Rosjan Wilgi, by uczynić Warszawę zakładnikiem rosyjskiej artylerii, będzie od nich wymagało ogromnego wysiłku logistycznego na całym odcinku 170 km od granicy białoruskiej. Co najmniej ze względu na wielkie potrzeby amunicyjne dla rosyjskiej artylerii, znanej z wielkiego zużycia amunicji, niezbędnego, by intensywnym manewrem ogniowym odciąć dostęp do Warszawy lub pokonać potencjalny opór obrońców na podejściu do stolicy Polski.

Podobnie jak inni[73], uważamy, że obecnie logistyka rosyjska (stan na rok 2021) szwankuje, zwłaszcza kołowa, a taka byłaby wymagana na tym odcinku i to na odległości większe niż 120 kilometrów, którą to odległość przyjmuje się dla obecnych wojsk rosyjskich za granicę możliwości utrzymania przewidywanej logistyki wojsk frontowych od podstawy operacyjnej.

Wojsko rosyjskie nie jest wojskiem sowieckim z dawnych czasów (które też zresztą miało problemy z logistyką frontową, zwłaszcza dla artylerii) i ćwiczy tzw. aktywną obronę w oparciu o kompleks rozpoznawczo-uderzeniowy poparty manewrem rajdowym batalionowych grup bojowych, a nie głębokie manewry operacyjne, a nawet strategiczne w stylu operacji Bagration lub operacji mandżurskiej z końca II wojny światowej, do których po prostu nie ma wystarczających zdolności logistycznych. Efekt byłby silniejszy, gdyby dodatkowo nie pozwolić Rosjanom na zdobycie węzłów kolejowych w miastach i uniemożliwić zapewnienie

---

[73] https://warontherocks.com/2021/11/feeding-the-bear-a-closer-look-at-russian-army-logistics/

logistyki wojennej koleją, do której od 120 lat Rosjanie przywiązują ogromną wagę, mając w siłach zbrojnych nawet własne brygady kolejowe do przygotowywania, naprawiania i pełnego odtwarzania logistyki kolejowej dla własnych pododdziałów. Dlatego kluczowe będzie bronienie kilku ważnych miast z węzłami kolejowymi, o czym za chwilę.

Największy dystans z Białorusi do trójkąta warszawskiego to odległość Nowy Dwór Mazowiecki – Grodno; to prawie 260 km w linii prostej i około 300 km szosą. Uważamy, że szczególnie w pierwszej fazie wojny polska obrona nie powinna skupiać się na próbie utrzymania całego tego terenu w jego głębokości, ale raczej podzielić ten obszar na wewnętrzną strefę śmierci i zewnętrzną strefę nękania. Ten podział i jego staranne dochowanie oraz wykonanie zadań taktycznych w strefach są arcyważne dla sukcesu bitwy manewrowej.

Zewnętrzna strefa nękania składa się z obszarów granicznych już w Polsce i dalej od granicy w kierunku centrum państwa (około 100 km w głąb sektorów B, C i D). Zamiast starać się bronić tego terytorium i je utrzymać, Armia Nowego Wzoru powinna się skupić na użyciu tej strefy wyłącznie do selektywnego (nie wszędzie, nie zawsze i nie wobec wszystkich oddziałów przeciwnika, jak również nie wobec wszystkich pojawiających się celów) nękania rosyjskich linii logistycznych i służb tyłowych, w tym przede wszystkim artylerii, obrony powietrznej, lądowisk polowych i terenowych baz logistycznych, śmigłowców uderzeniowych czy bezpilotowców, i poszukiwania „tłustych krów", czyli drogich systemów walki, w celu osiągnięcia efektu rozdzielenia rosyjskiej artylerii rakietowej i lufowej oraz systemów obrony powietrznej od frontowych oddziałów prących manewrem rajdowym na Warszawę i wyżej wskazane punkty trójkąta warszawskiego.

Aby to się udało, Armia Nowego Wzoru powinna użyć oddziałów lekkiej piechoty (eksperymentalne brygady lekkiej piechoty dronowej – 6 i 25 – po ich transformacji, o której w szczegółach piszemy nieco później w niniejszym raporcie; Wojska Obrony Terytorialnej, pułki rozpoznawcze) o bardzo niskiej sygnaturze w strefie nękania, za to zdolnych do rozproszenia się w lesie i w terenie. Wciąż dysponujących siłą uderzeniową zdolną do niszczenia „tłustych krów" (dzięki przede wszystkim amunicji krążącej oraz dronom taktycznym, w tym przede wszystkim, ale nie tylko, w eksperymentalnych brygadach dronowych nasyconych wielką ich liczbą, z nową filozofią masowego ich użycia) oraz do niszczenia mostów dróg.

Jednak ich głównym zadaniem, zwłaszcza na początku wojny, powinno być zbieranie informacji przez rozliczne sensory i rozeznanie wśród ludności miejscowej co do obecności i ruchu Rosjan, i niezwłoczne przekazywanie tych informacji do połączonego systemu świadomości sytuacyjnej dla Armii Nowego Wzoru, który trzeba będzie stworzyć. Informacje te powinny dotyczyć zwłaszcza wiedzy co do kierunków i siły oddziałów uderzeniowych idących na zachód.

Uważamy, że eksperymentalne brygady lekkiej piechoty (6 i 25) powinny szkolić się w wysoko zaawansowanej technologicznie i nasyconej systemami taktyce użycia amunicji krążącej, dronów i pocisków precyzyjnych (w taktyce *hide and hit*)[74].

---

[74] Przed wojną spróbowano wprowadzić do Wojska Polskiego również jednostkę eksperymentalną, która miała zmienić zasady działania naszego wojska, ale w inny sposób „nasycając" potencjalne pole walki. Na miarę ówczesnych technologii i kierunku rozwoju sztuki wojennej próbowano nasycić pole walki szybko przemieszczającymi się jednostkami pancerno-motorowymi. Tak powstała koncepcja 10 Brygady Kawalerii (pancerno-motorowej) dowodzonej przez pułkownika Stanisława Maczka. Jak wspominał sam Maczek i jego podkomendni, ich eksperymentalna brygada spełniła pokładane w niej nadzieje i zmieniła na swoim odcinku odpowiedzialności pole walki we wrześniu 1939 roku. Nawet bez czołgów brygada swoją koncepcją i wyposażeniem dała naszemu wojsku manewr, szybki odskok, przegrupowanie, szybkie dojście do przeciwnika wypoczętym (bo przewożonym) wojskiem, co nasycało ówczesne pole walki, powodując jego zagęszczenie, a jednocześnie zapewniając wielką mobilność, co było rewolucją w tamtym czasie. 10 Brygada była też jedyną polską wielką jednostką, która nie uległa rozbiciu lub rozproszeniu ani też nie dostała się do niewoli, stanowiąc mobilny odwód Armii Kraków i znacząc szlak bojowy w Beskidach, pod Rzeszowem i w obronie Lwowa.

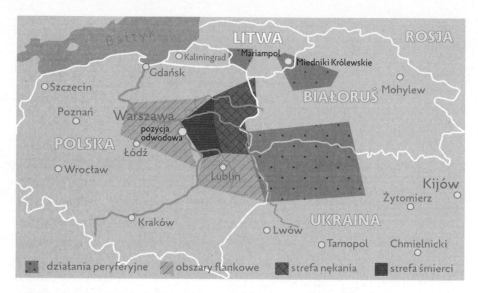

Mapa 4. Podział na strefy. Pomysł polega na wpuszczeniu pierwszego rzutu rosyjskich batalionowych grup taktycznych w głąb na zachód, aż za linię Łomża–Siedlce, aby uczynić je tym bardziej wrażliwymi na oddziaływanie bojowe Armii Nowego Wzoru poprzez wytworzenie sytuacji lokalnej, w której będą musiały polegać na tym, co mają ze sobą (jeśli chodzi o logistykę). Kluczem jest doprowadzenie do sytuacji, by logistyka nie mogła nadążyć i być przewidywalna, co spowoduje, że oddziały te będą musiały walczyć bez stosownej artylerii, obrony powietrznej i lotnictwa pola walki oraz przede wszystkim w zdegradowanym lub zrolowanym poczuciu dominacji informacyjnej na temat tego, co się dzieje na polu walki. Zanim dotrą do strefy śmierci, już mają odczuwać niepewność w zakresie logistyki.

W debacie eksperckiej w Polsce twierdzi się (choć nie ma oficjalnych i potwierdzonych danych w tej sprawie), że cena wyposażenia (bez kosztów osobowych i szkolenia) eksperymentalnego batalionu lekkiej piechoty (dronowego), uzbrojonego w ponad tysiąc sztuk amunicji krążącej bardzo bliskiego zasięgu i 150 sztuk amunicji (zestawów) krążącej o większym zasięgu taktycznym oraz w pięć zestawów, czyli 20 sztuk, dronów zasięgu taktycznego, do tego w cztery do pięciu bezpilotowców rozpoznawczo-komunikacyjnych o dłuższym czasie lotu, z C4ISR dla całego batalionu zapewniającego także łączność, komunikację, namierzanie i targeting w skali niezbędnej dla batalionu, nie powinno przekraczać kwoty 600 mln złotych. To jest koszt około 2% zakupu 32 sztuk samolotów F-35 dla Polski (4,6 mld dolarów plus VAT, czyli około 17,8 mld złotych) lub nabycia systemu Patriot (Wisła) za kwotę porównywalną z zakupem F-35 – 4,75 mld dolarów. Jeden samolot F-35 w takim układzie kosztuje 87,3 mln dolarów (czyli około 400 mln złotych) – niewiele mniej niż całe wyposażenie dla eksperymentalnego batalionu lekkiej piechoty (dronowego).

Taki batalion z brygad eksperymentalnych lekkiej piechoty w strefie nękania będzie się rozpraszał (więcej piszemy o tym pomyśle w kolejnych częściach raportu) w małe zespoły i sekcje bojowe w terenie zalesionym, wiejskim lub trudno dostępnym z rozproszoną zabudową i rozdrobnioną agrokulturą przeważającą we wschodniej Polsce, umiejętnie nasycając wszystkie osie komunikacji przeciwnika, używając amunicji krążącej, uzbrojonych bezpilotowców, amunicji precyzyjnej i innych zautomatyzowanych systemów. Przy dobrym zgraniu pododdziałów można w ten sposób siać spustoszenie na tyłach armii rosyjskiej.

To na pewno może zmienić rosyjską kalkulację kosztów/korzyści i negatywnie wpłynąć na pierwszorzutowe jednostki rosyjskie walczące bliżej Warszawy, jeśli chodzi o części zamienne, amunicję i morale, oraz, co byłoby optymalne, pozbawić wsparcia ognia pośredniego artylerii.

Zważywszy, że, jak mawiają eksperci z USA, z którymi konsultowaliśmy Armię Nowego Wzoru, armia rosyjska to armia „artyleryjska" z oddziałami czołgów do rajdów manewrowych, byłby to dobry zaczyn do złamania kręgosłupa potencjału wojsk lądowych Rosji i podstaw rosyjskiej sztuki operacyjnej.

Dodatkowo niezależne pułki rozpoznawcze z Hrubieszowa, Białegostoku i Lidzbarka Warmińskiego wyposażone w lekkie pojazdy do szybkich i dalekich poruszeń powinny nieustannie się przemieszczać, obserwując poruszającego się przeciwnika na jego własnych skrzydłach i poza zasięgiem jego bezpośredniego rażenia, a będąc w ruchu, unikać przykrycia ogniem przez artylerię i drony – które są najskuteczniejsze w trakcie przystanków oddziałów. Działając w bardzo małych formacjach

ultramobilnych, mniejszych niż plutony i uzbrojonych w lekkie środki do zwalczania czołgów, te specjalne jednostki rozpoznawcze muszą być trudne do wykrycia, a jednocześnie niełat-
twe do zabicia/wyeliminowania. Należy używać ich w ten sposób,
by wyeliminowanie sporej części z nich nie wpłynęło na dalsze
procedowanie planu bitwy manewrowej.

Sukces oddziałów Armii Nowego Wzoru w strefie nękania
byłby zależny od kilku czynników.

- Dostęp do broni o wystarczającej sile ognia, by niszczyć priory-
tetowe cele i infrastrukturę (w tym mieć dostęp do uzupełnienia tego uzbrojenia trzymanego w tajnych schowkach w strefie
nękania). Skrytki powinny być przygotowane zawczasu w terenie, w lokalizacjach, gdzie jednostki lekkiej piechoty ćwiczą w czasie pokoju, czyli dokładnie tam, gdzie miałyby działać w czasie wojny).

- Właściwe szkolenie i ćwiczenia, by umieć przetrwać i funkcjonować długo w małych zespołach ludzkich na rozproszonym
polu walki bez jasnych frontów i poza liniami wroga (system
dowodzenia musi być nieoczywisty, na swój sposób „chao-
tyczny" i niepionowy, ale raczej sieciowy na rozproszonym
polu walki, a nawet „łamliwy", w ten sposób, że nieustępliwie
powraca do swojego stanu po naruszeniu jednego lub kilku
jego elementów.

- Dostęp do systemu zbierania i przesyłania informacji o celach
(*upload* i *download*) i wprowadzanie ich do połączonego systemu świadomości sytuacyjnej Armii Nowego Wzoru.

- Mobilność i zdolność do „znikania" w terenie oraz zdolność
do prowadzenia pasywnej walki elektromagnetycznej; doprowadzenie do perfekcji sztuki kamuflażu; zdolność do maskowania i działania z dala od dróg bitych i szos, biwakowania,
noclegów pod gołym niebem w terenie bez wygód; doskona-
ła znajomość terenu i bezpośrednia znajomość mieszkańców
wschodniej Polski, gdzie jednostki będą stacjonować i szkolić
się w czasie pokoju, najlepiej w miejscach stacjonowania nie

większych niż jedna kompania, przy rozproszeniu się takim, jak się tylko da, by znać teren i jego mieszkańców.

Zamiast wyposażać wojsko w ciężki sprzęt, proponujemy przygotować bardzo wiele dobrze zabezpieczonych i zamaskowanych kryjówek, stanowiących bazy wypadowe (z amunicją i paliwem oraz środkami logistycznymi) za linią wroga, który będzie się posuwał w głąb Polski. Priorytetem jest działanie bez kontaktu z wrogiem dzięki dronom, amunicji krążącej – zamiast bezpośredniej konfrontacji bojowej z udziałem żołnierzy walczących przy użyciu osobistego wyposażenia strzeleckiego. Za to dodatkowo na wyposażeniu żołnierzy muszą się znaleźć miny, liczne granatniki i w mniejszej liczbie pociski kierowane przeciwczołgowe.

Byłoby idealnie, aby ogień pośredni pochodził z dronów, a potem już w trakcie kolejnych faz konfliktu ze śmigłowców szturmowych. W kryjówkach powinien być także zapas broni przeciwlotniczej bardzo bliskiego zasięgu dla pojedynczych żołnierzy (MANPADS), umożliwiającej zwalczanie śmigłowców przeciwnika.

Oddziały polskich wojsk specjalnych dodatkowo zostaną rozmieszczone bardzo blisko granicy (po obu jej stronach), by zbierać informacje wywiadowcze umożliwiające namierzanie i niszczenie potencjalnych celów. Oddziały takie powinny też być gotowe na akcje sabotażu. Powinny działać niczym rozproszone „sensory" na wysuniętych stanowiskach, dostarczając „na żywo" dane do połączonego systemu świadomości sytuacyjnej Armii Nowego Wzoru, względnie dane do targetingu dla polskiego kompleksu rozpoznawczo-uderzeniowego (pocisków manewrujących i artylerii programu Homar). Polski SOF będzie się kolejno rotował z głębi Polski w trakcie pokoju, by znać dobrze obszar przygraniczny i przygotować tam zawczasu skrytki i ukryte bazy wypadowe.

W strefie nękania Wojska Obrony Terytorialnej będą odgrywać kluczową rolę. Ze względu na występowanie tutaj ważnych miast, takich jak Białystok, Radzyń Podlaski, Biała Podlaska czy Siedlce, jednostki WOT powinny zająć się improwizowaną obroną tych miast, szczególnie tam, gdzie znajduje się węzeł kolejowy, w celu pozbawienia Rosjan możliwości łatwego zdobycia węzła i prowadzenia logistyki wojennej koleją. Chodzi o to, by Rosjanie nie mogli wziąć tych miast z marszu i by kosztowało ich to utratę tempa marszu w kierunku Warszawy[75].

Rosjanie będą unikali walki w miastach, zatem obrona tych miast – węzłów komunikacyjnych w strefie nękania posłuży do odwiedzenia Rosjan od wejścia do tych miast, co przy okazji pozwoli ochronić ludność cywilną, ale przede wszystkim ograniczy impet natarcia rosyjskiego przez osłabienie logistyki. Rosjanie będą próbowali organizować logistykę napowietrzną, tworząc tym samym wspaniałe cele dla naszych oddziałów w strefie nękania. Ewentualnie, wykorzystując oddziały saperów, będą tworzyć obejścia bronionych przez WOT miast na rzekach i terenach podmokłych, gdyż mosty w mieście będą w polskich rękach. Rosjanie będą to jednak mogli robić „na pół gwizdka", bo ich batalionowe grupy taktyczne nie są liczne, nie mają rozbudowanych służb zabezpieczenia i muszą się koncentrować na

---

[75] Na przykład na południowym krańcu kierunku taktycznego Brześć – Warszawa biegnącego na południe od Bugu znajduje się Radzyń Podlaski. Chociaż na pierwszy rzut oka liczące nieco ponad 16 tysięcy mieszkańców miasto nie wydaje się idealnym miejscem do zorganizowania obrony, to w mieście tym znajduje się szereg budynków publicznych, które z łatwością mogłyby być przekształcone w fortyfikacje, wokół których mógłby zostać opracowany plan obrony miasta. Co prawda przez Radzyń Podlaski nie biegną linie kolejowe, za to jest on położony na skrzyżowaniu dróg krajowych 63 i 19. Utrzymanie nad nim kontroli uniemożliwiłoby Rosjanom przekształcenie miasta w punkt obrony w sytuacji polskiego kontrataku. Dalej na południowy zachód wzdłuż tej samej osi ciąg barier wodnych przed Kockiem tworzy rzeka Tyśmienica (dopływ Wieprza) i jeden z jej dopływów Bystrzyca. Położony kolejne 45 kilometrów na zachód Dęblin wraz z przebiegającymi przez niego mostami drogowymi i kolejowymi na Wiśle może stanowić kolejny krytycznie ważny punkt wymagający umocnienia. Nawet gdyby Rosjanom udało się przekroczyć Wisłę w Dęblinie, skierowanie się na północ na Warszawę (idąc z południa) nie byłoby zadaniem łatwym. Oś środkowa Brześć – Warszawa ciągnęłaby się wraz z linią kolejową prowadzącą od Brześcia na zachód, przekraczając Wisłę niedaleko Góry Kalwarii mostem drogowym i kolejowym. Licząca 11 tysięcy mieszkańców Góra Kalwaria góruje nad zachodnim brzegiem Wisły, zapewniając tym samym dominującą pozycję obronną blokującą próby przeprawy przez rzekę ze wschodniego jej brzegu.

wysiłku rajdowym w kierunku trójkąta warszawskiego, by zachować siłę oddziałów pierwszorzutowych do – na sporą przecież skalę – operacji pokonania Polski.

Naturalną sprawą na wojnie jest to, że oddziały nacierające tracą siły, im głębiej wchodzą w teren nieprzyjaciela, nawet bez oddziaływania obrońcy lub przy umiarkowanym jego oporze. A co dopiero przy twardej i aktywnej obronie szykowanej na nich w strefie śmierci, o czym za chwilę.

Zbadajmy przykład Białegostoku położonego blisko granicy i tym samym niedaleko białoruskiego Grodna, który dominuje nad całą osią i całym kierunkiem operacyjnym. W granicach tej konkretnej przestrzeni zdominowanej miastem znajdują się tylko trzy osie: 1) droga krajowa 19 pomiędzy Grodnem a Białymstokiem; 2) droga krajowa 65, będąca najkrótszą trasą pomiędzy granicą białoruską a Białymstokiem; 3) drogi krajowe 66 i 19 biegnące od Brześcia.

Na początkowym odcinku najbardziej wysuniętej na północ trasy otwarte, równninne ukształtowanie terenu wzdłuż linii kolejowej biegnącej z terytorium Białorusi sprawia, że przemieszczanie się na południe w kierunku Sokółki jest stosunkowo proste; jedyną przeszkodę terenową stanowi mały strumień. Łatwy do pokonania teren na podejściu do Sokółki z kierunku wschodniego zapewnia przestrzeń do manewru o głębokości około 20 kilometrów, licząc od granicy białoruskiej. Co więcej, pierwsze 10 kilometrów za Sokółką to pofałdowany, „czołgowy" teren, przetykany od czasu do czasu zagajnikami. Jednak kolejne 20 kilometrów to rejon gęsto zalesiony i bagnisty, utrudniający przemieszczanie się poza drogami. Trasa biegnąca bezpośrednio z terytorium Białorusi w kierunku Białegostoku przebiega przez teren leśny, stosunkowo łatwy do obrony przez jednostki dobrze znające tę przestrzeń. Na obydwu kierunkach natomiast – a więc z zachodu i północnego zachodu – teren staje się zalesiony i bagnisty, a przez to stanowiący duże wyzwanie dla kolumn pojazdów, jeżeli zostałyby one zmuszone do opuszczenia drogi.

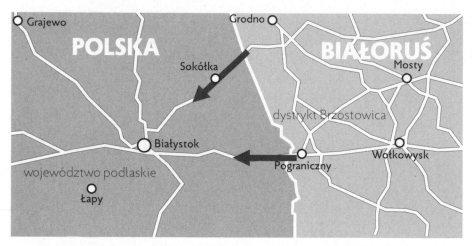

Mapa 5. W Białymstoku znajduje się węzeł kolejowy zarządzający ruchem pociągów w pięciu kierunkach. Zapewnia on dostęp do miasta z dwóch kierunków i wyjście z niego w głąb Polski w trzech. Sam ten fakt czyni Białystok niezwykle ważnym. Jeżeli wojska rosyjskie zdobyłyby liczącą 19 tysięcy mieszkańców Sokółkę, z pewnością uczyniłyby z niej węzeł logistyczny dla całego, biegnącego wzdłuż Bugu, ramienia operacji okrążającej (na podstawie Google Earth/Nicholas Myers)

Mapa 6. Teren na północ od Brześcia jest znacznie mniej bagnisty i zalesiony niż ten wzdłuż granicy polsko-białoruskiej na wysokości Białegostoku. Podobnie jak w wypadku osi północnych, również oś południowa dysponuje siecią połączeń drogowych i kolejowych stanowiących linie komunikacyjne mogące ułatwić natarcie w głąb polskiego terytorium (na podstawie Google Earth/zbiory autora)

Atak wyprowadzony z kierunku brzeskiego stanowiłby z pewnością największe zagrożenie dla obrony Białegostoku, ponieważ obsługiwałyby go połączenia drogowe oraz kolejowe, samo zaś natarcie nadeszłoby z najbardziej odsłoniętej pod względem ukształtowania terenu strony miasta. Po związaniu sił polskich w Białymstoku rosyjski Sztab Generalny spróbowałby najprawdopodobniej przekroczyć linię Narwi, odcinając tym samym miasto.

Ukształtowanie terenu umożliwiłoby wojskom kontrolującym linię Narwi szybkie natarcie. W momencie okrążenia obrońcy Białegostoku znaleźliby się w trudnej sytuacji, szczególnie że ukształtowanie terenu na zachód od miasta nie ułatwiałoby wycofywania się z niego.

Mapa 7. Kierunek natarcia na zachód, by połączyć się z wojskami przez dość dogodny otwarty teren (na podstawie Nicholas Myers, NGWC w Waszyngtonie)

Na zachód od Białegostoku punktem kluczowym stałaby się Ostrów Mazowiecka. Uniemożliwiłaby ona domknięcie flanki okrążenia. Jeżeli siły rosyjskie zdołałyby zdobyć miasto, mogłyby podjąć próbę przekroczenia linii Narwi na całej jej długości. Z kolei lewa flanka okrążenia dążyłaby do zdobycia i utrzymania siedmiu mostów drogowych i trzech kolejowych oraz przeprawy promowej na Bugu, pomiędzy granicą białoruską a zbiegiem Narwi i Bugu. Zapewniłoby to siłom przemieszczającym się wzdłuż tej osi operacyjnej osłonę przed kontratakiem wojsk polskich operujących na południe od Bugu.

Droga krajowa 19 pod Kockiem w kierunku północno-wschodnim. Fotografia ta dobrze obrazuje, jak trudne do pokonania są tereny wokół Kocka oraz wzdłuż drogi krajowej 48, łączącej Kock i Dęblin. Taki rodzaj ukształtowania terenu znacznie utrudniłby poruszanie się poza drogami na tej osi operacyjnej (fot. NGWC w Waszyngtonie)

Most na Wiśle na drodze krajowej 48 w Dęblinie. Na drugim planie widoczny most kolejowy (fot. Nicholas Myers)

Wojska Obrony Terytorialnej będą musiały wspierać kadrowo wysunięte pododdziały eksperymentalnych brygad lekkiej piechoty dronowej – 6 i 25, gdy te będą ponosić straty i będą musiały uzupełnić stany osobowe. Dlatego w czasie pokoju brygady te muszą ćwiczyć z Wojskami Obrony Terytorialnej na wschód od linii Siedlce–Łomża. WOT powinien używać wyposażenia tych brygad oraz ich metod rozpraszania, kamuflażu, maskowania i oddziaływania bojowego na przeciwnika. W ten sposób będą pomocnym uzupełnieniem dla eksperymentalnej lekkiej piechoty wojsk operacyjnych. Mogą na flankach otrzymywać dodatkowe zadania, takie jak konwojowanie, przygotowywanie skrytek i kryjówek oraz zapewnianie porządku na zapleczu działań lub na dalekich skrzydłach. WOT będzie miał bardzo ważne zadanie pokazywania tzw. obecności i nasycania swoimi żołnierzami pola walki na głębokość przy kluczowych przeprawach mostowych i skrzyżowaniach oraz w innej ważnej infrastrukturze. To skomplikuje Rosjanom planowanie desantu WDW lub specnazu.

Mosty na Wiśle w okolicach Góry Kalwarii, obiektyw skierowany na południe (na zdjęciu lewy brzeg po prawej stronie). Warto zwrócić uwagę na niski stan Wisły (zdjęcie wykonano w czerwcu 2017 roku). Wyspa, nad którą rozpięty jest most kolejowy, połączyła się z lądem. W chwili robienia zdjęcia przeszkodę stanowiła nie rzeka, ale wały przeciwpowodziowe na obu jej brzegach (fot. NGWC w Waszyngtonie)

Poza miastami WOT powinien być przygotowany na wznoszenie przeszkód wokół kluczowych mostów i dróg, tak by wymuszać na Rosjanach stratę czasu i środków. Ci będą bowiem usuwali przeszkody, chcąc przywrócić sobie swobodną komunikację. Jeśli przeciwnikowi uda się rozpocząć ofensywę z uzyskaniem strategicznego i operacyjnego zaskoczenia przed mobilizacją WOT, jego żołnierze powinni być szkoleni do działań ruchu oporu, ale na miarę XXI wieku. Konkretnie do zadań wywiadowczych, takich jak *upload* zdjęć i informacji o ruchach przeciwnika do bazy danych polskiego połączonego systemu świadomości sytuacyjnej. Jeśli to możliwe, WOT powinien przeprowadzać zadania nękania w misjach podobnych do tych realizowanych w pierwszej kolejności przez brygady lekkiej piechoty (6 i 25).

Polska powinna podpisać umowy dwustronne z Ukrainą i Litwą dotyczące dostępu wojskowego do przestrzeni powietrznej tych państw i do ich terytorium w celu rozmieszczenia polskich oddziałów w obszarach granicznych po obu stronach granicy oraz w okolicach Mariampola na Litwie i na Wołyniu na Ukrainie. To pozwoli skomplikować Rosjanom planowanie logistyczne zarówno na południu Białorusi, jak i na północy oraz dodatkowo w enklawie kaliningradzkiej. Należy wykorzystać bardzo skuteczny środek rozpoznania, jakim są balony stratosferyczne na uwięzi rozmieszczone na granicy z Białorusią i Rosją z licznymi sensorami do obserwacji, nasłuchu i walki elektromagnetycznej. Dzięki nim można swobodnie monitorować obszar przeciwnika ponad linią horyzontu.

Balony tego rodzaju dość szybko zazwyczaj są eliminowane w razie gorącej wojny, ale poniżej progu kinetycznego są nieocenionym źródłem informacji i danych. Zresztą już w trakcie starcia kinetycznego zebrane przez nie wcześniej dane są niezwykle cenne i dają przewagę posiadającej je stronie w nowoczesnej bitwie zwiadowczej, co przekłada się na początkową przewagę ognia i manewru.

Przy okazji należy stwierdzić, że musimy w Polsce zmienić mnóstwo przepisów prawnych, które uniemożliwiają skuteczne działanie w szarej strefie, gdzie granica między wojną a pokojem jest zatarta. Dotyczy to zarówno utrzymania prawidłowego (czyli jasnego, kompetentnego i krótkiego) łańcucha dowodzenia, jak i wykorzystania wojsk specjalnych w różnorakich scenariuszach w Polsce i za granicą, czasem wyprzedzająco w tzw. okienkach możliwości, bo tak trzeba działać na współczesnym polu walki, by nie być pobitym. Zmiana przepisów to silny sygnał determinacji do walki i twardego stania na szczeblach drabiny eskalacyjnej już podczas pokoju i powoduje ona silny efekt odstraszania wobec przeciwnika.

W rejonie przygranicznym Polska powinna zacząć szeroko korzystać z wielkiej liczby dronów i minidronów, zarówno wojskowych, jak i cywilnych, zagłuszających systemy przeciwnika i powodujących „szum" radarowy. Należy rozważyć współpracę państwa z grupami hobbystów, którzy będą odpowiedzialni za latanie takimi dronami bardzo blisko granicy i zbieranie danych do polskiego połączonego systemu świadomości sytuacyjnej.

Co dużo ważniejsze, jeśli chodzi o użycie dronów i minidronów, Armia Nowego Wzoru powinna przyjąć nową filozofię przyzwalającą na masowe ich użycie bez lęku przed ich utratą. Nie trzeba „się pieścić", trzeba ryzykować, używając tysięcy dronów. Przełoży się to na duże rosyjskie straty i bardzo wysokie tempo operacji na wojnie, a tym samym na wysokie tempo ponoszenia strat przez przeciwnika, a na pewno na jego zmęczenie i zużycie czasu i środków. Zatem lepsze dla Armii Nowego Wzoru będą drony tańsze, ale za to w wielkiej liczbie. Z tego też względu i wobec konieczności uzupełniania tego środka bojowego zalecamy, by były one projektowane, produkowane i dostarczane przez polskich przedsiębiorców.

Strefa śmierci

Ciężkie jednostki podległe 18 Dywizji Zmechanizowanej wyposażone w najnowsze czołgi zakupione przez Wojsko Polskie (M1A2 Abrams) powinny być w całości skoncentrowane w strefie śmierci. Powinny one mieć także na wyposażeniu jednostki najnowszej artylerii rakietowej i lufowej, co ma dać zdolności do wystawienia w strefie polskiego kompleksu rozpoznawczo--uderzeniowego, w tym wielkiej liczby dronów i rojów amunicji krążącej. O ile działania w strefie nękania będą miały na celu uprzykrzać życie rosyjskim siłom na tyłach, obezwładniać je i redukować w ten sposób zdolności bojowe, materiałowe i psychologiczne oddziałów pierwszego rzutu, o tyle w strefie śmierci rozegra się najważniejsza walka bitwy manewrowej, gdzie Rosjanie zostaną pobici. Strefa ta będzie areną najcięższych walk wojny.

Strefa śmierci obejmuje obszar pomiędzy Warszawą i strefą nękania w sektorze C i D. Przy czym nie proponujemy sztywnej granicy strefy nękania i strefy śmierci w odniesieniu do jakiegoś konkretnego układu terenowego, ale uważamy zdecydowanie, że strefa śmierci powinna pokrywać tylko i wyłącznie taki fragment Polski, gdzie Armia Nowego Wzoru będzie w stanie zapewnić skuteczną obronę powietrzną walczącym jednostkom. Myślimy, że po pozyskaniu odpowiednich systemów (program Narew), będzie to na zachód od linii Łomża–Siedlce.

To da szansę na bardzo intensywną walkę pod osłoną polskich systemów artyleryjskich lufowych i rakietowych poziomu dywizyjnego (Homar) strzelających z kompleksów leśnych na południe i na północ od Warszawy (Las Kabacki i Puszcza Kampinoska). Zapewnienie osłony powietrznej należy rozumieć jako zgromadzenie i zorganizowanie wystarczającej obrony na niskich pułapach (program Narew), tak by nie było luk pokrycia nieba umożliwiających działanie śmigłowców lub lotnictwa szturmowego przeciwnika, które nieustannie „wisiałoby" nad strefą śmierci. Ewentualnie dopuszczalne są jedynie niewielkie luki pozwalające na działanie dronom rosyjskim.

Obrona powietrzna na wyższych pułapach (jeśli takowa będzie w strefie śmierci, jako że rekomendujemy raczej pasywne metody obrony przeciw pociskom balistycznym lub manewrującym) powinna być skoncentrowana w obszarze za Warszawą na zachód od miasta. Obrona powietrzna bliskiego zasięgu (SHORAD) musi być zorganizowana w całej strefie śmierci i być organicznie wkomponowana w wojska lądowe, jak się tylko da. Wraz z postępem wojny lub jeśli systemów będzie więcej niż obecnie się planuje w programie Narew, zalecany zasięg strefy śmierci zostanie poszerzony dalej na wschód. Przy czym należy robić to ostrożnie, by nie powstały luki w obronie oryginalnej strefy śmierci.

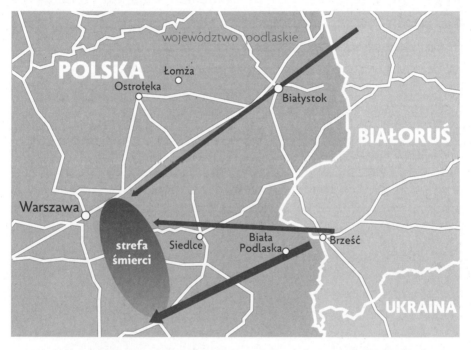

Mapa 8. Osie operacyjne w kierunku strefy śmierci (na podstawie Open Street Map)

W strefie śmierci siły polskie powinny się skoncentrować na wciąganiu wojsk rosyjskich w intensywne starcia w miejscach przygotowanych zasadzek w rejonach, które Rosjanie będą musieli stale kontrolować (bo nie będą przecież mieli zamiaru ani potencjału, by kontrolować cały obszar między Brześciem a Warszawą), by z nich prowadzić i rozwijać działania na kierunku warszawskim. Co prawda niektóre z tych rejonów są łatwe do przewidzenia (miasta z mostami nad większymi ciekami wodnymi), ale ostatecznie niemożność przewidzenia (małe nasycenie oddziałami na

dużym obszarze) taktycznych lokalizacji oddziałów wojsk rosyjskich w trakcie inwazji oznacza, że Polska będzie musiała przygotować dość znaczną liczbę miejsc wypadowych (najlepiej podziemnych, dobrze umocnionych i specjalnie zabezpieczonych, jeśli
chodzi o strop oraz wejścia i wyjścia) dla pododdziałów „rajdowych", nie większych niż kompania i mniejszych. Z takich miejsc
wypadowych będzie można pobierać uzupełnienia do nieustan-
nych wypadów bojowych w strefie śmierci.

Mapa 9. Sektory walki wraz z naniesioną strefą śmierci. Zakładając, że Rosjanie odważą się
spróbować uchwycić strategiczne punkty trójkąta warszawskiego, z pewnością użyją oddziałów
rozpoznawczych do namierzenia umocnień obronnych i pozycji jednostek Armii Nowego Wzoru, w tym dzięki temu ustalą korytarze do własnych przemieszczeń. Będą się szczególnie starali
uzyskać informacje na temat rozmieszczenia i pozycji obronnych oddziałów pancernych 18 Dywizji Armii Nowego Wzoru. Potem zaraz użyją dronów, artylerii rakietowej i lufowej dalekiego
zasięgu, by zniszczyć tak rozpoznane jednostki i cele. Dlatego właśnie Armia Nowego Wzoru
musi zmienić metodę działania pododdziałów 18 Dywizji rozlokowanych na wschód od Wisły.

Wskazane jest, by takich podziemnych miejsc było więcej niż 100 w samej strefie śmierci i tylko dla 18 Dywizji Zmechanizowanej. W ich pobliżu w wielu oddzielnych miejscach będzie się rozgrywała bardzo intensywna bitwa manewrowa, rajdowo-pancerna, z intensywnymi starciami pododdziałów rajdowych. Przy czym, jeśli chodzi o stronę polską, w zupełnie nowatorski sposób używanych. Czołgi przyjmować będą ugrupowanie rajdowe, działając na jak tylko to możliwe krótki dystans (oszczędnie logistycznie i z maksymalnie limitowaną sygnaturą emisyjną i ekspozycją na rosyjskie rozpoznanie i tym samym oddziaływanie rosyjskiego kompleksu rozpoznawczo-
-uderzeniowego, lotnictwa czy dronów) w licznych miniofensywach rajdowych z baz wypadowych zlokalizowanych pod ziemią, z rotowaniem miejsca startu i powrotu i z rezerwowymi schronami znajdującymi się pod ziemią. W nich będzie znajdować się niezbędna obsługa logistyczna pojazdów i rezerwowa załoga.

18 Dywizja przyjmie standard co najmniej dwóch załóg na jeden czołg. Załogi będą się zmieniać po każdym rajdzie, odpoczywać, rotować, maksymalnie wykorzystując czołg i starając się utrzymać zaciekłą intensywność działań, by „zużyć" przeciwnika i wykorzystać przewagę czołgów M1A2 w starciu bezpośrednim, po tym jak uda się do niego za wszelką cenę doprowadzić. Dlatego trzeba to robić na krótkich dystansach, unikając artylerii rosyjskiej i innych środków rażenia ogniem pośrednim lub od lotnictwa i dronów oraz nie nadwerężając się logistycznie (M1A2 Abrams jest wymagającym logistycznie czołgiem, bardzo również uciążliwym przy przemieszczeniu się po słabych drogach i przeprawach wschodniej Polski).

Jak już wspomniano kilka razy, taka taktyka walki wymaga zbudowania na długo przed wojną (czyli należy zacząć te prace już teraz) ponad 100 podziemnych schronów, gdzie będzie można przywracać do stanu używalności pojazdy 18 Dywizji. Schrony muszą dysponować zapleczem warsztatowym i paliwowym, być zamaskowane, pozostawać w tajnych lokalizacjach. Powinno też powstać wiele lokalizacji udawanych. Miejsca te powinny być zabezpieczone przed rozpoznaniem z powietrza i kosmosu i być wybudowane celowo z kilkoma wejściami oraz wyjazdami. Stropy pokryte grubą warstwą ziemi muszą być tak skonstruowane, aby nie zapadały się po trafieniu pociskiem balistycznym lub pociskiem manewrującym oraz wszelką amunicją *stand-off.* Zespoły saperskie przypisane do danego schronu powinny być wyćwiczone w usuwaniu ziemi i gruzu, który pojawi się po uderzeniu, które co prawda nie przebije osłony schronu, ale może spowodować zablokowanie wjazdów i wyjazdów. Nowatorska taktyka tego rodzaju i użycie schronów umożliwią maksymalne wykorzystanie przewag czołgów Abrams nad czołgami rosyjskimi pod warunkiem doprowadzenia do bezpośredniego starcia z dobrze rozpoznanym przeciwnikiem bez nadmiernego ryzyka eliminacji naszych czołgów na odległość lub wskutek zbyt wyciągniętej logistyki, co jest koszmarem Abramsów.

Umożliwi też wysokie tempo operacji, działanie w rozproszeniu, bez punktu ciężkości, z zaskoczenia na wielu osiach uderzenia jednocześnie, na lokalnych drogach, które nie będą musiały pomieścić setek pojazdów i wlokącej się za nimi logistyki, ze świeżymi, bo zmieniającymi się, załogami (wobec Rosjan, którzy nie będą się mogli zmieniać, coraz bardziej będą się męczyć, będąc już głęboko na wrogim terytorium, bez własnej artylerii, pełnej logistyki czy wsparcia lotnictwa wojsk lądowych odciętych od obszaru intensywnej walki w strefie śmierci przez strefę nękania). Nowatorska taktyka użycia rajdów czołgowych na krótkich liniach logistycznych umożliwi ciągłe używanie czołgu i zwiększenie efektywności realnej tej platformy bojowej w wojnie z Rosją, kapitalizując jego przewagi w starciu bezpośrednim (siła i precyzja ognia, odporność pancerza) i minimalizując słabości (logistyka, krótki zasięg i duża sygnatura emisyjna).

Bataliony 18 Dywizji powinny być zatem znacznie mniejsze niż obecnie i dużo bardziej „kombinowane", tak by mieć dużo większy pododdział rozpoznawczy piechoty (do dyskusji, czy zmechanizowanej czy zmotoryzowanej), która ochroni flanki, zabezpieczy postoje oraz szpicę, tyły i flanki grupy rajdowej w razie napotkania nieczołgowego terenu lub w trakcie odpoczynku od walki czy marszu. W grupie rajdowej na stałe powinny znajdować się zespoły do walki elektronicznej i elektromagnetycznej, organiczne oddziały obrony powietrznej oraz drony (zwłaszcza do rozpoznania i utrzymania łączności podczas szybkich rajdów czołgowych).

Optymalnie należy zmniejszyć liczbę czołgów w batalionie rajdowym z 58 do 44 i dodać w batalionie 12 BWP (lub zrezygnować z BWP na rzecz kołowych KTO Rosomak – do dyskusji). Zresztą zalecamy dzielić batalion na znacznie mniejsze kombinowane grupy rajdowe (i to szykowane już w czasie pokoju i ćwiczeń, a nie dopiero w obliczu trwającej wojny, by grupy rajdowe były zgrane). Należy w grupach rajdowych znacznie zwiększyć komponent rozpoznania wyposażony we własne środki rażenia ciężkich pojazdów przeciwnika bez czekania na własne czołgi. Rozpoznanie powinno być bardzo mobilne i wyposażone w samochody terenowe 4x4 z termowizją, widzeniem nocnym, systemami podczerwieni, z bezpośrednią komunikacją do artylerii szczebla batalionu, a także szczebla brygady i dywizji. Rozpoznanie ma się zajmować także oddziaływaniem bojowym w pierwszym kontakcie. Ważne są kontakt, ogień i odskok oraz natychmiastowa informacja do systemu świadomości sytuacyjnej Armii Nowego Wzoru. Wszystko w ruchu i z zachowaniem pętli decyzyjnej. Na współczesnym polu walki wszystko ma znaczenie, aby pętla decyzyjna dobrze zagrała. Plutony rozpoznawcze powinny mieć własne PPK dalekiego zasięgu.

W związku z tym na wschód od Wisły z planowanej liczby 250 czołgów M1A2 Abrams zakupionych w USA około 50 będzie stanowiło w podziemnych schronach rezerwę materiałową dla bitwy manewrowej dużej intensywności, a raczej całej serii ostrych bitew i potyczek w strefie śmierci, dlatego kluczowe jest posiadanie co najmniej dwukrotnie większej liczby przeszkolonych załóg niż czołgów.

To będzie wymagało restrukturyzacji 18 Dywizji i zupełnie nowego szkolenia załóg do prowadzenia rajdów czołgowych w małych formacjach, bez dodatkowej logistyki w trakcie przemieszczenia, na maksymalnie rozproszonym (ale najeżonym sensorami) polu walki.

Załogi i żołnierze muszą być dobrze zapoznani z terenem i „niespodziankami", które zawsze generuje teren, w którym przychodzi walczyć. Zalecamy zjeżdżanie z głównych szos, zapoznawanie się i zaprzyjaźnianie z lokalną społecznością, osobiste poznawanie przez kadrę każdego zagajnika, wzgórza i kanału, by znać je na pamięć i mieć tę przewagę nad Rosjanami. Oddziały powinny walczyć dokładnie tam, gdzie szkolą się w czasie pokoju.

Liczne i sprawne oddziały rozpoznawcze Armii Nowego Wzoru mają szerzyć paraliż, atakując w wielu punktach bez czekania na własne siły czołgowe. Liczą się „atak i ucieczka", zebranie danych do systemu świadomości sytuacyjnej i odskok na szybkich i mobilnych samochodach terenowych 4x4 z niską sygnaturą emisyjną i świetnymi sensorami. Jeśli oddział rosyjski został zidentyfikowany jako słabszy od naszej najbliższej grupy rajdowej (a wiele będzie się ich pojawiać i znikać na krótkich „skokach" rajdowych, siejąc zamieszanie w świadomości sytuacyjnej Rosjan), wtedy nasze czołgi przypuszczą bezpośredni atak (maksymalnie w sile kombinowanego plutonu lub kompanii czołgów). Wykorzystanie lepszych parametrów naszych czołgów w starciu bezpośrednim oraz stopniowa degradacja rosyjskich linii komunikacyjnych, co wpłynie na poziomy amunicji, spotęgują zmęczenie i stres załóg czołgów rosyjskich. To powinno pozwolić montować ataki naszych plutonów na rosyjskie kompanie i naszych kompanii na cały rosyjski batalion. To klasyka dynamicznego zarządzania chwilowymi asymetriami w wielu miniofensywach z różnych kierunków po uprzednim wpuszczeniu przeciwnika w głąb, na przygotowany teren.

W tym celu należy dodatkowo w wybranych miejscach przygotować zawczasu pole bitwy, tak by potem jej przebieg zgrać z krzyżowym ogniem artylerii dalekiego zasięgu w celu zrobienia w strefie śmierci pododdziałom rosyjskim istnego piekła. Ważne są miny, minowanie narzutowe, robotyka lądowa, rozmaite pułapki, a ataki powinny być nieustające, liczne i zaciekłe, i z użyciem rozmaitych form oddziaływania, dronów i amunicji krążącej. Czołgi mają „dokończyć dzieła" na rozpoznanym, „ukształtowanym", „złapanym" we właściwym terenie i najczęściej już mocno osłabionym przeciwniku. Czołgi 18 Dywizji nie powinny zaczynać bitwy, zwłaszcza poruszając się wielkimi, tradycyjnymi formacjami. Zalecamy rozproszenie, nie koncentrację czy masę.

W ten sposób Armia Nowego Wzoru wskutek serii miniofensyw rajdowych z różnych kierunków, w istocie nieustających, może osiągnąć efekt otoczenia operacyjnego manewrem ogniowym skalibrowanym z nieustannym oddziaływaniem dziesiątków rajdów na przeciwnika w dzień i w nocy w strefie śmierci. Rajdów nie wykonywanych na ślepo (dopiero w poszukiwaniu Rosjan), ale precyzyjnych, na przeciwnika rozpoznanego i widzianego dzięki lokalnej przewadze Armii Nowego Wzoru w systemie świadomości sytuacyjnej, gdzieś na zachód od linii Siedlce–Łomża w kierunku na Warszawę. Powtórzmy: czołgi kończą, a nie zaczynają bitwy. Rajdy czołgowe mają być prowadzone wyłącznie w krótkim czasie i w bliskiej odległości, by uniknąć rozpoznania, namierzenia i zniszczenia na dużą odległość za pomocą rosyjskiej artylerii, dronów czy lotnictwa. Zalecamy wykorzystywanie stodół, obór czy innych budynków gospodarskich do ukrywania czołgów i pojazdów 18 Dywizji w trakcie ich rajdów.

Pokojowe stacjonowanie oddziałów 18 Dywizji powinno umożliwić rozproszenie, ale jednocześnie winno być takie, by jej pojazdy mogły znaleźć się na czas w podziemnych schronach i na stanowiskach. W żadnym wypadku oddziały nie mogą być dalej niż sześć godzin od miejsca odebrania sprzętu i pojazdów na wypadek wojny i winny zdążyć ustanowić właściwy system łączności dla pododdziałów. I zawsze oddziały te powinny pozostawać po właściwej stronie rzeki, odpowiednio do swoich zadań wojennych. Chodzi o zapobieżenie ryzyku, że przeciwnik zaatakuje kluczowe mosty, by zasiać zamęt w trakcie wojennego przemieszczania się w pierwszych godzinach wojny.

Jedna brygada (rozproszona pododdziałami) z 18 Dywizji powinna być rozlokowana na wschód od Wisły, blisko przedmieść Warszawy. Kolejna bliżej Lublina, niedaleko Stoczka Łukowskiego i Łukowa. Trzecia brygada na północ od rzeki Bug; należy też uprzednio poczynić przygotowania, by zachować kontrolę najważniejszego mostu w tej części Polski, jakim jest most na Bugu w Wyszkowie. To kluczowe miejsce i kluczowy obiekt. Rosjanie muszą go uchwycić, jeśli chcą zagrozić Warszawie z kierunku Grodna, jeśli to będzie oś operacyjna naszego przeciwnika, a trudno sobie wyobrazić, by mogło być inaczej. Z tego powodu konieczna jest pełna współpraca pomiędzy oddziałami na południe od Bugu i na północ od niego oraz obecność wojska w Wyszkowie i zdeterminowana wola obrony tego miasta.

Warto zaznaczyć przy tych rozważaniach to, na co się skarżą polscy wojskowi, mianowicie że na wschód od Wisły teren różni się od tego na zachodzie. Na wschód od Wisły jest bardzo dużo podmokłych obszarów o słabej nośności, zwłaszcza jesienią, wiosną i ciepłą zimą, gdy nie ma dużego mrozu (a taka bywa w ostatnich latach często). Wbrew pozorom teren tam nie jest płaski, często jest pofałdowany, poprzecinany, z nagle kończącą się linią horyzontu. Rzeki mają na wschodzie nierówne brzegi i niepewne zejścia do dolin, których brzegi są raz szersze, raz węższe. Mosty i drogi na wschód od Wisły mają znacznie mniejszą nośność i są ogólnie słabsze konstrukcyjnie pod wieloma względami. A to właśnie tam jest zlokalizowana strefa śmierci i tam zgodnie z planem bitwy manewrowej będą się odbywać intensywne walki pancerne. Dlatego należy prowadzić stosowne szkolenia w kierunku prowadzenia walki na takim terenie, z wieloma improwizowanymi rozwiązaniami, takimi jak walka w zabudowaniach wiejskich przy wykorzystaniu obór, stodół i innych budynków gospodarskich, gdzie da się ukryć albo skąd można zablokować ogniem przejście przeciwnika.

Droga nr 63 w Wyszkowie to siódmy most na Bugu (zdjęcie z prawego brzegu po zachodniej stronie rzeki, na której znajduje się samo miasto. Most w Wyszkowie nad Bugiem byłby przedmiotem akcji Rosjan z tego powodu, że Polacy mogliby zajętego wcześniej miasta nie atakować ze względu na obawę o poważne straty cywilne w mieście. Wyszków może dać Rosjanom „ufortyfikowany" punkt na linii rzeki, który może sygnalizować możliwość zagrożenia atakiem na Warszawę od północy (fot. NGWC w Waszyngtonie)

Rajdy z różnych kierunków, z przodu, z tyłu, ze wschodu, z zachodu, z południa utrudnią przeciwnikowi utrzymanie świadomości sytuacyjnej i uniemożliwią skupienie wysiłku na ruchu na Warszawę. Z punktu widzenia Rosjan problem będzie narastać z każdą godziną bitwy w strefie śmierci i będzie się stawał coraz bardziej uciążliwy, a rozwój wydarzeń dla dowództwa rosyjskiego będzie coraz bardziej niepokojący. Krótkie, ale bardzo intensywne rajdy z naszej strony na rozpoznanego przeciwnika na zatomizowanym (rozproszonym) polu walki, z własną lokalną przewagą świadomości sytuacyjnej (jak w kampanii letnio-jesiennej 1667 roku hetmana Sobieskiego), na naszym własnym terytorium będą dla Rosjan bardzo kłopotliwe, zwłaszcza że będą oni odsunięci od swojej podstawy operacyjnej i tym samym będą mieli utrudnioną logistykę.

Nie należy przy tym popełnić błędu. Nie można mianowicie zrealizować takiej taktyki przez zmasowanie całych batalionów, brygad i ich późniejsze przemieszczanie na długie dystanse i w całej masie w poszukiwaniu przeciwnika i bezpośredniego z nim starcia – tak się to robiło w XX wieku. A zbyt często nadal się tak myśli w Polsce. To się musi zmienić natychmiast, wraz ze wszelkimi konsekwencjami dla szkolenia (także oficerów), wyposażenia i logistyki.

Jak już wspomniano, Polska musi szkolić swoje pododdziały 18 Dywizji do walki w ten wysoce zdecentralizowany sposób. Czołgi podstawowe pozostają potężną bronią, jeśli mogą dostać się na pole bitwy; jednakże coraz większe możliwości rozpoznawcze Rosjan i coraz większe możliwości użycia przez nich artylerii i amunicji krążącej przeciw naszym oddziałom oznaczają, że czołgi będą wymagały ukrycia aż do momentu idealnego do uderzenia.

Za Warszawą Armia Nowego Wzoru rozmieści odwodową 11 Dywizję Kawalerii Pancernej do użycia przeciwko próbom forsowania Wisły na północ i południe od stolicy, a także by zachowana została możliwość własnego manewru przez Warszawę na wschód, aby móc zadać decydujący cios nieprzyjacielowi stłoczonemu w strefie śmierci, prawdopodobnie gdzieś niedaleko Wołomina, Wyszkowa, Węgrowa i Siedlec.

Największe znaczenie w strefie śmierci ma pozbawienie Rosjan opcji utrzymania własnej logistyki drogą powietrzną, zwłaszcza, ale nie tylko, dzięki helikopterom (ćwiczyli to na Zapad 2021 i w Syrii). O ile w strefie nękania jednostki powinny koncentrować się na zmuszaniu wroga do polegania na transporcie helikopterowym poprzez sabotaż sieci infrastruktury (okazjonalnie zestrzeliwując te śmigłowce), o tyle w strefie śmierci należy pozbawić Rosjan możliwości walki i okrążyć wszelkie kluczowe jednostki zaangażowane w marsz na Wisłę.

Bitwa powietrzna

Walka powietrzna jest uzależniona od dostępu do nieba. Zapewnienie stałego dostępu do nieba wymaga szerokiej gamy środków lotniczych, od nowoczesnych samolotów przez wczesne ostrzeganie z powietrza po tankowanie w powietrzu i środki walki elektronicznej. To złożona sprawa i dość droga opcja, która obecnie znajduje się poza możliwościami polskich sił powietrznych. Tak będzie również w bliskiej przyszłości, zwłaszcza w relacji do rosyjskich sił powietrzno-kosmicznych, niezależnie od potencjalnej jakościowej przewagi poszczególnych polskich samolotów bojowych nad ich rosyjskimi odpowiednikami. Byłoby tak, zwłaszcza jeśli Polska miałaby walczyć bez pełnego zaangażowania sił powietrznych USA w wojnę z Rosją.

Polskie siły powietrzne będą prowadziły bitwę powietrzną z rosyjskimi siłami powietrzno-kosmicznymi, by uniemożliwić im uzyskanie dominacji w powietrzu. Bez sojuszników oddalonych od samej Rosji (na przykład Czechy, Dania, Niemcy, Szwecja), u których polskie samoloty mogłyby szukać schronienia przed rosyjskimi pociskami, polskie siły powietrzne będą prawdopodobnie toczyć bitwę z góry przegraną, choć nie od razu. Przez jakiś czas będą opóźniać zwycięstwo Rosjan w bitwie powietrznej, o ile nie zostaną zniszczone na ziemi wskutek oddziaływania rosyjskiego kompleksu rozpoznawczo-uderzeniowego.

Polska powinna zainwestować przynajmniej w kilka baterii obrony powietrznej programu Wisła (do dyskusji ile), aby uniemożliwić rosyjskim samolotom pełną dominację w powietrzu i utrudnić Rosjanom osiągnięcie całkowitej dominacji aplikowania przemocy uderzeniami rakietowymi. Nie należy przy tym liczyć na szczególnie wyjątkową skuteczność takich systemów wobec pocisków rakietowych, zwłaszcza że pojawiają się jeszcze trudniejsze do zniszczenia pociski hipersoniczne. Dlatego należy zdecydowanie bardziej nastawić się w tym zakresie na rozproszenie, maskowanie wartościowych celów i sprawne naprawianie szkód. Niemniej jakieś elementy systemu obrony powietrznej realizowanej w programie Wisła mogą się przydać, by Rosjanie nie mogli bezkarnie nas ostrzeliwać, demonstrując dominację eskalacyjną bez zaangażowania w bitwę manewrową.

Zapewne oznacza to rozmieszczenie systemów pozyskiwanych w programie Wisła do osłony Warszawy, najlepiej po zachodniej stronie stołecznej aglomeracji, być może w okolicy Krakowa i Poznania w celu skomplikowania Rosjanom możliwości eliminacji polityczno-wojskowego systemu polskiej pętli decyzyjnej.

Przestrzeń powietrzna będzie prawdopodobnie nasycona przez obie strony samolotami bojowymi, helikopterami i bezzałogowymi statkami powietrznymi. To z kolei będzie wymagało licznych naszych systemów obrony powietrznej krótkiego zasięgu (SHORAD).

Polska nie może jednak zaniedbywać rozwoju dronowego pola walki, które ma charakter destabilizujący na współczesnym polu bitwy i modyfikuje utarte przekonania o siłach powietrznych. Obecnie niszczenie lub przepędzanie z nieba wrogich dronów (zwłaszcza używanych masowo) jest znacznie trudniejsze niż czynienie tego wobec samolotów i śmigłowców. Polsce może brakować środków finansowych i organizacyjnych, aby pozyskać myśliwce przewagi powietrznej (które by się w wojnie z Rosją bardziej przydały niż samoloty wielozadaniowe), może jednak bez problemu pozyskać dużą liczbę dronów zapewniających wywiad, obserwację i rozpoznanie (ISR), a także zdolności uderzeniowe na rozległym polu bitwy we wschodniej Polsce.

Krótko mówiąc, Polska nie powinna znacząco inwestować w drogie samoloty, a zamiast tego szukać innych sposobów na odebranie przeciwnikowi dominacji w powietrzu. Jeśli zapewniona zostanie wystarczająca obrona powietrzna, zdolność rosyjskich sił do istotnego zaistnienia w kontestowanej przestrzeni powietrznej będzie mogła zostać znacznie ograniczona, zwłaszcza w strefie śmierci.

W trakcie bitwy manewrowej na wschód od Warszawy przestrzeń powietrzna na niskich wysokościach może być bardzo nasycona platformami bojowymi; można i należy o nią walczyć, a dostęp do niej najlepiej uzyskać za pomocą tanich bezzałogowych statków powietrznych, wśród których należy się spodziewać ciężkich strat. Jeśli Polska będzie mogła zapewnić stałą dostępność w powietrzu nad polem walki własnych dronów w celu uzupełnienia zdolności do prawidłowego rozpoznania przeciwnika i nieustannego przesyłania danych do polskiego systemu świadomości sytuacyjnej, a także do przeprowadzenia uderzenia na nagle zidentyfikowany cel o wysokiej wartości, będzie to wystarczająca kontrola nad polską przestrzenią powietrzną, aby zwyciężyć w bitwie manewrowej.

Jak wspomniano wyżej, dziś i w niedalekiej przyszłości nasze siły powietrzne prawdopodobnie stoczą bitwę przegraną, choć nie od razu (jeśli unikną zniszczenia na ziemi). Oto kilka problematycznych kwestii do przemyślenia, na które zwracają w rozmowach uwagę polscy dowódcy wojskowi:

- Siły Powietrzne RP w istocie przyznają, że do wojny z Rosją potrzeba co najmniej 160 nowoczesnych samolotów, które wypełnią zadania wynikające chociażby z wielkości terytorium Polski.
- W kontekście posiadania w niedalekiej przyszłości wyłącznie samolotów wielozadaniowych F-16 i F-35 lista życzeń polskich oficerów lotnictwa zawierałaby jednak znaczną liczbę myśliwców przewagi powietrznej, które zapewniłyby wymaganą szybkość, wytrzymałość, duży zasięg oraz pułap dający

skuteczność w walce powietrze-powietrze w starciach z silnym przeciwnikiem, jeśli chcemy mieć jakąkolwiek szansę na zmierzenie się z rosyjskimi samolotami i na utrzymanie się w walce dłużej niż jeden lub dwa dni, zwłaszcza bez amerykańskich sił powietrznych.

- Siły Powietrzne RP potrzebowałyby rodzimego systemu AWACS w ramach naszego systemu pętli decyzyjnej (niekoniecznie na dużej platformie), aby zapewnić horyzont radiolokacyjny poza linią horyzontu i w możliwie dużym zasięgu.
- Siły Powietrzne RP skarżą się, że obecne platformy, w tym F-16, nie mają wystarczających zdolności do zwalczania radarów rosyjskich, a tym samym do próby pokonania zintegrowanych systemów obrony powietrznej Rosji.
- Siły Powietrzne RP skarżą się, że Polska nie ma wystarczających możliwości prowadzenia na swoich samolotach wojny elektronicznej lub elektromagnetycznej.
- Istnieje obawa, że zasady użycia przez nasze siły powietrzne niektórych rodzajów pocisków klasy *stand-off* i dalekiego zasięgu są w praktyce dość niejasne ze względu na nieklarowne porozumienia z USA co do ich użycia.
- Istnieje obawa, że zbyt wiele w zakresie dominacji informacyjnej, świadomości sytuacyjnej i systemu łączności oraz komunikacji zależy od amerykańskiej sieci bitewnej. Uzależnienie zwiększy się, gdy Polska zacznie eksploatować swoje 32 sztuki F-35, które ma pozyskać z USA.
- MiG-29 i Su-22 są uważane za samoloty jednorazowego użytku na wojnie; widać to również po tym, co nasze siły powietrzne mają w swoim inwentarzu amunicji do tych samolotów.
- F-35 nie jest przeznaczony do wykorzystania w działaniach poniżej progu uruchomienia art. 5. traktatu o NATO, ponieważ może działać tylko w ramach amerykańskiego systemu dominacji informacyjnej i za domniemaną zgodą USA wynikającą ze sposobu funkcjonowania tej platformy bojowej. Jest to jednocześnie dobre i złe, ponieważ potencjalnie pozwala na

wciągnięcie USA i sił powietrznych USA do wojny mimo braku zgody politycznej w Waszyngtonie. Ryzyko polega na tym, że F-35 nie zostaną użyte do celów wojennych Polski i zostaną ewakuowane przed początkiem wojny. To drugie jest bardziej możliwe, biorąc pod uwagę asymetrię interesów i dotychczasowe postępowanie Stanów Zjednoczonych po 1945 roku starających się unikać uwikłań, które mogą przerodzić się w wojnę amerykańsko-rosyjską na pełną skalę, wskutek działań mniejszego sojusznika, jakim jest Polska.

- Polska musi dokonać gruntownej przebudowy metod pasywnych obrony swoich lotnisk i infrastruktury przeciwko uderzeniom pociskami samosterującymi i balistycznymi, aby zwiększyć Rosjanom stosunek kosztów do efektów, co może być uzupełniane (ale tylko uzupełniane, a nie zastępowane) przez wprowadzenie takich systemów obronnych, jak przewidziane przez program Wisła. Zresztą należy tak go pozyskać, w takiej konfiguracji, rozmieszczeniu itp., aby upewnić się, że ich zakup jednak daje cokolwiek w rywalizacji eskalacyjnej. Polska ma wiele lotnisk do wystarczającego rozproszenia, nasze lotnictwo może też działać w razie kryzysu lub wojny, korzystając z lotnisk cywilnych.

- System obrony powietrznej w ramach programu Narew jest kluczowym elementem proponowanego planu bitwy manewrowej.

- Siły Powietrzne RP potrzebowałyby nowego szkolenia dla pilotów, którzy uczyliby się latać bez zapewnionej dominacji informacyjnej, tak typowej dla wojen amerykańskich z przeszłości; piloci powinni szkolić się jak Izraelczycy. Oznacza to latanie z bardziej złożonymi manewrami defensywnymi i ofensywnymi.

- Polska musi w jak największym stopniu wykorzystywać przestrzeń kosmiczną dla swoich systemów rozpoznania, obserwacji, obrazowania i nasłuchu.

Jak sugerujemy bardziej szczegółowo w innym miejscu raportu (gdy piszemy o zdolnościach kosmicznych Armii Nowego Wzoru), obszar od Warszawy na wschód w kierunku Smoleńska w Rosji tworzy doskonałą autostradę dla ruchu wojskowego przez rozległe i dobrze skomunikowane równiny Białorusi. Obszar ten wymaga stałej obserwacji i monitoringu ze względu na obawę, że stolica zaskoczonej przez Rosjan Polski może być zagrożona. Czynnik zaskoczenia może też pozbawić nasz kraj cennego czasu, co przekłada się na niemożność podjęcia działań niezbędnych do przygotowania do konfliktu, wszelkich działań prewencyjnych, ewentualnie działań wyprzedzających, reakcji dyplomatycznej czy po prostu przygotowania społeczeństwa do wojny. Dlatego właściwe rozpoznanie tego kierunku i znajomość wszystkiego, co się tam dzieje, leży w żywotnym interesie Rzeczypospolitej i jest obowiązkiem jej przywódców.

Konstelacje satelitów obserwacyjnych operujących w zakresie widzialnym, uzupełnione satelitami z obrazami radarowymi i podczerwonymi, poruszających się po swoich orbitach w skoordynowanych odstępach tzw. okien obserwacyjnych między Wisłą, Dnieprem i Dźwiną, połączonych z centrami dowodzenia i przetwarzania danych (bez pośredników zagranicznych), zlokalizowanymi w Polsce (najlepiej kilka w różnych miejscach w kraju), są absolutną koniecznością w kraju o takim potencjale i położeniu geopolitycznym.

Bez tego trudno mówić o pewności siebie w dobie rywalizacji wielkich mocarstw w Eurazji. Warszawscy decydenci nie mogą pozostać obojętni na to, co dzieje się na całym tym terenie, który niejednokrotnie był historyczną autostradą przerzutu wojsk z Moskwy do Warszawy.

Mając to na uwadze, Polska powinna niezwłocznie stworzyć własne możliwości *downlinku* i *uplinku* do przesyłania danych bez pośredników, wzbogacone o własną stację kosmiczną dowodzenia, nie wspominając o własnych satelitach obserwacyjnych SAR, światła widzialnego i podczerwieni w odpowiednio skonfigurowanych konstelacjach, aby stale monitorować interesujący obszar z niskiej orbity ziemskiej. Kto wie, pewnego dnia Polska może zacząć myśleć o wystrzeleniu satelitów manewrujących (stalkerów) na niskie orbity, aby móc manipulować rosyjskimi aktywami i transmisjami na orbicie (*soft kill* i *hard kill*). Nowoczesne satelity mogą również mieć rozliczne możliwości śledzenia satelitów wroga na ich orbitach. Niektóre mogą mieć możliwość wyłączania transmisji do wrogich satelitów, co może Rosjanom utrudnić uzyskanie świadomości sytuacyjnej. A przynajmniej sprawić, że poczują się niepewnie. Rosjanie są bardzo wyczuleni na takie działania, gdyż ich systemy C2 są wykorzystywane zarówno w wojnie konwencjonalnej, jak i nuklearnej. Dałoby to Polsce możliwość (do pewnego stopnia) kontrolowania eskalacji horyzontalnej w wypadku wojny z Rosją. Byłoby to w interesie Polski w sytuacji ataku ze strony Rosji – mogłoby stworzyć szansę na wciągnięcie do wojny Amerykanów, którzy mogą nie chcieć eskalacji między mocarstwami.

Ponadto nie należy zapominać, że systemy uzbrojenia kierowanego energią (lasery i wiązki mikrofalowe) rozwijają się m.in. w kosmosie, do czego dowódca sił kosmicznych USA przyznał się w czerwcu 2021 roku podczas przesłuchania w Kongresie. Koszty takich systemów są z pewnością do zaakceptowania przez kraj o takim potencjale jak Polska. Szczegółowe propozycje dla polskich sił kosmicznych znajdują się poniżej w niniejszym raporcie.

Flanki frontu

Do głównych stref przewidywanych walk w Polsce przylegają flanki – zarówno na północy, jak i na południu. Na obszarach tych prawdopodobnie będzie się toczyć wojna. Kluczowa różnica polega na tym, że atak ze wschodu musi przejść przez strefy nękania i śmierci, podczas gdy nie musi zapuszczać się w strefy flankowe. W związku z tym obrona na flankach może stanowić jednocześnie podstawę wyjściową do ofensywy przeciwko flance wroga.

Flanka północna

Na południowym krańcu sektora B znajduje się północna flanka głównego pola bitwy, ograniczona mniej więcej przez takie miasta, jak Bydgoszcz, Mława, Nowy Dwór Mazowiecki, i przez rzekę Wisłę. W tym regionie przed strategiczną barierą Wisły znajduje się pięć krytycznych potencjalnych przepraw przez tę rzekę: Bydgoszcz, Toruń, Włocławek, Płock i Wyszogród. Przeciwnik może podjąć próbę sforsowania rzeki na improwizowanych przeprawach, choć taka metoda może być łatwa do wyeliminowania w razie polskiego kontrataku. Mosty w tych lokalizacjach powinny być gotowe do zniszczenia wobec możliwości ich rychłego zdobycia przez Rosjan, ale nie powinny być niszczone zapobiegawczo, ponieważ są niezbędne do utrzymania logistycznego sił po wschodniej stronie rzeki.

Teren w tym regionie jest stosunkowo otwarty i dlatego jest dość podatny na precyzyjne uderzenia z powietrza lub nawet z morza. Siły atakujące w sektorze C mogą próbować infiltrować ten region, aby zapewnić sobie więcej punktów dostępu do Wisły (oprócz Nowego Dworu Mazowieckiego) w celu okrążenia lub sparaliżowania Warszawy. Ta przewaga może działać na korzyść obu stron, nagradzając tę, która utrzyma bieżące i kompetentne rozpoznanie całego, dość sporego jednak sektora.

Co najmniej jedna polska brygada zmechanizowana (po „ukołowieniu", bo jednostki kołowe są zalecane na północnej flance ze względu na potrzebę wysokiej mobilności) oraz inne jednostki w regionie, lekkie i kołowe, które biorą na siebie lżejszą logistykę, powinny zostać przydzielone tej północnej flance, aby zapewnić tutaj zdolność do przechwycenia wrogich sił lądowych próbujących wykorzystać ten sektor do operacji przeciw

Armii Nowego Wzoru. Ponieważ jest on stosunkowo oddalony od granicy rosyjskiej lub białoruskiej, wszelkie siły atakujące ze wschodu będą już miały słabszą linię zaopatrzenia, a zatem utrudnioną logistykę. Starcie z tak osłabionym przeciwnikiem powinno zapobiec zajęciu obszaru. Chyba że okaże się, że nieprzyjaciel kieruje większość jednostek na tę flankę, a nie ściąga je bezpośrednio na Warszawę.

W takim wypadku główny plan w strefie nękania powinien być kontynuowany, ale musi być przygotowany skoordynowany z nim plan zniszczenia każdego przyczółka na flance północnej zajętego przez wroga. Ponadto niektóre siły odwodowe z obszaru na tyłach Warszawy powinny być przygotowane do walki ze wszystkimi siłami, które będą próbowały (lub zdołają) przeprawić się przez Wisłę w kierunku południowym z flanki północnej.

Co więcej, wszystkie rodzaje dronów – od uderzeniowych po amunicję krążącą – powinny być gotowe do unieszkodliwienia wszelkiej obecności rosyjskiej artylerii bazującej w Nowym Dworze Mazowieckim lub Serocku, a także na każdym obszarze na łuku Wyszogród–Płońsk–Pułtusk.

Most na Wiśle prowadzący do Bydgoszczy będzie ostatecznym celem na tej taktycznej osi uderzenia służącej zabezpieczeniu prawego skrzydła wzdłuż Wisły (fot. NGWC w Waszyngtonie)

Najbardziej wysunięty za zachód most w Toruniu; zdjęcie z prawego brzegu w kierunku zachodnim (fot. NGWC w Waszyngtonie)

Most kolejowy w Toruniu, zdjęcie zrobione z prawego brzegu w kierunku wschodnim (fot. NGWC w Waszyngtonie)

Najnowszy most drogowy w Toruniu, najbardziej wysunięty na wschód, ale w obrębie miasta (fot. NGWC w Waszyngtonie)

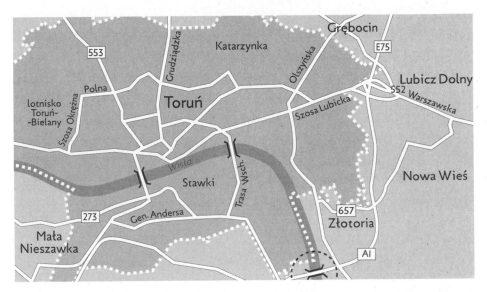

Mapa 10. Most na trasie E75/AI jest przesłaniany od północy przez miasto Toruń i dlatego być może będzie musiał zostać w trakcie wojny zniszczony, by zapobiec przejściu Rosjan przez rzekę, co mogłoby zagrozić otoczeniu miasta (na podstawie NGWC w Waszyngtonie)

Włocławek widziany z prawego brzegu Wisły od północy (fot. NGWC w Waszyngtonie)

Włocławek byłby trudny do obrony dla Armii Nowego Wzoru, bo miasto leży na lewym brzegu Wisły, położonym znacznie niżej niż prawy. Ponadto dojścia do mostu i nad tamą na Wiśle we Włocławku nie są szczególnie mocno zalesione.

Tama (z drogą dostępową na jej szczycie) na wschód i w górę rzeki od samego miasta widziana z lewego brzegu od strony południowej Wisły. Las widziany po drugiej stronie dość szybko ustępuje otwartemu terenowi (fot. NGWC w Waszyngtonie)

Atak Rosjan na północnej flance skierowany byłby na Płock i podobnie jak w Toruniu samo miasto można by zamienić w twierdzę do obrony ważnych mostów na Wiśle. Pozostawienie Płocka w rękach sił polskich byłoby jeszcze bardziej niebezpieczne niż pozostawienie Torunia pod ich kontrolą, ze względu na wydłużone linie komunikacyjne rosyjskiego natarcia w tym momencie operacji. Po zabezpieczeniu płockich mostów na Wiśle jednostki Armii Nowego Wzoru dysponowałyby infrastrukturą kolejową i drogową do szybkiego przemieszczania sił i amunicji w celu wsparcia kontrataku na prawą flankę rosyjskiej osi operacyjnej.

Płock i jego mosty byłyby głównym celem Rosji w każdej próbie okrążenia polskich sił w północno-zachodniej ćwiartce kraju i wywierania nacisku na Warszawę, by uznała swoją porażkę w wojnie. Gdyby Polacy (lub nadchodzący sojusznicy) byli w stanie utrzymać Płock i jego mosty, niewiele jest barier taktycznych, na których siły rosyjskie mogłyby zorganizować linię obrony prawego skrzydła nacierania w kierunku mostów na Narwi.

Czwarta oś taktyczna skierowana jest na Warszawę. Oddziały rosyjskie musiałyby pokonać około 60–70 kilometrów, aby przejąć mosty na Wiśle między Wyszogrodem a ujściem Narwi i Bugu.

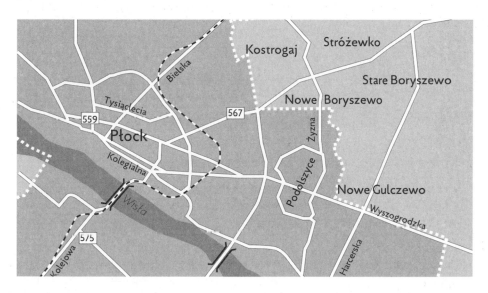

Mapa II. Zabudowanych obszarów Płocka można użyć do obrony dwóch przepraw przez Wisłę (most kolejowy i drogowy). Proszę zwrócić uwagę na otwarty teren rolniczy na północ i wschód od miasta, który daje okazję do wykonania kontruderzenia z samego miasta (na podstawie NGWC w Waszyngtonie)

Na tym zdjęciu widać, jak dużo wyższy jest brzeg Wisły w Płocku po północnej stronie; prawy brzeg jest po lewej stronie zdjęcia (fot. NGWC w Waszyngtonie)

Celem takiej operacji byłoby zamknięcie otoczenia na rzece Narew, a zdobycie mostów w Pułtusku i Różanie prawdopodobnie byłoby celem dla sił rosyjskich. Mosty dalej w górę rzeki najprawdopodobniej zostałyby przeznaczone do zajęcia przez siły działające w linii Bugu.

Mosty na Narwi w Ostrołęce. Zdjęcie zarówno nowego (po lewej), jak i starego (po prawej) mostu pokazuje należycie, jak trudno jest forsować rzekę z tak nierównymi i podmokłymi brzegami (fot. NGWC w Waszyngtonie)

Ta flanka jest teoretycznie podatna na ataki z północy, hipotetycznie pochodzące z obwodu kaliningradzkiego. Jak zostanie to omówione bardziej szczegółowo poniżej, w niniejszym artykule uznano tę możliwość za mało prawdopodobną, biorąc pod uwagę konieczność wyeliminowania w pierwszej kolejności polskiej 16 Dywizji Zmechanizowanej. Uważamy, że 16 Dywizja powinna zostać również przekształcona w jednostkę kołową dla większej mobilności i lżejszej logistyki. Powinna też zostać wyposażona w drony. W przypadku poważnej próby nieprzyjaciela wtargnięcia w tę strefę flankową od północy 16 Dywizja i inne polskie siły obronne na północy kraju powinny zostać przesunięte w celu przechwycenia lub przecięcia tylnej części tej osi natarcia. Jest bardzo mało prawdopodobne, aby przeciwnik nadciągający od wschodu Polski był w stanie utrzymać siłę natarcia, by dosięgnąć północnej flanki od jej północnej strony, podejmując jednocześnie znaczące desanty morskie na wybrzeże lub inne akcje wprost z obwodu kaliningradzkiego. Generalnie 16 Dywizja w trakcji kołowej powinna stacjonować dalej na południe od granicy, optymalnie na linii Olsztyn–Ostróda–Biskupiec–Mrągowo.

Większe obawy budzi możliwość desantu z powietrza na jedną lub więcej przepraw przez Wisłę w strefie flanki północnej. Musi być dostępna wystarczająco skuteczna obrona przeciwlotnicza do przechwytywania wojskowych samolotów transportowych, zwłaszcza tych, które mogą mieć możliwość zagłuszania działania w spektrum elektromagnetycznym. Na szczęście atakujący musiałby lecieć dość blisko rzeki, co oznacza, że potrzebna byłaby tylko ograniczona obrona przeciwlotnicza na w miarę przewidywalnych obszarach.

Należy również zwrócić uwagę na możliwość, że Rosjanie mogą zignorować północną flankę, preferując niszczenie przepraw przez Wisłę środkami rażenia na sporą odległość, aby odciąć obrońców sektora od zaopatrzenia. Jeśli przeciwnik zastosuje się do tej taktyki, jednostki przydzielone do strefy powinny przesunąć się na wschód, aby wesprzeć oddziały 18 Dywizji w strefie śmierci, ponieważ będzie to miało większe znaczenie dla ewentualnego zwycięstwa.

Flanka południowa za Lublinem i rzeką Wieprz

Druga kluczowa flanka dla przewidywanego pola bitwy leży na południu w sektorze E (na mapie na południe od rzeki Wieprz, a na wschód od Wisły). Ten obszar za Lublinem historycznie stanowił dobrą podstawę operacyjną przeciw przeciwnikowi idącemu na Warszawę, który wyeksponował swoje linie logistyczne, czego przykładem jest uderzenie w sierpniu 1920 roku, gdy wojska polskie przełamały sowiecki atak na Warszawę. To się może powtórzyć w przyszłości.

O ile w strefie flanki północnej bieg Wisły otwiera większe terytorium Polski na potencjalny atak konwencjonalny, o tyle w strefie flanki południowej Wisła „zabiera" terytorium. Jeśli atakujący nie zdecyduje się zająć mostów na rzece Wieprz, wszelkie siły agresora, które znajdą się na południe od rzeki, łatwo będzie odciąć od zaopatrzenia.

Jednak południowa flanka stwarza dwa dylematy operacyjne, które atakujący może próbować wykorzystać przeciwko Polsce. Po pierwsze, przejście przez Wisłę w Dęblinie, w miejscu zbiegu Wisły i Wieprza znajduje się najbliżej granicy białoruskiej i Brześcia. Nie pociąga też za sobą konieczności wcześniejszego dodatkowego znaczącego przeprawiania się przez jakąkolwiek rzekę. Po drugie, Wisła jest nieco mniej imponującą barierą strategiczną na tym odcinku. Te dwa dylematy powodują konieczność stacjonowania na tej flance co najmniej jednej pełnej brygady, aby zapobiec możliwości oskrzydlenia obrony Warszawy od południa. Pododdziały tej brygady muszą być gotowe do zniszczenia mostu w Dęblinie i wszystkich okolicznych stałych lub improwizowanych przepraw przez Wisłę, gdyby groziło im wpadnięcie w ręce Rosjan.

Jeśli nieprzyjaciel spróbuje sforsować Wisłę w tym rejonie i odniesie sukces, wtedy rzeka Pilica pod Białobrzegami na południe od Warszawy będzie stanowić dogodną barierę obronną, na której można będzie oprzeć odwód nadchodzący z sektora między Warszawą a Łodzią, pochodzący z 11 Dywizji Kawalerii Pancernej (przy wsparciu artylerii). Jego celem będzie reagowanie w kierunku zagrożenia wyłaniającego się na południe od Warszawy.

Jak pisaliśmy wcześniej, w wypadku podejścia od południa znajdująca się przed Warką Pilica, lewobrzeżny dopływ Wisły, stanowi poważną przeszkodę terenową – szczególnie biorąc pod uwagę fakt, że, patrząc od południa, Warka usytuowana jest na wzniesieniu za zakolem Pilicy. Ukształtowanie terenu stwarza sprzyjające warunki do obrony od północnego brzegu rzeki w oparciu o kilka miast po tej stronie, z których może razić polska artyleria i mogą wychodzić kontruderzenia, w kontekście zwłaszcza możliwości rozbicia operacji przeciwnika na serię mniejszych potyczek, dzielących siły przeciwnika i utrudniających sprawne dowodzenie oraz planowe manewrowanie siłami.

Rzeka Pilica, lewobrzeżny dopływ Wisły, stanowi duże wyzwanie zaraz przed miastem, 11-tysięczną Warką, która znajduje się na wzniesieniu za rzeką, jeśli forsujemy ją od południa. Pilica ma szereg „rozlewisk" (jak widać na tym zdjęciu), które nie są częścią głównego nurtu rzeki. Ukształtowanie terenu może dać szerokie możliwości „rozpadu" operacji przeprawy przez rzekę na wiele starć na małą skalę, pozostawiając atakujące siły rozdrobnione, gdy dowódca nie będzie w stanie manewrować swoimi siłami, aby wpłynąć na wcześniej zaplanowaną operację (fot. NGWC w Waszyngtonie)

Co bardziej problematyczne, południowa flanka jest szczególnie podatna na atak desantu z powietrza. Eliminacja tej konieczności wymaga jeszcze wzmocnienia obrony przeciwlotniczej w potencjalnych miejscach przepraw, należy skoncentrować się na powietrznej obronie okolic Dęblina, najlepiej z lewego brzegu Wisły. Obrona południowej flanki, w przeciwieństwie do północnej, jest łatwiejsza z racji bariery geograficznej Wisły i Wieprza. Obrońcy na południowej flance mogą zatem rozproszyć się szerzej, prawdopodobnie operując głównie na poziomie kompanii i nie więcej niż na poziomie batalionu, w przeciwieństwie do rekomendowanej taktyki batalionowej na północnej flance.

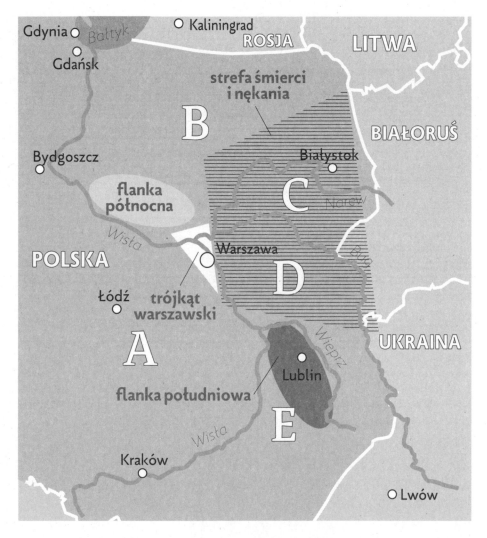

Mapa 12. Strefy polskiej obrony nałożone na sektory. Strefy śmierci i nękania są zaznaczone na biało/szaro; strefa śmierci powinna rozciągać się tak daleko na wschód, aby można było utrzymać nasycenie systemem obrony powietrznej SHORAD. Trójkąt warszawski jest w kolorze żółtym. Północna flanka jest w kolorze pomarańczowo-żółtym. Flanka południowa jest w kolorze ciemnoniebieskim (na podstawie Google Earth)

Poszczególne strefy polskiej obrony z odcinków II i III pokazano na mapie 12.

Horyzontalna eskalacja

Podczas trwania bitwy manewrowej należy w jak największym stopniu wykorzystać terytorium białoruskie, pośrednio i bezpośrednio. W tej części rozważymy najpierw, w jaki sposób obszar przy granicy polsko-białoruskiej i za nią powinien być wykorzystany we wczesnej fazie operacji, z kilkoma krótkimi przemyśleniami na temat tego, jak można go wykorzystać, jeśli polska obrona skutecznie stępi początkowo silny atak rosyjski w kierunku Warszawy.

Obszar przy granicy

Rosyjsko-białoruskie strefy koncentracji wojskowej znajdą się wokół Grodna i Brześcia, które to miasta są dość blisko granicy z Polską. Na początku kryzysu wzdłuż granicy powinna zostać rozmieszczona sieć bezzałogowych rozpoznawczych statków powietrznych z amunicją krążącą oraz balony stratosferyczne z czujnikami obserwacyjnymi, aby szybko rozpoznawać i identyfikować ruch sił rosyjskich i białoruskich w kierunku granicy z Polską oraz wszelki ruch w przestrzeni powietrznej.

Istnieje poważny dylemat związany z zaletami wyprzedzających ataków wobec koncentracji przeciwnika do ataku na Polskę. Z jednej strony dałoby to Rosji pretekst do rozpoczęcia agresji kinetycznej (i rozmycia solidarności sojuszniczej, co mogłoby „rozwodnić" konsens polityczny umożliwiający uruchomienie na korzyść Polski art. 5. NATO), a z drugiej strony w trakcie trwania konfrontacji z Rosją (ale poniżej szczebla wojny konwencjonalnej) można w ten sposób korzystnie użyć dronów i amunicji krążącej, gdy tylko Rosjanie i Białorusini rozpoczną wrogie działania. Działanie wyprzedzające dotyczy na przykład wysunięcia zespołów wojsk specjalnych do wyszukiwania i oznaczania celu, by niszczyć „tłuste krowy" – rosyjskie systemy obrony powietrznej, dowodzenia i kompleksu rozpoznawczo-uderzeniowego.

Infiltracja

W momencie, w którym polski rząd uzna, że wojna jest pewna, wojska specjalne powinny być jak najszybciej rozmieszczone na zachodniej Białorusi. Ich celem powinna być obserwacja logistyki i systemów kompleksu rozpoznawczo-uderzeniowego przeciwnika. Należy rozważyć sabotaż infrastruktury niezbędnej do wspierania logistycznego ofensywy na Polskę, zwłaszcza wzdłuż osi komunikacyjnej Brześć–Pińsk i szosy Brześć–Baranowicze.

Białoruś jest wysuniętym obszarem wypadowym przeciw Polsce dla sił rosyjskich. Obecnie znajduje się na jej obszarze około 30 magazynów z materiałami wojennymi. Podczas ostatnich ćwiczeń Rosjanie ćwiczyli transport materiałów wojennych i kompletowanie ich dla jednostek ćwiczących na Białorusi. Za utrzymanie tych magazynów odpowiedzialna jest Rosja, która jest uprawniona i praktycznie w pełni zdolna do wykorzystania ich w sytuacjach kryzysowych i wojennych.

Zbyt głęboka infiltracja Białorusi raczej nie przyspieszy zwycięstwa, tak jak dla odmiany zrobi to odcięcie głównych linii logistycznych w strefie nękania, w kierunku zachodnim od granicy z Białorusią. Dlatego też polskie wojska specjalne nie powinny infiltrować poza linię Lida–Baranowicze–Łuniniec lub rejon Grodna, zanim nie będzie widać, że Rosjanie przegrywają starcie na terytorium Polski. Poza liniami kolejowymi i drogowymi na Białorusi polskie wojska specjalne powinny również uniemożliwiać dostęp siłom rosyjskim do różnych baz magazynowych, które mogłyby być wykorzystane do uzupełnienia zaopatrzenia w sprzęt na froncie. Chociaż wszelkie straty tego rodzaju będą prawdopodobnie tylko tymczasowe, skumulowane opóźnienia mogą sparaliżować zdolność wojska rosyjskiego do zdobycia kluczowych punktów w trójkącie strategicznym niedaleko Warszawy czy też samej Warszawy. Priorytetowymi obszarami zainteresowania powinny być miejsca ważne na tym obszarze, takie jak Grodno, Wołkowysk, Słonim, Baranowicze, Bronna Góra i Brześć.

W sytuacji polskiego sukcesu w strefie śmierci będzie można strefę tę rozszerzyć na wschód, tak aby sięgała granicy Polski z Białorusią, a z kolei strefa nękania rozciągała się do linii Lida–Baranowicze–Łuniniec. Jeśli tak się stanie, należy dołożyć starań, aby zabezpieczyć kluczowe węzły transportowe, zwłaszcza w miejscach wymienionych wyżej. Polskie wojska specjalne mogą wówczas otrzymywać zadania nawet aż do linii Mołodeczno–Mińsk–Soligorsk–Mikaszewicze. Wykroczenie poza tę linię prawdopodobnie byłoby przesadą, z wyjątkiem sytuacji, w której białoruski reżim załamie się zupełnie i nastąpi bezwład państwa po upadku władzy. Mimo to Mińsk nie powinien być zajmowany ze względu na dość liczną populację, co zawsze stwarza problemy na nowoczesnej wojnie.

Zamiast tego należy zająć zachodnie i południowe węzły kolejowe miasta (Ratomka, Pomyśliszcze, Michanowicze, Energetik), a także wschodnie podejścia do Kołodiszcza, Osiejówki, zwłaszcza gdyby to miało przyspieszyć zwycięstwo w wojnie/kapitulację białoruskiego rządu.

Kwestia Kaliningradu

Nieco komplikuje obronę Polski możliwość ataku znad Bałtyku lub z rosyjskiego obwodu kaliningradzkiego. Ten fragment raportu dotyczy niektórych niezbędnych środków ostrożności wobec tej możliwości, ale ostatecznie oceniamy ten kierunek jako raczej nieistotny dla głównego wysiłku wojennego. Chociaż wymaga on polskiej obrony, sama obecność tutaj jakiejkolwiek polskiej dużej jednostki prawdopodobnie powstrzyma atak z obwodu. Z tego powodu północna granica Polski pozostanie względnie niezagrożona, a rozstrzygająca kampania będzie się rozwijała na wschód od Wisły i na południe od Warmii i Mazur.

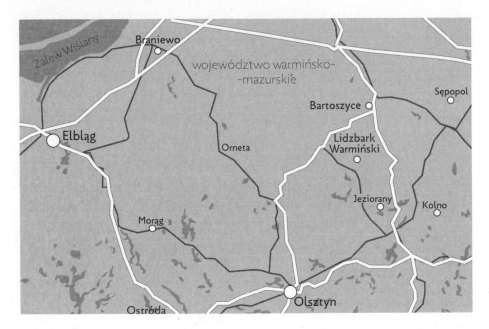

Mapa 13. Wojsko polskie stacjonuje w Braniewie i Bartoszycach wzdłuż granicy obwodu kaliningradzkiego, koszary i sprzęt znajdują się w zasięgu rosyjskiej artylerii. Kanał Elbląski i liczne jeziorka między Elblągiem a Olsztynem to jedyna operacyjna linia obronna pomiędzy granicą kaliningradzką a Wisłą. Na północ od tej linii teren zmienia się na przemian z otwartego w falujący, rwany (na podstawie NGWC w Waszyngtonie)

Operacja od północy

Polskie wybrzeże Bałtyku znajduje się głównie na zachód od Wisły. Teoretycznie na tej linii brzegowej można by wysadzić desant, aby ominąć barierę Wisły i spróbować od tyłu okrążyć Warszawę i inne ważne punkty polskiej infrastruktury, w tym linii obrony stolicy. W rzeczywistości taka operacja prawie na pewno wymagałaby jednak większych zdolności rosyjskiej piechoty morskiej, niż Rosja jest w stanie rozwinąć w tej wojnie. Rosja mogłaby prawdopodobnie zmobilizować do takiej ofensywy aż pięć brygad, choć realnie jest bardziej prawdopodobne, że ograniczyłoby się to do dwóch. Nawet pięć brygad miałoby trudności z posuwaniem się daleko w głąb Polski bez ustanowienia linii logistycznych z zaopatrzeniem z powrotem na terytorium Rosji, nie mówiąc już o barierze antydostępowej utworzonej przez polskie nadbrzeżne mobilne baterie Morskiej Jednostki Rakietowej działające na zachód od Gdańska, które zawsze będą zagrażać desantowi już na pełnym morzu, chyba że zostałyby wyeliminowane w prewencyjnym uderzeniu powietrznym lub rakietowym.

Pofałdowany i nierówny teren na północ od Dobrego Miasta pomiędzy granicą obwodu a Olsztynem (fot. NGWC w Waszyngtonie)

Otwarty teren w przybliżeniu 20 kilometrów na północ od Olsztyna (fot. NGWC w Waszyngtonie)

Dlatego Morska Jednostka Rakietowa powinna być w ciągłej gotowości jako środek bojowy o wysokiej wartości, który zmienia układ sił na południowym Bałtyku i chroni polskie wybrzeże.

Najbardziej prawdopodobną opcją byłoby utworzenie szybkiej przeprawy promowej między Kaliningradem a zdobytym przez Rosjan Gdańskiem lub otwarcie mostu lądowego do Kaliningradu przez Warmię i Mazury. Bardziej prawdopodobna jest ta pierwsza opcja, ponieważ użycie takiej siły na zachód od Wisły tylko po to, by spróbować przebić się na wschód, byłoby marnowaniem wartości uderzeniowej.

Zakładając jednak, że ta linia logistyczna zostanie ustanowiona, Warszawa jest oddalona od Gdańska o prawie 300 km, a o ponad 400 km, jeśli Rosjanie chcieliby się trzymać komunikacji lądowej na zachód od Wisły, wystawionej zresztą na potencjalne kontrataki sojuszników Polski od zachodu. Odległość ta jest czterokrotnie większa od odległości bezpośredniego ataku na Warszawę z Brześcia i prawdopodobnie atak tamtędy byłby jedynie próbą odsunięcia uwagi polskich oddziałów od strefy śmierci.

Ponadto przeniesienie rosyjskich jednostek na polskie wybrzeże Bałtyku niemal na pewno osłabiłoby zdolność obronną obwodu kaliningradzkiego, narażając go na polski kontratak, a następnie zwinięcie linii logistycznej. Uważamy, że Polska powinna nadal utrzymywać w północno-zachodniej Polsce brygadę obrony wybrzeża ze specjalnymi, dodatkowymi zdolnościami (rozpoznanie na większą odległość oraz większa mobilność), aby zapobiec przejęciu portów i w inny sposób nękać rosyjskie oddziały. Biorąc pod uwagę zakres głębokości dostępny dla tej obrony, ta brygada nie musi stawić czoła frontalnie wojsku rosyjskiemu, a raczej skupić się na likwidacji linii logistycznych, aby wymusić korzystne rozstrzygnięcia w północnej Polsce. Dlatego 7 Brygada musi być w pełnej gotowości bojowej i być bardzo mobilna na trakcji kołowej (KTO Rosomak i jego wersje).

Warmia i Mazury

Warmia i Mazury na południe od obwodu kaliningradzkiego były obszarem wielkiej bitwy wielkiej wojny latem 1914 roku. Region ten znacznie bardziej nadaje się do manewru suchym latem i mroźną zimą, ale nadal stwarza poważne trudności kanalizacyjne ruchu dla każdej ofensywy. Zalecamy utrzymanie 16 Dywizji w tym regionie w pełnej gotowości, ale odsuniętej na południe, na linię Olsztyn, Biskupiec, Mrągowo, po przezbrojeniu, bardziej mobilnej i na kołach (na bazie KTO Rosomak) i z lżejszą logistyką, aby zapewnić elastyczność w reagowaniu na różnych kierunkach.

Obwód kaliningradzki prawdopodobnie nie może wydzielić do ataku więcej niż pięć brygad i to tylko na krótki czas. Chociaż pięć brygad jest prawdopodobnie wystarczającą siłą do pokonania obecnej 16 Dywizji i przełamania polskiej obrony przez Wysoczyznę Elbląską, zwłaszcza po zastosowaniu na szerszą skalę kompleksu rozpoznawczo-uderzeniowego w skali operacyjnej na tym kierunku i zwłaszcza w razie zaskoczenia polskich jednostek w koszarach położonych obecnie zbyt blisko granicy. Niemniej jednak nawet maksymalnic udana ofensywa rosyjska na tym kierunku prawdopodobnie wyczerpałaby się (logistyka, dystans) w połowie drogi z obwodu kaliningradzkiego do Warszawy, jakieś 150 km od Nowego Dworu Mazowieckiego.

Mając ograniczone szanse na łatwy sukces w czasie ataku od północy, Rosjanie prawdopodobnie uznają, że 16 Dywizja w połączeniu z 7 Brygadą Obrony Wybrzeża to siły wystarczająco duże, aby nie podejmować ofensywy w tej części kraju. W rzeczywistości 7 Brygada i 16 Dywizja mogą okazać się bardziej przydatne w ataku na obwód kaliningradzki (lub takim atakiem grożąc) w późniejszej fazie konfliktu. Koordynacja z litewskim planowaniem obronnym (gdyby Litwa nie była zmuszona bronić jednocześnie swojej północno-wschodniej i wschodniej granicy) może pomóc w dalszym zamknięciu sił rosyjskich w enklawie.

Korytarz suwalski i problem państw bałtyckich

Na uwagę zasługuje korytarz suwalski (granica polsko-litewska). Chociaż planiści NATO słusznie określili go jako słaby punkt zdolności Sojuszu do obrony państw bałtyckich, jest bardzo mało prawdopodobne, aby region ten został zajęty przez siły rosyjskie lub białoruskie w wypadku wojny – w tym tej, która toczyłaby się głównie w państwach bałtyckich. Jak zostanie omówione poniżej, zachodnia połowa korytarza to wyjątkowo otwarty teren, bardzo podatny na misje rozpoznania i uderzenia, podczas gdy wschodnia połowa jest mocno zalesiona. Jednak te słabości terenu oznaczają, że Rosji i Białorusi łatwo byłoby nękać wszelkie siły NATO przemieszczające się przez ten region i robiłyby to znacznie skuteczniej, używając broni klasy *stand--off*, niż próbując samodzielnie go okupować.

Z tych powodów Polska powinna przeznaczyć najwyżej jeden batalion lekkiej piechoty, aby utrzymać przepustowość korytarza suwalskiego, za to powinna zrobić więcej, aby związać jednostki rosyjskie w obwodzie kaliningradzkim. Zamiast martwić się o korytarz suwalski, polskie siły powinny skoncentrować się na obronie Warszawy jako najpewniejszym sposobie przełamania rosyjskich zdolności ofensywnych. Jeśli Rosja jednocześnie atakuje państwa bałtyckie, polskie siły na północy prawdopodobnie zostaną pokonane tak szybko jak Estończycy, Łotysze i Litwini, podczas gdy polskie zwycięstwo operacyjno-taktyczne na południu może stworzyć możliwość odciążenia obrońców na północy.

Jeśli podstawową misją Polski w wojnie jest obrona Estonii, Łotwy i Litwy i przybycie tym państwom na odsiecz, to z punktu widzenia czysto wojskowego (co do zarządzania groźbą eskalacji nuklearnej piszemy później) Polska powinna rozważyć po prostu zaatakowanie obwodu kaliningradzkiego, aby zlikwidować zagrożenie dla korytarza suwalskiego poprzez związanie rosyjskich jednostek myśleniem o jego obronie podczas manewru sojuszników z NATO na północ przez korytarz na Litwę. Nie należy tego ataku oczywiście próbować wyprzedzająco, a dopiero po tym, jak rosyjski atak na kraje bałtyckie już się rozpocznie, aby rosyjska „obrona Kaliningradu" nie mogła być wykorzystana jako pretekst do wszczęcia wobec Polski działań wojennych.

Od Suwałk na południe ciągnie się błotnista smuga wzdłuż granicy – wielka Puszcza Augustowska. Dalej w kierunku Litwy przesmyk suwalski przeistacza się w drobniejsze, acz gęsto występujące wzgórza, ciągnąc się za obecną granicę litewską aż po Mariampol i stwarzając idealne miejsce do spotkaniowej bitwy czołgowej w dogodnym dla czołgów terenie. Tam obszar ten łączy się z lasami schodzącymi do Kowna.

Na przesmyku suwalskim trudno dokonać koncentracji wojsk. Augustów zajmuje najbardziej doniosłe położenie, ściśle ryglujące komunikację w tym obszarze, a miasta nie da się po prostu ominąć w wypadku działań wojennych toczących się o kontrolę tego przejścia. Na dodatek jego położenie i topografia wspaniale nadają się do zamiany w twierdzę ryglującą wszelki ruch przeciwnika.

Poniżej zamieszczamy kilka kluczowych obserwacji dotyczących problemów związanych z dotarciem wojska polskiego lub sojuszniczego do państw bałtyckich i udzieleniem im pomocy w razie wojny z Rosją. Pomoc państwom bałtyckim byłaby nie lada przedsięwzięciem, podobnie jak „odwojowanie" państw bałtyckich przez wojska NATO poprzez korytarz lądowy przesmyku suwalskiego w razie szybkiego zajęcia tych obszarów przez wojsko rosyjskie.

W razie jakiejkolwiek sytuacji kryzysowej w państwach bałtyckich temat białoruskiego Grodna „wisi" bowiem nad prawą flanką polską w obu poruszeniach: na Wilno trasą numer 16, ale też trasą S8 na Suwałki i Mariampol. „Czuć" to na całej drodze z Białegostoku do Augustowa i w samym Augustowie oraz na jego obwodnicy. Augustów jest zasłonięty skutecznie od wschodu lasami i jeziorami. Najbardziej zagraża mu więc zdobycie od południa, od strony Białegostoku, i od północy, od strony Raczek. Augustów musi za wszelką cenę pozostać w rękach polskich i nie można sobie pozwolić, by przeciwnik manewrem ogniowym lub śmigłowcami (czy jakąkolwiek siłą żywą) wyeliminował to miasto jako węzeł łączący z przesmykiem suwalskim przez Raczki i dalej Suwałki oraz Kowno lub (to gorsza opcja) drogą numer 16 wprost na Wilno.

Grodno z powodu istnienia dogodnego do ataku terenu przez Sokółkę i Kuźnicę może od południa i wschodu odciąć Białystok, blokując nasze ruchy od prawej flanki i grożąc im nieustannie.

Do tego nie można oprzeć prawej flanki naszego ruchu na Niemnie, co jest naturalną potrzebą operacyjną. Teren oraz konieczność przyjścia z pomocą Bałtom przez przesmyk suwalski „zapraszają" do wykonania manewru zabezpieczającego na Grodno z uchwyceniem mostów na Niemnie, aby wyeliminować grożący polskiej projekcji siły na Wilno i Kowno węzeł komunikacyjny Grodna.

To oczywiście pociąga za sobą polityczną i wojskową eskalację z Białorusią i z Rosją, która stoi za Białorusią. Dlatego Grodno było kiedyś na linii komunikacji Warszawa–Wilno. Zresztą wzięcie Grodna pociąga za sobą konieczność zdobycia węzła komunikacyjnego w Wołkowysku oraz kolejnego w miejscowości Mosty na Niemnie i stwarza pokusę osiągnięcia i zabezpieczenia całej linii Niemna, by móc się oprzeć na tej rzece i jej mostach. To oczywiście ma charakter eskalujący.

W związku z tym warto poczytać o bitwie niemeńskiej 1920 roku, która nastąpiła po bitwie warszawskiej i przypieczętowała zwycięstwo wojskowe w wojnie 1919–1921. Głównym celem operacji niemeńskiej było Grodno, potem Lida w głębokim lewym ruchu flankującym oraz cała linia Niemna, przy czym ruch okrążający był wykonywany przez Druskienniki na północ od Grodna. Można sobie porównać, jak to teraz „nie zgrywa się" z granicami politycznymi pozostawionymi przez Stalina i po rozpadzie Sowietów. To trudne zadanie dla naszych sił zbrojnych na wschodniej flance NATO i wyzwanie strategiczne dla państwa polskiego.

Nawet bez poruszeń lądowych Grodno będzie musiało być rozpoznawane przez drony, siły specjalne, nasłuch elektroniczny (polski system świadomości sytuacyjnej). Musimy mieć pewność dominacji w przestrzeni powietrznej (w tym nad śmigłowcami przeciwnika) na tym odcinku oraz zdolność reakcji na manewr ogniowy przeciwnika. Jednak i tak Grodno musiałoby zostać wyeliminowane w celu zapewnienia prawidłowego ruchu na przesmyk suwalski i w głąb Litwy.

Augustów kanalizuje cały ruch w regionie. Kontrola nad nim jest kluczowa. Położony między jeziorami musi zostać ufortyfikowany, przy czym trzeba trzymać bez przerwy szosę z Augustowa na Białystok i w samym Białymstoku oraz jego okolicach, kluczową przeprawę na Narwi w Choroszczy na zachód od Białegostoku, która komunikuje na zachód i północ, oraz uniemożliwiać wszelki manewr przeciwnika na Białystok, w tym od południa, z Bielska Podlaskiego, i od wschodu, od Wołkowyska.

Już to samo w sobie angażuje spore siły polskie. Widać jakim trudnym tematem jest pomoc Bałtom, bowiem w ogóle zanim wyruszymy na przesmyk suwalski, jest sporo do zrobienia /zabezpieczenia.

We współczesnych warunkach walka na polu boju zdominowana jest przez zwrotne, mobilne działania wojsk w rozszerzonym polu oddziaływania ze słabo osłoniętymi obszarami lub całkowicie nieosłoniętymi flankami. Kontrola flanki jest osiągana przez kontrolę świadomości sytuacyjnej, elastyczność manewrową oraz manewr ogniowy. I tak musiałoby być w naszym przemieszczeniu na przesmyk. Głównymi metodami pokonania wojsk rosyjskich byłyby ogień wyprzedzający i kontrola świadomości sytuacyjnej w trakcie poszczególnych faz konfrontacji ogniowej oraz w bitwie zwiadowczej o system świadomości sytuacyjnej. Ze strony przeciwnika należy się liczyć z głębokimi wypadami za linię frontu i obejściami naszych zgrupowań przez siły przeciwnika, przecinaniem naszych rozciągniętych linii komunikacyjnych, powodowaniem chaosu logistycznego, tworzeniem na naszych tyłach aktywnie działającego frontu walki z późniejszymi skoordynowanymi uderzeniami ze wszystkich kierunków. To niestety jest łatwe do przeprowadzenia na przesmyku suwalskim.

Na marginesie, na przykładzie tym widać, jak działanie w rozproszeniu i z odsłoniętymi flankami powoduje, że inaczej należy kształcić oficerów wojsk liniowych. Powinni oni mieć większą samodzielność taktyczno-operacyjną oraz funkcjonować w ramach zakłóconej łączności z dużą autonomią logistyczną. Punktem ciężkości wojny staje się coraz bardziej nie masa przeciwnika i systemy bojowe, lecz dowodzenie i łączność. Pozbawione łączności i dowodzenia oddziały są bezużyteczne i nie stanowią jakiejkolwiek wartości bojowej na rozproszonym polu walki. Obecnie można je wręcz „okrążyć", pozbawiając siły bojowej manewrem ogniowym i wyłączeniem systemu świadomości sytuacyjnej. To generuje zupełnie nowy sposób wojowania.

Gdy wojsko polskie podejmuje w Augustowie decyzję, by nie poruszać się drogą numer 16 na Wilno przez Sejny, lecz nową drogą numer 8 na Suwałki, musi zabezpieczyć węzeł Raczki. Położony nad Rospudą „zbiera" on ruch od Augustowa oraz z zachodu od Olecka, Ełku, Giżycka, a przede wszystkim od Orzysza, gdzie stacjonują Amerykanie w ramach EFP.

W Raczkach najważniejszy jest most na dość szerokiej, nowoczesnej drodze ekspresowej S61, prowadzącej wprost na Suwałki i na Litwę. W samych Raczkach są też stare mosty na Rospudzie, które muszą być w naszych rękach. Most ekspresowy musi być broniony przed uderzeniami z powietrza, musimy bowiem mieć niezakłócony dostęp do linii komunikacyjnej.

Należy także dopilnować, aby na miejscu były ekipy sapersko-remontowe, które zadbają o naprawy tego potężnego mostu w razie oddziaływania bojowego przeciwnika.

Na północny zachód od Raczek należy zabezpieczyć dolinę Rospudy w Małych Raczkach i w innych miejscowościach, aż po Bakałarzewo. Tamtędy przebiega też linia kolejowa, podlegająca modernizacji, i znajdują się mosty kolejowe, w tym na osiedlu w Raczkach. Wszystkie mosty i ich podejścia (czasem bardzo kłopotliwe dla sprzętu) muszą być chronione przed sabotażem, dywersją i oddziaływaniem specnazu.

Polski WOT powinien je znać na pamięć. I wciąż tam ćwiczyć, i już teraz, podczas pokoju, pokazywać swoją obecność.

Rosjanie patrzą i być może zrezygnują z akcji na mosty, gdy zobaczą nasze zdolności osłony mostów dobrze rozwinięte w czasie pokoju.

Kluczowa będzie kontrola przepustowości obwodnicy Suwałk. Do granicy z Litwą nie ma niespodzianek, refleksja zacznie się po przekroczeniu granicy. Do Mariampola prowadzi bowiem szeroka droga. Tam trzeba będzie podjąć decyzję, co dalej. Oczywista wydaje się droga na Kowno E67, główną ekspresówką, ale:

1. Trzeba utrzymać w swoich rękach węzeł Mariampol, by blokować trasę z obwodu kaliningradzkiego, z Gusiewa przez Wyłkowyszki, która może przeciąć naszą komunikację na Kowno.

2. To samo dotyczy przecinania naszej komunikacji z podstawy Jurborka nad Niemnem, gdyby Rosjanie uchwycili tam most. Most ten jest potężny, w stylu sowieckim, dla całych kolumn czołgowych i zmechanizowanych.

3. Poza Jurborkiem na prawie 90 kilometrach linii rzeki do Kowna nie ma żadnego mostu na Niemnie. Jest jedno przejście promowe. Poza tym Niemen jest właściwie nie do sforsowania, także dla pływających rosomaków czy BWP, a to z powodu stromego brzegu i zalesionego podejścia do linii wody.

4. Poza tym należy pamiętać, że w linii komunikacyjnej chodzi o to, że tzw. ogon logistyczny ciągną nie pływające BWP, lecz ciężarówki z zaopatrzeniem, bez których wysiłek bojowy jest bardzo krótkotrwały.

5. Wszelkie działania przeciw naszej komunikacji z tych dwóch kierunków na linię na Kowno są szalenie niebezpieczne dla powodzenia polskiej projekcji siły do państw bałtyckich.

6. Teren na południe od Niemna, od granicy do samego prawie Kowna, a na pewno za miejscowością Sosnowo, sprzyja przeciwnikowi w jego poczynaniach. Teren jest płaski jak stół od

zachodu, formuje wielkie przestrzenie nieoddzielone barierami rzecznymi czy leśnymi, z niezakłóconą linią horyzontu.

7. To idealne warunki do walki wielkich formacji czołgowych oraz lotnictwa wojsk lądowych startującego z obwodu kaliningradzkiego.

8. Odpowiedzią na to byłoby poszerzenie buforu w obwodzie kaliningradzkim, bo inaczej poważne zagrożenie „wisi" nad lewym skrzydłem linii komunikacyjnej. Bufor stworzony przez nas, by chronić naszą strategiczną linię komunikacyjną od manewru pancernego lub ogniowego przeciwnika, musiałby być co najmniej aż do linii Gusiew–Sowieck (Tylża), 75 kilometrów od Mariampola, i przez Gołdap, by odsunąć zagrożenie od Jurborka i linii Niemna, od drogi E67 Mariampol –Kowno, z najpewniej wysuniętą ufortyfikowaną naszą pozycją ryglującą w Wyłkowyszkach przeciw nieprzewidzianym wypadom rosyjskim z zachodu.

Niemen oraz Wilia w Kownie formujące rozwidlenie to ogromna przeszkoda operacyjna. Jeśli chodzi o Niemen, mosty wychodzą ze wzgórz po obu stronach koryta rzeki; miasto rozrzucone jest po obu jego stronach, jakby w okowach rzek. Kowno musi być w NATO-wskich rękach. Historycznie zawsze było fortecą.

Gdyby Rosjanie za główny cel (punkt ciężkości) kampanii przeciw państwom bałtyckim obrali Rygę, to drugim ich, i następującym zaraz po zdobyciu Rygi, celem byłoby zneutralizowanie swojej jedynej słabości strategicznej w tym rejonie, jaką jest odcięcie obwodu kaliningradzkiego od własnego terytorium. Zdobycie Rygi mogłoby Rosjanom otworzyć drogę na południe przez zachodnią Litwę (przez Szawle i Taurogi) do mostu lądowego do obwodu bez konieczności zdobywania Wilna i Kowna. Przy jednoczesnym złamaniu Litwy od strony Dyneburga oraz uchwyceniu mostu w Jurborku zmieniałoby to cały obszar na północ od Niemna w rosyjską twierdzę – bastion oparty na Niemnie.

Gdyby Rosjanie zrobili to bardzo szybko, mogliby na linii Niemna stworzyć lądowy bastion antydostępowy, eliminując zaraz na początku kampanii swoją słabość w postaci strategicznej izolacji obwodu i zdobywając główne miasto regionu, czyli Rygę, podczas gdy wojsko polskie (i sojusznicze) dopiero by się „kolebało" przez Warmię i Mazury oraz Suwalszczyznę na przesmyk suwalski i na Litwę, na linię Niemna, z flankowaniem rosyjskim od strony Grodna, Wołkowyska i Brześcia na wschodzie oraz z Gusiewa na zachodzie, w dogodnym dla Rosjan terenie, gdzie ruch polski musiałby być kanalizowany na Kowno.

Mogliby wówczas Rosjanie wydać bitwę w dogodnym dla siebie położeniu operacyjnym, działając z „niemeńskiego bastionu" i z obu flank jednocześnie. To fatalne dla nas położenie.

Jak kiedyś, w czerwcu 1812 roku, Napoleon przekraczał Niemen będący granicą między strefą wpływów Rosji i Francji, tak teraz wojsko polskie musiałoby złamać ten niemeński bastion.

Niemen w Kownie płynie w potężnej dolinie i stanowi poważną przeszkodę operacyjną. Do tego dochodzi Wilia płynąca przez miasto. Samo Kowno rozrzucone jest pomiędzy rzekami po obu ich stronach. Nic dziwnego, że w historii wojen w tej części świata niejednokrotnie było twierdzą ryglującą.

Wojska NATO stacjonują na północ od Kowna i lekko na wschód, jakby pomiędzy dwoma głównymi miastami Litwy – Kownem i Wilnem. Baza NATO jest na południe od Wilii w miejscowości Rukle. Jej położenie na wschód i południe od głównej osi operacyjnej (a właściwie od dwóch potencjalnych osi) na obwód kaliningradzki nie kryje terenu w sposób wymagany, by zapewnić odstraszanie nawet w wersji *denial*. Stacjonują tam Niemcy, co dodatkowo stwarza możliwość „deeskalacji" albo niewzięcia udziału w walce przez kontyngent niemiecki, co nie zmieni postępów rosyjskich. Lokalizacja na Litwie jest po prostu niewłaściwa.

Teren na północ od Niemna jest już trudniejszy do walki czołgowej, jest tu dużo cieków, dolin i barier komunikacyjnych, krótsza jest tu linia horyzontu.

Na drodze do Rygi teren jest coraz trudniejszy dla komunikacji, cieków dużo, linia horyzontu krótka. Ryga to wielkie miasto, przez które przepływa jeszcze potężniejsza od Niemna Dźwina, są tu rozległe przedmieścia, koryta poboczne Dźwiny. Efekt mnogości cieków i barier wodnych potęgowany jest przez liczne zalewy i jeziora, zwłaszcza w kierunku na Ādaži. Samo Ādaži, usytuowane w lesie bez możliwości dogodnego wyjścia alarmowego z bazy, kryje główne podejście od Pskowa i Võru w Estonii, ale też jest otwarte komunikacyjnie na wybrzeże na północ od Rygi.

Naszym zdaniem należy być czujnym wobec tego wybrzeża, a zwłaszcza wobec portu morskiego położonego 30 kilometrów na północny zachód od Ādaži, skąd może się pojawić desant rosyjski, który stworzy alternatywny kierunek uderzenia na Rygę, rozpraszając i tak wątłe siły NATO w kraju.

Generalnie rzecz biorąc, nie sposób dotrzeć do Rygi z Polski, a tym bardziej stworzyć stabilnej strategicznej linii komunikacyjnej w obliczu działania Rosjan i zważywszy na teren, który szczególnie na północ od Niemna „służy" Rosjanom. Linia Niemna sama w sobie jest dużą trudnością dla naszych sił zbrojnych. Ruszenie dalej na północ to dodatkowa operacja, wymagająca kontroli Kowna i jego przedpola, solidnego przygotowania, konsolidacji całej podstawy operacyjnej znajdującej się przed Niemnem w kierunku na Polskę, kontroli obu skrzydeł oraz zorganizowania zaplecza. Niczym kolejny skok na Pacyfiku z wyspy na wyspę, co znamy z II wojny światowej.

Podsumowując – przy braku odpowiedniej dyslokacji wojsk NATO w państwach bałtyckich na wysuniętych pozycjach i w stosownej liczbie pozostaje szybkość działania, a właściwie bezwzględna szybkość działania, tak by unicestwić rosyjski plan. Ale tę szybkość trudno będzie osiągnąć z powodu takiego, a nie innego terenu, ogólnej geografii politycznej obszaru, ale przede wszystkim z powodu prawdopodobnego braku spójności politycznej Sojuszu i rozdziału ryzyka między sojusznikami.

Mapa 14. Linia Niemna (na podstawie https://upload.wikimedia.org/wikipedia/commons /8/8l/Nemunas-en.png)

Zajście od tyłu

Oprócz walki w Polsce i przy granicy białoruskiej kilka rejonów na terytoriach sąsiadów Polski daje możliwość skutecznych działań wobec Rosjan. Najważniejsze z tych obszarów potencjalnej eskalacji horyzontalnej znajdują się na Litwie i Ukrainie.

Mariampol

Obwód mariampolski leży na południu Litwy. To stosunkowo otwarty teren bezpośrednio na wschód od obwodu kaliningradzkiego. Choć idealnie nadaje się do klasycznej bitwy czołgów manewrowych, jest również wyjątkowo narażony na zdolności rozpoznania dalekiego zasięgu (i kompleksu rozpoznawczo-uderzeniowego) z rosyjskiej enklawy kaliningradzkiej. W związku z tym jest mało prawdopodobne, aby obszar mariampolski był podstawą operacyjną skutecznego polskiego kontrataku w razie wojny z Rosją. Mimo to stacjonowanie tam sił uderzeniowych może wywołać efekt wiązania sił rosyjskich w obwodzie. Stosunkowo bowiem niewielkie siły polskie w tym regionie współpracujące z wojskiem litewskim mogą wystarczyć do powstrzymania rosyjskiego ataku z obwodu kaliningradzkiego na południe poprzez „wiszenie" nad lewą flanką rosyjskich przemieszczeń. Nawet jeśli to nie powstrzyma Rosjan przed atakiem na Polskę wyprowadzonym z obwodu kaliningradzkiego, to z kierunku właśnie Mariampola może być wyprowadzony udany polski kontratak na opustoszony z wojska rosyjskiego obwód kaliningradzki.

Rzeka Niemen w pobliżu bardzo ważnego strategicznie Jurborka na Litwie, na północ od Mariampola; proszę zwrócić uwagę na brzegi rzeki i brak mostów na bardzo długim odcinku (fot. Wikipedia)

Polskie siły rozmieszczone w tym rejonie nie powinny być duże, prawdopodobnie nie większe niż batalion, najlepiej batalionowa grupa taktyczna z 11 Dywizji Pancernej na Leopardach 2 (po przezbrojeniu). Ten oddział powinien zostać uzupełniony o co najmniej batalion wojsk litewskich w celu dania sygnału solidarności sojuszniczej i podkreślenia niebezpieczeństwa wiszącego na obwodem, jeśliby Rosjanom przyszło do głowy atakować Polskę z Kaliningradu. Jeśli Polska zdecyduje się wysłać w ten rejon więcej wojsk, powinny one stacjonować w rozproszeniu z uwagi na wyjątkowo otwarty charakter terenu sprzyjający niestety rażeniu przez środki rosyjskiego kompleksu rozpoznawczo-uderzeniowego.

Miedniki Królewskie

Inny ważny rejon na Litwie to Miedniki Królewskie zapewniające stosunkowo otwartą drogę (korytarz terenowy) biegnący na południowy wschód od Wilna w kierunku Białorusi. Wschodnia Litwa ma naturalne zabezpieczenia przed atakiem ze wschodu w postaci gęsto zalesionego terenu, przerywanego szczególnie na północy przez szereg jezior. W ciągnącym się kompleksie leśnym, w bezpośrednim sąsiedztwie Wilna istnieje jednak luka, która historycznie podniosła wartość Miednik Królewskich jako szlaku handlowego. Wojska napoleońskie idące na Rosję przeszły przez tę lukę, zanim skręciły na północny wschód do Witebska, i wycofały się z Mińska do Wilna też przez tę lukę.

Miedniki Królewskie zamieszkuje polska mniejszość. Jest tam zamek tuż przy autostradzie M3 między Wilnem a Mińskiem na granicy Litwy i Białorusi. Z wojskowego punktu widzenia luka ta wiąże komunikacyjnie Wilno, Mińsk i Lidę, dając stosunkowo łatwy dostęp terenowy wojskom poruszającym się między dowolnymi z tych trzech punktów.

Zalecamy wykorzystanie tej luki do zakłócenia Rosjanom możliwości skorzystania z Grodna jako podstawy operacyjnej ataku na Polskę. Przez Lidę przebiegają zarówno linie drogowe, jak i kolejowe łączące Grodno z Białorusią i Rosją, a po zamknięciu tej osi komunikacyjnej wiodącej przez Lidę wskutek działania wojska polskiego z Miednik Królewskich dostępna dla Rosjan będzie tylko trasa okrężna przez Wołkowysk i Baranowicze. Nawet jeśli polskie siły z Miednik Królewskich (brygada na KTO Rosomak rotująca się brygadami z 12 Dywizji) nie mogłyby fizycznie zająć drogi i linii kolejowej biegnącej przez Lidę, zagrożenie tej trasy prawdopodobnie wystarczy (wskutek niepewności logistycznej), aby wymusić wstrzymanie ataku wychodzącego z obwodu grodzieńskiego na Polskę. Jeżeli polskie siły będą mogły wykorzystać jako bazę operacyjną teren wokół Lidy, powinno to zapewnić wystarczający zasięg do nękania dronami centralnej białoruskiej linii zaopatrzeniowej wokół Baranowicz, komunikującej Mińsk z Brześciem.

Na drugim odcinku trójkąta od Wilna do Mińska cel strategiczny przedstawia również Mołodeczno, którego zdobycie znacznie skomplikowałoby białoruską logistykę. Lida znajduje się zaledwie 70 km od granicy z Litwą, a Mołodeczno 110 km. Same miasta nie muszą być zajmowane, przerwane musi być tylko ich połączenie kolejowe z zachodem kraju.

Oprócz potencjalnej neutralizacji głównego odcinka białoruskiej ofensywy na Polskę zbliżanie się do Mińska prawdopodobnie spowoduje koncentrację sił białoruskich w celu obrony stolicy państwa. Jeśli siły białoruskie nie wzięły wcześniej udziału w ataku na Polskę, to ofensywa w głąb Białorusi może nie być wskazana. Zdobycie Mińska uważamy za niezwykle mało prawdopodobne, miasto to będzie bowiem bazą dla kolejnych rosyjskich eszelonów tranzytowych na zachód, chociaż paraliż białoruskiej stolicy pociągnąłby wielkie komplikacje dla Białorusi jako podstawy wyjściowej do prowadzenia wojny z Polską.

Wykorzystanie luki w Miednikach Królewskich będzie wymagało pogłębionej współpracy polsko-litewskiej. Polskie siły podejmujące działania musiałyby być bardzo mobilne i zdolne do szybkiego poruszania się (platforma KTO Rosomak i pojazdy zwiadowcze) w stosunkowo otwartym terenie, wyposażone w lekką, ale śmiercionośną broń, taką jak RPG, PPK i drony oraz organiczną obronę powietrzną. Polskie siły uderzeniowe powinny spodziewać się, że zostaną szybko zatrzymane w natarciu i szybko przestawią się z uderzeniowego charakteru rajdowego w głębi Białorusi na kampanię podjazdową, do nękania logistyki przeciwnika. Celem byłoby bardziej zakłócenie ruchu kolejowego i drogowego niż zajmowanie terytorium. Do wykonania tego planu będzie potrzebna co najmniej jedna brygada.

Wykorzystanie podejścia do okolic Wilna jako podstawy ataku może niestety uczynić Wilno celem ataku Rosjan, dlatego też muszą być dostępne alternatywne pomysły. Zalecamy wynegocjowanie z Litwą utworzenia bazy wojskowej ze zmagazynowanym sprzętem brygady na południowy wschód od Wilna. W sytuacji kryzysowej Polska mogłaby szybko wysłać personel całej brygady, który ćwiczyłby na zdeponowanym w bazie sprzęcie na kierunku miednickim. Takie działania mogłyby spowodować efekt odstraszania od uderzenia na Polskę przez węzeł grodzieński na północnej Białorusi.

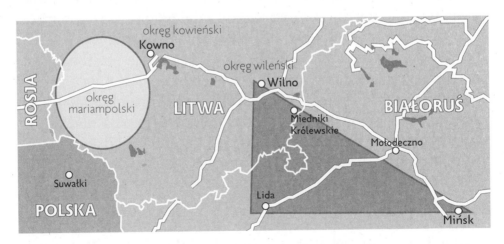

Mapa 15. Kluczowe decyzje do podjęcia na Litwie: operacja mariampolska po stronie lewej i Miedniki Królewskie w trójkącie po stronie prawej (na podstawie Open Street Map)

Korytarz piński

Ukraina też stwarza sposobność, dzięki której Polska może utrudnić Rosjanom atak na jej terytorium z Białorusi. Zalecamy porozumienie z Ukrainą, aby możliwe było stacjonowanie w razie wojny stosunkowo niewielkich sił polskich w obwodzie wołyńskim na północno-zachodniej Ukrainie, na południe od bagien Prypeci, aby móc zakłócać białoruską logistykę napędzającą rosyjskie wojska w wojnie z Polską.

W dużej mierze nieprzejezdne dla zmechanizowanych działań wojennych bagna prypeckie obejmują znaczną część granicy polsko-ukraińskiej, co komplikuje próby wydłużenia flanki hipotetycznego ataku na Polskę z terytorium białoruskiego, zwłaszcza biorąc pod uwagę ograniczenia logistyczne utrzymania ataku tylko niewielką liczbą korytarzy logistyczno-transportowych. Zalecamy rozmieszczenie batalionu lekkiej piechoty z dronami z 6 lub 25 Brygady w obwodzie wołyńskim w celu nękania i niszczenia białoruskiej infrastruktury wspierającej front brzeski w ataku na Polskę.

W porównaniu do frontu grodzieńskiego infrastruktura frontu brzeskiego jest rozbudowana i stanowi lepszą podstawę operacyjną dla Rosjan. Sprawę komplikuje jednak ciążenie infrastruktury białoruskiej w kierunku Brześcia oraz waga węzła kolejowego w Żabince. Obranie sobie tego węzła i infrastruktury tego obszaru za cel przy użyciu działań specjalnych, wojny elektromagnetycznej, cyber i użycia dronów czy amunicji krążącej może doprowadzić do znaczącego zaburzenia możliwości utrzymywania wysiłku logistycznego ataku na Polskę na froncie brzeskim.

Obwód wołyński jest stosunkowo słabo zaludniony i trudny do zaatakowania. Układ powinien zostać uzgodniony z Ukrainą na długo przed konfliktem, a drony powinny być dyslokowane na północno-zachodniej Ukrainie. Polscy operatorzy powinni zostać przeniesieni w ten region zaraz na początku kryzysu.

Rosjanie dość sprawnie naprawiają infrastrukturę uszkodzoną przez działania tego rodzaju, więc operacja ta nie byłaby prawdopodobnie decydująca bez znacznego wsparcia polskich wojsk specjalnych wykonujących dodatkowe akcje na Białorusi. Niemniej jednak cel takiej operacji jest czysto taktyczny: osłabienie rosyjskiej ofensywy rozwijającej się w Polsce na tyle, aby polskie siły wygrywały w określonych okresach czasowych w strefie śmierci między Warszawą a Siedlcami.

Zaplecze Rzeczypospolitej

Uważamy, że na zachód od Wisły operacje desantowe są wysoce nieprawdopodobne, ponieważ polska infrastruktura komunikacyjna jest tam zbyt gęsto rozwinięta, aby można ją było opanować na dłużej przez rozproszone jednak rosyjskie zrzuty desantowe. Zresztą rozszerzenie pola bitwy tak bardzo na zachód raczej uruchomiłoby działania NATO wskutek powstania dylematu bezpieczeństwa u Niemców.

Na szczególną uwagę zasługuje w tym względzie pięć celów strategicznych: Gdańsk/Gdynia, Szczecin, Poznań, Kraków i Katowice. Gdańsk i Gdynia są bazą polskiej marynarki wojennej i portami handlowymi, a zatem mogą być celem ataków dalekiego zasięgu bardziej dla okazania dominacji eskalacyjnej w aplikacji przemocy niż dla wymiernego efektu operacyjnego. Manewrowe zdolności obrony wybrzeża powinny być zoptymalizowane pod kątem szybkiego reagowania w tym regionie, ponieważ jest to najprostsza droga do infiltracji terytorium Polski na zachód od Wisły od strony Bałtyku. Potencjalne umocnienia portów przed atakami rakietowymi są zbyt drogie, aby były warte kosztów, biorąc pod uwagę prawdopodobne zamknięcie Cieśnin Duńskich dla zaopatrzenia drogą morską z Zachodu wskutek rosyjskich działań antydostępowych.

Szczecin stanowi kolejną potencjalnie korzystną bazę dla desantu lub salwy rakietowej wymierzonej w Polskę, która szybko zniszczyłaby połączenia logistyczne z Niemcami i siłami amerykańskimi stacjonującymi w Europie. Jednak atak na to miasto zaraz przy granicy niemieckiej prawie na pewno zmobilizowałby niemiecki rząd do podjęcia znacznie ostrzejszych działań przeciwko Rosji niż to, czego wymaga wojna na wschód od Wisły, a więc ta możliwość jest wysoce nieprawdopodobna. Co więcej, po uszkodzeniu infrastruktury Szczecina nadal pozostawałoby i tak otwartych co najmniej kilka połączeń kolejowych między Niemcami a Polską.

Poznań jest położony bardziej centralnie w stosunku do węzła logistycznego zachodniej Polski, przy głównym połączeniu kolejowym i drogowym między Berlinem a Warszawą, wśród innych wewnętrznych polskich ciągów infrastrukturalnych. Desant lub salwa rakietowa w węzeł poznański są bardziej prawdopodobne niż atak na Gdańsk, Gdynię czy Szczecin, biorąc pod uwagę ich względną odległość od przewidywanych frontów konfliktu i znaczenia dla europejskiej solidarności wojskowej. Zalecamy rozbudowę zdolności do podjęcia szybkich napraw infrastruktury wojskowej i transportowej w Poznaniu i okolicach po uderzeniach rakietowych. Należy także upewnić się, że lokalne siły WOT będą przeszkolone w walce z desantem rosyjskim.

Kraków jest znacznie mniej ważny strategicznie niż pozostałe cztery cele, ale jest ważny jako duże miasto, ważne miejsce dla polskiego dziedzictwa kulturowego. Podczas gdy Warszawa może być głównym celem konwencjonalnej ofensywy od wschodu, wizja niszczenia Krakowa przez rosyjski kompleks rozpoznawczo-uderzeniowy może być wykorzystywana jako groźba użycia eskalacji przemocy wobec Polski, by ją zmusić do uległości i aby zmusić polski rząd do negocjacji pokoju lub zawieszenia broni na przykład właśnie wtedy, gdy polskie wojsko będzie zyskiwało przewagę operacyjną. Rząd powinien co najmniej ćwiczyć symulacje takich scenariuszy, by przygotować swoje reagowanie na takie zagrożenia w warunkach wojennych. Katowic i Śląska dotyczy to samo z racji roli węzła komunikacyjnego i znaczenia Śląska dla gospodarki kraju.

Najbardziej krytyczną częścią polskiego zaplecza jest trójkąt Warszawa–Łódź–Radom i aż do Włocławka. To rejon stacjonowania 11 Dywizji Kawalerii Pancernej, mogącej reagować zarówno w celu powstrzymania rosyjskiej ofensywy, która pomyślnie sforsowałaby Wisłę, jak i po to, aby pomóc w kontrofensywie, jeśli przyjdzie dokończyć dzieła na Rosjanach. W tym obszarze znajduje się dużo lasów i gęsta zabudowa przedmieść rozciągających się od Warszawy. Obrona w tym sektorze powinna być zdominowana przez kontratak manewrowy/aktywną obronę poza obszarem podmiejskim i ufortyfikowaną obronę punktową wewnątrz sektora.

Ponadto należy przygotować miejsca w lasach na północ od Warszawy, a także na niektórych obszarach miejskich dla artylerii dalekiego zasięgu i w przyszłości mobilnych wyrzutni pocisków manewrujących, z których można będzie kierować uderzenia w kierunku wysuniętych jednostek przeciwnika i jego infrastruktury.

Podsumowanie planu bitwy manewrowej

- Gdyby wojna wybuchła dzisiaj, czyli na przełomie roku 2021 i 2022, byłaby krótka i skończyłaby się naszą przegraną. Konkretnie rzecz ujmując, gdyby Polska została dziś zaatakowana przez rosyjski kompleks rozpoznawczo-uderzeniowy, a potem najechana przez rosyjskie wojska manewrowe, to przy dzisiejszym stanie gotowości, ukompletowania, stacjonowania, wyposażenia oraz doktryny użycia naszych sił zbrojnych, a także przy aktualnym stanie odporności państwa nasza ojczyzna zostałaby szybko pokonana i zmuszona do zaakceptowania bardzo niekorzystnego rozwiązania politycznego kończącego przegraną wojnę. Taki koniec wojny zaważyłby decydująco na losie Polski, jej samostanowieniu i rozwoju kraju w XXI wieku.

- Wojna będzie krótka, acz bardzo intensywna, z dużym zużyciem i zniszczeniem sprzętu.

- Rosjanie uważają, że kto będzie bardziej gotowy do wojny, ten ją wygra, bo tak przebiegać będą nowoczesne wojny. Rosjanie nie chcą wojny dłuższej niż dwa tygodnie, chcą uzyskać szybkie zwycięstwo i to nie poprzez wielkie bitwy pancerne, tylko przez manewr ogniowy i pozbawienie przeciwnika woli walki.

- Należy założyć, że Polska będzie w wojnie sama, najpierw podczas eskalacji poniżej progu wojny kinetycznej, a potem w trakcie wojny konwencjonalnej. Jedyną nadzieją są siły powietrzne USA, które mogą wejść do naszej wojny bardzo szybko, ale do tego będzie potrzebna decyzja polityczna w Waszyngtonie, czego nic można uznać za oczywiste. Z tego powodu musimy się przygotowywać do wojny samodzielnej, która się skończy, zanim jakiekolwiek duże jednostki lądowe sojuszników z NATO wejdą do walki.

- Obecnie istniejąca struktura organizacyjna wojska jest wystarczająca pod warunkiem jej pełnego ukompletowania i zachowania pełnej gotowości bojowej. Ewentualnie można utworzyć dodatkową brygadę do 18 Dywizji Zmechanizowanej na wschód od Wisły (18 Dywizja jako czterobrygadowa).

- Pełne ukompletowanie i gotowość bojowa jednostek Armii Nowego Wzoru są nieodzowne. Nie będzie czasu na mobilizację, rozwijanie jednostek itp. Wojna będzie relatywnie krótka i bardzo intensywna, być może rozpoczęta przez Rosjan z marszu, prosto z ćwiczeń lub z rozwijającego się eskalująco kryzysu politycznego, poprzedzona skuteczną zapewne maskirowką, w czym Rosjanie są znakomici.

- W trakcie wojny Armia Nowego Wzoru musi się oprzeć na siłach i zasobach zgromadzonych w rejonie bitwy manewrowej i tylko tam dokonywać przemieszczeń taktycznych. Przemieszczanie się dużych jednostek na duże dystanse z zachodniej części kraju będzie wykluczone wskutek dominacji

rosyjskiego kompleksu rozpoznawczo-uderzeniowego o zasięgu uderzeniowym daleko wykraczającym poza obszar bitwy
manewrowej i niszczycielskich cech precyzyjnego pola walki.
Nie będzie można zatem przerzucić naszych dużych jednostek
ze Śląska, ziemi lubuskiej i Pomorza.

- Musimy wystawić nasz własny kompleks rozpoznawczo-uderzeniowy nie tyle po to, by dominować nad rosyjskim w stopniowaniu aplikacji przemocy, ale po to, by zakwestionować
aktualną całkowitą rosyjską pewność co do wyboru micjsca,
czasu i intensywności aplikacji przemocy wobec nas na odległość, którą Rosjanie mogą stosować wobec nas (bez konieczności stoczenia przez siebie bitwy manewrowej), by narzucić
nam bezdyskusyjną dominację. Chodzi o to, by musieli w tym
celu stoczyć bitwę manewrową.

- Armia Nowego Wzoru musi niezwłocznie zbudować polski zintegrowany system świadomości sytuacyjnej dla wszystkich
rodzajów sił zbrojnych, wielowarstwowy, o rozproszonej sieciocentryczności, wpięty w naszą własną i całkowicie niezależną również od sojuszników pętlę decyzyjną – od poziomu
taktycznego po strategiczny. Piszemy o tym w części ogólnej
niniejszego raportu. System ten musi się cechować łatwym
dostępem dla własnych jednostek i oczywiście nie może mieć
do niego dostępu przeciwnik. System ten musi mieć zlokalizowaną przewagę nad systemem rosyjskim (albo go umiejętnie
„rolować" co najmniej w strefie śmierci zlokalizowanej w planie bitwy manewrowej między Łomżą, Siedlcami a Warszawą,
a optymalnie byłoby, gdyby miał przewagę nad systemem rosyjskim również w strefie nękania).

- Potrzebna jest zmiana podejścia do pozyskiwania dronów: masowe wprowadzenie tysięcy dronów różnego szczebla i amunicji krążącej, zmiana całej filozofii użycia sprzętu, by się nie
bać jego utraty, a w zamian nasycić pole walki i „zużyć" przeciwnika liczbą środków bojowych, najlepiej polskiej produkcji, nawet jeśli nie najwyższej jakości, bo ten akurat system

uzbrojenia będzie musiał być uzupełniany na polu walki w trakcie wojny; nowe podejście – zgoda na wielkie straty, ale za możliwość „zamęczania" przeciwnika dronami; drony muszą być tańsze, ale liczniejsze. Podejście do produkcji – *learn as you develop*.

- Należy kupować tylko takie systemy, których wizerunkowo nie będziemy się bali tracić, a skoro już je mamy, to należy zadbać, by nie stały się „białymi słoniami". Takie systemy jak nieliczne fregaty lub F-35 są wizerunkowo piękne, ale istnieje polityczna obawa o straty w tym zakresie, która może doprowadzić do ich bezużyteczności na wojnie lub ewakuacji, by „lepiej" służyły w dalszej wojnie (nie wiadomo jakiej i jaki byłby jej cel polityczny) zamiast służyć Armii Nowego Wzoru.

- Zdobycie przewagi powietrznej bez sojuszników jest niemożliwe wobec rosyjskich sił powietrzno-kosmicznych. Siły Powietrzne RP powinny zamiast tego opracować skromniejszy plan bitwy powietrznej, gdzie połączone zostaną zdolności przechwytywania i przyszłej obrony powietrznej, aby przynajmniej odmówić wrogowi całkowitej dominacji w powietrzu.

- Rzeka Pilica, Wilga po drugiej stronie Wisły oraz Serock i Modlin bardziej na północy określają strategiczne punkty na mapie, które Rosjanie musieliby kontrolować, aby kontrolować Warszawę poprzez dominujący manewr ogniowy, który rozstrzygnąłby wojnę manewrową. Utrzymanie tych regionów pod kontrolą Armii Nowego Wzoru powinno być najwyższym priorytetem dowódców oddziałów w strefie śmierci.

- Nie możemy się bronić zaraz przy granicy, ponieważ Rosjanie mają doskonałą artylerię, która zniszczy nam siły manewrowe, bo Rosjanie będą działać pod jej osłoną. Armia rosyjska jest lądową armią artyleryjską z czołgami – jak mówi często Michael Kofman. Nie możemy działać w tym zakresie symetrycznie. Trzeba zamienić głębię strategiczną na możliwość odseparowania rosyjskiej artylerii od batalionowych grup bojowych.

- Główny zamysł bitwy manewrowej polega na odcięciu rosyjskich wojsk pierwszorzutowych od ich podstawy operacyjnej dzięki „kalibrowanemu" oddziaływaniu bojowemu specjalnie wydzielonych do tego zadania jednostek Armii Nowego Wzoru w strefie nękania zlokalizowanej między granicą państwa a linią Siedlce–Łomża, z zakłóceniem rosyjskich ciągów logistycznych (niezbędnych do obsługi tak intensywnej operacji manewrowej), oddzieleniem batalionowych grup bojowych nacierających w kierunku Warszawy od doskonałej rosyjskiej artylerii i systemów obrony powietrznej średniego i dalekiego zasięgu, które podążać będą za batalionowymi grupami taktycznymi, oraz osłabieniem działania rosyjskich systemów zapewniających rozpoznanie taktyczne i operacyjne konieczne w strefie śmierci, a gdyby się udało, także w strefie nękania. Na tak „ukształtowanego" przeciwnika zostanie wyprowadzonych wiele bardzo intensywnych uderzeń z różnych kierunków – na tyły i flanki, dzięki przygotowaniu terenu i specjalnie zorganizowanych i szkolonych oddziałów rajdowych 18 Dywizji oraz uzyskaniu lokalnej przewagi w świadomości sytuacyjnej i manewrze po bardzo krótkich liniach wewnętrznych dzięki wybudowanej podziemnej infrastrukturze wypadowej do rajdów czołgowych.
- Wojska specjalne Rzeczypospolitej będą głównym orężem Armii Nowego Wzoru na niskich szczeblach eskalacji prowadzącej do rozpoczęcia bitwy manewrowej i optymalnym orężem, by Armia Nowego Wzoru kontrolowała eskalację w celu uruchomienia art. 5. NATO. Wojska specjalne w czasie fazy przedkinetycznej muszą zostać wysunięte pod samą granicę i pod jednostki przeciwnika, a nawet za jego linie.

Przygotowania do wojny

- Siły w pełnej gotowości bojowej i w pełnej obsadzie, często ćwiczące wyjścia alarmowe z koszar. Maksymalizacja gotowości bojowej i sprowadzenie obecnych jednostek do pełnej obsady jest ważniejsze niż zwiększenie liczby wojska i jego struktury organizacyjnej.
- Istniejąca struktura sił jest wystarczająca, jeśli jest w pełni ukompletowana (może tylko z jedną dodatkową brygadą dla 18 Dywizji Zmechanizowanej).
- Zmiana stacjonowania jednostek dla Armii Nowego Wzoru: 11 Dywizja Kawalerii Pancernej ma stacjonować między Warszawą a Łodzią; 18 Dywizja Zmechanizowana w całości na wschód od Wisły, ale szkolić się ma do zupełnie nowatorskiej taktyki rajdów czołgowych małymi pododdziałami z licznych (podziemnych i naziemnych) skrytych lokalizacji w strefie śmierci; rewolucyjna rozbudowa oddziałów rozpoznawczych, organiczne „udronowienie"; sekcje walki elektromagnetycznej, obrony powietrznej i saperów w oddziałach rajdowych; zmiana struktury osobowej oddziałów czołgowych: dwie lub nawet trzy załogi na jeden czołg; zmniejszenie liczby czołgów w batalionach; nowe metody logistyki, zapewnienie „czołgów rezerwowych" do bardzo intensywnej walki z rosyjskimi batalionowymi grupami bojowymi. Jedna brygada blisko Warszawy frontalnie przesłaniająca kierunek, jedna blisko Lublina, jedna niedaleko Wyszkowa jako krytycznego węzła komunikacyjnego, zwłaszcza jeśli Grodno będzie główną linią operacyjną dla Rosjan. Ewentualnie dodatkowa brygada 18 Dywizji za Wieprzem. Do rozwagi i dyskusji rezygnacja z BWP-1 na rzecz trakcji kołowej opartej na KTO Rosomak do rajdów czołgowych (pojazdy te już produkujemy, serwisujemy, jesteśmy z nich zadowoleni, mamy wiele w linii, zwiększenie produkcji nie wydaje się problemem, bazowe Rosomaki stoją na placu zakładów, a do rajdów czołgowych

w planie bitwy manewrowej piechota jest potrzebna zaledwie jako siła pomocnicza do osłaniania czołgów. Ewentualnie nowy BWP, ale w innej konfiguracji kompanii i batalionów 18 Dywizji).

- 11 Dywizja Kawalerii Pancernej na stałe rozlokowana między Warszawą a Łodzią jako główny odwód Armii Nowego Wzoru, jeden z batalionów dywizji na Leopardach 2 na stałe stacjonuje w Mariampolu na Litwie w celu horyzontalnego oskrzydlania rosyjskich zamierzeń z obwodu kaliningradzkiego i wiązania sił w obwodzie. Cała 11 Dywizja szkoli się bardziej tradycyjnie niż bataliony 18 Dywizji rozlokowane na wschód od Wisły, gotowa jest do reagowania na pojawiające się zagrożenia na trzech osiach operacyjnych: na południe w kierunku na Pilicę, na północ w kierunku Płocka i Modlina oraz na wschód przez mosty warszawskie, by wejść do bitwy na przedmieściach stolicy i dalej w strefie śmierci, by dokończyć dzieła eliminacji rosyjskich oddziałów poważnie nadszarpniętych przez nieustanne ataki pododdziałów 11 Dywizji.
- 6 Brygada i 25 Brygada przeformowane na brygady lekkiej piechoty dronowej na stałe mają stacjonować w rozproszeniu (optymalnie kompaniami) w strefie nękania i szkolić się w realnym terenie ich odpowiedzialności w razie wojny, z całkowicie nową taktyką działania, o której piszemy obszernie w raporcie.
- Należy pilnie wprowadzić do Armii Nowego Wzoru systemy obrony powietrznej programu Narew w celu zapewnienia sobie możliwości realizacji planu bitwy manewrowej w strefie śmierci.
- Wojska Obrony Terytorialnej mają szykować się do walki rozproszonej w strefie nękania, odbywać co jakiś czas wspólne szkolenie z 6 i 25 Brygadą, w tym dokonywać uzupełniania tych brygad uszczuplonych wskutek strat bojowych, więc zachodzi potrzeba używania takiego samego sprzętu; do WOT będzie należała fortyfikacja oraz miejscami improwizowana

obrona miast – węzłów kolejowych i jeśli by się dało, miast – węzłów drogowych (Białystok, Biała Podlaska, Łomża, Ostrów Mazowiecka, Radzyń Podlaski, Siedlce, Dęblin, Wyszków, Warka, Białobrzegi, Płock, Włocławek, Toruń, Augustów).

- W regionie przygranicznym powinny zostać utworzone zdecentralizowane magazyny, aby zasilać jednostki w strefie nękania. Te składy powinny być wyposażone w amunicję i sprzęt łączności, aby wysunięte siły Armii Nowego Wzoru mogły szybko się zaopatrywać i rozpoznawać pozycje wroga, usuwać „miękkie" cele, niszczyć infrastrukturę krytyczną, w tym informować o identyfikacji celów o wysokim priorytecie na terytorium Polski. Odkrycie przez Rosjan któregokolwiek z tych magazynów nie powinno dawać wskazówek, jak zneutralizować inne, ani stwarzać egzystencjalnego kryzysu w siłach nękających rosyjskie linie logistyczne w strefie nękania.

- 18 Dywizja Zmechanizowana powinna przygotować dużą liczbę (ponad 100) podziemnych bunkrów/schronów, w których ciężkie systemy bojowe, takie jak czołg podstawowy Abrams i zmodyfikowany/nowy BWP lub kołowe transportery, mogłyby bazować i być naprawiane oraz gotowe do użycia na polu bitwy w decydującym momencie. Do tego niezbędne są miejsca wypadowe i skrytki naziemne w strefie śmierci, budynki gospodarskie, szopy itp.

- Obrona powietrzna bliskiego zasięgu powinna być zintegrowana z niższymi szczeblami dowodzenia w taki sam sposób, w jaki uwzględniono już artylerię. Powinno to koncentrować się zarówno na kinetycznej obronie na niskich wysokościach, jak i na ingerencji w ramach wojny elektronicznej w zdolności wroga do rozpoznania i uderzenia.

- Fałszywe bazy, kamuflaż, udawane pojazdy i systemy, i polska maskirowka.

- Polskie Wojska Specjalne powinny się postarać stać się centrum regionalnej specjalizacji dla NATO-wskiego SOF, co pozwoli rotować i szkolić oficerów m.in. amerykańskich sił specjalnych. Zwiększa to szasnę na wprowadzenie USA do wojny już poniżej art. 5., a to stanowi silny element odstraszania.

- Wojska Specjalne powinny zostać rozbudowane oraz ćwiczyć na Ukrainie, Litwie i znać dobrze Białoruś. Poniżej art. 5. NATO i otwartej wojny konwencjonalnej żołnierze Wojsk Specjalnych będą „królami" pola bitwy, działając jako „sensor" w wysoce zaawansowanej wojnie technologicznej w reżimie broni precyzyjnych. Powinni mówić po rosyjsku, białorusku i ukraińsku. Szkolenie do sabotażu i targetingu w wysuniętych bazach wypadowych jako ważny element nowoczesnej bitwy zwiadowczej i walki precyzyjnej na odległość.

- Wojska Specjalne jako inkubator Armii Nowego Wzoru, jeśli chodzi o morale, szkolenie kadry, elastyczność taktyczną i operacyjną, model pozyskiwania sprzętu i materiałów czy dowodzenia na coraz bardziej „mozaikowym" polu walki.

- Należy przygotować nową infrastrukturę umożliwiającą walkę o system świadomości sytuacyjnej, tzw. nowoczesną bitwę zwiadowczą, stanowiska do patrolowania dronami powietrznymi przy granicy i zbierania danych oraz balony stratosferyczne na uwięzi z rozmaitymi sensorami do widzenia, rozpoznania sygnałowego, nasłuchu elektronicznego – poniżej wojny kinetycznej i zaraz na jej początku.

- Należy przygotować nową infrastrukturę umożliwiającą realizację bitwy manewrowej: zapełnione magazyny i schowki (w tym mobilne) materiałowo-amunicyjne dla jednostek Armii Nowego Wzoru w strefie nękania na wschód od linii Siedlce –Łomża, aż do granicy państwa.

- Należy przygotować nową infrastrukturę w strefie śmierci: obszerne bunkry i schrony podziemne w tajnych lokalizacjach, koniecznych jest ponad sto lokalizacji, w tym fałszywe; stropy powinny być odporne na uderzenia pociskami balistycznymi i manewrującymi, koniecznych jest kilka wjazdów i wyjazdów;

schrony te winny być budowane z wykorzystaniem układu terenu w celu komplikacji planowanych uderzeń; należy powołać specjalne zespoły warsztatowe i logistyczne do obsługi czołgów M1A2 Abrams w tych schronach oraz ekipy do odgruzowywania wjazdów i wyjazdów.

- 16 Dywizja Zmechanizowana odsunięta od granicy i zmieniona na trakcję kołową z organicznymi licznymi dronami powietrznymi i znacznie bardziej mobilnymi, większymi i o większych zdolnościach pododdziałami rozpoznawczymi. Celem większa mobilność dywizji, rewolucyjnie skrócony czas reakcji, znacznie mniejsze koszty i ciężar organizacyjny logistyki.

- 12 Dywizja Zmechanizowana podzielona: jedna brygada na północ od Narwi i Modlina do przesłaniania kierunku od Grodna i obwodu kaliningradzkiego od północy; jedna dla osłony Trójmiasta, ostatnia w Miednikach Królewskich na Litwie; trzy brygady na trakcji kołowej, wszystkie się rotują na Litwę do Miednik Królewskich. Tu także celem trakcji kołowej ma być większa mobilność dywizji, rewolucyjnie skrócony czas reakcji, znacznie mniejsze koszty i ciężar organizacyjny logistyki.

- Wszystkie jednostki w odległości maksymalnie sześciu godzin ruchu od wojennych rejonów ześrodkowań desygnowanego miejsca rozstawienia niezbędnych systemów łączności i dowodzenia. Wszystkie jednostki zlokalizowane po właściwej stronie rzeki, by zapobiec chaosowi w razie zniszczenia mostów i przepraw przez rosyjski kompleks rozpoznawczo-uderzeniowy lub specnaz zaraz na początku wojny.

- Artyleria dalekiego zasięgu programu Homar ma stacjonować w lasach wokół Warszawy oraz na południe od Wieprza i Lublina. Przy czym należy zamiast jednego mieć sześć dywizjonów, po jednym dla każdej dywizji oraz dwa do dyspozycji polskiego dowództwa na wybranym kierunku. Rosjanie będą chcieli je zneutralizować, więc będzie się toczyła walka o ich przetrwanie i skuteczność; musimy je ochronić, a Rosjanie mają zużywać na tę walkę zasoby i odciągać siły i środki od najbardziej istotnej walki w strefie śmierci.

- Polska artyleria lufowa i rakietowa w stałym kontakcie z pododdziałami rozpoznawczymi w strefie śmierci.
- Inny sposób szkolenia jednostek – wyjazdy na drogi publiczne, poznawanie miejscowej ludności, bardziej „terytorialne" podejście jednostek, wiedza, gdzie przyjdzie im walczyć, i budowa więzi z ludnością i obszarem odpowiedzialności, uczenie się terenu na pamięć.
- Wyrywkowe, nagłe ćwiczenia z błyskawicznym wymarszem z koszar na wzór ćwiczeń rosyjskich, tylko na bliskie dystanse, w rejony odpowiedzialności w ramach bitwy manewrowej Armii Nowego Wzoru.
- Szkolenie elementów kompleksu rozpoznawczo-uderzeniowego oraz Wojsk Specjalnych, oraz oddziałów dronowych do koncepcji War as per Service.
- Stworzenie polskich lisowczyków jako formacji oficjalnie nie należącej do Armii Nowego Wzoru, ale składającej się z byłych jej żołnierzy i oficerów i służącej interesom państwa polskiego z jednoczesnym przywilejem wyparcia się przynależności.
- Szkolenie pilotów do walki bez dominacji informacyjnej w powietrzu, czyli inaczej niż szkolą i latają Amerykanie.
- Wzmocnienie zdolności do walki elektromagnetycznej, począwszy już od poziomu plutonu.
- Budowa tymczasowych lotnisk dla śmigłowców w strefie śmierci.
- Pułki rozpoznawcze na lżejszych i bardziej mobilnych pojazdach, z dronami i długodystansowymi ppk oraz zdolnością współdziałania z artylerią.
- Batalionowa grupa taktyczna w dywizjach pancernej i zmechanizowanej zredukowana do 44 czołgów i 12 BWP lub transporterów kołowych. W przypadku radźów czołgowych 18 Dywizji piechota tylko do przesłaniania czołgów i ich ochrony na perymetrze, w nocy, w zabudowaniach niczym „sensory" oraz do obsługi dronów rozpoznawczych i taktycznych.

- BWP tylko do 11 i 18 Dywizji, choć w 18 może wystarczą kołowe transportery Rosomak do towarzyszenia czołgom w rajdach czołgowych. Do dyskusji publicznej.
- Pododdziały rozpoznawcze 18 Dywizji – plutony rozpoznawcze na ośmiu samochodach 4x4, z dronami i kierowanymi pociskami przeciwczołgowymi, i zdolnością nawiązania błyskawicznej walki bez czekania na czołgi i zaraz potem odskoku z jednoczesnym przykryciem ogniem artylerii brygadowej i dywizyjnej z dystansu 40 km, z noktowizją, termowizją i szybkim *feedem* do systemu świadomości sytuacyjnej.
- Pozostałe dwie dywizje – trakcja kołowa na bazie Rosomaka jako platformy bazowej, do rozważenia wersja z działem 105 mm do niszczenia celów umocnionych i walki z pojazdami przeciwnika.
- Rozbudowa zdolności minowych i robotyki lądowej na głównych osiach poruszania się przeciwnika.
- Wycofanie T72, a jeśli chodzi o PT91, pozostawienie tylko tyle, ile potrzeba do pogrywania na dużą skalę operacyjną OPFOR w garnizonie Budowo koło poligonu drawskiego.
- Pozyskanie pocisków manewrujących ziemia-ziemia od państw średnich, jak Korea Południowa, Ukraina, Turcja, Australia; pociski manewrujące jako rozwiązanie prowadzące do manewrujących pocisków hipersonicznych w przyszłości. Duże mocarstwa nie będą chciały proliferacji tej technologii.
- Nie ma potrzeby budowy własnych zdolności pocisków balistycznych.
- Rozbudowa artylerii Armii Nowego Wzoru systemu Krab, Homar i Langusta.
- Armia Nowego Wzoru będzie potrzebowała śmigłowców szturmowych do zintensyfikowania bitwy manewrowej w strefie śmierci, pod warunkiem że Rosjanie nie ustanowią swojej supremacji w powietrzu w strefie; do tego będziemy potrzebowali improwizowanych lądowisk w strefie śmierci.

- Własny system AWACS, ale na mniejszej platformie powietrznej, do koordynowania działań poza linią horyzontu radarowego i zdolnych do niewyłączenia systemów własnych w obawie przed zniszczeniem pociskami naprowadzanymi na emisję radarową, jak to często ma miejsce w wypadku radarów naziemnych w obliczu akcji przeciwnika.
- Doskonały system identyfikacji swój-obcy w obszarze bardzo intensywnej walki w strefie śmierci.
- Należy zapewnić zawczasu części zamienne do wszystkich amerykańskich systemów, bo Amerykanie już sugerują, że mogą zatrzymać system logistyki części zamiennych ze względu na swoje priorytety na Pacyfiku, a wojna tam jest prawdopodobna. Nasza bitwa manewrowa może się odbywać, gdy na Pacyfiku Amerykanie będą toczyć wojnę z Chinami. Wówczas Europa może być dla USA pobocznym teatrem operacyjnym.
- Siły polskie do bitwy manewrowej.
- 18 Dywizja Zmechanizowana – trzy brygady na wschód od Warszawy, Abrams M1A2, opcjonalnie dodatkowa brygada za Wieprzem, na południowej flance bitwy manewrowej, co uczyni dywizję czterobrygadową.
- Eksperymentalne brygady lekkiej piechoty z dronami (25 i 6) w strefie nękania na wschód od linii Siedlce/Łomża do granicy.
- Jeden batalion 6 Brygady na przesmyku suwalskim.
- Jeden batalion 25 Brygady oraz elementy wojsk specjalnych na Wołyniu na Ukrainie.
- Pułki rozpoznawcze w strefie nękania operujące na flankach odpowiedzialności brygad lekkiej piechoty.
- WOT w strefie nękania i w wybranych miastach (węzłach komunikacyjnych przeznaczonych do obrony); monitoring mostów i przepraw.
- 11 Dywizja Kawalerii Pancernej na Leopardach 2 ze swoimi trzema brygadami na zachód od Warszawy, gotowa do reakcji na południe, na wschód i na północ. Jedna batalionowa grupa taktyczna dywizji stacjonuje w Mariampolu na Litwie.

- 16 Dywizja z trzema swoimi brygadami odsunięta od granicy w głąb Warmii i Mazur i wyposażona w trakcję kołową w celu większej mobilności i łatwiejszej logistyki.
- 12 Dywizja – cała „na kołach": 7 Brygada Obrony Wybrzeża – dyslokacja na zachód od Gdańska, jedna brygada dywizji w Miednikach Królewskich na Litwie, kolejna brygada dywizji na północnym skrzydle bitwy manewrowej koło Modlina i Wyszogrodu.
- Wojska specjalne na granicy oraz na Białorusi i na Ukrainie.

JACEK BARTOSIAK,
ADAM KŁOS,
NICHOLAS MYERS,
DAVID MIZRACHIN,
TOMASZ ŚWIERAD

EKSPERYMENTALNE BRYGADY LEKKIEJ PIECHOTY

Do jakiej wojny?

Zgodnie z zaprezentowaną w niniejszym raporcie koncepcją bitwy manewrowej przedstawiamy propozycję zmiany koncepcji użycia na polu walki 25 Brygady Kawalerii Powietrznej i 6 Brygady Powietrznodesantowej i ich transformacji w kierunku eksperymentalnych brygad lekkiej piechoty, ze zmianą stacjonowania, zmianą organizacyjną, szkolenia i z przezbrojeniem w kierunku rozproszonego pola walki i rozproszonej sygnaturowości emisyjnej z szerokim wykorzystaniem bezpilotowców (dronów) i amunicji krążącej w celu nasycenia strefy nękania na wschód od linii Łomża–Siedlce do granicy państwa.

Obie brygady mają za zadanie ściśle współpracować z Wojskami Obrony Terytorialnej, w tym w zakresie okresowego wspólnego szkolenia w pewnych (ale nie wszystkich) dziedzinach. Jednostki WOT mają w trakcie wojny uzupełniać kadrowo jednostki operacyjne obu brygad. Również samodzielne pułki rozpoznawcze we wschodniej Polsce powinny szkolić się razem z obiema brygadami, by wzajemnie się wspierać w bitwie manewrowej.

Przyjęcie niniejszego rozwiązania wymagałoby już w czasie pokoju przebazowania obu brygad na wschód od linii Siedlce–Łomża i najlepiej rozproszenia batalionów i kompanii po całej strefie nękania, blisko składów amunicyjnych i materiałowych w wysokiej gotowości bojowej i ukompletowaniu. Oficerowie i żołnierze powinni znać teren walki na pamięć, znać topografię jak w rodzinnej miejscowości, znać zabudowę, w tym budynki techniczne, wszelką infrastrukturę, ćwiczyć zadania terenowe, szkolić się w terenie realnym, a nie tylko na poligonie oraz znać osobiście miejscową ludność, która będzie z nimi współpracować w trakcie wojny, zapewniając im chociażby informacje o przeciwniku czy oparcie logistyczno-żywieniowe.

Przed II wojną światową również próbowano wprowadzić do Wojska Polskiego jednostkę eksperymentalną, która miała zmienić zasady działania naszego wojska, ale w inny sposób „nasycając" potencjalne pole walki. Na miarę ówczesnych technologii i kierunku rozwoju sztuki wojennej próbowano nasycić pole walki szybko przemieszczającymi się jednostkami pancerno-motorowymi. Tak powstała koncepcja 10 Brygady Kawalerii (pancerno-motorowej) dowodzonej przez pułkownika Stanisława Maczka. Jak wspominał sam Stanisław Maczek i jego podkomendni, ich eksperymentalna brygada spełniła pokładane w niej nadzieje i zmieniła na swoim odcinku odpowiedzialności pole walki we wrześniu 1939 roku. Nawet bez czołgów brygada swoją koncepcją i wyposażeniem dała naszemu wojsku manewr, szybki odskok, przegrupowanie, szybkie dojście do przeciwnika wypoczętym (bo przewożonym) wojskiem, co nasycało ówczesne pole walki, powodując jego zagęszczenie, a jednocześnie zapewniając wielką mobilność. W tamtym czasie było to rewolucją. 10 Brygada była też jedyną polską wielką jednostką, która nie uległa rozbiciu lub rozproszeniu ani też nie dostała się do niewoli, stanowiąc mobilny odwód Armii Kraków i znacząc szlak bojowy w Beskidach, pod Rzeszowem i podczas obrony Lwowa.

Obecnie brygady 25[76] i 6[77], pomimo wysokiego stanu ukompletowania, dobrego wyszkolenia i świetnej reputacji, są pozbawione cięższego sprzętu, a jednocześnie ich organiczne zdolności transportu desantu są iluzoryczne bądź szczątkowe, a na pewno niewystarczające i w przeważającej mierze nieautonomiczne. Dyskusyjne jest także przetrwanie na nowoczesnej wojnie

---

[76] 25 Brygada w składzie: I Batalion Kawalerii Powietrznej w Leźnicy Wielkiej i 7 Batalion Kawalerii Powietrznej w Tomaszowie Mazowieckim, do tego Dywizjon Lotniczy w Leźnicy Wielkiej i Dywizjon Lotniczy w Nowym Glinniku oraz Batalion Dowodzenia w Tomaszowie Mazowieckim i Batalion Logistyczny w Nowym Glinniku oraz Powietrzna Jednostka Ewakuacji Medycznej w Nowym Glinniku i Grupa Zabezpieczenia Medycznego w Tomaszowie Mazowieckim.

[77] 6 Brygada w składzie: 6 Batalion Powietrznodesantowy w Gliwicach, 16 Batalion Powietrznodesantowy w Krakowie, 18 Batalion Powietrznodesantowy Bielsko-Biała oraz Batalion Dowodzenia w Krakowie i Batalion Logistyczny w Krakowie.

przeciw wojskom rosyjskim desantów tego rodzaju, które polegałyby na operacyjnym przerzucie w pobliże przeciwnika czy zajmowanego przez niego terytorium.

Te uwarunkowania nie pozwalają na skorzystanie z obecnie ćwiczonych zdolności w wojnie symetrycznej. Poza tym jak miałyby one być wykorzystane w wojnie przeciwko Rosji – przeciwnikowi, który dysponuje nowoczesnym wojskiem, obroną przeciwlotniczą i regionalnym rozpoznaniem? Bardziej były te zdolności potrzebne w dobie wojen ekspedycyjnych u boku sojuszników, zwłaszcza świetnie wyposażonych i dysponujących strategicznym i operacyjnym transportem Amerykanów.

Mogliśmy wówczas popisywać się zdolnościami poszczególnych kompanii z 6 Brygady wykonujących desant, który zajmował jakieś lotnisko czy obiekt teoretycznego przeciwnika. Pozbawione takich zadań z racji tego, z jakim przeciwnikiem przyjdzie się teraz mierzyć, a jednocześnie nieszkolone ani niewyposażone do wojny z Rosją (obecnie tylko bardzo lekkie uzbrojenie oraz zasadniczo brak mobilności lądowej) mogłyby pełnić swoje zadania w takiej wojnie jedynie chyba jako piechota do walki w mieście, gdzie infrastruktura (budynki) niwelowałaby (częściowo tylko) słabości obu brygad.

Wartość lekkiej piechoty

Pojawia się zatem pytanie, jaka jest wartość lekkiej piechoty na współczesnym polu walki. Szybki rozwój bezpilotowców otworzył okno technologiczne, dzięki któremu wartość bojowa formacji lekkiej piechoty znacząco wzrośnie na współczesnym polu walki. Nie we wszystkich armiach na świecie ten wzrost potencjału będzie równomierny i nie wszędzie tak odczuwalny. Jednakże na terytorium Polski ze względu na klimat, środowisko naturalne oraz strukturę zamieszkania występują czynniki, które w połączeniu z możliwościami oferowanymi przez bezpilotowce będą dodatkowo potęgować skuteczność lekkiej piechoty.

Producenci systemów amunicji krążącej cały czas opracowują nowe, coraz lepsze wersje przeciwpancernej amunicji krążącej, na tyle małej i lekkiej, aby przenosił ją pojedynczy żołnierz, a jednocześnie zdolnej do niszczenia pojazdów opancerzonych oraz czołgów. Systemy tej klasy staną się alternatywą dla przeciwpancernych pocisków kierowanych trzeciej generacji (na przykład PPK Spike LR), ponieważ, posiadając tę samą siłę rażenia, znacznie przewyższą PPK pod względem zasięgu operacyjnego (10–15 km), zdolności lokalizacji celu (20–40 min. w powietrzu) oraz ekonomii eksploatacji (w przeciwieństwie do PPK raz wystrzelone mogą zostać odzyskane). Systemy amunicji krążącej już są skorelowane z bezpilotowcami rozpoznawczymi poprzez taktyczny system świadomości sytuacyjnej (C4ISR), opracowany na potrzeby małych współdziałających grup bojowych. Połączenie tych trzech podsystemów zamyka pętlę decyzyjną (obserwacji – orientacji – decyzji – akcji) na poziomie plutonów. Pozwala to zachować im samodzielność operacyjną (niezależny detektor, niezależne efektory) w razie utraty łączności z przełożonym lub wyższym dowództwem.

W razie zaistnienia w przestrzeni silnego zakłócania radioelektronicznego takie systemy mogą korzystać ze sterowania przewodowego, na przykład za pomocą wiązki światłowodu (rozwiązanie stosowane w PPK MMP lub PPK Spike). Takie rozwiązanie ograniczy ich zasięg operowania do około pięciu–siedmiu kilometrów, ale to wciąż skuteczny oręż. Szacowany koszt jednej sztuki amunicji krążącej będzie się wahał w przedziale od jednej piątej do jednej drugiej obecnej ceny jednego pocisku PPK Spike. Rozpoznawcze bezpilotowce nawet na dużych przestrzeniach będą względnie łatwo wykrywać i lokalizować pododdziały pancerne i zmechanizowane.

Zagrożenie ze strony przeciwnika oraz taktyka walki wymuszają na tych „cięższych" pododdziałach poruszanie się w zwartych grupach, co pozwala je łatwiej wykrywać z dużej odległości i tym samym razić, samemu pozostając nierozpoznanym. Słabość (skromne wyposażenie w ciężki sprzęt) zamieniamy w siłę (niska sygnatura emisyjna i rozproszenie) doskonale ułatwiającą działania w strefie nękania na wschód od Łomży i Siedlec, gdzie czyhające rozproszone i zamaskowane (oraz włączone w system świadomości sytuacyjny całej obrony) pododdziały obu brygad będą czatować na „białe słonie" – rosyjskie systemy artyleryjskie i obrony powietrznej podążające za frontem prącym na Wisłę i Warszawę, oraz na „tłuste krowy" logistyki rosyjskiej – sznury ciężarówek desperacko próbujących dostarczyć zaopatrzenie walczącym oddziałom czołowym wojska rosyjskiego oraz pożerającym amunicję jednostkom artylerii rosyjskiej, pozabawianym przez WOT oparcia w liniach kolejowych poprzez utrzymywanie się w miastach – węzłach kolejowych.

Lekka piechota dysponująca bronią o dużym zasięgu rażenia może walczyć inaczej. Mała grupa ludzi operująca na dużej połaci terenu (na przykład 10 km kw.) stanowi poważne wyzwanie również dla bezpilotowców przeciwnika, zwłaszcza kiedy ci żołnierze ciągle ćwiczą swoje działania z wykorzystaniem własnych BSL oraz posiadają kamuflaże wielospektralne (uczą się, jak minimalizować ryzyko wykrycia, jak się poruszać, jak przygotować stanowisko operacyjne). Również radary pola walki są skuteczne w wykrywaniu pojazdów i czołgów, lecz nie są już konieczne, jeżeli chodzi o małą grupę ludzi w lesie lub nierównym terenie (zasięg, w którym możliwe jest wykrycie człowieka, jest znaczniej niższy w porównaniu do zasięgu, w którym możliwe jest wykrycie pojazdu, w dodatku łatwiej o zniekształcenie jego sygnatury).

Taktyka walki w rozproszeniu minimalizuje straty w wypadku użycia najskuteczniejszej broni przeciwko piechocie w lesie, czyli ostrzału artylerii lub rozpylenia gazu bojowego. Jednocześnie znacznie podnosi koszty oraz czas potrzebny do rozbicia takich grup.

Podstawowe założenia

- Zaadaptować taktykę walki w *combat box* na potrzeby lekkiej piechoty w permanentnym ukryciu i rozproszeniu jako podstawową (ale nie jedyną) taktykę działań. Głównym celem naszych działań nie jest zadanie przeciwnikowi jak największych strat za wszelką cenę. Jest nim zadawanie start i jednoczesne niezdradzanie swoich pozycji (przeciwnik najbardziej boi się tego, czego nie widzi).
- Operować małymi, zamaskowanymi grupami na dużych przestrzeniach (na przykład drużyna na 10 km kw.), co wyraźnie zmniejszy ryzyko wykrycia oraz radykalnie zminimalizuje podatność na ogień artylerii przeciwnika.
- Zrekompensować niską mobilność taktyczną przenośnymi systemami precyzyjnego uderzenia, zdolnymi do niszczenia pojazdów opancerzonych na duże odległości (od zera do 10–15 km; co najmniej cztery pociski na drużynę).
- Kontrolować przestrzeń, w której rozlokowane są pododdziały (około 40 km kw.), za pomocą bezzałogowych systemów rozpoznawczych. Ponadto zintegrować systemy rozpoznawcze i uderzeniowe kompanii z taktycznym systemem świadomości sytuacyjnej w celu synchronizacji i koordynacji działań.
- Cel wskazują oficerowie, którzy rozpoznają i kontrolują teatr operacyjny. Przypomina to w istocie zarządzanie polem walki na większym obszarze i ustalanie priorytetów; należy odpowiednio do tego szkolić kadrę.
- Główny ciężar walki powinni podjąć podoficerowie/operatorzy z wytrenowaną świadomością przestrzeni. Fizycznie niszczą oni wskazane cele, jeszcze zanim siły własne znajdą się w zasięgu ognia przeciwnika.
- Walka piechoty w bliskim kontakcie powinna być opcją ostateczną, stosowaną wtedy, kiedy zmusi nas do tego sytuacja taktyczna lub atak na nasze pozycje – wtedy należy wycofywać się zaplanowaną drogą ewakuacji, uzbrojoną w miny

i pułapki, aby zatrzymać natarcie przeciwnika. Ostatecznie wiązać go krótkimi potyczkami. Całość ma na celu maksymalne wykrwawienie przeciwnika. Należy do tego celu opracować koncepcję użycia wielkokalibrowego karabinu snajperskiego, który znakomicie się nada do walki w rozproszeniu w razie wykrycia i potrzeby wiązania ogniem przeciwnika, w tym jego sprzętu technicznego i pojazdów.

Potencjał bojowy batalionu lekkiej piechoty						
	Żołnierze	Amunicja krążąca	Podręczna stacja C4ISR	System BSL rozpoznawczy	System BSL rozpoznawczo-uderzeniowy	Pojazd
Drużyna piechoty	6	4	1	0	0	0
Pluton piechoty	29	18	4	1	0	1
Pluton wsparcia	22	0	4	0	0	2
Kompania piechoty	114 (w polu)	56	16	4	0	7
Kompania rozpoznawczo-uderzeniowa	45	0	0	0	10	10
Batalion piechoty	407 (w polu)	168	48	12	10	35

Batalion piechoty składa się z:
· kompanii dowodzenia
· 3 kompanii piechoty
· 1 kompanii rozpoznawczo-uderzeniowej
· kompanii logistycznej

Kompania piechoty składa się z:
· 3 plutonów piechoty
· plutonu wsparcia
· drużyny logistycznej

Pluton wsparcia składa się z:
· drużyny pirotechnicznej
· drużyny zabezpieczenia
· sekcji strzelców wyborowych
· sekcji OPL

Widać po powyższym zestawieniu, w jak rewolucyjnym tempie rośnie potencjał oddziału lekkiej piechoty. To tylko przykład, można sobie wyobrazić, że na stanie takiego batalionu jest nawet ponad 1000 sztuk amunicji krążącej oraz system bezpilotowców koordynujących i zapewniających łączność oraz świadomość sytuacyjną, w tym znajdują się tam bezpilotowce uzbrojone o zasięgu już taktycznym. Szacunkowo środki na wyposażenie takiego batalionu wynoszą 600 mln złotych. Nadmiarowa amunicja krążąca może zostać ukryta w schowkach w terenie do pobrania po boju lub podczas odskoku.

Struktura i podstawowe wyposażenie plutonu piechoty

Pluton piechoty składa się z:
drużyny dowodzenia
4 x drużyn piechoty

BSL rozpoznawczy

Zastępca d-cy
analityk obrazu

Strzelec-
-kierowca

Dowódca
plutonu

Operator

Radiooperator

Lekki pojazd terenowy
jako źródło zasilania dla
systemu rozpoznawczego

Naziemna
stacja kontroli

Przeciwpancerna
amunicja krążąca

Podstawowe wyposażenie drużyny dowodzenia:
- 1 x naziemna stacja kontroli z radiolinią (o zasięgu 40 km)
- 2 x bezzałogowce rozpoznawcze (jeden zapasowy)
- 2 x ppanc amunicja krążąca
- 1 x radiostacja plecakowa KF
- 5 x karabinek MSBSGROT
- 2 x granat RG-42
- 3 x granat F-1

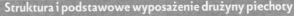

Struktura i podstawowe wyposażenie drużyny piechoty

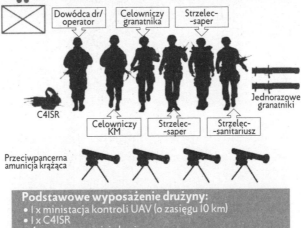

Dowódca dr/
operator

Celowniczy
granatnika

Strzelec-
-saper

Jednorazowe
granatniki

C4ISR

Celowniczy
KM

Strzelec-
-saper

Strzelec-
-sanitariusz

Przeciwpancerna
amunicja krążąca

Podstawowe wyposażenie drużyny:
- 1 x ministacja kontroli UAV (o zasięgu 10 km)
- 1 x C4ISR
- 4 x ppanc amunicja krążąca
- 5 x karabinek MSBSGROT
- 1 x 7,62 mm km UKM 2000
- 2 x jednorazowe granatniki (różne głowice)
- 1 x zdalna, kierunkowa mina
- 6 x lekki ładunek wybuchowy
- 3 x granat RG-42
- 3 x granat F-1

Sześcioosobowa drużyna rozstawia system na skraju lasu lub w wystarczająco dużym prześwicie między drzewami. Następnie oddala się (na odległość do jednego kilometra) i zakłada SO w gęstym lesie. Łączność między systemem a SO poprowadzona jest za pomocą światłowodu. Saperzy uzbrajają teren wokół i wytyczają drogi ewakuacji. Po przygotowaniu i zamaskowaniu SO drużyna nie robi nic (nie nadaje, nie rozpoznaje, nie przemieszcza się – zachowuje dyscyplinę światła, dźwięku i emisji) i czeka na dalsze rozkazy.

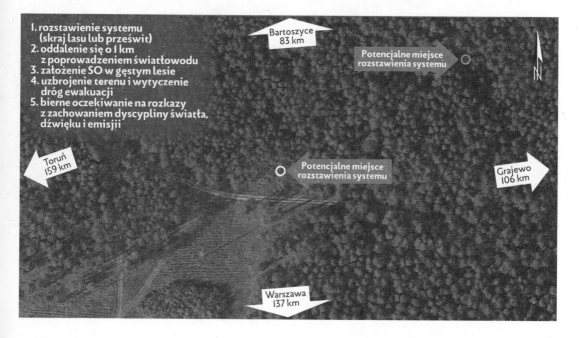

Jak widać na slajdzie powyżej, miejsce na SO drużyny zostało wybrane tak, aby ryzyko pojawienia się przeciwnika było minimalne.

Jednocześnie obszar jest na tyle duży, aby znacznie zminimalizować ryzyko wykrycia przez radary pola walki lub BSL czy po prostu klasyczne rozpoznanie przeciwnika.

W razie pojawienia się przeciwnika w rejonie teren drastycznie redukuje możliwości operowania jego pododdziałów pancernych i zmechanizowanych. Ta taktyka nadaje się wspaniale do stosowania na obszarach we wschodniej Polsce, o słabszej sieci dróg, a jednocześnie większym zalesieniu i występowaniu terenów podmokłych oraz o rozproszonej zabudowie wiejskiej.

W tych warunkach atak na SO drużyny możliwy jest wyłącznie poprzez spieszenie piechoty zmechanizowanej (co zwiąże ten pododdział walką na pewien czas) lub ostrzał artylerii albo BSL przeciwnika (co stanowi stosunkowo duży koszt przy tak małej formacji).

Pozostaje pytanie, co ta drużyna może zrobić z takiej pozycji?

- W zasięgu rażenia drużyny znajdują się obszary przewidywanego pasa natarcia przeciwnika lub jego ciągów logistycznych czy pozycji obrony powietrznej, artylerii itp.
- Drużyna jest w stanie zadać nieproporcjonalnie duże straty przeciwnikowi w relacji do jego kosztów utrzymania.
- Mimo to pojedyncza drużyna nie posiada dużej siły ognia w porównaniu z potencjałem nacierającego przeciwnika. Tym samym zamieniamy słabość w siłę, niska sygnatura emisyjna kontra duży obszarowo zakres przesłaniania i wiązania przeciwnika. To zabiera mu czas, wiąże jego zasoby i pozwala nam „nękać" przeciwnika.

Gdy dwie drużyny zaczynają tworzyć *combat boxy*, ich siła rażenia podwaja się. Formowane są tam, gdzie pojawienie się przeciwnika jest najbardziej prawdopodobne. Ponadto, w razie zmiany kierunku, rozproszenia lub pojawienia się dodatkowych sił przeciwnika w innym miejscu zasięg ich rażenia umożliwia im reakcję. Ich działania koordynowane są przez dowódcę plutonu, który kontroluje przestrzeń, za którą odpowiada.

Dobrze rozmieszczony pluton piechoty byłby potencjalnie w stanie rozbić kompanię zmechanizowaną przeciwnika. Na zamieszczonej niżej mapce widać, jak bardzo wiąże to przeciwnika i saturuje teren.

- cztery drużyny – każda po cztery pociski,
- drużyna dowodzenia – dwa pociski,
- trzy plutony – każdy po cztery drużyny,
- każdy pluton z własnym rozpoznawczym BSL,
- dowódca kompanii koordynuje i synchronizuje prace plutonów oraz wspierającej ich kompanii rozpoznawczo-uderzeniowej,
- kompania rozpoznawczo-uderzeniowa działa na rzecz wszystkich kompanii piechoty (jej zasięg operacyjny to 150 km), posiada bezpilotowce dalszego zasięgu niż normalna amunicja krążąca

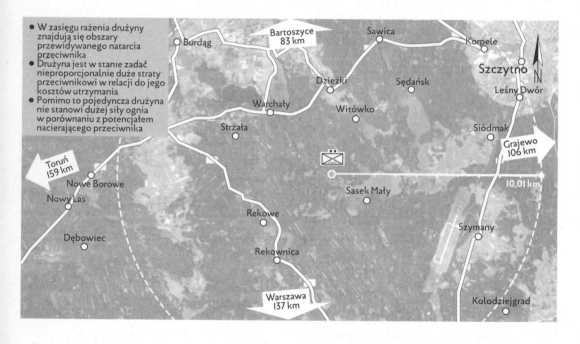

Na takim obszarze niemożliwe jest zakłócenie pracy wszystkich detektorów i efektorów będących w posiadaniu batalionu piechoty. Jednocześnie wykrywanie i eliminowanie każdej drużyny związałoby przeciwnika w całych seriach ciągnących się godzinami drobnych potyczek w lasach lub wyczerpywałoby jego zasoby artylerii lub lotnictwa na walkę z nieproporcjonalnie małymi siłami. Zwłaszcza że ze względu na specyfikę strefy nękania nie były to rosyjskie oddziały frontowe.

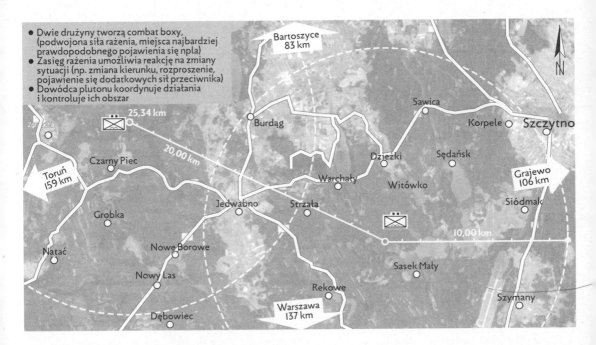

W efekcie przeciwnik, przekonany o swojej inicjatywie w natarciu, znalazłby się w matni, i to na zapleczu, osłabiającej jego siły oraz windującej jego koszty, jeszcze zanim starłby się z równorzędnym przeciwnikiem. To jest klasyczne wykorzystanie asymetrii w bitwie manewrowej na rzecz strony polskiej oraz działanie po taktycznie umocowanych liniach wewnętrznych wynikających z małych potrzeb logistycznych lekkiej piechoty i właściwości jej nowych środków bojowych.

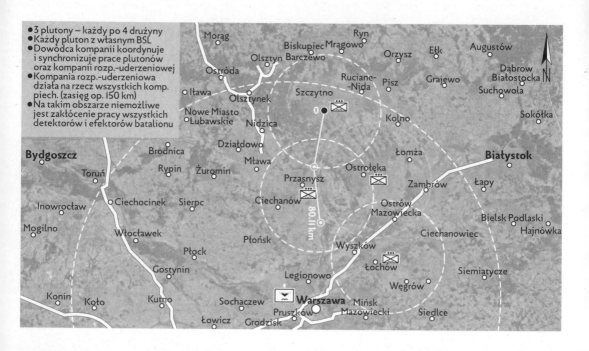

- 3 plutony – każdy po 4 drużyny
- Każdy pluton z własnym BSL
- Dowódca kompanii koordynuje i synchronizuje prace plutonów oraz kompanii rozp.-uderzeniowej
- Kompania rozp.-uderzeniowa działa na rzecz wszystkich komp. piech. (zasięg op. 150 km)
- Na takim obszarze niemożliwe jest zakłócenie pracy wszystkich detektorów i efektorów batalionu

Potencjał bojowy batalionu lekkiej piechoty

Porównanie potencjału w stosunku do pododdziałów pancernych i zmechanizowanych SZ Federacji Rosyjskiej

Struktura organizacyjna kompanii zmechanizowanej SZFR

Pododdziały lekkiej piechoty SZRP

	Żołn.	Amun. krąż.	C4ISR	BSL rozp.	BSL rozp.--uderz.	Poj.
Druż. piech.	6	4	1	0	0	0
Plut. piech.	29	18	4	1	0	1
Pluton wsp.	22	0	4	0	0	2
Komp. piech.	114 (w polu)	56	16	4	0	7
Komp. rozp.--uderz.	45	0	0	0	10	10
Bat. piech.	407 (w polu)	168	48	12	10	35

lp.	Wyszczególnienie	Razem
1.	BMP/BTR/MT-LB	16
2.	URAL 43206	1
3.	PPK 9K115 METYS	3
4.	40 mm RPG-7DZ/W2	9
5.	30 mm AGS-17	3
6.	wkm 6P50 KORD	3
7.	7,62 mm km PECZENG	9
8.	Stacja rick SBR-5 KREDO	1

Wyposażenie batalionu zmechanizowanego SZFR

lp.	Wyszczególnienie	Dowództwo i sztab	kdow.	kz (x3)	bm	kwsp.	klog	pl med.	Razem
1.	WD Różne	4	2						6
2.	M 120mm 2S 12 Sani /2S23				12				12
3.	M 82mm 2B14 Podnos				6				6
4.	PPK 9K115 METYS			3					9
5.	PPK 9K135 KORNET					9			9
6.	12,7 mm 6P50 KORD			3					9
7.	PPZR IGŁA-S					9			9
8.	7,62 mm SWD-S		2			19			21
9.	30 mm AGS-17			3					9
10.	40 mm RPG-7DZ/W2		4	9	3		4	1	39
11.	7,62 mm km Peczenig		3	9					30
12.	RPO-A		48						48
13.	Stacja SBR-5 KREDO		2	1					5
14.	LPR-2		1		3				4
15.	BSR		3						1
16.	203-OPU DŻYGIT						1		1
17.	BMP-2/BMP3	6	3	16		6			63

Struktura organizacyjna i wyposażenie brygady zmechanizowanej SZFR

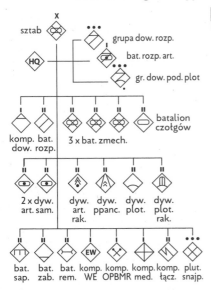

sztab x

grupa dow. rozp.

bat. rozp. art.

gr. dow. pod. plot.

HQ

komp. bat. dow. rozp.

3 x bat. zmech.

batalion czołgów

2 x dyw. art. sam.

dyw. art. rak.

dyw. ppanc.

dyw. plot.

dyw. plot. rak.

bat. sap. | bat. zab. | bat. rem. | komp. WE | komp. OPBMR | komp. med. | komp. łącz. | plut. snajp.

lp.	Sprzęt	Ilość
1.	BMP-2/BMP-3 bojowy wóz piechoty	189
2.	T-72B3 / T-90A czołg podstawowy	41
3.	122 mm 2S1 Goździk samobieżna haubica	18
4.	152 mm 2S3M Akacja samobieżna haubica ciężka	18
5.	BM-21 Grad wieloprowadnicowa wyrzutnia rakietowa	18
6.	9P149 Szturm-S samobieżny system ppk	12
7.	MT-12 Rapira armata ppanc. holowana	12
8.	120 mm 2S12 Sani moździerz średni	18
9.	30 mm AGS-17 Granatnik automatyczny	54
10.	RPG-22W lekki granatnik ppanc.	54
11.	9K-135 Komet przenośna wyrzutnia ppk	27
12.	TOR M-1 samobieżny rak. pojazd plot.	12
13.	256M Tunguska samobieżny art. - rak system OPL	6
14.	9K36 Strzała-10 samobieżny rak. pojazd plot.	6
15.	9K338 Igła-S wyrzutnia pocisków plot. bliskiego zasięgu	27
16.	Bezzałogowy aparat rozpoznawczy	9
17.	MTU-20 most towarzyszący	6
18.	SNAR-10 stacja rozpoznawcza SRLOK, SNAR-10	2

Myśl techniczna w dziedzinie rozproszonego pola walki przyspiesza. A powyższe slajdy pokazują, o ile większy potencjał, wręcz rewolucyjnie, może mieć batalion lekkiej piechoty po transformacji. Może być godnym przeciwnikiem (oczywiście w odpowiednim terenie, po przygotowaniu i przy wykorzystaniu asymetrii zadań) dla „cięższych" batalionów rosyjskich.

Jednak jak dotąd nie ma w Wojsku Polskim formacji, która korzystałaby z całego wachlarza możliwości oferowanych przez te systemy. Wymagałoby to zaadaptowania opisanych zdolności i taktyki oraz wysokiego poziomu wyszkolenia, a także dużej samodzielności w działaniu, i to już od poziomu drużyny piechoty. Ponadto żołnierze przez cały czas działań bojowych musieliby zachować dyscyplinę taktyczną oraz racjonalnie korzystać ze środków bojowych i racji żywności. Taktyka w ogóle nie przewiduje uzupełniania zaopatrzenia aż do momentu podebrania, ze względu na konieczność zachowania skrytości działań oraz trudności logistyczne z tym związane.

ALBERT ŚWIDZIŃSKI

PO DRUGIEJ STRONIE LUSTRA

Zarządzanie dynamiką konfliktu z Rosją
na najwyższych szczeblach drabiny eskalacyjnej,
w tym dynamiką eskalacji nuklearnej

Polska żyje w cieniu rosyjskiej doktryny deeskalacji nuklearnej, nie zdając sobie z tego sprawy. Dyskusja na temat rosyjskiej doktryny nuklearnej w ogóle, a jej części mającej zastosowanie do Polski (a więc użycia niestrategicznej broni jądrowej wobec sojuszników USA w paradygmacie *escalate to de-escalate*) w szczególności, nie istnieje w dyskursie publicznym.

Lakonicznie do jej istnienia odnosi się kilka dosłownie artykułów opublikowanych przez portale zajmujące się szeroko rozumianym środowiskiem bezpieczeństwa. Parę innych odnosi się do jej istnienia mimochodem, w toku równie przyczynkowych opisów kolejnych iteracji rosyjskiej czy amerykańskiej doktryny nuklearnej lub debat o roli broni nuklearnej w polityce odstraszania NATO. Trudno jest znaleźć jakiekolwiek wytłumaczenie dla tego stanu rzeczy; nawet przyjmując założenie, że Polska jest wobec użycia – lub gróźb użycia – broni nuklearnej bezsilna (co, jak udowodnimy, jest założeniem dyskusyjnym), to oczywiste wydaje się, że nie tylko polskie środowiska eksperckie, ale również opinia publiczna powinny być żywotnie zainteresowane tym, czy Rosja może użyć wobec naszego kraju broni nuklearnej, a jeśli tak, to kiedy (w którym momencie konfliktu), w jaki sposób i w jakim celu.

Podobnie przedmiotem żywego – chciałoby się rzec: „egzystencjalnego" – zainteresowania powinno być to, jaka jest polityka odstraszania Sojuszu Północnoatlantyckiego (oraz czy jest wiarygodna i adekwatna do zagrożeń) czy też jak wygląda stosunek sił czy polityka użycia broni nuklearnej USA i NATO w kontekście formułowanych przez Rosję gróźb. Niestety, temat rosyjskiej deeskalacji nuklearnej w polskiej debacie nie istnieje.

Rosyjska koncepcja zarządzania dynamiką konfliktu zbrojnego przy pomocy niestrategicznej broni nuklearnej (czy to w kontekście odstraszania, czy deeskalacji nuklearnej, czy asymetrycznej eskalacji) jest natomiast od wielu lat obiektem żywego zainteresowania analityków zachodnich – przede wszystkim amerykańskich, ale również europejskich. O deeskalacji nuklearnej (czy też asymetrycznej eskalacji) w wystąpieniach publicznych mówili Jasen Castillo, profesor uniwersytetu Texas A&M, czy Vipin Narang, specjalizujący się w strategii nuklearnej profesor nauk politycznych w Massachusetts Institute of Technology. Pisał o niej Mathew Kroenig, profesor Uniwersytetu Georgetown, dr Mark B. Schneider, niegdysiejszy urzędnik OSD, Elbridge Colby czy Dmitry (Dima) Adamsky. Krytycznie do jej istnienia odnosili się – by wspomnieć kilku zaledwie – analitycy tacy jak Olga Oliker, Kristin van Bruusgard czy Bruno Tertrais. Rozważania o ewolucji myślenia o odstraszaniu czy deeskalacji za pomocą uderzeń konwencjonalnych, NSNW czy przy wykorzystaniu strategicznych sił nuklearnych snuli również Anya Fink i Michael Kofman.

Czas, aby w polskiej debacie publicznej również zaistniał temat rosyjskiej strategii nuklearnej, szczególnie jej wymiar odnoszący się do gróźb użycia niestrategicznej broni nuklearnej lub ograniczonego jej użycia w celach odstraszania lub terminacji konfliktu na warunkach zadowalających dla Moskwy. Chciałbym, aby niniejszy fragment do raportu na temat Armii Nowego Wzoru stanowił początek owej debaty. W żaden sposób nie ma on być wyczerpujący.

Poniższy wywód ma na celu:

- przedstawienie zarysu problemu – a więc definicji rosyjskiej doktryny deeskalacji nuklearnej i jej umocowania w szerszym kontekście rosyjskich dokumentów doktrynalnych;
- udokumentowanie przewag posiadanych przez Federację Rosyjską vis-à-vis USA – gwaranta bezpieczeństwa Polski, którego parasol nuklearny w założeniu ma chronić Polskę przed groźbami lub faktycznym użyciem broni nuklearnej przez potencjalnego agresora, a także mechanizmów, w ramach których Rosjanie zamierzają przewagi te kapitalizować w celu osiągnięcia pozytywnej dla siebie rewizji ładu międzynarodowego;

- przedstawienie paradoksalnej natury rosyjskich gróźb, których adresatem są nie potencjalne ofiary ataku (Polska), ale ich gwarant bezpieczeństwa (Stany Zjednoczone) – oraz ich implikacji dla Polski;
- wyjaśnienie, dlaczego uważamy, że wbrew pozorom rosyjskie groźby są mniej wiarygodne, niż przyjmuje część amerykańskich środowisk analitycznych czy akademickich.

Wszystkie wymienione wyżej cele są jednak z gruntu odtwórcze i stanowią – skróconą i niepełną – antologię obserwacji przedstawicieli zachodnich kręgów analitycznych. Co jednak najważniejsze, poniższy tekst ma stanowić próbę zidentyfikowania sposobów na złamanie rosyjskiego przekonania o zdolności kontroli dynamiki eskalacji (dominacji eskalacyjnej) – z sojusznikami lub bez.

Warto wspomnieć, że sama nazwa doktryny w jej angielskim brzmieniu – *escalate to de-escalate* zdaje się eufemizmem, przykładem paradoksu w rodzaju Orwellowskiego „wojna to pokój, wolność to niewola". Jak słusznie zauważył Mark Schneider, doktryna powinna tak naprawdę nosić nazwę *escalate to win*, bo celem działań Rosji nie jest po prostu deeskalacja, ale raczej zakończenie konfliktu na zadowalających dla niej warunkach.

W najbardziej lapidarnym ujęciu strategia deeskalacji poprzez eskalację (lub też deeskalacji nuklearnej) to groźba asymetrycznej eskalacji konfliktu przez Rosję z poziomu konwencjonalnego na jądrowy poprzez groźbę użycia lub faktyczne użycie broni jądrowej. Ma to na celu wymuszenie zakończenia konfliktu na warunkach zadowalających dla Kremla. Mathew Kroenig proponuje definicję, w myśl której „w przypadku dużej wojny z NATO rosyjska strategia może zezwalać na nuklearną deeskalację. Rosja mogłaby wykonać pojedyncze lub kilkakrotne uderzenie jądrowe, obierając za cel siły NATO. Możliwe jest również wykorzystanie broni jądrowej wobec ludności. Tego rodzaju atak miałby miejsce na późnym etapie konfliktu i miałby na celu uniknięcie nieuchronnej porażki; mógłby też zostać przeprowadzony we wcześniejszej fazie konfrontacji w celu zniechęcenia Zachodu do wysłania znaczących sił w rejon konfliktu".

Elbridge Colby bardzo celnie dostrzega, że „Moskwa zdaje się wykorzystywać możliwość eskalacji konfliktu – celową lub przypadkową – jako narzędzie wywierania wpływu na NATO i państwa europejskie". Warto zwrócić uwagę, że Colby, zajmujący się przecież „wielką strategią", a nie szczegółowymi opisami realiów taktyczno-operacyjnych, trafia w swym opisie w sedno problemu – a mianowicie w groźbę eskalacji konfliktu (zmierzającą być może w stronę niekontrolowanej eskalacji) będącą w swej istocie próbą manipulowania przez Rosję percepcją ryzyka. W eseju dla francuskiej Foundation pour la recherche strategique Colby pisze: „Rosja planuje – lub przynajmniej stara się ten zamiar demonstrować – wyeskalować konflikt z Zachodem do wyższego stopnia (...) Tworzy to bezpośrednie implikacje wojskowe i strategiczne w przypadku otwartej wojny, ale może również dawać Rosji znaczącą przewagę odstraszania w fazie kryzysowej, bowiem nawet sama realna groźba eskalacji – nawet gdyby nie miała ona zostać zrealizowana – daje Rosjanom zauważalną przewagę w negocjacjach politycznych (...) co więcej, wojna pomiędzy NATO a Rosją może eskalować bardziej, niż życzyłyby sobie tego obie strony (...) z przyczyn od nich niezależnych. Spowodować to może brak zrozumienia i świadomości czerwonych linii obydwu stron, niezamierzona eskalacja będąca wynikiem sposobu prowadzenia działań czy nawet zwykły przypadek".

W dalszej części eseju postaram się udowodnić, że to właśnie wykorzystanie tego mechanizmu – niezamierzonej eskalacji, która doprowadzić może do niekontrolowanej eskalacji, stanowi esencję rosyjskiej strategii deeskalacji. Jest to Schellingowska „groźba, która zostawia coś przypadkowi".

Dokryna deeskalacji nuklearnej

Warto zwrócić uwagę: wszystko, co powiedzieliśmy dotychczas – rosyjska strategia, asymetrie wykorzystywane przez Rosjan, próby zminimalizowania ich przez Stany Zjednoczone – rozgrywa się ponad głowami tych państw, które najprawdopodobniej stałyby się ofiarami rosyjskiej doktryny deeskalacji nuklearnej!

Rosjanie uzyskują dominację eskalacyjną kosztem USA.

Rosjanie grożą Waszyngtonowi niekontrolowaną eskalacją do pełnej wymiany nuklearnej.

Ale Rosjanie nie grożą nam.

Problem rosyjskich zdolności, pozwalających Moskwie na wiarygodne groźby doprowadzenia do asymetrycznej eskalacji konfliktu, odzwierciedla również opublikowana przez administrację Donalda Trumpa na początku 2018 roku „Nuclear Posture Review". W dokumencie tym, będącym deklaratywnym przedstawieniem amerykańskiej strategii nuklearnej, zauważa się, że „rosyjska polityka bezpieczeństwa, strategia i doktryna podkreśla groźby ograniczonej eskalacji jądrowej oraz rosnące zdolności w zakresie opracowywania i wprowadzania do służby coraz bardziej zróżnicowanych i licznych rodzajów broni jądrowej. Moskwa grozi ograniczonym użyciem broni jądrowej jako pierwsza, co może być wynikiem błędnego przekonania, że groźby lub użycie broni jądrowej jako pierwsza doprowadzą do paraliżu NATO i USA, a tym samym do zakończenia konfliktu na warunkach odpowiadających Rosji".

Tak więc – w telegraficznym skrócie – Rosjanie mogliby zdecydować się na użycie broni nuklearnej, aby galwanizować zdobycze terytorialne lub polityczne osiągnięte w toku szybkiej, kilku- lub najwyżej kilkunastodniowej kampanii. Lub też mogliby podjąć próbę zakończenia konfliktu na akceptowalnych dla siebie warunkach w momencie, w którym w toku nieudanej kampanii realna staje się porażka uniemożliwiająca Kremlowi osiągnięcie celów wojennych. Wówczas Rosjanie mogą spożytkować groźbę wykorzystania doktryny deeskalacji nuklearnej w celu zakomunikowania Amerykanom niebezpieczeństwa niekontrolowanej eskalacji, jeżeli działania wojenne będą kontynuowane.

Warto wspomnieć, że zdaniem Kofmana oraz Fink rola broni nuklearnej w zarządzaniu eskalacją (czy to strategicznej, czy niestrategicznej) wraz z upływem czasu malała, co jest odzwierciedleniem zmieniającego się (rosnącego) potencjału konwencjonalnego Federacji Rosyjskiej – ale niezmiennie pozostaje integralnym jej elementem. Tak więc chociaż, jak dowodzą Fink i Kofman, próg użycia NSNW (ang. *non-strategic nuclear weapons*, niestrategiczna broń jądrowa) został przesunięty na wyższe szczeble drabiny eskalacji, wiążące się z próbą zakończenia konfliktu o skali regionalnej, to pozostają one obecne w rosyjskim myśleniu – oraz, co równie ważne, w rosyjskiej komunikacji strategicznej wobec Zachodu.

W tym miejscu należy zauważyć, że nie istnieje jednoznaczna definicja niestrategicznej broni nuklearnej. Biuro analiz Kongresu USA (Congressional Research Service, CRS) zauważa, że istnieje co najmniej kilka sposobów różnicowania strategicznej i niestrategicznej broni jądrowej. Oto one:

- Zasięg środków jej przenoszenia. Ten sposób był bardziej przydatny w paradygmacie zimnej wojny, gdy przynajmniej w teorii można było uznać, że te rodzaje uzbrojenia, które mogły razić cele na terytorium USA i ZSRS po odpaleniu z własnego terytorium, powinny być klasyfikowane jako strategiczna broń nuklearna – a wszystkie inne jako niestrategiczna broń nuklearna. W praktyce fakt bazowania niestrategicznych zasobów nuklearnych USA na terytorium państw sojuszniczych czy też umieszczenie przez Rosjan pocisków balistycznych o zasięgu kilkuset kilometrów na pokładach okrętów podwodnych czynił ową klasyfikację dyskusyjną.
- Siła eksplozji. W założeniu te systemy uzbrojenia, które dysponowały dużą siłą eksplozji, powinny być klasyfikowane jako broń strategiczna, te o mniejszej – jako niestrategiczna. W teorii broń niestrategiczna mogłaby więc znaleźć zastosowanie na polu bitwy, pozwalając na osiągnięcie przewagi lub przełomu. Problem polega m.in. na tym, że nie ma „punktu granicznego" siły eksplozji oddzielającego oba systemy, czy na tym, że środki przenoszenia strategicznej broni nuklearnej mogą również służyć do przenoszenia ładunków niestrategicznych.
- Wykluczenie. Wówczas każdy rodzaj broni nuklearnej nieujęty w obecnie obowiązujących lub nieaktywnych traktatach rozbrojeniowych lub ograniczających zbrojenia (START, New START, SORT) uznawany jest za broń NSNW.

Istnienie zoperacjonalizowanych zdolności do przeprowadzenia uderzeń przy wykorzystaniu niestrategicznej broni nuklearnej jest kluczowym elementem rosyjskiego przekonania o możliwości utrzymania dominacji na wszystkich szczeblach drabiny eskalacyjnej oraz wiarygodnych narzędzi odstraszania. Jest tak dlatego, że Rosjanie uznają za konieczne odpowiednie „dozowanie" przemocy w toku konfliktu, co ma uwiarygodnić ich groźby; w tym paradygmacie groźby sięgnięcia po strategiczną broń nuklearną na zbyt wczesnym etapie konfliktu mogłyby być obarczone problemem braku wiarygodności.

Jak zauważają Kofman i Fink, zdolność do stopniowania przemocy „na każdym kolejnym etapie konfliktu pomaga uzyskać psychologiczny efekt odstraszania dzięki świadomości konsekwencji i strat, które ponieść można", jeżeli nie dojdzie do zakończenia sporu na warunkach przychylnych dla Moskwy. „Dla przykładu, groźba eskalacji do poziomu użycia broni nuklearnej pomaga wzmocnić efekt odstraszający użycia broni konwencjonalnej w celach strategicznych". Podobnie, selektywne użycie NSNW „wzmacnia przekaz", uświadamiając adwersarzowi konsekwencje eskalacji konfliktu do poziomu, w którym zastosowanie znajduje strategiczna broń jądrowa.

Mechanizm, w którym Rosjanie zamierzają wygrać, wbrew pozorom nie opiera się wyłącznie na szoku i zastraszeniu przeciwnika wynikającym z pojedynczego użycia broni nuklearnej i związanej z tym wizji zniszczeń infrastruktury cywilnej czy rozbitych zgrupowań wojsk. Doktryna deeskalacji nuklearnej – a więc groźba asymetrycznej eskalacji do poziomu użycia broni jądrowej w toku konfliktu konwencjonalnego – ma na celu manipulowanie ryzykiem niekontrolowanej eskalacji, przede wszystkim vis-à-vis USA. Jednak aby uwiarygodnić ową groźbę, Rosjanie musieli się upewnić, że posiadają adekwatne zdolności dozowania przemocy na drabinie eskalacyjnej. Jednocześnie szanse powodzenia owej strategii rosną tym bardziej, im mniej zdolności udzielenia proporcjonalnej odpowiedzi na rosyjską eskalację posiada przeciwnik.

Sądzimy, iż Rosjanie stosują ową strategię, ponieważ są zdania (bardzo możliwe, że mają rację), że posiadają przewagę nad Zachodem, dającą im zdolność zdominowania dynamiki eskalacji. Tak więc aby wygrać konflikt z Rosją – co, jak dowodzimy w innych częściach projektu Armii Nowego Wzoru, jest możliwe – Polska (z sojusznikami lub samodzielnie) musi pozbawić Rosjan przekonania o możliwości osiągnięcia przez nich efektu dominacji eskalacyjnej, którą zamierzają osiągnąć poprzez groźby użycia (lub faktyczne użycie) broni jądrowej jako pierwsi, w toku konfliktu konwencjonalnego.

Czym jest dominacja eskalacyjna (ang. *escalation dominance*)? Dokument RAND z roku 1995 zatytułowany „Nuclear Deterrence in a Regional Context" autorstwa Deana Wilkeninga oraz Kennetha Watmana definiuje dominację eskalacyjną jako „zdolność do udzielenia proporcjonalnej odpowiedzi (albo nawet lepiej: wyważonej, ale mocniejszej) na każdą próbę eskalacji konfliktu przez przeciwnika". Warto dodać, że w ten sposób sygnalizujemy adwersarzowi, że jakikolwiek jest jego cel, nie zdoła zrealizować go przemocą. Ową definicję warto uzupełnić przez spostrzeżenia zawarte w innym dokumencie opublikowanym przez RAND („Dangerous Thresholds: Managing Escalation in the 21st Century"), mianowicie że chociaż w idealnym scenariuszu „uczestnik konfliktu posiada zdolność do odniesienia zwycięstwa na każdym etapie eskalacji (...) bardziej realistycznym założeniem jest osiągnięcie takiej dominacji eskalacyjnej, w której strona sporu może wyeskalować konflikt w taki sposób, aby przeciwnik nie mógł odpowiedzieć proporcjonalnie, czy to z braku odpowiednich zdolności, czy dlatego, że udzielenie proporcjonalnej odpowiedzi nie poprawiłoby jego sytuacji (...) przykładem sposobu na osiągnięcie dominacji eskalacyjnej jest wynajdywanie asymetrii, w wyniku których przeciwnik nie jest w stanie odpowiedzieć proporcjonalnie na dane działanie, na przykład poprzez uzyskanie klasy uzbrojenia, której przeciwnik nie posiada".

Jeżeli owe typy uzbrojenia zostaną wykorzystane w toku działań wojennych, a druga strona nie może odpowiedzieć symetrycznie, może to stworzyć sytuację, w której staje ona przed wyborem albo nieudzielenia żadnej odpowiedzi, albo też – poprzez udzielenie nieproporcjonalnej odpowiedzi – doprowadzenia do kontreskalacji, która może skutkować przekroczeniem czerwonych linii przeciwnika.

Jak udowodnimy w dalszej części tekstu, asymetria zdolności w zakresie NSNW pomiędzy USA a Federacją Rosyjską postawić może Waszyngton przed takim właśnie dylematem. Co ciekawe, autorzy wspomnianej monografii zauważają również, że „osiągnięcie dominacji eskalacyjnej jest najbardziej prawdopodobne, gdy mniej istotne staje się zarządzanie dynamiką eskalacji"; to również ważna konstatacja, ponieważ Rosjanie konsekwentnie sygnalizują gotowość do doprowadzenia do niekontrolowanej eskalacji oraz akceptację ryzyka zajścia niekontrolowanej eskalacji.

Rosjanie są zdania, że będą w stanie osiągnąć dominację eskalacyjną vis-à-vis USA i NATO. Jest tak dlatego, że posiadają szereg przewag:

- Dysponują zróżnicowanym arsenałem i środkami przenoszenia – mogą więc dozować przemoc przy użyciu broni nuklearnej – mają większe zdolności. Zdolności Zachodu są natomiast ograniczone – i technologicznie, i ilościowo.
- Stawka konfliktu jest większa dla nich niż dla USA.
- Przez lata sygnalizowali gotowość do asymetrycznego wyeskalowania konfliktu do poziomu nuklearnego – czego emanacją jest właśnie doktryna deeskalacji nuklearnej. Przekonali Zachód, że są bardziej zdeterminowani.
- Jeżeli Amerykanie/NATO chcieliby utrzymać się na drabinie eskalacyjnej, w odpowiedzi na pierwsze użycie broni nuklearnej przez Rosję musieliby zdecydować się na proporcjonalną

odpowiedź – a więc również użyć (niestrategicznej) broni nuklearnej.

- To z kolei groziłoby zajściem niekontrolowanej eskalacji – zamiast symetrycznych odpowiedzi jednej i drugiej strony mogłoby (w wyniku pomyłki czy nieporozumienia) dojść nie do ograniczonej, ale do nieograniczonej apokaliptycznej wojny nuklearnej.

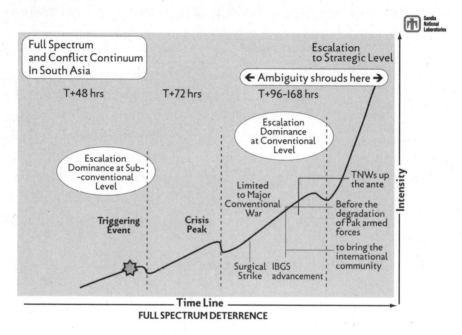

Ten slajd – będący częścią prezentacji stworzonej przez Sandia National Labs na potrzeby Departamentu Energii USA, choć odnosi się do konfliktu z udziałem Pakistanu – jest doskonałą wizualizacją dynamiki eskalacji w hipotetycznym konflikcie Rosja – NATO (a właściwie: Rosja – USA). W momencie użycia przez Rosjan NSNW w toku konfliktu konwencjonalnego następuje eskalacja. Jeżeli Stany Zjednoczone chciałyby uniemożliwić Rosjanom osiągnięcie dominacji eskalacyjnej, musiałyby udzielić symetrycznej odpowiedzi, co pozwoliłoby na utrzymanie stopniowej eskalacji. Jednocześnie groźba ze strony Rosji polega na zasygnalizowaniu USA, że utrzymanie owej stopniowej eskalacji może nie być możliwe, a przy próbie odpowiedzi dojść może do niekontrolowanej eskalacji, aż do poziomu pełnej wymiany nuklearnej pomiędzy obydwoma państwami z wykorzystaniem strategicznej broni nuklearnej. Ryzyko to jest tym większe, że Rosjanie posiadają przewagę zdolności oraz mogą wiarygodnie twierdzić, że stawka konfliktu (a tym samym tolerancja ryzyka) jest dla nich większa niż dla Stanów Zjednoczonych.

Warto zwrócić uwagę, że w gruncie rzeczy strategia Moskwy, polegająca na manipulowaniu percepcją niekontrolowanej eskalacji (do której może dojść w rezultacie użycia broni nuklearnej w toku konfliktu konwencjonalnego), nie jest niczym nowym i realizowana jest najczęściej przez te państwa, które zagrożone są agresją silniejszego konwencjonalnie przeciwnika.

Założenia rosyjskiej teorii zwycięstwa (i mechanizmów, które mogą to zwycięstwo umożliwić) przypominają nieco NATO-wską doktrynę *flexible response*. Gwoli przedstawienia tła historycznego: za administracji Harry'ego Trumana USA rozważały sposoby na ograniczenie roli odgrywanej przez broń jądrową w odstraszaniu Rosji Sowieckiej oraz odejście od jej użycia w paradygmacie bombardowań strategicznych, do czego doprowadzić miało znaczące zwiększenie roli odgrywanej przez siły konwencjonalne, oraz wykorzystanie niestrategicznych ładunków nuklearnych, które to rekomendacje (po raz kolejny – w telegraficznym skrócie) zawarto w dokumencie NSC-68.

Jednak uzupełnienie sił konwencjonalnych NATO do poziomu wystarczającego do uwiarygodnienia odstraszania względem Sowietów było dla świata Zachodu właściwie niemożliwe. ZSRS dysponował pod koniec lat 40. siłą około 2,5–2,8 mln żołnierzy wojsk lądowych. Według wyliczeń z epoki po 1956 roku 26 dywizji sowieckich stacjonowało w NRD, PRL i na Węgrzech. Kolejne 75 dywizji stacjonowało w europejskiej części Rosji, następne 40–125 dywizji mogło zostać zdaniem amerykańskich planistów zmobilizowanych w ciągu 30 dni. Do tego reszta państw Układu Warszawskiego mogła wystawić około 60 dywizji. Dla porównania: w 1949 roku Stany Zjednoczone, Francja, Wielka Brytania i państwa Beneluksu mogły razem wystawić w Europie około 12 dywizji; rok później państwa Paktu Północnoatlantyckiego przyjęły cel wystawienia 34 dywizji, sam Waszyngton zobowiązał się natomiast do zwiększenia swego zaangażowania do czterech dywizji. W 1952 w Lizbonie NATO postawiło sobie za cel utworzenie 50 aktywnych i 46 trzymanych w rezerwie dywizji. Plan zwiększenia obecności konwencjonalnej był zrozumiały – problem polegał jednak na tym, że szacunkowy koszt utworzenia sił konwencjonalnych zdolnych do odparcia sowieckiego ataku wyceniano na 30–40 mld ówczesnych dolarów.

Dla porównania: plan Marshalla kosztował 12 mld dolarów, a roczny budżet obronny USA wynosił wówczas 13 mld. Zdaniem Deana Achesona realizacja postulatów NSC-68 w całości kosztowałaby 50 mld dolarów. Do tego dochodziły jeszcze problemy ekonomiczne w powojennej Europie, takie jak na przykład dewaluacja funta w 1949 roku.

Było jasne, że Stany, postawione przed problemem *security or solvency* (bezpieczeństwo albo wypłacalność), nie będą mogły sobie pozwolić na nieskorzystanie z „wielkiego wyrównywacza szans", a więc broni jądrowej, która w relacjach pomiędzy ZSRS a USA pełniła tę samą funkcję, jaką na Dzikim Zachodzie pełnił mechanizm skonstruowany przez Samuela Colta.

Problemu słabości konwencjonalnej Zachodu nie dało się więc rozwiązać poprzez symetryczne wyrównanie potencjału vis-à-vis ZSRS. Przez pewien czas wydawało się, że skutecznym sposobem na odstraszenie ZSRS stanie się firmowana przez administrację Dwighta Eisenhowera strategia zmasowanego odwetu (*massive retaliation*). Była ona wynikiem prac prowadzonych w ramach projektu Solarium, z którego wnioski zostały następnie (w październiku 1953 roku) ujęte w dokumencie NSC-162/2. Groźba użycia broni jądrowej na wczesnym etapie konfliktu i na szeroką skalę – również *counter-value* – stanowiła esencję zmasowanego odwetu. W połączeniu z rezygnacją z prób powstrzymania Sowietów na polu bitwy (jak to miało miejsce za Trumana) była więc doktryna zmasowanego odwetu przykładem strategii *deterrence by punishment* – a więc odstraszania nie poprzez groźbę uniemożliwienia osiągnięcia przeciwnikowi celów wojennych (*deterrence by denial*), ale poprzez wywindowanie kosztów, które przeciwnik musiałby ponieść, aby je osiągnąć, tak bardzo, że nawet gdyby cele te zostały ostatecznie osiągnięte, stan faktyczny nie spełniałby żadnej definicji sukcesu.

Doktryna zmasowanego odwetu, w formie zdefiniowanej przez Eisenhowera i uczestników projektu Solarium, żyła jednak krótko, wraz bowiem z topnieniem przewagi ilościowej, ale przede wszystkim technologicznej, umożliwiającej Sowietom rażenie kontynentalnych Stanów Zjednoczonych, gwałtownie traciła ona na wiarygodności. W październiku 1957 roku Sowieci wystrzelili w kosmos pierwszego sztucznego satelitę – Sputnika 1. Co najgorsze – Sputnik został wyniesiony na niską orbitę Ziemi za pomocą rakiety R-7 Semiorka, która już rok później została wprowadzona do służby jako pierwszy pocisk balistyczny o zasięgu międzykontynentalnym.

Wkrótce potem rozpoczął się kryzys berliński (spekuluje się, że to właśnie opracowanie przez Sowietów ICBM ośmieliło ich do bardziej zdecydowanych działań); świat wszedł tym samym w być może najbardziej niestabilny okres z punktu widzenia strategii nuklearnej – okres premiujący zasadę *use it or lose it* (wykorzystaj bądź strać) w odniesieniu do broni jądrowej, a więc dający logiczny asumpt do przeprowadzania wyprzedzających uderzeń jądrowych.

Odpowiedzią – i sposobem na odzyskanie wiarygodności odstraszania nuklearnego zarówno wobec sojuszników, jak i ZSRS – miała być doktryna elastycznego reagowania – *flexible response*. Bogiem a prawdą, wiele wątpliwości jest, na ile była ona faktycznie realizowana i na ile Amerykanie faktycznie wierzyli w możliwość utrzymania eskalacji hipotetycznego konfliktu na poziomie substrategicznym, o czym pisze chociażby Francis Gavin – ale oficjalnie doktryna *flexible response* została przyjęta przez NATO w 1967 roku (jako dokument Komitetu Wojskowego NATO MC14/3).

Ujmując rzecz w telegraficznym skrócie: doktryna elastycznego reagowania była do pewnego stopnia powrotem do forsowanej we wczesnych latach 50. wizji NSC-68, a więc zwiększenia potencjału konwencjonalnego (czego, mniej lub bardziej skutecznie, wymagali od swoich sojuszników Amerykanie) wraz ze zwiększeniem roli odgrywanej przez niestrategiczną broń nuklearną, której użycie było wiarygodniejsze niż groźba zmasowanego odwetu przy wykorzystaniu strategicznej broni nuklearnej. Jednocześnie przy znajomości rezultatów symulacji „ograniczonej" wojny nuklearnej z wykorzystaniem NSNW (chociażby Operation Sagebrush z końcówki 1955 roku, która symulowała wojnę z użyciem broni taktycznej na terenie odpowiadającym wielkością Grecji i Portugalii. Wnioski z Sagebrush – kiedy to modelowano użycie około 70 bomb jądrowych, z których każda była mniejsza niż 40 kiloton – były jednoznaczne: w wyniku detonacji życie na terenie dotkniętym działaniami wojennymi przestałoby istnieć) rola niestrategicznej broni nuklearnej ulegała zmianie. NSNW przestawały bowiem być narzędziem asymetrycznego wyrównania potencjału militarnego (a więc roli, jaką przypisywała im pierwsza strategia offsetowa), a stawały się, jak ujął to Richard Weitz, narzędziem mającym pozwolić Zachodowi „zakończyć konflikt. Celem było zademonstrowanie sowieckiemu przywództwu powagi sytuacji tak, aby przekonać ich do zakończenia działań ofensywnych (...) na akceptowalnych warunkach". Jednocześnie Weitz twierdzi, że „niejasność była elementem kluczowym *flexible response*".

Brzmi znajomo? Teraz Rosja może starać się udowadniać, że znajduje się w „odwróconym paradygmacie zimnowojennym", mając naprzeciw siebie potężniejsze konwencjonalnie wojska Sojuszu Północnoatlantyckiego – a w związku z tym szuka możliwości asymetrycznego wyrównania szans poprzez wykorzystanie broni nuklearnej jako asymetrycznego wyrównania potencjału lub (i to jest naszym zdaniem celniejszy opis) zademonstrowania determinacji i gotowości do zaakceptowania ryzyka niekontrolowanej eskalacji.

Jak kształtowały się elementy rosyjskiej doktryny odnoszące się do użycia broni jądrowej po upadku ZSRS? Na wstępie należy zauważyć, że rosyjskie myślenie o roli odgrywanej przez broń nuklearną podlegało ewolucji wraz z poprawą zdolności Federacji Rosyjskiej do prowadzenia konfliktu zbrojnego i relatywną siłą rosyjskich sił zbrojnych vis-à-vis NATO. Jak twierdzą Fink i Kofman (oraz, na przykład, Katarzyna Zysk), o ile w latach 90. i na początku nowego tysiąclecia Rosjanie zdawali się akceptować gotowość do użycia broni nuklearnej na bardzo wczesnym etapie konfliktu, obecnie – dzięki rozwinięciu zdolności do przeprowadzania precyzyjnych uderzeń konwencjonalnych na cele strategiczne – Rosjanie mają rozważać użycie takiej broni później, być może dopiero na etapie prób uniemożliwienia przeistoczenia się konfliktu w wojnę regionalną – lub też prób zakończenia jej na warunkach akceptowalnych dla Kremla.

W każdym razie w 1993 roku Rosja oficjalnie wycofuje się z deklaracji *no first use*, deklaracji nieużywania broni nuklearnej jako pierwsza. Deklarację tę złożył oficjalnie Breżniew w czerwcu 1982 roku. Nieformalnie ZSRS wspierał tę zasadę również wcześniej, co najmniej od lat 70. Było to zrozumiałe w obliczu przewagi konwencjonalnej nad przeciwnikami oraz stanowiło element sowieckiej *soft power*.

Opublikowana w listopadzie 1993 roku „Doktryna wojskowa Federacji Rosyjskiej" stwierdza *inter alia*, że:
• Federacja Rosyjska zastrzega sobie prawo do użycia broni jądrowej w odpowiedzi na (...) akt znaczącej agresji

konwencjonalnej w sytuacji krytycznego zagrożenia dla bezpieczeństwa narodowego Federacji Rosyjskiej i jej sojuszników.
- Federacja Rosyjska nie użyje broni jądrowej wobec państw
nieposiadających broni jądrowej, z wyjątkiem sytuacji, gdy
państwa te dokonają agresji zbrojnej na FR i jej sojuszników,
będąc w sojuszu z państwem, które broń jądrową posiada.

Próg użycia broni nuklearnej dopuszcza więc nie tylko pierwsze użycie, ale również umiejscowiony jest, jak się wydaje, relatywnie nisko – mowa jest bowiem o sytuacji „krytycznego zagrożenia dla bezpieczeństwa narodowego".

Opublikowana w 1997 roku „Koncepcja Bezpieczeństwa
Narodowego Federacji Rosyjskiej" stwierdza, że:
- Federacja rosyjska zastrzega sobie prawo do użycia (...) broni
jądrowej w przypadku napaści zbrojnej, która zagraża przetrwaniu Rosji jako niezależnego, suwerennego państwa".

Opublikowany we wrześniu 2003 roku dokument zatytułowany „Kierunki rozwoju zdolności obronnych Federacji Rosyjskiej",
o niższym niż oficjalne doktryny wojskowe ciężarze gatunko-
wym, stwierdza, że:
- „Deeskalacja przemocy oznacza wymuszenie na przeciwniku
wstrzymania działań zbrojnych poprzez groźbę lub faktyczne użycie systemów uzbrojenia konwencjonalnego lub nuklearnego"; w rezultacie dojść ma do zakończenia konfliktu na
warunkach „akceptowalnych" dla Kremla.

O ile, jak dowodzi Dmitry Adamsky czy też zdają się sugerować Kofman i Fink, Rosjanie już w latach 90. mierzyli się
z konceptualnym opracowaniem metody zarządzania dynamiką eskalacji, to dokument z 2003 roku zdaje się jednym
z pierwszych, który rekomenduje doprowadzenie do deeskalacji za pomocą gróźb użycia broni nuklearnej lub faktycznego
jej użycia.

Zaprezentowany w 2003 roku mechanizm zarządzania eskalacją nie znajduje jednak odzwierciedlenia w opublikowanej w 2010 kolejnej „Doktrynie Wojskowej Federacji Rosyjskiej", która zawiera jedynie stwierdzenie, że:

„Federacja Rosyjska zastrzega sobie prawo do użycia (...) broni jądrowej w przypadku agresji na Rosję przy użyciu broni konwencjonalnej, która stwarza zagrożenie dla przetrwania państwa".

Dokładnie tak samo próg użycia broni nuklearnej ujęto w kolejnej iteracji „Doktryny Wojskowej FR", opublikowanej w 2014 roku:

„Federacja Rosyjska zastrzega sobie prawo do użycia (...) broni jądrowej w przypadku agresji na Rosję przy użyciu broni konwencjonalnej, która stwarza zagrożenie dla przetrwania państwa".

Zanim przejdziemy do najnowszego dokumentu doktrynalnego – opublikowanych w czerwcu 2020 roku „Podstaw polityki państwa w zakresie odstraszania nuklearnego", warto zwrócić uwagę na parę kwestii, z których najważniejszą można streścić w pytaniu: w czym problem? Chociaż Rosja wycofała się ze złożonej przez Breżniewa obietnicy nieużywania broni jądrowej jako pierwsza, najważniejsze dokumenty opisujące doktrynę ograniczają (ograniczały) sytuacje, w których broń jądrowa może zostać użyta, do wąskiego katalogu zdarzeń – a więc egzystencjalnego zagrożenia dla przetrwania państwa. Skąd więc obawy Colby'ego, Kroeniga, skąd zapisy w „Nuclear Posture Review"?

W rzeczywistości wiele wskazuje na to, że próg użycia broni jądrowej przez Rosję może być niższy, niż wskazuje na to jej polityka deklaratywna.

Argumenty, które na to wskazują, można podzielić na trzy kategorie:
- wypowiedzi byłych lub obecnych (w momencie ich wygłaszania) członków rosyjskiego establishmentu politycznego i wojskowego;

- przebieg ćwiczeń wojskowych prowadzonych przez Federację Rosyjską od 1999 roku;
- rozmiar, zróżnicowanie i zaawansowanie techniczne rosyjskiego arsenału niestrategicznej broni jądrowej.

Wypowiedzi byłych lub obecnych (w momencie ich wygłaszania) członków rosyjskiego establishmentu politycznego i wojskowego:

Zacznijmy od tych pierwszych – i od wypowiedzi ministra spraw zagranicznych Federacji Rosyjskiej Siergieja Ławrowa z lipca 2014 roku – kilka miesięcy po nielegalnej aneksji Krymu przez Rosję. Ławrow stwierdził wówczas, że stanowczo odradza „wszystkim rozważania na temat agresji na rosyjskie terytorium, którego częścią są Krym i Sewastopol (…) Mamy doktrynę bezpieczeństwa narodowego, która jasno mówi, jakie działania zostaną podjęte w takim wypadku". Wypowiedź ta uznawana jest powszechnie za groźbę użycia broni nuklearnej, którą Ławrow wygłosił z właściwą sobie subtelnością.

Mniej subtelny w swych komunikatach był Władimir Putin, który niemal dokładnie w pierwszą rocznicę aneksji Krymu – 15 marca 2015 roku stwierdził, że w czasie kryzysu „rozważał przez pewien czas utrzymywanie sił nuklearnych w gotowości". Obydwa te stwierdzenia są wysoce problematyczne w świetle zapisów obowiązującej wówczas doktryny deklaratywnej Federacji Rosyjskiej z 2010 roku (nowa doktryna ogłoszona została 25 grudnia 2014 – co nie ma zresztą większego znaczenia, bo jej zapisy się nie zmieniły), ponieważ nawet jeżeli istniałoby prawdopodobieństwo interwencji zewnętrznej mającej na celu pomoc Ukraińcom w odzyskaniu Krymu, jego utrata w żaden sposób nie tworzyłaby „egzystencjalnego zagrożenia dla dalszego trwania Federacji Rosyjskiej". Oczywista konkluzja jest taka, że faktyczny próg użycia broni jądrowej przez Rosję był wówczas niższy, niż wskazywały na to oficjalne zapisy w dokumentach FR. Czy próby odwrócenia skutków rosyjskiej agresji na państwa bałtyckie lub Polskę również stanowiłyby egzystencjalne zagrożenie dla Rosji?

Podobnie zastanawiającej wypowiedzi udzielił w 2014 roku również niegdysiejszy szef Sztabu Generalnego Federacji Rosyjskiej (2004–2007), generał Jurij Bałujewski, który we wrześniu 2014 roku zauważył, że „warunki dla wykonania wyprzedzających uderzeń jądrowych (...) zawarte są w niejawnych dokumentach" – co w oczywisty sposób przeczy zapisom i brzmieniu oficjalnie obowiązującej wówczas doktryny militarnej. Na tę wypowiedź generała Bałujewskiego należy zwrócić uwagę z jeszcze jednego powodu – Bałujewski był jednym ze współtwórców doktryny wojskowej z roku 2010. Podejrzewa się, że opublikowany wówczas dokument był uzupełniony innym, oklauzulowanym. Dokument ów, zatytułowany „Zasady polityki państwa w zakresie odstraszania nuklearnego do roku 2020", miał zawierać zapisy umożliwiające użycie broni jądrowej na poziomie znacznie wcześniejszym, niż wynika to z lektury „Doktryny wojskowej 2010".

Słowa Bałujewskiego dodatkowo uwiarygadnia datowana na październik 2009 roku wypowiedź Mikołaja Patruszewa, sekretarza Rady Bezpieczeństwa Federacji Rosyjskiej. Patruszew stwierdził wówczas, że Rosja może rozważyć „wykonanie wobec agresora wyprzedzającego pierwszego użycia broni nuklearnej". Dokładniejsza kwerenda pozwoliłaby na odnalezienie wielu więcej przykładów wystąpień rosyjskich polityków i przedstawicieli sił zbrojnych, stojących w oczywistej sprzeczności z oficjalną, relatywnie przynajmniej „gołębią", polityką deklaratywną Kremla.

W tym miejscu warto także wspomnieć o dokumencie doktrynalnym nieco niższej rangi, a więc o rosyjskiej doktrynie operacji morskich z 2017 roku, która stwierdza, że:
- „W trakcie eskalacji konfliktu zbrojnego demonstracja gotowości i determinacja do użycia niestrategicznej broni jądrowej jest skutecznym narzędziem odstraszania (...) wskazaniem efektywności działań podjętych w celu realizacji doktryny jest:

(...) zdolność Marynarki Wojennej do zadania zniszczeń flocie przeciwnika na poziomie nie niższym niż krytyczny przy użyciu niestrategicznej broni jądrowej".

Przebieg ćwiczeń wojskowych prowadzonych przez Federację Rosyjską od 1999 roku

Począwszy od ćwiczeń Zapad 1999 szereg dużych ćwiczeń wojskowych Federacji Rosyjskiej zawierało elementy użycia broni jądrowej wobec państw zachodnich. Zapad 1999 jest oczywiście kanonicznym przykładem, wystarczy przywołać słowa ówczesnego ministra obrony Federacji Rosyjskiej Igora Siergiejewa, wygłoszone po zakończeniu ćwiczeń. Generał Siergiejew stwierdził wówczas, że w toku ćwiczeń siły Federacji Rosyjskiej „zostały zmuszone do użycia broni jądrowej, co pozwoliło im na osiągnięcie przełomu w sytuacji na teatrze operacyjnym". Wśród analityków pojawiają się też sugestie, że zarówno Zapad 2009, jak i Zapad 2013 również zawierały elementy symulowanych ataków z wykorzystaniem broni nuklearnej. Według opinii niektórych analityków, również ćwiczenia Kaukaz 2016 (w ramach których ćwiczono odpieranie ataku sił NATO na Krym) zawierały elementy użycia NSNW, przenoszonych przez pociski Kalibr oraz Iskander. Oprócz dużych, cyklicznych ćwiczeń w rodzaju wspomnianego wyżej Zapadu Rosjanie organizowali i organizują ćwiczenia skupiające się na siłach nuklearnych, by wspomnieć tylko ćwiczenia Grom 2019, w których toku wykorzystywano nie tylko elementy strategicznej triady, ale również NSNW. W wypadku tych ostatnich opublikowany przez NATOwskie COE dokument zauważa, że „oficjalne informacje dotyczące ćwiczenia sugerują, że istnieje różnica pomiędzy formalną doktryną nuklearną Rosji a faktycznymi zasadami jej użycia, które oznaczają, że próg użycia broni nuklearnej jest w rzeczywistości niższy. Co ciekawe, zdaniem Mikołaja Sokołowa „wszystkie ćwiczenia, które Rosja prowadziła począwszy od roku

2000, zawierały symulację ograniczonego użycia broni nuklearnej". Kroenig stwierdza natomiast, że duże ćwiczenia wojskowe Federacji Rosyjskiej „rutynowo" kulminowały uderzeniami nuklearnymi.

Rozmiar, zróżnicowanie i zaawansowanie techniczne rosyjskiego arsenału niestrategicznej broni jądrowej

Zacznijmy od cytatu ze wspomnianego już „Nuclear Posture Review", który stwierdza, że „[Federacja Rosyjska] rozbudowuje również liczny, zróżnicowany i nowoczesny zakres systemów uzbrojenia podwójnego zastosowania, zdolny do przenoszenia niestrategicznej broni jądrowej". W rzeczywistości wiele systemów uzbrojenia rozwijanych przez schyłkowy ZSRS i Rosję jest albo z pewnością zdolnych do przenoszenia ładunków NSNW (Kalibr, Iskander-M), albo istnieją poważne przypuszczenia, że posiadają taką zdolność. Warto o tym pamiętać w kontekście najnowszego dokumentu doktrynalnego Federacji Rosyjskiej – ale o tym potem.

Przykładów systemów podwójnego zastosowania, znajdujących się na wyposażeniu różnych rodzajów Sił Zbrojnych Federacji Rosyjskiej, jest wiele, od pocisków SLCM Brahmos poprzez rakiety balistyczne Iskander, ALCM Kh-55/101, ALBM Kindżał po rakiety manewrujące Kalibr, w wersji morskiej i lądowej (GLCM/SLCM).

W praktyce więc, obok strategicznej triady nuklearnej – rakiet ICBM (międzykontynentalne pociski balistyczne bazowania lądowego, w silosach lub TEL), SLBM (pociski balistyczne wystrzeliwane z pokładów okrętów podwodnych) i ładunków przenoszonych przez samoloty, Rosja rozwinęła również „niestrategiczną triadę nuklearną", składającą się ze środków bazowania:

- lądowego (pociski balistyczne i manewrujące, artyleria kalibru 152);

- morskiego (pociski manewrujące, ładunki głębinowe, torpedy, środki przenoszenia, w które wyposażone jest lotnictwo pokładowe);
- przenoszonych na pokładach samolotów (pociski manewrujące i balistyczne, bomby);
- systemów obrony powietrznej, które również mogą zostać uzbrojone w ładunki nuklearne (S-300/S-400); teoretycznie również te systemy uzbrojenia mogą zostać użyte do rażenia celów naziemnych.

Co więcej, obok zróżnicowanych środków przenoszenia Rosja miała również podjąć ambitny program modernizacji i rozwoju samych ładunków nuklearnych (niestrategicznych). Jak twierdzą Adamsky, Petersen, Karber czy Schneider, począwszy od wczesnych lat 90. Rosjanie rozpoczęli intensywne prace nad rozwojem i „zniuansowaniem" swoich NSNW.

Oznacza to, że Rosjanie zdołali rozwinąć (najprawdopodobniej, bo nie wiadomo tego na pewno) subkilotonowe głowice, o mocy od dziesiątych do być może nawet setnych części kilotony. Dima Adamsky jest zdania, że Rosjanie pracowali również nad nadaniem swoim NSNW charakterystyk broni nuklearnej trzeciej generacji – a więc „dopasowaniem" ich efektów poprzez na przykład znaczne ograniczenie opadu nuklearnego. To z kolei oznacza, że NSNW, które posiadają Rosjanie, są narzędziem, dzięki któremu mogą oni „dozować" przemoc – kontrolować dynamikę eskalacji (dzięki ograniczonej sile ładunków i częściowemu przynajmniej mitygowaniu ich długotrwałych skutków środowiskowych) – a środki przenoszenia ich są zróżnicowane i niezwykle trudne do przechwycenia.

Powróćmy teraz do najnowszego dokumentu wyznaczającego politykę deklaratywną Federacji Rosyjskiej. Dnia 2 czerwca 2020 roku Rosja publikuje dokument zatytułowany „Fundamenty polityki państwa w zakresie odstraszania nuklearnego", którego celem jest „przedstawienie poglądów na temat istoty odstraszania nuklearnego, identyfikacji zagrożeń, które powinny być zneutralizowane za pomocą odstraszania nuklearnego, rozumienia [przez FR] idei odstraszania nuklearnego oraz warunków, które musiałyby zostać spełnione, aby Federacja Rosyjska zdecydowała się na użycie broni nuklearnej".

Artykuł 4. wspomnianego wyżej dokumentu stwierdza, że „polityka państwa w zakresie odstraszania nuklearnego ma na celu (...) zagwarantowanie ochrony suwerenności państwa i jego integralności terytorialnej, a także odstraszenie potencjalnego przeciwnika od agresji zbrojnej wobec Federacji Rosyjskiej i jej sojuszników. W przypadku wybuchu konfliktu zbrojnego polityka wyznacza środki mające uniemożliwić eskalację działań zbrojnych i ich zakończenie na warunkach akceptowalnych dla Federacji Rosyjskiej i/lub jej sojuszników". Artykuł 4. zawiera więc zwroty w oczywisty sposób sugerujące gotowość do zarządzania dynamiką eskalacji poprzez groźby użycia lub faktyczne użycie broni nuklearnej – zarówno przed wybuchem konfliktu, jak i w jego trakcie.

Sekcja III dokumentu, zatytułowana „Warunki przejścia Federacji Rosyjskiej do użycia broni nuklearnej", zawiera *inter alia* składający się z czterech podpunktów artykuł 19., który owe warunki definiuje.

1. pozyskanie wiarygodnych danych dotyczących wystrzelenia pocisków balistycznych wymierzonych w terytorium FR i/lub jej sojuszników,
2. użycie broni nuklearnej lub innych broni masowego rażenia wobec FR i/lub jej sojuszników,
3. atak przeciwnika na krytyczne instalacje rządowe lub wojskowe FR, których zniszczenie/zakłócenie ich pracy podważyłoby zdolność do odpowiedzi nuklearnej,
4. agresja wobec FR z wykorzystaniem uzbrojenia konwencjonalnego, tworząca zagrożenie dla dalszego przetrwania państwa.

Artykuł 19. a) jest wart uwagi, potwierdza bowiem założenie, iż rosyjska doktryna użycia broni nuklearnej zakłada *Launch-on-Warning* (przeprowadzenie uderzeń odwetowych już w momencie wykrycia wystrzelenia w swoim kierunku pocisków balistycznych). Po raz kolejny – przy wyrafinowanej i odpornej na zniszczenie (SLBM, TEL'd ICBM), jak się wydaje, strategicznej triadzie nuklearnej Rosjanie mogliby zdecydować się na wybór mniej agresywnej postawy: *Launch under Attack* – zdecydowali jednak inaczej.

Artykuł 19. b) stwierdza, że każde użycie broni nuklearnej wobec Rosji lub jej sojuszników wyczerpuje warunki do udzielenia nuklearnej odpowiedzi. Warto zauważyć, że Rosjanie nie robią tu różnic pomiędzy bronią strategiczną a niestrategiczną, podobnie jak nie doprecyzowują, czy udzielona przez nich odpowiedź będzie symetryczna czy nie. Wydaje się więc, że celowo wprowadzają „niejasność" tam, gdzie jest to dla nich wygodne (a więc czy próba symetrycznej odpowiedzi NATO na rosyjskie pierwsze użycie z wykorzystaniem NSNW będzie proporcjonalna czy też nie), oraz są całkowicie precyzyjni tam, gdzie uznają to za stosowne. Warto zwrócić uwagę, że takiej precyzji niestety bardzo brakuje chociażby w doktrynie deklaratywnej NATO – do czego jeszcze wrócimy.

Artykuł 19. c) jest również istotny, wymienia bowiem ataki na nuklearne C2 jako powód przeprowadzenia uderzeń odwetowych z wykorzystaniem broni nuklearnej.

Kluczowa jest konstatacja, że artykuł 19. c) mówi o odpowiedzi nuklearnej w kontekście wszystkich węzłów C2, a nie tylko tych odpowiedzialnych za strategiczną broń nuklearną! To niezwykle istotne, biorąc pod uwagę mnogość rosyjskich systemów *dual-use*. W toku konfliktu, zarówno w związku z „mgłą wojny", jak i celowymi działaniami Rosjan, bardzo trudno będzie określić, które systemy *dual-use* są uzbrojone w ładunki konwencjonalne, a które w nuklearne. Czy siły NATO będą skore zaatakować którekolwiek z tych systemów, mając świadomość, że nie można wykluczyć, iż mogą one zarządzać systemami uzbrojenia wyposażonymi w głowice nuklearne – wiedząc, że zgodnie z oficjalną polityką deklaratywną Federacji Rosyjskiej może to skutkować odwetowymi uderzeniami nuklearnymi?

Podsumujmy. Począwszy od wczesnych lat 90. Rosja:

- stworzyła szerokie spektrum niestrategicznej broni jądrowej i opracowała zróżnicowane (ląd, powietrze, woda, pociski manewrujące, balistyczne, bomby grawitacyjne, artyleria) systemy jej przenoszenia;
- wyrzekła się deklaracji *no first use* i drastycznie obniżyła (deklaratywny) próg użycia broni nuklearnej, uwiarygadniając ową politykę szeregiem dokumentów państwowych, wypowiedziami członków swojego establishmentu, przebiegiem ćwiczeń oraz, co najważniejsze, zdolnościami;
- wszystko to zostało ostatecznie „podżyrowane" zapisami dokumentu z czerwca 2020, potwierdzającego, że próg użycia broni nuklearnej przez Rosję został drastycznie obniżony.

Postępując w ten sposób, Rosja „przyzwyczaiła" Zachód do zaakceptowania jako wysoce prawdopodobny faktu, że gotowa jest użyć broni nuklearnej na stosunkowo wczesnym etapie konfliktu konwencjonalnego (to jest niegrożącym dalszemu przetrwaniu rosyjskiej państwowości, być może nawet nieodbywającym się na terytorium Rosji), i poparła owo przekonanie dowodami w postaci deklaracji politycznych i faktycznych zdolności. Zdaniem niektórych (Castillo, Narang) oznacza to, że rosyjska polityka deklaratywna zawiera jeden z najniższych progów użycia broni nuklearnej spośród wszystkich państw ją posiadających, z wyłączeniem Pakistanu czy Korei Północnej.

W swojej gotowości doprowadzenia do asymetrycznej eskalacji rosyjska doktryna deklaratywna przypomina nieco tę stosowaną przez Pakistan. W wypadku Pakistanu odwołanie się do broni nuklearnej tak wcześnie jest jednak zrozumiałym zabiegiem. Indie faktycznie są od niego znacznie potężniejsze w wymiarze konwencjonalnym (ostatnie cztery lub pięć konfliktów pomiędzy tymi dwoma państwami zakończyło się, w zależności od tego jak liczyć, zwycięstwem Indii), a ukształtowanie geograficzne Pakistanu (nizina Indusu, od południowego miasta Sukkur przez Bahawalpur po położone na północy kraju Lahore) i bliskość obszaru rdzeniowego tego państwa granicy z Indiami oznaczają, że jest on narażony na indyjski „cold start" – i jest to egzystencjalne zagrożenie.

Jednak ostatni raz, kiedy dysproporcja zdolności konwencjonalnych pomiędzy NATO a Rosją była na tyle duża, aby (pomijając imponderabilia, takie jak prawdopodobieństwo, że Sojusz faktycznie chciałby Rosję unicestwić) uzasadnić relatywnie szybkie odwołanie się do broni nuklearnej przez FR, miał miejsce wiele, wiele lat temu. Fakt, że Rosja zachowała wiele elementów polityki deklaratywnej z okresu Jelcynowskiej smuty, dzisiaj oznacza moim zdaniem, że jest tak pewna braku gotowości Zachodu do „wytrzymania" rosyjskich gróźb, że gotowa jest utrzymać doktrynę deklaratywną tak agresywną, że powinna nie być wiarygodna – a tym samym grozić sytuacją, w której Zachód pokazuje, że jest gotowy na jej sprawdzenie. To, że Rosjanie nie obawiają się wystąpienia takiej porażki odstraszania, może oznaczać, że są przekonani, iż Zachód absolutnie nie ma apetytu na podejmowanie jakiegokolwiek ryzyka.

Przy czym można zaryzykować stwierdzenie, że w gruncie rzeczy próg użycia broni nuklearnej przez Rosję jest nawet niższy niż ten, o który podejrzewa się Pakistan. Ostatecznie Pakistan zakłada (a przynajmniej tak przedstawił gradację eskalacji cytowany przez Vipina Naranga trzygwiazdkowy pakistański generał Sardar Lodi) eskalację do użycia NSNW wobec sił indyjskich w kontekście ich natarcia na terytorium Pakistanu. Tak więc uważany za państwo o niskim poziomie użycia Pakistan zakłada użycie NSNW na swoim terytorium, w obliczu realnego zagrożenia dla dalszego przetrwania własnej państwowości. Nie jest to więc sytuacja ekwiwalentna wobec najbardziej realistycznej koncepcji użycia niestrategicznej broni nuklearnej przez Rosję; byłaby ona taka, gdyby Rosjanie rozważali użycie NSNW na przykład w kontekście natarcia sił NATO przez bramę smoleńską w kierunku na Moskwę – a nie w toku wojny agresywnej, siłą rzeczy prowadzonej na terytorium państw trzecich.

Narang, Castillo, Kroenig czy Schneider charakteryzują Rosję jako państwo gotowe stosować groźby użycia niestrategicznej broni jądrowej jako narzędzie służące do zarządzania dynamiką eskalacji w celu zakończenia konfliktu na preferowanych przez siebie warunkach (utrzymanie zdobyczy terytorialnych, zadowalające rozwiązania polityczne, uniemożliwienie przeciwnikowi przejścia do kontrofensywy).

Wiarygodna (jak udowodniliśmy wcześniej) groźba użycia przez Moskwę broni nuklearnej ma wymusić na Zachodzie gotowość do zaakceptowania ustępstw względem Rosjan, alternatywą może być bowiem konflikt nuklearny – w założeniu początkowo ograniczony, ale grożący zajściem niekontrolowanej eskalacji, jeżeli Zachód „nie odpuści". Grożąc użyciem broni nuklearnej w toku konfliktu konwencjonalnego, Rosjanie celowo i świadomie przedstawiają się jako państwo gotowe do doprowadzenia do asymetrycznej i, być może, niekontrolowanej eskalacji.

Jako że mierząc się z NATO, Rosja występowałaby przeciw sojuszowi nuklearnemu, sygnalizowana przez nią gotowość do użycia broni nuklearnej oznacza, że akceptuje ona ryzyko konfliktu nuklearnego (którego dynamiki może nie dać się skontrolować) – a więc to, że sprawy wymkną się spod kontroli. Jednocześnie Kreml zdaje się pytać Zachód: Czy wy jesteście gotowi? Czy w odpowiedzi na naszą eskalację do poziomu nuklearnego odpowiecie symetrycznie, tak aby utrzymać się na drabinie eskalacyjnej? Czy sami użyjecie broni jądrowej? I czy jesteście pewni, że konflikt uda się utrzymać na tym szczeblu drabiny? Czy jesteście pewni, że zachowamy się po rycersku i w odpowiedzi na wasze użycie albo odpuścimy, albo postanowimy eskalować dalej, ale stopniowo? No i wreszcie – co z niezamierzoną eskalacją? Ile rund wytrzymamy, zanim ktoś w Waszyngtonie albo Moskwie nie wytrzyma napięcia albo popełni błąd? My nie mamy pojęcia, ale możemy się dowiedzieć. Złapmy się mocno za ręce i sprawdźmy!

Podobnie, jak miało to miejsce w wypadku „dojrzalszych" wersji NATO-wskiej *flexible response*, celem istnienia rosyjskiej deeskalacji nuklearnej nie jest przede wszystkim zniszczenie baz NATO czy zadanie katastrofalnych strat przeciwnikowi i osiągnięcie w ten sposób przewagi na polu bitwy. Celem istnienia tej doktryny jest odstraszanie poprzez manipulowanie percepcją ryzyka niekontrolowanej eskalacji do poziomu pełnej wymiany nuklearnej na linii Waszyngton–Moskwa.

Esencją rosyjskiej strategii deeskalacji nuklearnej – a więc gotowości do „wejścia" w ograniczoną wojnę nuklearną, jest więc to, co Thomas Schelling nazwał kiedyś „zawodami w podejmowanie ryzyka" (*competition in risk taking*) – gdzie ryzykiem jest niebezpieczeństwo zajścia niekontrolowanej eskalacji. Schelling w książce „Arms and Influence" opisał dylematy i niebezpieczeństwa, przed którymi stają uczestnicy zawodów w podejmowanie ryzyka, w następujący sposób: „Często mówimy o groźbach odstraszających, jakby chodziło nam o groźbę rozpoczęcia pełnoskalowej wojny chłodno i celowo w odpowiedzi na jakieś działanie przeciwnika. Wybór nie będzie najprawdopodobniej pomiędzy wszystkim a niczym. Pytanie tak naprawdę brzmi: czy USA będą gotowe podjąć działanie, które może doprowadzić – poprzez nakładające się na siebie akcje i reakcje, kalkulacje błędne i poprawne, zobowiązania i wyzwania – do dużej wojny?".

Co może pomóc wygrać owe zawody (albo nawet lepiej: zniechęcić przeciwnika do przystąpienia do nich? Można próbować osiągnąć dominację eskalacyjną; można też przekonać przeciwnika, że stawka jest na tyle duża, że ryzyko niekontrolowanej eskalacji staje się akceptowalne.

Mathew Kroenig jest zdania, że przekonanie Rosji o możliwości wygrania zawodów w podejmowanie ryzyka wynika z trzech przewag (asymetrii) pomiędzy FR a USA.

Są to:

- asymetria stawki,
- asymetria zdolności,
- asymetria determinacji.

Asymetria stawki

Hipotetyczny konflikt będzie miał miejsce w bezpośrednim sąsiedztwie Moskwy; Rosjanie mogą więc argumentować, że stawką konfliktu jest ich głębia strategiczna. Amerykanie natomiast – i szerzej wszyscy członkowie Paktu Północnoatlantyckiego, z wyjątkiem państw wschodniej flanki – będą walczyć z dala od domu, na wysuniętych rubieżach Sojuszu. Niestety, część środowisk strategicznych w USA uważa, że grzechem pierworodnym NATO było wyrażenie zgody na akcesję państw bałtyckich, bo z punktu widzenia strategii wojskowej ich obrona nie jest możliwa. Wzbudza to z pewnością emocjonalną reakcję w Polsce – ale możliwe, że mają one niestety rację! Ponadto państwa bałtyckie zamieszkuje liczna rosyjska mniejszość etniczna – po raz kolejny więc stawka konfliktu faworyzuje Moskwę – a nie Stany Zjednoczone. Pamiętajmy, że uzasadniając aneksję Krymu, Władimir Putin wykorzystywał retorykę konieczności ochrony ludności rosyjskiej.

Asymetria zdolności

Według szacunków Hansa Kristensena oraz Matta Kordy, opublikowanych w marcu 2021 roku, Rosjanie dysponują obecnie 1912 egzemplarzami niestrategicznej broni nuklearnej. Przy czym istnieją szacunki wskazujące na znacznie większą ich liczbę; generał Robert P. Ashley z Defense Intelligence Agency (DIA, amerykański wywiad wojskowy) w maju 2019 roku sugerował, że Rosjanie posiadają około dwóch tysięcy NSNW – a ich liczba „zwiększy się znacząco w ciągu najbliższej dekady". W 2017 roku dr Phil Karber (niegdyś również pełniący służbę w DIA) twierdził, że Rosjanie posiadają około 2500 sztuk niestrategicznej broni nuklearnej. Z kolei w 2013 Aleksiej Arbatow twierdził, że Rosja posiada „dwa–trzy tysiące" zoperacjonalizowanych sztuk (autor nie jest w stanie precyzyjnie wyjaśnić tego terminu; odnosi się on do sposobu liczenia zasobów nuklearnych zastosowanego w traktacie SORT i wyłącznie do tych zasobów, które są przechowywane nie w centralnych magazynach, ale w bazach operacyjnych).

Jak zauważyliśmy, Moskwa posiada szerokie spektrum głowic o niewielkiej sile eksplozji, które może dostarczyć nad cel za pomocą jeszcze szerszego spektrum środków przenoszenia. Rosjanie mogą razić cele pociskami balistycznymi, manewrującymi, bombami grawitacyjnymi, pociskami artyleryjskimi – a wkrótce być może również pociskami hipersonicznymi. Ani USA, ani NATO nie są w stanie unieszkodliwić tych zasobów.

Pomimo deklaracji strony (wówczas jeszcze) sowieckiej, będących odpowiedzią na Presidential Nuclear Initiative George'a H.W. Busha, wycofanie z teatru europejskiego NSNW było w znacznej mierze jednostronne. Amerykanie wycofali z Europy większość własnych systemów uzbrojenia NSNW, w tym „nuklearnego" Tomahawka bazowania lądowego (BGM-109G Gryphon) czy nuklearne pociski balistyczne Pershing II. Oba te systemy uzbrojenia zostały rozmieszczone w Europie w latach 80., za administracji Ronalda Reagana, co było realizacją części „dwutorowej" strategii NATO, oznajmionej w roku 1979. W tym samym czasie Rosjanie prowadzili intensywne prace nad rozbudową własnych zdolności.

W rezultacie podczas gdy w 1991 roku Amerykanie dysponowali w Europie około pięcioma tysiącami ładunków nuklearnych, obecnie w zasobach sił NATO i USA w Europie (nie licząc arsenałów Francji i Wielkiej Brytanii, które mają jednak ograniczone zastosowanie w celach zapewnienia parasola nuklearnego, w szczególności w paradygmacie ograniczonego użycia) jest około 100 bomb grawitacyjnych B61-3/4 (zdaniem Kristensena i Kordy 20 znajduje się w Incirlik, 15 w Kleine Brogel, Volkel i Buchel, a 35 we włoskich bazach Aviano i Ghedi). Spośród nich 60 jest dostępnych do użycia przez NATO-wskie DCA (*dual capable aircraft*). Łącznie USA posiadają 230 bomb B61 (130 kolejnych znajduje się w USA). Obecnie trwają prace nad modernizacją bomb B61 (w wariantach 3, 4, 7 i 11) do standardu 12, w ramach którego zostaną one wyposażone w zestaw usterzenia ogonowego JDAM. Pierwszy egzemplarz prototypu bomby B61-12 został ukończony w sierpniu roku 2020. O ukończeniu pierwszego egzemplarza produkcyjnego poinformowano 7 grudnia 2021 roku. Produkcja seryjna rozpocznie się w maju 2022 i potrwa do 2026 roku. Warto wspomnieć, że według dostępnych publicznie informacji B61 w wariantach 3, 4 i 12 dysponują mechanizmem *dial-a-yield*, który pozwala na szybką modyfikację siły eksplozji, do wartości nawet 0,3 kT (co czyni je przydatnymi w kontekście udzielenia proporcjonalnej odpowiedzi na rosyjskie pierwsze użycie przy wykorzystaniu NSNW) – ale nie posiadają one *tailored effects*, w postaci chociażby zmniejszenia opadu radioaktywnego. Jednak ostatecznie rodzina B61 jest tym, czym jest – bombą grawitacyjną (choć JDAM da im niewielką zdolność *stand-off*), którą nad cel dostarczyć muszą samoloty Sojuszu, startujące z baz lotniczych na własnym terytorium. W programie NATO Nuclear Sharing uczestniczy pięć krajów – Belgia (baza Kleine Brogel), Niemcy (baza Buchel), Włochy (Aviano i Ghedi), Holandia (Volkel) oraz Turcja (Incirlik).

Pozostają one pod całkowitą kontrolą sił USA; ich udostępnienie siłom sojuszniczym mogłoby mieć miejsce dopiero w momencie wybuchu konfliktu definiowanego przez Stany Zjednoczone jako *general war*. Wiąże się to z zapisami traktatu o nieproliferacji broni jądrowej (NPT), który zakazuje przekazywania lub udostępniania przez państwa nuklearne broni lub technologii umożliwiających jej skonstruowanie – w czasie pokoju. Za każdym razem na użycie broni nuklearnej (B61) zgodę musiałby wyrazić prezydent USA, udostępniając kod PAL (*permissive action link*) – no i zgodę na misję musiałoby również, co oczywiste, wyrazić kierownictwo państwa, którego lotnictwo by ją realizowało.

Potem byłoby już „z górki"; piloci niemieckich Tornado (albo ich włoscy, holenderscy lub belgijscy koledzy latający na F-16 lub F-35) musieliby tylko przebić się przez systemy A2/AD, wlecieć nad Kaliningrad i dostarczyć ładunki nad cel. Oczywiście prawdopodobieństwo sukcesu misji będzie musiało zostać ocenione na tyle wysoko, aby i USA, i państwa europejskie wyraziły na nią zgodę. Nikt nie ma ochoty, aby jego samolot został zestrzelony, szczególnie gdy na jego pokładzie znajduje się broń nuklearna. No i, co oczywiste, doktryna deklaratywna FR stwierdza, że w odpowiedzi na tego rodzaju atak możliwa jest odpowiedź nuklearna.

Gwoli kronikarskiego obowiązku należy także wspomnieć o znajdującej się w arsenale US Air Force rakiecie manewrującej (ALCM) AGM-86B („B" to oznaczenie nuklearnej wersji, wyposażonej w ładunek serii W80, o potencjalnie niewielkiej, bo 5 kT, sile detonacji, która teoretycznie mogłaby predestynować ją do wykorzystania przy udzielaniu przez USA proporcjonalnej odpowiedzi). W przypadku AGM-86B problemem jest jednak zarówno fakt, iż pociski owe przenoszą bombowce strategiczne B-52, jak i to, że jest to uzbrojenie uważane za przestarzałe (początek produkcji w 1980 roku) oraz nie dysponuje charakterystykami obniżonej wykrywalności. Następcą AGM-86B ma być pocisk LRSO, który ma wejść do służby w USAF w 2030 roku.

W rezultacie USA same pozbawiły się zdolności osiągnięcia nie tylko dominacji eskalacyjnej, ale nawet proporcjonalnej odpowiedzi w ramach *flexible response*. Nie jest to zresztą niczym nowym w relacjach USA–Rosja. Jak zauważył kiedyś Harold Brown, „kiedy my się zbroimy, oni też się zbroją. Kiedy my się rozbrajamy, oni się zbroją". W rezultacie Kreml posiada obecnie zdolność dominacji eskalacji w Europie – szczególnie w kontekście ograniczonego użycia broni nuklearnej.

Administracja Donalda Trumpa świadoma była własnej słabości, będącej wynikiem asymetrii zdolności – i podjęła pewne kroki, aby doprowadzić do jej zminimalizowania. Cytowany już wcześniej „Nuclear Posture Review" z 2018 roku rekomendował utworzenie dwóch systemów uzbrojenia, które przynajmniej częściowo niwelowałyby asymetrię zdolności USA vis-à--vis Federacji Rosyjskiej.

Pierwszym z nich miał być zmodyfikowany pocisk SLBM Trident II D-5. Zmiana polegać ma na wyposażeniu pewnej liczby tych przenoszonych przez okręty podwodne pocisków balistycznych w zmodyfikowaną głowicę nuklearną W76-2. Modyfikacja oznaczałaby, że zamiast czterech do sześciu MIRV (oddzielnych ładunków nuklearnych przenoszonych przez pojedynczy pocisk) zmodyfikowany „niestrategiczny" Trident przenosiłby tylko jeden ładunek o ograniczonej sile eksplozji (w zależności od źródła około pięciu, ośmiu lub poniżej 10 kT). Problemy są dwa: 1) kilka kiloton to wciąż dużo, nieproporcjonalnie dużo, jeżeli przeciwnik użyłby ładunków o mocy ułamków kilotony TNT; 2) środek przenoszenia to wciąż pocisk balistyczny, ergo poruszający się po trajektorii balistycznej, niemożliwy do momentu eksplozji do odróżnienia empirycznie od normalnego, „strategicznego" Tridenta. To z kolei oznacza, że Rosjanie mogliby przekonująco argumentować, że nie mogą ryzykować przekonania się, jaki ładunek zostanie dostarczony nad cel. Pamiętajmy też o punkcie 19. a) doktryny z 2020 roku, mówiącym, że detekcja odpalenia w kierunku Rosji pocisku balistycznego stanowi podstawę do uderzeń odwetowych. Dodatkowo, każde odpalenie pocisku z pokładu SSBN (okręt podwodny przenoszący SLBM) oznacza ujawnienie jego pozycji. Pamiętajmy, że od czasów wejścia do służby flota SSBN stanowi gwarancję przeprowadzenia przez USA ataku odwetowego w wypadku pełnoskalowego ataku nuklearnego. Są one gwarancją bezpieczeństwa. Jak prawdopodobne jest, że USA zdecydują się na ujawnienie jednego z 14 okrętów SSBN klasy Ohio (w praktyce będzie ich mniej – prawdopodobnie najwyżej 12)?

Drugim programem rekomendowanym przez 2018 NPR jest SLCM-N (Sea Launched Cruise Missile Nuclear) – następca Tomahawka, wyposażony w głowicę nuklearną NSNW. Tego ostatniego ze służby wycofał prezydent Obama w 2010 roku. SLCM-N ma oczywiste plusy – nie jest pociskiem balistycznym, nie jest odpalany z pokładu najcenniejszego zasobu USN, jest z założenia bronią NSNW. Problem polega na tym, że administracja Joe Bidena zdaje się patrzeć dość krzywo na jego rozwój. W czerwcu 2021 p.o. sekretarz USN Thomas Horker rekomendował MW USA i Komitetowi Izby Reprezentantów zaprzestanie finansowania tego programu. Obecnie jego los dalej jest niepewny.

Niestety, wiele wskazuje, że obecna administracja pójdzie w ślady administracji Baracka Obamy (pamiętajmy, że Biden był VP). W niecały rok od objęcia urzędu Joe Biden:

- bezwarunkowo przedłużył traktat New START (pomimo jego obiektywnych słabości, zaprzepaszczając historyczną szansę na otwarcie dialogu dotyczącego NSNW z Rosją);
- członkowie Partii Demokratycznej (z której wywodzi się Biden) krytykowali w Kongresie USA nawet plan modernizacji strategicznej triady nuklearnej USA oraz sugerowali skasowanie zarówno programu modyfikacji SLBM Trident II, jak i SLCM-N;
- administracja prezydencka również rozważa skasowanie SLCM-N;
- w Białym Domu rozważana ma być możliwość zmiany doktryny deklaratywnej USA albo na *no-first use*, albo *sole purpose*. O tym, czy rzeczywiście do tego dojdzie, dowiemy się w 2022 roku – administracja prezydencka jest prawnie zobligowana do opublikowania nowej „Nuclear Posture Review".

Asymetria determinacji

W 2015 roku, podczas spotkania Klubu Wałdajskiego Władimir Putin stwierdził, że „ulice Leningradu nauczyły mnie jednego – kiedy bójka jest nieunikniona, uderz pierwszy". Rosja ma zdolności, aby uderzyć pierwsza, przez lata przyzwyczaiła Zachód do myśli, że jest gotowa uderzyć pierwsza, i konsekwentnie demonstrowała – podczas ćwiczeń i w wypowiedziach polityków, że jej próg użycia broni nuklearnej pozwala na jej użycie w sytuacjach, w których Zachód nigdy by się na to nie zdecydował. Posiada więc również przewagę determinacji (a przynajmniej sprawiła, że Zachód może tak uważać). Nie ma co się wzdrygać na takie „wulgarne" rozumienie strategii nuklearnej. Dotyka ona przecież w końcu najbardziej pierwotnych i uniwersalnych zjawisk – strachu, agresji, demonstrowania siły, gotowości do jej użycia. Tak naprawdę zaprawiony w bojach szef organizacji przestępczej może lepiej rozumieć te zależności niż akademik z RAND wykształcony na Ivy League.

Nie bez przyczyny chińska doktryna nuklearna przez wiele lat opierała się na pismach Mao – bynajmniej nie dlatego, że „tak należało". Mao był po prostu bandytą – ale to „doświadczenie zawodowe" pozwalało mu rozumieć bardzo instynktownie, atawistycznie ideę odstraszania, przemocy czy dominacji.

Tak naprawdę dla zachodnich decydentów nie jest aż tak istotne, czy w momencie prawdziwej próby Kreml faktycznie realizowałby swoją politykę deklaratywną (czy polityka deklaratywna jest tożsama z polityką użycia). Zachód nie ma ochoty ani odwagi sprawdzić, czy Putin blefuje. Wspomniany Thomas Schelling przedstawił scenariusz w paradygmacie teorii gier inspirowany sceną z filmu „Buntownik bez powodu", którego uczestnicy wyzywają się na pojedynek w grze w tchórza.

Gra polega na tym, że jej uczestnicy wsiadają do samochodów i ustawiają się po przeciwnych stronach wąskiego mostu, następnie ruszają wprost na siebie. Ten, który pierwszy „odpuści", czyli zjedzie na pobocze, przegrywa. Jaki jest najlepszy sposób na wygranie? Zdaniem Schellinga jest nim zademonstrowanie rywalowi, że jeden z graczy gotów jest na najgorsze rozwiązanie, nawet jeżeli stawka gry jest absolutna. Jak to uczynić?

Należy wyrwać kierownicę i wyrzucić ją przez okno już w czasie wyścigu. Skutkuje to dobrowolnym pozbawieniem się stopnia kontroli nad przebiegiem wyścigu i sygnalizuje akceptację tego, że może się on zakończyć tragedią. Losy wyścigu przestają być – dosłownie i w przenośni – w rękach jednego z graczy. To jest właśnie groźba, która zostawia coś przypadkowi. Jest ona szczególnie wiarygodna, jeżeli gracz ów przez lata na oczach wszystkich trenował wyrzucanie kierownicy przez okno! Jeżeli jedna ze stron jest bardziej zdeterminowana, by wygrać, szanse, że druga ze stron zrezygnuje z uczestnictwa w grze, są wysokie.

To właśnie robi Kreml. Rosja celowo oznajmia światu, że gotowa jest na wyeskalowanie potencjalnego konfliktu w sposób, który sprawi, że nie wszystko będzie w jej rękach, a dynamika konfliktu bardzo szybko może się stać nieprzewidywalna i zmierzać w stronę niekontrolowanej eskalacji. W uwiarygodnieniu tej polityki pomagają jej właśnie trzy wspomniane wyżej asymetrie. Jednocześnie rosyjskie przywództwo polityczne zdaje sobie sprawę, że Zachód nie będzie prawdopodobnie gotowy na sprawdzenie, czy Kreml nie blefuje.

Jak mogą zareagować Stany Zjednoczone

Czysto teoretycznie USA mogą spróbować odstraszać poprzez groźbę zadania Rosji katastrofalnych, nieproporcjonalnych strat (*deterrence by punishment*). USA mogą więc zagrozić Moskwie (na przykład poprzez reformulację polityki deklaratywnej), że każde użycie broni nuklearnej, nawet w paradygmacie ograniczonego użycia, skutkować będzie zmasowanym odwetem wymierzonym w Rosję. Oczywiście, groźba ta w ogóle nie jest wiarygodna. Doktryna zmasowanego odwetu (być może, bo jest to jedynie hipoteza badawcza niemożliwa do obiektywnego zweryfikowania) może działała we wczesnych latach 50., gdy USA posiadały zdecydowaną przewagę ilościową i jakościową (oraz zdolność rażenia Rosji właściwej dzięki bazom w Europie i Azji) w zakresie broni nuklearnej nad ZSRS. Od momentu, gdy Sowieci zaczęli USA doganiać i uzyskali zdolność rażenia kontynentalnych Stanów Zjednoczonych (R-7 Semiorka), stało się jasne, że konieczne będzie znalezienie bardziej wiarygodnej alternatywy wobec doktryny zmasowanego odwetu. Było tak pomimo faktu, iż wówczas asymetria stawki pomiędzy USA i ZSRS była o rząd wielkości większa, niż ma to miejsce pomiędzy USA a Federacją Rosyjską obecnie.

Stany mogą spróbować odstraszać poprzez uniemożliwienie Rosji osiągnięcia celów (*deterrence by denial*). Najlepiej – poprzez odebranie Rosjanom dominacji eskalacyjnej. USA mogłyby zaproponować mocniejsze, bardziej precyzyjne gwarancje bezpieczeństwa B3 i Polsce, potwierdzając w sposób dosadny, że amerykański parasol nuklearny je obejmuje. Być może mogłoby się to odbyć równolegle wobec gwarancji NATO-wskich, przypominając nieco aranżację „piasty i szprych", znaną z Azji w czasach zimnej wojny. Następnie Stany mogłyby owe gwarancje uwiarygodnić poprzez rozwinięcie adekwatnych zdolności pozwalających na realizowanie tych gwarancji. W ten sposób USA ograniczyłyby asymetrię zdolności. Warto zwrócić uwagę na zachowania Moskwy związane z odbudowywaniem przez Stany Zjednoczone zdolności wcześniej zabronionych postanowieniami traktatu INF, chociażby reakcję na przeprowadzony w lipcu 2019 roku test pocisku Tomahawk bazowania lądowego, na który Rosjanie zareagowali bardzo nerwowo. Dodajmy, że wystrzelony w lipcu 2019 roku pocisk Tomahawk wykorzystywał system pionowego startu VLS Mk.41 (podobny do tych mających się znaleźć w instalacjach Aegis Ashore w Redzikowie).

W optymalnym dla Polski (ale, nie miejmy złudzeń, nie dla USA) wariancie obydwa te zabiegi – polityka deklaratywna i uwiarygadniające ją zdolności – zostałyby oznajmione przez USA w sposób jasny i pozbawiony elementu „strategicznej niejasności". W mniej idealnym scenariuszu USA rozwinęłyby te zdolności, ale nie informowałyby o dyslokowaniu ich do Polski. Przynajmniej teoretycznie lądowe wersje Tomahawka mogłyby zostać odpalone z wyrzutni VLS.41 w Redzikowie. W związku z tym Waszyngton i Warszawa mogłyby liczyć na wystąpienie zjawiska, które James Acton nazwał *pre-launch ambiguity* – a więc braku pewności, czy systemy są defensywne czy ofensywne, czy są wyposażone w ładunki konwencjonalne czy nuklearne – wszystko to znacząco skomplikowałoby kalkulacje Moskwy.

Atakowanie amerykańskich systemów przenoszenia broni nuklearnej jest ostatecznie działaniem ryzykownym. Nawiasem mówiąc, *pre-launch ambiguity* jest dokładnie tym, co skomplikuje prawdopodobnie planowanie uderzeń NATO na rosyjskie zasoby w Kaliningradzie (bo wiele z nich jest podwójnego zastosowania – *dual use*).

Łącznie działania te mogłyby stanowić odpowiednią podstawę do realizowania strategii *deterrence by denial*. Oczywiście problemem pozostaje jednak asymetria determinacji (choć byłaby ona złagodzona faktem, że USA zdecydowały się na podjęcie tak kosztownych i rodzących ryzyko eskalacji kroków). Pozostaje też ryzyko niezamierzonej i niekontrolowanej eskalacji i kwestia tego, czy USA będą przekonane, że dynamikę eskalacji uda się utrzymać w ryzach. Rosja spędziła ostanie kilkadziesiąt już lat na przekonywaniu, że nie zamierza grać w tę grę na zasadach markiza de Queensberry. I tu wracamy do asymetrii stawki, która faworyzuje i faworyzować będzie Rosjan – oczywiście tylko vis-à-vis USA, a nie państw egzystencjalnie zagrożonych rosyjską agresją.

Plated glass / Tripwire forces

Być może najskuteczniejszym, a zarazem najmniej kosztow-
nym politycznie i finansowo działaniem byłoby zaczerpnięcie
ze starej, dobrej, zimnowojennej tradycji. Mówimy o koncepcji
tripwire forces, a więc rozmieszczania amerykańskich żołnierzy i ich rodzin w Europie, na samych rubieżach projekcji siły
NATO. W miejscach, przez które Rosjanie musieliby przejechać
czołgami, realizując ofensywę na Europę Zachodnią (chociażby
Berlin Zachodni). Stała obecność sił USA w Berlinie Zachodnim
była zresztą źródłem wielu sporów w Białym Domu. Wielu
w USA (chociażby Kennan) zdawało sobie sprawę z „niemożliwej” sytuacji strategicznej i obawiało się wciągnięcia w konflikt z Sowietami w sposób, który skutkować może niekontrolowaną eskalacją – a w związku z tym rekomendowało wycofanie
sił USA z Berlina Zachodniego.

Decyzja ta ostatecznie, jak wiemy, nie zapadła – również
z obawy o utratę wiarygodności sojuszniczej USA w Europie
Zachodniej, która skutkować mogła próbami akomodacji
Sowietów przez Europejczyków. Ale nawet wewnątrz administracji JFK wielu uznawało zasadność sowieckiej argumentacji. Wśród osób tych był chociażby George Kennan, którego zdaniem w Berlinie Zachodnim zachodziła dysproporcja interesów
pomiędzy Zachodem a ZSRS, którą NATO powinno przyjąć do
wiadomości i akomodować się do żądań sowieckich. W datowa-
nym na luty 1962 roku tekście Kennan pisał (z ledwie, jak się
wydaje, skrywaną irytacją), że „nigdy nie był w stanie zgodzić
się z wyznawaną przez niektórych wiarą, że ludność Berlina
powinno postrzegać się jako dysponującą jakąś głęboką wiedzą
na temat zimnowojennych realiów”. Berlin Zachodni był, innymi słowy, postrzegany jako potencjalne zarzewie niepotrzebne-
go i nieuzasadnionego konfliktu, a obecność na jego terenie sił
USA jako niemożliwa do uzasadnienia z punktu widzenia sztuki operacyjnej.

Realizacja koncepcji *trip-wire forces* oznacza, że amerykańscy żołnierze byliby w wojnie od jej pierwszej minuty. Jednak ich rolą nie było tak naprawdę odparcie ataku, ale zostanie zmasakrowanymi przez Rosjan – razem z rodzinami. To nie wzbudziłoby raczej entuzjazmu ani wśród opinii publicznej, ani tym samym wśród polityków. To z kolei oznacza, że amerykańskie społeczeństwo byłoby zaangażowane emocjonalnie w konflikt od momentu jego rozpoczęcia. Emocje – niesprzyjające racjonalnym kalkulacjom – mogłyby również wpłynąć na procesy decyzyjne w Białym Domu, Kapitolu itp. Rozmieszczając żołnierzy (z rodzinami) w miejscach, w których w wypadku sowieckiej inwazji czekałaby ich pewna śmierć, Amerykanie sami zaczynali manipulować percepcją ryzyka niekontrolowanej eskalacji wobec Sowietów.

Komunikat wobec Moskwy był następujący: „Jeżeli to zrobicie, zabijecie tysiące naszych żołnierzy i ich rodziny pierwszego dnia konfliktu, nie możemy obiecać wam, że drugiego dnia w Waszyngtonie przeważą głosy wzywające do chłodnej oceny i powściągliwości". Teraz to Amerykanie wyrzucają kierownicę za okno samochodu i mówią „zobaczymy, co się stanie". Zauważmy, że Amerykanie niwelują w ten sposób asymetrię determinacji.

Rozwiązaniem dzisiaj byłoby umieszczenie kontyngentów amerykańskich żołnierzy w państwach bałtyckich, w ramach stałej obecności, bezpośrednio przy granicy z Rosją, w miejscach, przez które Rosjanie musieliby przejść, chcąc zrealizować scenariusz agresji na B3. Trudno byłoby zachować powściągliwość, gdy CNN puszczałoby na żywo atak MLRS na amerykańskie osiedle wojskowe. Sprawy mogłyby szybko wymknąć się spod kontroli.

Oczywiście jest to sytuacja pożądana z punktu widzenia Polski i B3 – ale niekoniecznie USA. Takie dyslokacje niosłyby ze sobą związanie Amerykanom rąk i tworzyłyby realne ryzyko, że nie będą mogli uniknąć uczestnictwa w wojnie od pierwszego dnia. My byśmy tego chcieli – ale w ich dobrze pojętym interesie jest uniknąć tego rozwiązania.

Niestety, nic w polityce obecnej administracji Białego Domu nie pozwala myśleć, że którakolwiek z powyższych propozycji jest rozważana, nawet teoretycznie. Jest to istotna konstatacja, gdyż fakt, że Stany Zjednoczone nie są gotowe podjąć realnych działań odstraszających, krytycznie istotnych z punktu widzenia interesu narodowego Polski i B3, stanowi punkt odniesienia dla ośrodków decyzyjnych w Polsce, pozwalający urealnić percepcję wiarygodności gwarancji sojuszniczych USA.

NATO

Starając się zaburzyć kalkulacje Moskwy i jej przekonanie o możliwości wygrania gry w podejmowanie ryzyka, Polska mogłaby – a nawet powinna – starać się doprowadzić do rewizji polityki deklaratywnej NATO w zakresie użycia broni nuklearnej. Przede wszystkim powinno to przybrać formę dążenia do zmniejszenia „niejasności strategicznej", którą stosuje NATO w odniesieniu do warunków użycia broni nuklearnej. Obecna polityka deklaratywna NATO w jej wymiarze nuklearnym jest stanowczo nieadekwatna wobec zagrożenia wynikającego z postawy asymetrycznej eskalacji realizowanej przez Moskwę – a w konsekwencji nie gwarantuje efektu odstraszania. Koncepcja strategiczna z roku 2010 zawiera rozwodnione, mało stanowcze stwierdzenia, takie jak „NATO potrzebuje odpowiedniej mieszanki zdolności nuklearnych i konwencjonalnych", czy też zauważa, że użycie przez Sojusz broni nuklearnej może mieć miejsce jedynie „w niezwykle mało prawdopodobnych warunkach". Dokument z 2010 roku jest oczywiście dzieckiem innych (choć czy tak bardzo – powstał już po Gruzji) czasów – i jest nieodpowiedni w świetle obecnych zagrożeń. Dodajmy, że pomimo rosnącej asertywności Moskwy państwa NATO podjęły decyzję o stworzeniu nowej „koncepcji" dopiero w lipcu bieżącego roku.

Informacje te warto również uzupełnić o zapisy zawarte w komunikacie ze szczytu NATO w Warszawie. Opublikowany w 2016 roku dokument (dwa lata po agresji na wschodniej Ukrainie i nielegalnej aneksji Krymu) uzupełnia zapisy koncepcji strategicznej jedynie o stwierdzenia, że użycie broni nuklearnej przez adwersarza „zasadniczo zmieniłoby naturę konfliktu", a Sojusz „posiada zdolności i determinację, aby zadać agresorowi nieakceptowalne straty". Tu warto zastanowić się, jak na tego rodzaju komunikaty mógłby zareagować ktoś wychowany na ulicach Leningradu, ktoś, kto wie, że „jeżeli bójka jest nieunikniona, należy uderzyć jako pierwszy".

Trudno przypuszczać, aby skutkowało to odstraszeniem; bardziej prawdopodobne jest, że słysząc takie groźby od swojej potencjalnej ofiary, poczyta to za oznakę słabości i strachu. Tego rodzaju zachowawcze i nieśmiałe groźby – demonstrujące w gruncie rzeczy brak determinacji – prowokują do przetestowania ich i zachęcają do wykorzystania przemocy jako środka do osiągnięcia celów. Innymi słowy, powodują porażkę odstraszania.

Polska mogłaby również podjąć próbę dołączenia do programu Nuclear Sharing. Mogłoby to się odbyć poprzez wycofanie zasobów NATO Nuclear Sharing znajdujących się obecnie w Turcji (dynamika polityki wewnętrznej, tarcia na linii Ankara–USA) lub Niemczech oraz przeprowadzenie procesu certyfikacji polskich F-16. Chociaż byłby to z pewnością krok we właściwym kierunku, demonstrujący spójność Sojuszu i świadomość zagrożeń oraz gotowość NATO do udzielenia proporcjonalnej odpowiedzi na pierwsze użycie broni nuklearnej przez Rosję, nie wydaje się, aby decyzja ta miała rozwiązać wszystkie problemy, z którymi mierzy się Polska. Jak już wspomnieliśmy, aby pozostać w zgodzie z zapisami artykułu I i II NPT, ładunki NATO Nuclear Sharing pozostają w czasie pokoju pod kontrolą Amerykanów i mogą zostać udostępnione przez nich państwu goszczącemu, jedynie gdy Waszyngton oceni, że doszło do wybuchu *general war* – dużej wojny.

Dopiero wtedy prezydent USA może przekazać kody do *permissive action link* i wyrazić zgodę na użycie. Ponadto, decyzja o przeniesieniu zasobów NATO Nuclear Sharing mogłaby w percepcji Amerykanów oznaczać zwiększenie ryzyka niekontrolowanej eskalacji.

Niestety, chociaż w teorii mogące zadziałać (a w wypadku reformulacji polityki deklaratywnej NATO należy uznać je za pilnie potrzebne), pomysły te są nierealne. Żadna interpretacja obecnego klimatu politycznego w stolicach Europy Zachodniej czy w Waszyngtonie, dynamiki czy tonu debaty na temat zagrożenia rosyjskiego nie pozwalają przypuszczać, że mogłyby zostać podjęte jakiekolwiek realne kroki zmierzające do realnego (a nie PR-owego) zaadresowania obaw Warszawy i zmniejszenia asymetrii vis-à-vis Rosji na wschodniej flance NATO.

To nie jest konstatacja optymistyczna – jednak milczące akceptowanie *status quo*, który staje się nieakceptowalny, nie służy utrzymaniu wiarygodności Sojuszu – jest tylko taktowną próbą przemilczenia problemu. Pozwolić sobie na to mogą państwa, dla których potencjalna agresja Rosji nie stanowi egzystencjalnego zagrożenia, czyli wszyscy na zachód od Odry – ale nie Warszawa.

Paradoks

Warto zwrócić uwagę: wszystko, co powiedzieliśmy dotychczas – rosyjska strategia, asymetrie wykorzystywane przez Rosjan, próby zminimalizowania ich przez Stany Zjednoczone i wreszcie znajdujące się w tle rosyjskich gróźb widmo niekontrolowanej eskalacji – rozgrywa się ponad głowami tych państw, które najprawdopodobniej stałyby się ofiarami rosyjskiej doktryny deeskalacji nuklearnej! Rosjanie uzyskują dominację eskalacyjną (lub co najmniej zdolność do kontroli eskalacji) kosztem USA i grożą Waszyngtonowi niekontrolowaną eskalacją do pełnej wymiany nuklearnej. Ale Rosjanie nie grożą nam.

Cały przekaz płynący z Kremla, związany ze strategią *escalate to win*, groźby niekontrolowanej eskalacji są kierowane do Stanów Zjednoczonych – oraz, w mniejszym stopniu, do stolic kluczowych państw Europy Zachodniej. Do posiadających własne zasoby nuklearne Francji czy Wielkiej Brytanii, być może również do Niemiec, które z uwagi na swoje położenie geograficzne, bliskość strefy konfliktu oraz uwarunkowania gospodarcze mogą nie życzyć sobie nie tylko wybuchu wojny nuklearnej, ale nawet długotrwałego konfliktu w swoim sąsiedztwie. Ale przekaz Kremla nie jest skierowany w kierunku Wilna, Rygi, Tallina czy Warszawy – wobec państw, na których terytorium ładunki nuklearne użyte zgodnie z założeniami *escalate-to-de--escalate* miałyby zostać zdetonowane. Czemu?

- Broń nuklearna jest skutecznym narzędziem wywierania nacisków politycznych – ale z przyczyn oczywistych jej przydatność w celach osiągnięcia przewagi na polu bitwy jest bardzo dyskusyjna. Warto zwrócić uwagę, że broni nuklearnej nie użyli ani Amerykanie w toku wojny w Korei i Wietnamie, ani Izrael w toku wojny Jom Kippur, ani Rosjanie podczas kampanii w Afganistanie, pomimo że w trzech przypadkach dysponujące nią państwo kampanię przegrało, a w jednym co prawda wygrało – ale jego dalsze istnienie było krytycznie zagrożone.
- Jest zbyt silna, aby jej użycie było proporcjonalne. Nawiasem mówiąc, może się to zmienić w momencie operacjonalizacji broni nuklearnej czwartej generacji, a więc niewykorzystującej rozpadu jąder pierwiastków ciężkich do zainicjowania procesu fuzji nuklearnej. Będziemy mieli wówczas do czynienia z prawdziwym przewrotem Kopernikańskim – ale to zupełnie inna kwestia.
- Nie jest przydatna w celu osiągnięcia kontroli nad terytorium.

Ponadto szereg opracowań (chociażby Beardsley i Asal, Sechser i Fuhrmann) dowodzi, że chociaż groźby odstraszające w wykonaniu państw posiadających broń nuklearną są skuteczne, to groźby wymuszające – nie. Nawet jeżeli ich adresatem są państwa, które same broni nuklearnej nie posiadają! Różnicę pomiędzy groźbami odstraszającymi (*deterrent threats*) oraz wymuszającymi (*compellent threats*) przedstawił Schelling w wydanej w 1966 roku książce „Arms and Influence". Odstraszanie, argumentuje Schelling, zazwyczaj jest pasywne i wymaga zniechęcenia przeciwnika do podjęcia działań; wymuszanie jest z natury ofensywne, a jego celem jest – no właśnie – wymuszenie podjęcia pewnych aktywnych działań przez przeciwnika.

W gruncie rzeczy jest to zrozumiałe. Oto przykład: w wypadku wojny na wschodniej flance stawka konfliktu dla Polski i państw bałtyckich nie jest niższa niż dla Rosji. Może nawet jest odwrotnie – stawka faworyzuje B3 i Polskę. Jeżeli stawką jest dalsze istnienie lub suwerenność tych państw, mogą one zaryzykować niebezpieczeństwo asymetrycznej eskalacji do poziomu nuklearnego. W przeciwieństwie do Zachodu mogą być gotowe sprawdzić, czy Rosjanie przypadkiem nie blefują – szczególnie jeżeli są powody, aby tak uważać.

Może się więc okazać, że Polska znajdzie determinację (i co najważniejsze, zacznie to jasno i wyraźnie komunikować na długo przed wybuchem konfliktu), aby kontynuować walkę nawet po tym, jak Rosjanie wykonają pierwsze uderzenie nuklearne. Zwłaszcza że Moskwa nie chciałaby prawdopodobnie wykonywać skrajnie eskalacyjnych działań, takich jak uderzenia *counter-value* (miasta, siła żywa, zaplecze gospodarcze), nawet przy wykorzystaniu NSNW.

Fakt, że asymetria stawki nie faworyzuje Rosjan w wypadku, gdyby adresatem gróźb była Polska (która i tak mogłaby stać się faktycznym celem ataku przeprowadzonego w myśl doktryny deeskalacji nuklearnej), sprawia, że istotne staje się upewnienie się przez Warszawę, że stanie się podmiotem, a nie przedmiotem gry w podejmowanie ryzyka.

Polska powinna więc niezmiennie sygnalizować – od czasu „P" aż do progu użycia przez FR broni nuklearnej w toku konfliktu konwencjonalnego, że żadne groźby wymuszające wysuwane wobec niej nie będą skutkować zakończeniem konfliktu na warunkach zadowalających Federację Rosyjską. Mogłoby się to odbywać poprzez powtarzalne deklaracje polityczne bezpośrednio odnoszące się do niebezpieczeństwa eskalacji konfliktu na poziom nuklearny, podkreślające gotowość do kontynuowania walki nawet po ich przeprowadzeniu przez przeciwnika. Warszawa mogłaby również uwiarygodnić swoją determinację poprzez realizację programów obrony cywilnej, mitygujących ewentualne konsekwencje stania się celem ataku; zarówno *counter-value* (budowa schronów, szkolenia populacji i służb służące wypracowaniu odpowiednich reakcji w odpowiedzi na ryzyko uderzenia nuklearnego), jak i *counter-force* (chociażby *nuke-proofing* systemów C3).

Czysto teoretycznie Polska mogłaby próbować realizować bardziej ambitne przykłady strategii *damage limitation* (ograniczania zniszczeń), jak chociażby nabycie lub stworzenie elementów własnych zdolności antybalistycznych. Biorąc jednak pod uwagę trudności, jakie napotykają pod tym względem nawet USA, jest to rozwiązanie zaprezentowane wyłącznie modelowo.

Niestety, musimy pójść dalej – i udźwignąć ciężar podejmowania decyzji nawet na najwyższych szczeblach drabiny eskalacyjnej. Będziemy musieli ubrudzić sobie ręce.

Rosjanie chcą – jak każdy racjonalny aktor – osiągnąć swoje cele, przykładając tylko tyle siły, ile to konieczne. Wiarygodna groźba użycia broni nuklearnej pozwala zademonstrować im determinację, mają również środki i doktryny umożliwiające realizację tych gróźb. Jednak celem nie jest zabicie przeciwnika i zmienienie jego państwa w nuklearną pustynię. Celem jest zademonstrowanie dominacji oraz akceptacji ryzyka – i osiągnięcie dzięki temu satysfakcjonującego rozwiązania konfliktu.

Jesteśmy zdania, że pomimo całej brawury, agresywnych demonstracji oraz wreszcie polityki deklaratywnej popartej zdolnościami Rosjanie są w pełni świadomi ryzyka związanego z asymetrycznym wyskalowaniem konfliktu konwencjonalnego do poziomu nuklearnego. Niezbędnym elementem ich strategii jest przedstawienie siebie jako państwa gotowego do zaakceptowania ryzyka niekontrolowanej eskalacji – ale są w pełni racjonalnym, wyrachowanym i kalkulującym aktorem.

Ich tolerancja ryzyka nie jest nieograniczona – choć będą skłonni twierdzić inaczej. Wiedzą, że nawet jednorazowe użycie broni nuklearnej tworzy bardzo poważne ryzyko, że sprawy wymkną się spod kontroli i w opisanym przez Schellinga mechanizmie dojdzie do niezamierzonej i trudnej do skontrolowania eskalacji vis-à-vis USA. Tak więc jako racjonalny gracz muszą po pierwsze liczyć, że nie zajdzie potrzeba użycia przez nich broni nuklearnej.

Ale jeżeli już do tego dojdzie, jest priorytetem, aby była to rzeczywiście jednorazowa sytuacja; ostatnie, czego potrzebują, to przeprowadzanie kolejnych uderzeń w celu odzyskania dominacji eskalacyjnej.

Oznacza to, że musimy samodzielnie rozwinąć własne zdolności pozwalające na udzielenie symetrycznej odpowiedzi na rosyjskie pierwsze użycie NSNW – i poinformować o tym Rosjan. Czyniąc to, sygnalizujemy Rosjanom, że ich pojedyncze użycie NSNW w celach deeskalacyjnych nie przyniesie pożądanego rezultatu, czyli zakończenia konfliktu na dobrych warunkach. Jeżeli chcieliby liczyć na takie rozwiązanie, będą musieli dalej eskalować przemoc. Jednak z każdym kolejnym atakiem rośnie ryzyko wystąpienia niekontrolowanej eskalacji vis-à-vis USA.

W ten sposób stawiamy lustro przed rosyjską strategią – a zarazem stajemy się graczem w Schellingowskiej grze w tchórza.

Symetryczna kontreskalacja

Oznacza to, że musimy samodzielnie rozwinąć własne zdolności pozwalające na udzielenie symetrycznej odpowiedzi na rosyjskie użycie NSNW – i poinformować o tym Rosjan. Czyniąc to sygnalizujemy Rosjanom, że ich pojedyncze użycie NSNW w celach deeskalacyjnych nie osiągnie pożądanego rezultatu – czyli zakończenia konfliktu na dobrych warunkach. Jeżeli chcieliby liczyć na takie rozwiązanie, będą musieli dalej eskalować przemoc. Jednak z każdym kolejnym atakiem rośnie ryzyko wystąpienia niekontrolowanej eskalacji vis a vis USA.

W ten sposób stawiamy lustro przed rosyjską strategią – a zarazem stajemy się graczem w Schellingowskiej grze w tchórza. Tylko że tym razem to my jesteśmy tymi bardziej bezwzględnymi i ryzykanckimi stronami rozgrywki.

W rezultacie szanse powodzenia rosyjskiego szantażu spadają – nawet jeżeli zdecydują się oni na pojedyncze użycie, nijak nie mogą być pewni, że zagwarantuje im to ostateczny sukces.

Stajemy się podmiotem, a nie przedmiotem dynamiki eskalacji.

Tylko że tym razem to my jesteśmy tą bardziej bezwzględną i ryzykancką stroną rozgrywki. W rezultacie szanse powodzenia rosyjskiego szantażu spadają – nawet jeżeli zdecydują się oni na pojedyncze użycie, nijak nie mogą być pewni, że zagwarantuje im to ostateczny sukces. Stajemy się podmiotem, a nie przedmiotem dynamiki eskalacji.

Przykładem tego rodzaju zdolności – i kontrakcji – jest to, co nazwaliśmy „opcją seulską" – przez analogię do północnokoreańskiej strategii odstraszania, której elementem jest groźba przeprowadzenia zmasowanych ataków artyleryjskich na ośrodki miejskie leżące na południe od strefy zdemilitaryzowanej, w tym stolicę ROK, liczący około 10 milionów mieszkańców Seul (cała aglomeracja liczy około 25 mln ludzi) czy też Inczon – oba oddalone o mniej niż 40 kilometrów od DMZ. Datowana na 2020 rok prezentacja RAND (North Korean Conventional Artillery. A Means to Retaliate, Coerce, Deter or Terrorize Populations) przedstawia szereg hipotetycznych scenariuszy, w ramach których KRLD „wykorzystuje swoją artylerię rakietową i lufową, aby zagrozić cywilnej infrastrukturze, populacji oraz przemysłowi Korei Południowej.

Daje to możliwość zastraszenia rządu Korei Południowej, odwetu wobec działań politycznych lub militarnych Korei Południowej, nawet bez posuwania się do użycia broni nuklearnej lub chemicznej". Jeden z pięciu scenariuszy hipotetycznego uderzenia artyleryjskiego KRLD na Koreę Południową zakłada trwający przez godzinę atak, w toku którego wojska KRLD miałyby zużyć około 14 tysięcy sztuk amunicji kalibru 170 mm oraz odpalanych z systemów wieloprowadnicowych kalibru 240 mm (wystrzelonych łącznie z 324 systemów uzbrojenia). W ocenie RAND spowodowałoby to łącznie około 130 tysięcy ofiar, w tym około 10 500 ofiar śmiertelnych.

Oczywiście rosyjska stolica znajduje się poza zasięgiem niemal wszystkich systemów uzbrojenia będących na wyposażeniu SZ RP – ale enklawa kaliningradzka nie. W związku z tym w momencie kryzysu Polska mogłaby rozmieścić swoje systemy uzbrojenia w odległości umożliwiającej przeprowadzenie zmasowanego ataku artyleryjskiego na Kaliningrad, grożąc uderzeniem na miasto w odpowiedzi na rosyjskie próby deeskalacji.

Alternatywnie, Polska może starać się dorównać w potencjale eskalacyjnym Rosji, grożąc uderzeniami na kluczowe elementy rosyjskiej infrastruktury, w szczególności rosyjskie elektrownie jądrowe (w Smoleńsku, około 550 km od polskiej granicy, Kursku – około 800 km czy w pobliżu Sankt Petersburga – około 720 km); wspomnijmy, że tego rodzaju sygnalizację względem Rijadu realizował niedawno Iran. Zakomunikowanie Rosjanom tych zdolności pozbawiłoby ich pewności, że będą w stanie osiągnąć dominację eskalacyjną w paradygmacie deeskalacyjnego pierwszego użycia broni nuklearnej. Jeżeli Rosjanie chcieliby odzyskać inicjatywę i dominację na drabinie eskalacyjnej, musieliby eskalować wertykalnie, powtarzając uderzenia nuklearne.

Pozornie najprostszą odpowiedzią na te dylematy jest rozwinięcie przez Polskę własnego potencjału nuklearncgo. Nie jesteśmy zdania, że debata o posiadaniu broni nuklearnej powinna być tematem tabu; przetacza się ona obecnie chociażby w Korei Południowej w kontekście wyborów prezydenckich. Część kandydatów wzywa do ponownego rozmieszczenia na terytorium Republiki Korei amerykańskich zasobów – ale część wzywa otwarcie do nabycia przez Seul własnych zdolności w tym zakresie. Korea Południowa już teraz stała się pierwszym na świecie państwem, które, choć nie posiada broni jądrowej, dysponuje pociskami balistycznymi wystrzeliwanymi z pokładów okrętów podwodnych (SLBM, *submarine launched ballistic missile*). We wrześniu 2021 roku miała miejsce udana próba wystrzelenia przez Koreę Południową tego właśnie rodzaju uzbrojenia z pokładu okrętu typu KSS-III Dosan Ahn Chang-ho. Jak informuje południowokoreańska agencja informacyjna Yonhap, pocisk Hyeonmu-4-4 przechodzi obecnie testy i wkrótce ma wejść do produkcji seryjnej. Hyeonmu-4-4 ma być oparty na znajdującej się już na stanie południowokoreańskich sił zbrojnych rakiecie balistycznej Hyeonmu-2B o zasięgu około 500 kilometrów.

Wraz z relatywnym słabnięciem amerykańskiej potęgi i dekompozycją ładu światowego ustanowionego po upadku ZSRS debaty te będą się intensyfikować we wszystkich państwach zaczynających wątpić w siłę amerykańskich gwarancji bezpieczeństwa – od Turcji po Koreę Południową.

Pamiętajmy też powtarzane wielokrotnie stwierdzenie, że Japonia nie ma co prawda broni nuklearnej, ale gdyby dokręciła parę śrubek, toby miała.

Jednocześnie rozpoczęcie własnego programu nuklearnego wiąże się z wieloma negatywnymi konsekwencjami – od kosztów finansowych przez ryzyko nałożenia sankcji, ryzyko podważenia i osłabienia pozycji międzynarodowej, ryzyko konieczności wypowiedzenia szeregu traktatów międzynarodowych, ryzyko wystąpienia efektu domina, ryzyko stania się ofiarą prewencyjnych uderzeń ze strony Federacji Rosyjskiej po wreszcie wysoce prawdopodobne daleko idące osłabienie relacji sojuszniczych z USA i innymi państwami Zachodu.

Oczywiście są sposoby na „zminimalizowanie bólu" – chociażby podejście realizowane przez Japonię i Koreę, które w toku pokojowych programów nuklearnych i rozwijania zdolności przenoszenia znalazły się w sytuacji, w której w relatywnie krótkim czasie mogłyby wejść w posiadanie własnej broni nuklearnej, gdyby zaszła taka potrzeba. Niezaprzeczalnym plusem wynikającym z posiadania zoperacjonalizowanych i odpowiednio skomponowanych oraz popartych właściwą postawą sił nuklearnych jest – jak zauważył w 2009 roku Mathew Kroenig – właściwie uniemożliwienie prowadzenia przez inne państwa projekcji siły wobec ich posiadacza.

Polska mogłaby jednak zastosować inną strategię, nazwaną przez Vipina Naranga „postawą katalityczną". W ramach postawy katalitycznej państwo realizujące ją „grozi otwartym ujawnieniem własnej broni nuklearnej w sytuacji, gdy jego przetrwanie jest zagrożone, aby wymusić – lub wywołać – interwencję państwa trzeciego w swojej obronie". Zdaniem Naranga szereg państw realizowało tę właśnie postawę – Pakistan w latach 80., Izrael w 70. czy RPA w 80. W książce zatytułowanej „Nuclear strategy in the modern era. Regional powers and international conflict" Narang pisze: „Postawa katalityczna zakłada »katalizowanie« pomocy militarnej lub dyplomatycznej państwa trzeciego – najczęściej USA – w momencie pojawienia się egzystencjalnego zagrożenia dla państwa realizującego tę strategię.

Może to uczynić poprzez zademonstrowanie już wcześniej istniejących zdolności, porzucenie strategicznej niejasności lub operacjonalizację wcześniej nieaktywnych zasobów w celu eskalacji konfliktu, jeżeli pomoc zewnętrznego gwaranta nie zostanie udzielona. Strategia ta jest uzależniona od istnienia potężnego »patrona« w postaci państwa trzeciego, którego zainteresowanie utrzymaniem stabilności w regionie – lub powstrzymaniem ujawnienia posiadania przez swojego klienta zdolności nuklearnych – jest na tyle duże, a koszty udzielenia pomocy na tyle znośne, że może zostać skłonione do interwencji na rzecz swojego sojusznika i doprowadzenia w ten sposób do deeskalacji". Doskonałym przykładem praktycznym są działania podjęte przez Izrael w toku wojny Jom Kippur. Izrael przeprowadził wówczas testy gotowości swoich systemów przenoszenia broni nuklearnej w sposób, który musiał zostać dostrzeżony przez amerykańskie służby – ale już nie przez Syrię i Egipt, czyli przeciwników! W ten sposób Tel Awiw zasygnalizował, że jest gotów na ujawnienie (i w domyśle użycie) swojego potencjału nuklearnego, który tak wówczas, jak i dzisiaj nie został otwarcie potwierdzony. Sygnalizacja Izraela była więc nakierowana na sojusznika – USA – a nie wrogów, czyli Syrię i Egipt! W tym paradygmacie Polska powinna otwarcie, jednoznacznie i konsekwentnie komunikować Stanom Zjednoczonym swoje zaniepokojenie, wyjaśniając jego źródła i przyczyny. Zasugerować, że obecny *status quo* i dysproporcja sił są dla Warszawy niemożliwe do zaakceptowania, i podkreślić, że jeżeli jej obawy nie zostaną przez Waszyngton uwzględnione, to nie będzie miała innej możliwości, niż wziąć sprawy w swoje ręce.

Co ciekawe, niedawne komentarze Jarosława Kaczyńskiego, który zauważył, że Polska „niestety" nie posiada własnej broni nuklearnej, są – choćby i przypadkowym – krokiem we właściwym kierunku. Bardziej radykalna modyfikacja tej postawy zakładałaby na przykład rozpoczęcie przez Polskę „czarnego" programu nuklearnego, a następnie dopuszczenie do kontrolowanego przecieku, w wyniku którego o jego istnieniu dowiedziałaby się strona amerykańska (ale nie reszta świata i nie Rosja). W założeniu pomogłoby to katalizować zaangażowanie USA i dostarczyłoby argumentów, dlaczego nad obawami Warszawy naprawdę warto się pochylić.

Tu jednak pojawia się problem. Bo chociaż możemy skutecznie komunikować naszą determinację Rosjanom i poprzeć ją odpowiednimi zdolnościami, dowodząc, że jesteśmy gotowi na „wytrzymanie" eskalacji i utrzymanie się na drabinie eskalacyjnej, Amerykanie mogą być mniej entuzjastycznie nastawieni niż my. To ważne, bo jeżeli rosyjska ofensywa zacznie wytracać impet, wojska FR zaczną grzęznąć, a losy wojny zaczną przechylać się na korzyść Polski, możliwe jest, że Rosjanie będą starali się powstrzymać tę dynamikę przez – co oczywiste – odwołanie się do gróźb deeskalacji nuklearnej. Wówczas mogą oni osiągnąć swój cel poprzez komunikowanie USA, pośrednio (sprawdzanie gotowości, rozproszenie sił nuklearnych czy nawet testy broni nuklearnej) lub bezpośrednio (w oficjalnych komunikatach), że jeżeli dynamika konfliktu nie ulegnie zmianie, to rozważą użycie broni nuklearnej. A najpewniejszym sposobem, aby do tego nie dopuścić, jest ściągnięcie wodzy Polsce.

Istnieje niebezpieczeństwo, że Waszyngton będzie skłonny uznać zasadność tych obaw. To z kolei może przełożyć się na szereg działań mających na celu ograniczenie ryzyka dalszej eskalacji poprzez ograniczenie zdolności strony polskiej. Może się to odbywać na wielu płaszczyznach; od intensywnych nacisków dyplomatycznych i politycznych na ośrodki władzy w Polsce po próby ograniczenia zdolności polskich sił zbrojnych poprzez selektywne pozbawienie dostępu do danych, systemów i zdolności, których codzienne prawidłowe funkcjonowanie jest zależne od USA (działanie JASSM-ów, F-35, HIMARS-ów, dostęp do danych targetingu, systemów świadomości sytuacyjnej itp.). W interesie Stanów Zjednoczonych może na przykład być, aby zawczasu uniemożliwić Polsce realizację opcji seulskiej – z oczywistych przyczyn.

Gdyby tak się stało, Waszyngton mógłby podjąć próbę zmuszenia Polski do porzucenia tych planów, stosując naciski polityczne lub ograniczając zdolności SZ. Polska powinna więc opracować rozwiązanie uniemożliwiające tego rodzaju działania, charakteryzujące się jednocześnie tym, że tworzy ono system, który jest celowo zaprojektowany tak, aby był niestabilny albo „amorficzny”. Rozwiązanie to jest zbliżone do tego, jakie zastosował Pakistan, projektując system dowodzenia swoją niestrategiczną bronią nuklearną i kontroli nad nią.

Posiłkujemy się przykładem Pakistanu, ponieważ istnieje skończona liczba rozwiązań dla pewnej sytuacji, w tym wypadku państwa zagrożonego atakiem przez silniejszego konwencjonalnie przeciwnika-sąsiada. W paradygmacie tym pełnoskalowa agresja konwencjonalna, z uwagi na bliskość obszarów rdzeniowych, grozi szybkim zlikwidowaniem państwowości. Począwszy od lat 90. – wraz z końcem interwencji USA w Afganistanie, która ograniczyła przydatność Pakistanu i zmniejszyła skuteczność strategii katalitycznej Islamabadu – Pakistan odchodzi od strategii katalitycznej na rzecz asymetrycznej eskalacji, wzorując się na NATO-wskiej *flexible response*. Muszą więc rozwinąć zdolności NSNW, umożliwiające ograniczone użycie w paradygmacie asymetrycznej eskalacji, i uwiarygodnić je, rozwijając zdolności przeprowadzenia uderzeń odwetowych (*assured retaliation*). Te pierwsze, w obliczu dominacji konwencjonalnej Indii i groźby szybkiego pokonania sił Pakistanu, przecięcia tego kraju na pół, wymagają zabezpieczeń na wypadek unieszkodliwienia władzy centralnej lub komunikacji pomiędzy nią a oddziałami w polu. To z kolei wymaga predelegowania prawa do wydania rozkazu użycia NSNW do dowódców w polu.

Jeżeli doszłoby do agresji konwencjonalnej Indii na Pakistan, w wyniku której zniszczeniu ulegną połączenia pomiędzy centralnym dowództwem a oddziałami w polu, decyzja o użyciu NSNW może zostać podjęta przez dowódcę w polu (który może nie wiedzieć, jak kształtuje się sytuacja, i obawiać się, że właśnie ma miejsce atak, który zakończy istnienie Pakistanu).

Najlepszym więc sposobem, aby sytuacja nie wymknęła się spod kontroli, a proces decyzyjny pozostał racjonalny, jest albo nierozpoczynanie konfliktu, albo utrzymanie go na bardzo ograniczonym poziomie.

W wypadku Polski można rozważyć celowe „rozluźnianie" łańcuchów dowodzenia nad hipotetycznymi zasobami artyleryjskimi odpowiedzialnymi za realizację opcji seulskiej. Skutkowałoby to utworzeniem systemu dowodzenia, który w sposób zamierzony byłby podatny na destabilizację w wypadku ataku. Analogicznie do relacji Delhi i Islamabadu miałoby to na celu zniechęcenie Rosjan do przeprowadzenia pełnoskalowego ataku na węzły C2 i dowództwo polityczne państwa polskiego. Efektem byłoby więc wymuszenie prowadzenia przez Kreml wojny ograniczonej – lub też w wariancie maksymalistycznym odstraszenie Rosji od agresji w ogóle. Jeżeli bowiem Rosjanie mimo wszystko zdecydowaliby się na przeprowadzenie pełnoskalowej kampanii wobec Polski, w jej toku prawdopodobnie wyeliminowaliby węzły C2, przez co decyzja o wcieleniu w życie opcji seulskiej mogłaby zostać podjęta przez oficerów w polu. Jednocześnie próby interwencji Waszyngtonu mające na celu wymuszenie na Warszawie deeskalacji będą nieskuteczne – w związku z zaburzeniem łączności/łańcucha dowodzenia. Naciski nie będą więc mogły przynieść pożądanego rezultatu.

Po raz kolejny więc, podobnie jak na niższych stopniach drabiny eskalacyjnej, jasne staje się, dlaczego całkowita kontrola nad wszystkimi elementami pętli decyzyjnej jest krytycznie ważna dla Armii Nowego Wzoru.

- USA nie mogą kontrolować w żaden znaczący sposób polskich zdolności C5ISTAR.
- Polska musi zachować prerogatywę samodzielnego podjęcia decyzji o powzięciu symetrycznej kontreskalacji w odpowiedzi na rosyjskie użycie broni nuklearnej w celach deeskalacyjnych.
- Polska musi pozbawić Rosję przekonania, że uda się jej osiągnąć dominację eskalacyjną. Żeby było to możliwe, Warszawa musi być pewna, że USA nie będą w stanie jednostronnie doprowadzić do zakończenia konfliktu.

Wszystko to, co zostało napisane wyżej, może lekko niepokoić. W końcu nie tylko snujemy rozważania na temat wojny nuklearnej, ale wręcz rozważamy, co stałoby się, gdybyśmy grozili Rosji koniecznością dalszej jej eskalacji. Kluczowe pytanie brzmi więc: czy Rosjanie naprawdę to zrobią? Czy Kreml gotów jest zrealizować swoje groźby i asymetrycznie eskalować konflikt konwencjonalny do poziomu nuklearnego, w momencie gdy nie zachodzi egzystencjalne zagrożenie dla dalszego trwania rosyjskiego organizmu państwowego?

Rosja spędziła ostatnie dekady na próbie przekonania swoich zachodnich partnerów, że naprawdę jest gotowa użyć broni nuklearnej w ramach doktryny deeskalacji nuklearnej. Jednocześnie agresywność rosyjskiej doktryny i zawarty w niej katalog „przewinień", który doprowadzić może do rosyjskiej odpowiedzi nuklearnej, jest niezwykle szeroki. Naszym zdaniem za szeroki, aby być faktycznym odbiciem zamiarów Kremla

– po prostu nie ma żadnego uzasadnienia dla tak radykalnej polityki. Jeżeli już, przypomina on buńczuczne groźby wychowanka leningradzkich prospektów, którego celem jest zastraszenie potencjalnych ofiar poprzez groźby asymetrycznej, nadmiarowej przemocy.

Czy Rosjanie są gotowi zrealizować swoje groźby i asymetrycznie eskalować konflikt konwencjonalny do poziomu nuklearnego, w momencie gdy nie zachodzi egzystencjalne zagrożenie dla dalszego trwania rosyjskiego organizmu państwowego? (Przy czym nie mówimy tu o groźbie użycia broni nuklearnej na własnym terytorium, w momencie gdy jest ono odpowiedzią na konwencjonalną agresję faktycznie mogącą zagrozić dalszemu przetrwaniu Rosji jako państwa).

Naszym zdaniem odpowiedź na to pytanie brzmi: Nie. Dlaczego?

Po pierwsze, nuklearne tabu istnieje. Gdyby Rosja zdecydowała się na użycie broni nuklearnej, byłaby to pierwsza taka sytuacja od 1945 roku. Na dodatek Moskwa uczyniłaby to nie w kontekście zagrożenia dla dalszego jej istnienia, tylko w toku działań konwencjonalnych prowadzonych w ramach wojny agresywnej. W następstwie nawet pojedynczego użycia przez Kreml broni nuklearnej każdy sąsiad Rosji – od Finlandii po Mongolię (z Chinami na czele) – musiałby poczuć co najmniej egzystencjalny niepokój – jeżeli nie zagrożenie. Przynajmniej w średniej perspektywie Moskwa musiałaby się liczyć z infamią nieuchronną w obliczu tak skrajnie nieproporcjonalnej reakcji; stałaby się pariasem na scenie międzynarodowej. „Państwem zbójeckim" *par excellence*. Rosja naraziłaby się na prawdziwie niszczycielskie sankcje międzynarodowe; niezależnie od tego, jak bardzo Berlin, Paryż czy Waszyngton mogą potrzebować Moskwy jako czynnika gry o równowagę w „nowym koncercie mocarstw", zaproszenie do niego Rosjan przez dłuższy czas byłoby niemożliwe. Wszystko to w imię czego? Mostu lądowego do Kaliningradu? Kawałków państw bałtyckich? Działając w ten sposób, Rosja nie doprowadziłaby do przychylnej dla siebie rewizji porządku międzynarodowego – wysadziłaby go w powietrze. Cała idea polega na tym, aby używać tylko tyle siły, ile jest niezbędne.

Rosja używa siły bądź grozi jej użyciem, aby doprowadzić do pożądanych przez siebie zmian rzeczywistości geopolitycznej w Eurazji. Rosja nie jest atrakcyjna (pomimo wszystkich prowadzonych przez siebie kampanii informacyjnych) jako alternatywa kulturowa i cywilizacyjna dla Zachodu. Stosuje więc siłę (lub groźbę jej użycia) w miejscach, które uznaje za swoją strefę wpływów. Definiuje się więc jako siła, która może powodować destabilizację, jeżeli nie jest integralną częścią systemu gry o równowagę, oraz element stabilizujący, jeżeli pełnoprawną częścią systemu jest. Do realizowania tych celów przydatna jest siła wojskowa, uwiarygadnia ją agresywna polityka deklaratywna oraz groźby (nawet groźby deeskalacji nuklearnej). Natomiast absolutnie nieprzydatne do osiągnięcia tego celu jest użycie broni nuklearnej w toku wojny agresywnej!

Złamanie przez Rosję nuklearnego tabu w ramach deeskalacji nuklearnej zamknie Rosji drogę do osiągnięcia celów politycznych – jedynego powodu, dla którego Rosja w ogóle zachowuje się agresywnie, a który rozważaliśmy w części ogólnej niniejszego raportu. Cel stania się integralnym i uznanym aktorem w systemie międzynarodowym będzie niemożliwy do osiągnięcia.

Po drugie, ryzyko wynikające z doprowadzenia do sytuacji, w której możliwa staje się niekontrolowana eskalacja konfliktu, jest prawdziwe. Pomimo asymetrii, o których pisał Mathew Kroenig, a także braku gotowości USA i Zachodu do przetestowania tego, co uważamy za blef Kremla, Rosjanie nie są i nie mogą być pewni, że dynamika eskalacji po użyciu przez nich NSNW naprawdę może być kontrolowalna. Powinna być – ale nie mogą być tego pewni. Ryzyko, że ktoś źle odczyta czyjeś intencje, zawiedzie sprzęt lub czynnik ludzki, że ktoś popełni błąd, istnieje. To oznacza, że podobnie realne jest wystąpienie niezamierzonej i niekontrolowanej eskalacji. Ryzyko to rośnie wykładniczo wraz z każdym kolejnym użyciem przez Rosję broni nuklearnej – do czego będzie zmuszona, jeżeli Polska uniemożliwi jej osiągnięcie dominacji eskalacyjnej już po pierwszym użyciu.

Rosjanie tego nie chcą. Natomiast są gotowi blefować odrobinę dłużej, zachowywać się odrobinę bardziej nieprzewidywalnie i wyrzucić kierownicę na tyle daleko, aby wygrać grę w tchórza z Amerykanami.

Co dalej? Najpierw Polska powinna podjąć starania zmierzające do urealnienia i uwiarygodnienia gwarancji bezpieczeństwa zarówno Stanów Zjednoczonych, jak i NATO tak, aby mogły one stać się realnym narzędziem odstraszania Rosji. Jeżeli okaże się to niemożliwe, Polska powinna podjąć kroki, które dadzą jej szansę na samodzielne przetrwanie i „utrzymanie się" na wyższych szczeblach drabiny eskalacyjnej.

Zdajemy sobie sprawę, że kroki te wymagać będą podjęcia niezwykle trudnych i ważkich decyzji. Jesteśmy również świadomi, że są one – w sposób nieuchronny – obarczone ryzykiem. Jeżeli jednak uznamy decyzje te za zbyt trudne, zbyt niebezpieczne czy przerażające, powinniśmy wziąć sobie do serca słowa Ewangelii św. Łukasza: „Albo który król, mając wyruszyć, aby stoczyć bitwę z drugim królem, nie usiądzie wpierw i nie rozważy, czy w dziesięć tysięcy ludzi może stawić czoło temu, który z dwudziestoma tysiącami nadciąga przeciw niemu? Jeśli nie, wyprawia poselstwo, gdy tamten jest jeszcze daleko, i prosi o warunki pokoju" i przeczekać nadchodzącą zawieruchę, w międzyczasie skupiając się na pracy organicznej – w oczekiwaniu na otwarcie się kolejnego okienka możliwości w przyszłości.

Zdaniem autora problem polega na tym, że i ta, pozytywistyczna w swej naturze, rekomendacja wymagałaby podjęcia przez państwo polskie dojrzałej, odpowiedzialnej decyzji – obrania kierunku strategicznego, a następnie konsekwentnej tego realizacji. Pozostaje mieć nadzieję, że aparat państwowy Polski oraz tworzące go elity są gotowe udźwignąć i ponieść ciążące na nich brzemię odpowiedzialności.

JACEK BARTOSIAK

OPERACJE NA BAŁTYKU

Wąskie morze

Wojna na morzach przybrzeżnych oceanu światowego, zwłaszcza na tzw. morzach wąskich, zamkniętych lub prawie zamkniętych w masach kontynentalnych, a do takich mórz należy Bałtyk, jest wojną morską o bardzo specyficznym charakterze. W szczególności w XXI wieku, gdy do znanego już flocie zagrożenia minami, torpedami oraz okrętami podwodnymi czyhającymi w ciszy na dnie akwenu, a także pociskami manewrującymi odpalanymi z innych okrętów, dochodzi jeszcze zagrożenie floty amunicją klasy *stand-off* wystrzeliwaną z samolotów i dronów/bezpilotowców, pociskami hipersonicznymi, bardzo skutecznymi pociskami manewrującymi baterii nabrzeżnych oraz całym spektrum zdolności elektromagnetycznych służących do rażenia systemów sensorycznych wrogiej floty.

Żeby dobrze zrozumieć argumenty niezbędne do fachowej dyskusji na temat nowoczesnej wojny morskiej, zalecamy zapoznanie się z opracowaniami na temat charakteru nowoczesnej wojny na takich akwenach jak Bałtyk, zwłaszcza tymi pochodzącymi z najważniejszego ośrodka na świecie zajmującego się przygotowaniem do wojny morskiej, jakim jest amerykański US Naval War College. Ale także z innymi opracowaniami Amerykanów, którzy od 1944 roku (po złamaniu floty japońskiej w serii bitew na Pacyfiku) dominują na morzach i oceanach świata i dlatego najlepiej znają się na fachu wojny morskiej. W przypisie znajduje się kilka linków do tekstów z US Naval War College oraz z innych ośrodków[78].

---

[78] https://www.jstor.org/stable/44638136?seq=10#metadata_info_tab_contents
https://digital-commons.usnwc.edu/cgi/viewcontent.cgi?referer=&httpsredir=1&article=1200&context=nwc-review
https://mca-marines.org/wp-content/uploads/Littoral-Operations-in-a-Contested-Environment.pdf
https://www.jhuapl.edu/content/techdigest/pdf/V14-N02/14-02-Stokes.pdf
https://www.naval-technology.com/features/featurethe-future-of-littoral-warfare-5885252/
https://www.usni.org/magazines/proceedings/2019/june/corvette-carriers-new-littoral-warfare-strategy

Podaję ten argument nie bez przyczyny. Od 2015 roku odbyłem w US Naval War College co najmniej kilka rozmów na temat ewentualnego pojawienia się amerykańskiej floty na Bałtyku w razie prawdziwej wojny w obronie wschodniej flanki NATO. Do tego miałem okazję rozmawiać z oficerami floty amerykańskiej, w tym z byłymi dowódcami dużych jednostek nawodnych i nuklearnych okrętów podwodnych. Przeprowadziłem także długą rozmowę z pomysłodawcą koncepcji operacyjnej wojny powietrzno-morskiej na Pacyfiku (wedle której prognozuje się intensywne walki w morzach przybrzeżnych). Z rozmów tych jednoznacznie wynika niechęć/opór/wzdraganie się przed zapuszczeniem się floty amerykańskiej na Bałtyk w razie wojny z Rosją.

Co innego pokojowe demonstracje wiarygodności amerykańskiego i NATO-wskiego gwaranta bezpieczeństwa państw na wschodniej flance i podtrzymywanie tejże sojuszniczej wiarygodności w dobie pokoju czy nawet w erze trwającej już rywalizacji strategicznej podczas różnych ćwiczeń itp. (w tym oczywiście deklaracje amerykańskich polityków i dyplomatów – na tym polega ich zadanie podtrzymywania wiarygodności gwarancji bezpieczeństwa, która jest „walutą" w stosunkach międzynarodowych), a co innego realna obecność morska w trakcie wojny. Byłoby dobrze, gdyby w Polsce rozróżniano te dwie diametralnie różne sprawy.

Należy pamiętać, że z perspektywy geografii wojskowej i sztuki wojennej Polska jest krajem lądowym i wszystkie wojny z jej udziałem lub na jej terytorium rozstrzygały się w zmaganiach zbrojnych na lądzie, a nie poprzez blokadę morską, desant lub inne zastosowanie sił morskich. Bałtyk z wojskowego punktu widzenia operacji dotyczących Polski, w tym obrony jej terytorium, stanowi drugorzędny teatr zmagań, tylko ewentualną i bardzo niepewną flankę działań głównych. Ta refleksja powinna być obecna przy ustalaniu priorytetów modernizacyjnych i związanych z nimi wydatków na Siły Zbrojne RP. Jedynym wyjątkiem od tej zasady mogłaby być sojusznicza operacja obronna państw bałtyckich.

By mieć szanse powodzenia, taka operacja wymagałaby jednak także zaangażowania znacznie poważniejszych sił morskich i powietrznych sojuszników, w szczególności Amerykanów i Brytyjczyków, a także możliwości korzystania ze szwedzkiej, ewentualnie także fińskiej, przestrzeni powietrznej i morskiej.

W takim sojuszniczym scenariuszu polska marynarka wojenna i tak nie miałaby kluczowego znaczenia dla operacji, więc nie ma sensu inwestować w jej zdolności związane z tzw. kontrolą morza (do czego potrzebne są duże okręty nawodne), która musiałaby zostać uzyskana i utrzymana przez NATO, by można było realnie utrzymać morską linię komunikacyjną do państw bałtyckich lub do Polski. Zresztą niepewny byłby i tak sukces takiej operacji ze względu na specyficzne uwarunkowania wojny morskiej na wąskim morzu, jakim jest Bałtyk. Dlatego istnieje spore prawdopodobieństwo graniczące z pewnością, że duże okręty nawodne NATO w ogóle nie wpłynęłyby w trakcie wojny na Bałtyk ze względu na ryzyko, jakie taka decyzja spowodowałaby dla flot państw Sojuszu.

Trudne wody

Płytka woda Bałtyku, uwarunkowania rywalizacji w spektrum elektromagnetycznym oraz warunki hydrologiczne i zasady funkcjonowania nowoczesnych flot ograniczają na tym morzu ruch dużych okrętów nawodnych w trakcie wojny z kompetentnym przeciwnikiem. Mało kto o tym wie, ale okręty US Navy musiałyby podczas przechodzenia przez miejscami (zwłaszcza na Bałtyku południowym i w Zatoce Ryskiej) bardzo płytkie bałtyckie wody pływać jednak wolniej i bardziej przewidywalnymi trasami, co wystawiałoby je na akcje i zasadzki przeciwnika i pozbawiało głównego atutu floty, jakim jest wysoka mobilność (teoretycznie w każdą stronę akwenu) i nieprzewidywalność.

Wiemy dobrze, że to właśnie prędkość poruszania się daje mobilność i manewrowość okrętowi jako skutecznej platformie bojowej, którą ma być trudno namierzyć i naprowadzić się na nią rakietami i torpedami. Bałtyk w wielu miejscach zmusza do jej zmniejszenia[79].

Bezpieczne operacje okrętem podwodnym wymagają minimalnych prześwitów nad kioskiem i pod stępką. Zwykle amerykański uderzeniowy okręt podwodny o napędzie atomowym (SSN) powinien mieć co najmniej 50 stóp wody pod stępką; okręt konwencjonalny z zachodniej Europy (Amerykanie nie mają podwodnych okrętów konwencjonalnych) potrzebuje od 35 do 40 stóp. Ta liczba nie obejmuje znacznie większej głębokości wymaganej dla okrętu podwodnego do manewrowania w czasie ucieczki przed atakiem. Teraz wystarczy sprawdzić mapy głębokości Bałtyku, by zrozumieć, że sprawa nie jest prosta: na południowo-zachodnim Bałtyku typowa głębokość to zaledwie 10–30 metrów.

To nie wszystko. W zależności od przejrzystości wody okręt podwodny może musieć operować znacznie niżej, aby uniknąć ataku z powietrza. Cała zatem przestrzeń zajmowana przez okręt podwodny od kiosku i masztu do stępki wynosi od 50 do 65 stóp, w zależności od stanu morza i przedłużenia peryskopu/masztu. Na przykład przestrzeń ta dla niemieckiego okrętu podwodnego typu 212A wynosi około 40 stóp. Podobno dla

---

[79] Zob: https://www.jstor.org/stable/44638136?seq=10#metadata_info_tab_contents
https://digital-commons.usnwc.edu/cgi/viewcontent.cgi?referer=&httpsredir=1&article=1200&context=nwc-review
https://mca-marines.org/wp-content/uploads/Littoral-Operations-in-a-Contested-Environment.pdf
https://www.jhuapl.edu/content/techdigest/pdf/V14-N02/14-02-Stokes.pdf
https://www.naval-technology.com/features/featurethe-future-of-littoral-warfare-5885252/
https://www.usni.org/magazines/proceedings/2019/june/corvette-carriers-new-littoral-warfare-strategy
Na przykład przy 30 węzłach prędkości i przy głębokości 80 stóp opór wody jest prawie trzykrotnie większy niż w wodzie o głębokości 115 stóp, pięciokrotnie większy niż w wodzie głębokiej na ponad 1200 stóp. Okręt płynący z prędkością pięć, 10, 15 lub 20 węzłów wymaga głębokości co najmniej 13, 56, 125 i 220 stóp. 220 stóp, czyli około 70 metrów, to całkiem sporo na płytkim Bałtyku.

NATO w Zatoce Ryskiej

Aby mieć szanse powodzenia, taka operacja wymagałaby jednak także zaangażowania znacznie poważniejszych sił morskich i powietrznych sojuszników, w szczególności Amerykanów i Brytyjczyków, a także możliwości korzystania ze szwedzkiej, ewentualnie także fińskiej, przestrzeni powietrznej i morskiej.

W takim sojuszniczym scenariuszu polska marynarka wojenna i tak nie miałaby kluczowego znaczenia dla takiej operacji, więc nie ma sensu inwestować w jej zdolności związane z tzw. kontrolą morza (do czego potrzebne są duże okręty nawodne), która musiałaby zostać uzyskana i utrzymana przez NATO, by realnie utrzymać morską linię komunikacyjną do państw bałtyckich lub Polski.

Zresztą niepewny byłby i tak sukces takiej operacji ze względu na specyficzne uwarunkowania wojny morskiej na wąskim morzu, jakim jest Bałtyk.

Istnieje dlatego spore prawdopodobieństwo graniczące z pewnością, że duże okręty nawodne NATO w ogóle nie wpłyną na Bałtyk w trakcie wojny ze względu na ryzyko, które taka decyzja wywołałaby dla flot państw Sojuszu.

amerykańskiego atomowego okrętu podwodnego przestrzeń ta wynosi prawie 100 stóp, czyli około 30 metrów.

Dodatkowo charakter dna morskiego może ułatwiać operacje podwodne lub sprawiać, że są one bardzo trudne. Ogólnie rzecz biorąc, gładkie dno morskie umożliwia leżenie konwencjonalnych okrętów podwodnych na dnie podczas unikania pościgu lub czyhania w zasadzce. Gdy okręt osiądzie na dnie morskim, wyłączy silniki i zamknie wszystkie wloty wody morskiej, trudno go wykryć, zwłaszcza w morzu „głośnym" hydrolokacyjnie, jakim jest Bałtyk. Taki okręt leżący na dnie wygląda dla sensorów innych okrętów jak zatopiony statek. Warto wiedzieć, że atomowy okręt podwodny US Navy nie może tak zrobić, czyli nie może spocząć na dnie Bałtyku w obawie przed zatkaniem ważnych systemów niezbędnych do jego napędu.

Płytka woda Bałtyku znacznie utrudnia użycie współczesnych torped, zarówno przez okręty nawodne, jak i okręty podwodne[80]. Płytka woda ułatwia eksploatację wszystkich typów min przeciw flocie wchodzącej operacjami na Bałtyk. Na przykład miny do użycia przeciwko okrętom podwodnym mogą być co prawda kładzione na głębokości około 660 stóp, jednak ich skuteczność jest najlepsza na wodach płytszych niż 230 stóp. Zatem mała głębokość wody czyni bardzo efektywną również wojnę minową, co sprzyja zwalczaniu „kontroli morza", którą musiałyby uzyskać floty NATO-wskie, aby mieć linie komunikacyjne do państw bałtyckich. Głębokość wody Bałtyku często odpowiada maksymalnej efektywnej głębokości min dennych w wielu kluczowych dla komunikacji morskiej miejscach.

Działa to też przeciw akcjom rosyjskim. Położenie min jest szczególnie istotne w celu zapobieżenia operacjom desantowym

---

[80] Na przykład amerykańska torpeda Mark 46 Mod5A (SW), specjalnie zaprojektowana do użytku w płytkiej wodzie, wymaga ponoć minimalnej głębokości 148 stóp podczas strzelania z okrętu nawodnego. Z kolei amerykańskie torpedy Mark 48 Mod 6 AT wymagają znacznie większej głębokości minimalnej, choć z drugiej strony należy przyznać, że na przykład europejską torpedę WASS Black Shark można podobno wystrzelić nawet z okrętu spoczywającego na dnie morza.

na własnym wybrzeżu; samo usunięcie min zajmuje dni i tygodnie oraz jest obarczone ryzykiem uszkodzenia lub utraty okrętu. Miny są tanie i proste w użyciu, a szeroki ich wachlarz ułatwia planowanie ich użycia. W czasie wojny w Zatoce w 1991 roku uszkodzono w ten sposób więcej okrętów koalicji, niż wykorzystując inne środki bojowe. Ważne jest, aby zdolności stawiania min miały wszystkie jednostki floty, jak również samoloty.

Zakłócenia elektromagnetyczne

Ogólnie rzecz biorąc, na Bałtyku czujniki elektroniczne floty używane w pobliżu wybrzeża są podatne na degradację, a jakość transmisji słabnie z powodu różnych anomalii klimatycznych, elektromagnetycznych i atmosferycznych, szumu wynikającego z bliskości lądu i interferencji wynikających z aktywności ludzi na lądzie oraz z racji bliskości wielu różnych źródeł elektromagnetycznych.

Działanie radaru i elektronicznych środków oddziaływania pozostawia tutaj wiele do życzenia, a systemy komunikacyjne na pełnym morzu dla amerykańskiej floty oceanicznej różnią się jakością pracy od tych w przybrzeżnych wodach Bałtyku wskutek temperatury, ciśnienia, wilgotności i innych zjawisk odmiennych od oceanicznych. Kolejnym problemem jest bliska obecność dużej liczby sieci telefonii komórkowej i komercyjnych nadajników naziemnych, na przykład telewizyjnych, samolotów komercyjnych i statków handlowych. To z kolei stwarza znaczne trudności przy wykorzystywaniu sensorów wywiadu nasłuchowego do sortowania i identyfikacji emiterów lub sygnałów przeciwnika.

Efektem jest niestandardowa propagacja fal elektromagnetycznych, co wpływa znacząco na zasięg radaru i łączności radiowej oraz czujników elektrooptycznych amerykańskiej floty oceanicznej wchodzącej na Bałtyk. Na skuteczność radarów pokładowych w walce z nisko latającymi celami powietrznymi w pobliżu wybrzeża negatywny wpływ wywiera również zjawisko „szumu" z lądu, co przekłada się na duże trudności w wykrywaniu małych i bardzo małych celów, co z kolei sprzyja wojnie nawigacyjnej prowadzonej przez przeciwnika i możliwości mylenia i używania całej masy fałszywych celów czy makiet. Wojna o Falklandy z 1982 roku pokazuje wielkie problemy związane z wykorzystaniem radarów okrętowych floty oceanicznej do wykrywania i identyfikacji celów nisko latających przy szumach i odbiciach z lądu w wodach przybrzeżnych. Nieregularny nawet rozkład kształtów i rozmiarów fal, prędkości wiatru i jego kierunku, wysokość i kierunek falowania wody, a także czynniki biologiczne mogą mieć duży wpływ na wyniki pomiarów radarowych okrętów nawodnych na Bałtyku. To wszystko powoduje, że wykrycie celów o małym przekroju radarowym jest niezwykle trudne.

Niewielkie rozmiary typowego wąskiego morza pozwalają zarówno napastnikowi, jak i obrońcy (nawet dużo słabszemu) na stałą obserwację dużej części teatru wojny morskiej. Nawet słabsza strona może prowadzić ciągły rekonesans i widzieć silniejszego teoretycznie przeciwnika. W związku z tym duże okręty nawodne floty amerykańskiej czy brytyjskiej lub francuskiej miałyby trudności z uniknięciem wykrycia. Mniejsze wrogie okręty mogłyby z kolei wykorzystać duże zagęszczenie ruchu handlowego w połączeniu z obecnością przybrzeżnych wysp i wysepek, aby ukryć swoją obecność. Obecność licznych zawsze na Bałtyku statków handlowych, niebiorących udziału w walce (zwłaszcza na początku wojny) sprawia również, że identyfikacja celów jest dużo bardziej skomplikowana niż na otwartym oceanie.

Należy przyjąć, że radary okrętowe wykrywałyby nadciągające samoloty lub pociski manewrujące na znacznie krótszych odległościach niż ich nominalnie skuteczne zasięgi ze względu na obecność zakłóceń i szumu z lądu. Podobnie radary powietrzne nad morzem mogą mieć problemy z wykrywaniem celów powietrznych lecących bardzo nisko lub nad terenem silnie odbijającym fale radarowe.

Wykrycie wrogich okrętów podwodnych i min w wodach przybrzeżnych również jest dużo bardziej złożone i niepewne niż na otwartym oceanie. Jest to w dużej mierze wynik płytkości wód, osobliwości hydrograficznych i wysokiego poziomu hałasu otoczenia. W płytkiej wodzie rozchodzenie się dźwięku jest ogólnie trudne do przewidzenia ze względu na duże wahania sezonowe i dzienne temperatury morza, zasolenie, fale, pływy i prądy, wszelki napływ słodkiej wody oraz odbicie i pochłanianie spowodowane zmianami dna morskiego. Ponadto naturalny wywołany przez człowieka hałas otoczenia potęguje problem polowania na okręty podwodne w płytkich wodach. W porównaniu do wojny na otwartym oceanie czasy ostrzegania i reakcji w wodach przybrzeżnych są znacznie skrócone z powodu małych odległości i dużej prędkość nowoczesnych systemów broni. Dzieje się tak zwłaszcza na wąskich morzach z wyspami, jak Bałtyk, gdzie walczący na małych powierzchniach mogą się nagle ukryć i zaatakować z niewielkicj odległości. Pocisk manewrujący może zostać wystrzelony przeciw okrętowi nawodnemu z ukrytych pozycji za wyspami, na trasie przelotu tak maskując trajektorię, że ostatecznie pozostawi obrońcom okrętu bardzo mało czasu na reakcję.

Na wodach bałtyckich okręty są szczególnie podatne na ataki ze strony pocisków manewrujących i torped. Naddźwiękowe pociski manewrujące latają na bardzo małej wysokości i mogą wykonywać manewry unikowe w końcowej fazie lotu. Na przykład rosyjski pocisk manewrujący, lecący z prędkością 2,5 macha i na małej wysokości, zostałby wykryty z odległości 15 mil; dotarcie do zamierzonego celu, jakim jest okręt, zajęłoby mu tylko 33 sekundy.

Zaawansowane wersje pocisków manewrujących można zaprogramować, aby uniknęły wykrycia dzięki gwałtownej zmianie kierunku i zaatakowaniu innego celu na tym samym obszarze ogólnym. Okręt zaatakowany miałby duże trudności z kontrowaniem pocisków manewrujących wystrzelonych jednocześnie lub w krótkim czasie przez samoloty, okręty nawodne, podwodne i jeszcze do tego z brzegu. To samo wyzwanie, jakim jest krótki czas reakcji, dotyczy torped.

Jedną z głównych cech walki morskiej na morzach przybrzeżnych jest na ogół częsta radykalna zmiana sytuacji taktycznych i operacyjnych. Częstotliwość kontaktu między przeciwnymi siłami byłaby także znacznie wyższa niż na otwartym oceanie. Walka byłaby toczona z bliskiej odległości; spotkania byłyby nagłe, krótkie i gwałtowne. Główne warunki sukcesu w wojnie na Bałtyku to odpowiednie i różnorodne platformy morskie, lecz przede wszystkim przewaga powietrzna wynikająca z kontroli brzegu dominującego nad danym fragmentem Bałtyku[81].

Takiego charakteru wojny morskiej, który przedstawiono powyżej, nie znoszą dominujące floty oceaniczne i dlatego będą

---

[81] Skuteczność samolotów przeciwko okrętom nawodnym po raz pierwszy na wodach europejskich objawiła się podczas II wojny światowej. Luftwaffe odegrała kluczową rolę w udanej inwazji Niemiec na Norwegię w okresie od kwietnia do czerwca 1940 roku. Niepowodzenie brytyjskiej marynarki wojennej w odmowie korzystania z morza Niemcom w kampanii norweskiej wynikało z intensywności i skuteczności ataków Luftwaffe, gdy ochrona floty nie była należycie zapewniona przez myśliwce alianckie operujące z lądu. Atakująca skutecznie okręty nawodne Luftwaffe dała popis w końcowej fazie walk o Kretę w 1941 roku. Royal Navy była intensywnie zaangażowana w ewakuację wojsk do Aleksandrii w Egipcie. Podczas tych wysiłków okręty alianckie zostały poddane masowym atakom ze strony Luftwaffe. Jednym z efektów tych ataków było zmuszenie aliantów do zaniechania prób ewakuacji wojsk z północnego wybrzeża Krety. Niemieckie bombowce i bombowce nurkujące zatopiły trzy krążowniki alianckie, sześć niszczycieli, pięć torpedowców i kilka mniejszych okrętów. Do tego dwa pancerniki, jeden lotniskowiec, sześć krążowników i siedem niszczycieli zostało uszkodzonych. Walka o Kretę pokazuje, że w epoce nowożytnej kontroli morza nie można uzyskać bez kontroli powietrza. Odpowiedzią na lotnictwo wroga może być tylko lepsze lotnictwo, zwłaszcza na tak „wąskim" morzu jak Bałtyk, gdzie strona nawet słabsza na morzu, ale mająca mocniejsze lądowe siły i lokalną, choćby tylko chwilową, przewagę powietrzną mogłaby uzyskać kontrolę nad sąsiadującym morzem, a co najmniej uzyskać efekt „morza niczyjego". Tak zrobili Niemcy zarówno na Bałtyku, jak i na Morzu Czarnym podczas wojny 1941–1945.

niechętne, aby wejść na Bałtyk w razie wojny z kompetentnym przeciwnikiem, jakim jest Rosja, która dysponuje poważnymi zdolnościami antydostępowymi.

Zagrożenie z lądu i „białe słonie"

Na zmianę takiego sceptycznego podejścia do rozbudowy zdolności Marynarki Wojennej RP w ramach proponowanej Armii Nowego Wzoru może wpłynąć tylko i wyłącznie zmienna polegająca na uwarunkowaniu, iż Białoruś (ani Ukraina) nie będą służyły rosyjskim siłom zbrojnym jako pozycje wyjściowe do wojny z Polską, a terytorium ani przestrzeń powietrzna tych państw nie będą służyć wysiłkowi wojennemu Rosji. Możliwość politycznie lub zbrojnie niekontestowanego korzystania przez armię rosyjską z terytorium białoruskiego (a do tego ukraińskiego) czyni realizację planu wykorzystania Bałtyku do polskich działań operacyjnych znacznie mniej istotną w kontekście ewentualnej konfrontacji z Rosją. W tym wojny sojuszniczej w ramach NATO o państwa bałtyckie, gdyż nie będzie to miało istotnego znaczenia dla przebiegu ewentualnych operacji wojskowych prowadzonych w samym centrum strategicznym konfliktu, które przeniesie się na obszar stricte lądowy, położony pomiędzy oddaloną o 180 km od Warszawy granicą białoruską a samą Warszawą. Nadto zapewne obejmie ośrodki związane z kluczową infrastrukturą krytyczną państwa polskiego.

Nawet optymistyczne założenie, że najbardziej prawdopodobny scenariusz będzie polegał na wspólnej sojuszniczej operacji obrony państw bałtyckich i ochrony morskiej linii komunikacyjnej do Zatoki Ryskiej (której możliwość powstania jest wątpliwa), nie musi oznaczać konieczności polskich inwestycji w znaczącą flotę nawodną. Taka inwestycja wywołałaby jedynie zjawisko „białych słoni", czyli kilku drogich i „wypieszczonych" platform nawodnych dla floty, które

na Bałtyku jako na wąskim morzu na szelfie kontynentalnym mogłyby być łatwo zneutralizowane z lądu, z powietrza,
spod wody itd., obciążając Polskę wizerunkowo jako nieradzącą sobie na drabinie eskalacyjnej, zapewne zaraz na początku konfrontacji, i powodując fatalne wrażenie niekompetencji
wojskowej.

Jedyny zysk z posiadania dużych platform dotyczyłby tzw.
demonstracji obecności w czasie kryzysu poniżej progu wojny
kinetycznej lub wspierania działań demonstracyjnych, lub pomocy w wojnie nawigacyjnej. Ale naszym zdaniem nie jest to
wystarczający powód do inwestycji w duże platformy nawodne,
które są drogie i kosztowne w utrzymaniu i szkoleniu personelu, i po prostu nieopłacalne w kontekście rachunku koszt–efekt.
Rosjanie mieliby łatwy cel, a system Armii Nowego Wzoru ma
uniemożliwić im odniesienie sukcesu tego rodzaju i odtrąbienie
go światu. Armia Nowego Wzoru musi utrzymać się w walce
i uniemożliwić Rosjanom osiągnięcie wyraźnego sukcesu w de-
monstrowaniu dominacji eskalacji przemocy i jej aplikowaniu
Polsce.

Propozycje działań

Na Bałtyku dominuje ten, kto dominuje na jego brzegach. W tej
chwili w razie wojny Bałtyk byłby morzem niczyim, w każdym
razie na pewno byłoby tak na początku wojny (a to ma największe znaczenie dla Polski). Do niedawna Bałtyk był morzem, na
którym po rozpadzie Związku Sowieckiego dominowało NATO.
Działo się tak w konsekwencji rozszerzenia NATO na wschód ba-
senu Bałtyku oraz dzięki współpracy Szwecji i Finlandii z NATO
i szeroko pojętym Zachodem. W czasach PRL dominowała na
nim flota sowiecka z portami wojennymi aż po Świnoujście
i Rostock. Dlatego Polska Ludowa mogła pod sowieckim parasolem rozbudowywać flotę do desantów nawet w Danii. Przed
II wojną światową na Bałtyku dominowała z kolei flota

Zagrożenie z lądu i „białe słonie"

Na zmianę sceptycznego podejścia do rozbudowy zdolności Marynarki Wojennej RP może wpłynąć wyłącznie zmienna polegająca na uwarunkowaniu, iż Białoruś (ani Ukraina) nie będą służyły rosyjskim siłom zbrojnym jako pozycje wyjściowe do wojny z Polską, a terytorium ani przestrzeń powietrzna tych państw nie będzie służyć wysiłkowi wojennemu Rosji.

Możliwość korzystania przez armię rosyjską z terytorium białoruskiego (a do tego ukraińskiego) czyni realizację planu wykorzystania Bałtyku dla polskich działań operacyjnych znacznie mniej istotną dla wojny, w tym wojny sojuszniczej, gdyż nie będzie miało to istotnego znaczenia dla operacji wojskowych prowadzonych w samym centrum strategicznym konfliktu, które przeniesie się na obszar lądowy, położony między granicą białoruską a Warszawą, i obejmie ośrodki związane z kluczową infrastrukturą krytyczną państwa polskiego. Scenariusz wspólnej sojuszniczej operacji obrony państw bałtyckich i ochrony morskiej linii komunikacyjnej do Zatoki Ryskiej (której możliwość powstania jest wątpliwa) nie musi oznaczać konieczności polskich inwestycji w znaczącą flotę nawodną.

Taka inwestycja stworzyłaby jedynie zjawisko „białych słoni", czyli kilku drogich i „wypieszczonych" platform nawodnych dla floty, które na Bałtyku jako na wąskim morzu na szelfie kontynentalnym mogą być łatwo zneutralizowane z lądu, z powietrza, spod wody itd., obciążając Polskę wizerunkowo jako nieradzącą sobie na drabinie eskalacyjnej, zapewne zaraz na początku konfrontacji i wywierając fatalne wrażenie niekompetencji wojskowej.

niemiecka, a my szykowaliśmy się do wojny z Rosją Sowiecką, więc rozbudowywaliśmy flotę, by się z tym państwem zmierzyć. Gdy się okazało, że musimy mierzyć się jednak z Kriegsmarine, w istocie poddaliśmy walkę i ewakuowaliśmy flotę (albo raczej to, co z niej zostało) za Cieśniny Duńskie. Podczas II wojny światowej losy Bałtyku rozstrzygały się na jego brzegu; potwierdzało to prawidłowość przebiegu wojny morskiej na wąskim morzu przybrzeżnym.

Zamiast zbędnej rozbudowy floty nawodnej należy się zatem skupić na obronie infrastruktury krytycznej i portowej, takiej jak Balic Pipe, porty w Gdańsku, Gdyni i Świnoujściu, zwłaszcza na wypadek kryzysu i konfliktu poniżej progu uruchomienia art. 5. NATO. Trzeba się skupić na naszych zdolnościach antydostępowych wystawianych dzięki Morskiej Jednostce Rakietowej, która powinna zostać rozbudowana o kolejne systemy. Do tego można dodać operacje specjalne nakierowane na morską i nabrzeżną infrastrukturę przeciwnika, jak Nord Stream czy infrastruktura w obwodzie kaliningradzkim. Warto zaznaczyć swoją obecność morską w czasie pokoju i kryzysu, ale do tego potrzeba przede wszystkim skutecznego (i własnego) systemu świadomości sytuacyjnej, zdolności uderzeń posiadanymi pociskami manewrującymi poza linię horyzontu, kompetentnego lotnictwa oraz małych jednostek patrolowych do ochrony przed penetracją linii brzegowej.

Działania morskie na Bałtyku pozostaną zawsze jedynie flanką operacji lądowych. Wobec kształtu Morza Bałtyckiego i bliskości brzegów oraz rozwoju technicznego (zwłaszcza w zakresie zasięgu i precyzji) środków ogniowych i rozpoznawczych maleje znaczenie marynarki wojennej na tym akwenie. Jest to związane ze zwiększoną możliwością oddziaływania z lądu na morze. Jednocześnie w sytuacji geopolitycznej, w jakiej obecnie znajduje się Polska, istnieje sporo innych (w miejsce morskich) możliwości poprowadzenia szlaków zaopatrzenia. Chodzi o szlaki lądowe i powietrzne. Przy tym omawiany wcześniej charakter geograficzny wejścia do Bałtyku (Cieśniny Duńskie) powoduje, iż w ewentualnym przyszłym konflikcie na tym morzu utrzymanie linii komunikacyjnych przez Cieśniny Duńskie nie będzie w najmniejszym stopniu zależne od zdolności i potencjału naszej marynarki wojennej, która w wypadku wrogiego lub nieprzyjaznego nastawienia państw wokół cieśnin nie będzie w stanie panować nad tamtejszymi szlakami morskimi. Sojusznicze, a co najmniej neutralnie przychylne nastawienie państw kontrolujących ten obszar będzie niezbędne do zapewnienia morskich szlaków handlowych z Polski na Atlantyk i Morze Północne.

To samo dotyczy możliwości polskiej marynarki wojenne, jeśli chodzi o projekcję siły na akwenach pozabałtyckich. Niezależnie od tego, jak duża będzie polska flota, jej operowanie poza Bałtykiem będzie w pełni zależne od nastawienia państw kontrolujących Cieśniny Duńskie. Budowa floty jest bardzo kosztowną inwestycją, dlatego odnosząc koszty do spodziewanych efektów, należy założyć, iż posiadanie licznej i kosztownej floty, zwłaszcza nawodnej, nie będzie miało sensu, jeśli chodzi o operacje poza Bałtykiem. Zobowiązania sojusznicze Polska może wypełniać, wykorzystując na przykład silne i nadające się do uniwersalnego zastosowania lotnictwo lub wojska specjalne. W innym wypadku jakakolwiek obecność morska Polski poza Bałtykiem ma wymiar jedynie symboliczny (i polega na wywieszeniu bandery).

Podnoszona czasem kwestia zabezpieczenia dostaw gazu skroplonego wydaje się raczej mrzonką. W sytuacji otwartej wojny tego typu zadanie i tak będzie praktycznie niemożliwe do wykonania własnymi siłami. Bezpieczeństwo energetyczne w wypadku klasycznej wojny będzie zależało od zmagazynowanych rezerw. Do zabezpieczenia dostaw przed działaniami terrorystycznymi nie są zaś potrzebne wielozadaniowe wyposażone w zaawansowane uzbrojenie czy niewidoczne dla radarów okręty nawodne.

Zdolności marynarki wojennej – wnioski

- Bałtyk z punktu widzenia wojskowego jest morzem zamkniętym. Polska marynarka wojenna wyposażona w nowoczesne środki bojowe powinna skoncentrować się na tym akwenie. Jeśli przyjąć dla sił morskich priorytet związany z obroną linii wybrzeża i kontrowaniem działań morskich przeciwnika, nie potrzeba rozbudowywać floty, zwłaszcza nawodnej, w celu prowadzenia operacji poza Bałtykiem oraz intensywnych operacji na pełnym Bałtyku. Jest to nieopłacalne ekonomicznie i wojskowo, a politycznie niesie niewystarczające zyski. Budowa i utrzymanie dużej floty, szczególnie nawodnej, sporo kosztuje. Polityczne zobowiązania sojusznicze mogą być wypełniane przez polskie siły powietrzne lub siły specjalne.

- Także udział w sojuszniczej operacji pomocy państwom bałtyckim nie musi oznaczać konieczności posiadania przez Polskę licznej floty nawodnej ani tym bardziej okrętów projekcji siły. Polska marynarka wojenna nigdy nie będzie wystarczająco silna, aby sprostać takiemu zadaniu samodzielnie. Nie kalkuluje się to w wymiarze koszt–efekt.

- W wypadku konieczności stoczenia wojny obronnej samotnie lub w koalicji w oparciu o NATO lub bez takiego oparcia Bałtyk przestanie być pomocniczym, drugorzędnym teatrem jedynie w wypadku łącznego spełnienia dalszych przesłanek: utrzymania niepodległości Łotwy, Litwy i Estonii oraz zdolności do obrony wybrzeża Estonii, uzyskania przychylności Szwecji i Finlandii lub, optymalnie, zawiązania sojuszu wojskowego z tymi krajami oraz niedopuszczenia do wykorzystania przez rosyjskie siły zbrojne terytoriów Białorusi i Ukrainy do wojny z Polską. Istotne dla bilansu strategicznego jest także zapewnienie neutralności lub przychylności Niemiec.

- Należy rozbudować zdolności naszej marynarki wojennej do prowadzenia wojny minowej poprzez wdrożenie do służby okrętów do tego służących, jak również cechujących się zdolnością współpracy z robotami i dronami. Niezwykle ważną kwestią jest uzgodnienie planów wojny minowej z państwami bałtyckimi i nordyckimi.

- W związku z małym prawdopodobieństwem zaistnienia zarysowanych wyżej przesłanek, które pozwoliłyby na zamknięcie sił rosyjskich w Zatoce Fińskiej, najbardziej zasadne jest skuteczne funkcjonowanie i gotowość bojowa mobilnego, nabrzeżnego dywizjonu rakietowego. System ten umożliwia Polsce kontrolę z wybrzeża ruchu statków i okrętów na południowym i zachodnim Bałtyku oraz wszelkiego ruchu okrętów wychodzących z portów obwodu kaliningradzkiego. Uzasadnione jest rozważenie zakupu i wprowadzenia do służby dodatkowych wyrzutni i rozwinięcie systemu świadomości sytuacyjnej na duże odległości pozwalającego wykorzystać potencjał pocisków poza linią horyzontu. Personel dywizjonów powinien być w pełni ukompletowany, w wysokiej gotowości bojowej i nieustannie ćwiczyć operacje obronne oraz uderzeniowe na cele lądowe i morskie przeciwnika; powinien także ćwiczyć maskowanie oraz przemieszczanie się baterii rakietowych z jednoczesnym zwodzeniem środków rozpoznania przeciwnika. Stanowiska obrony powietrznej ulokowane na wybrzeżu i nowoczesne, mobilne, nabrzeżne siły rakietowe są na małym morzu, jakim jest Bałtyk, swoistym zamiennikiem dla wymagających nasycenia personelem i sprzętem dużych uderzeniowych okrętów nawodnych, w tym nawodnych okrętów rakietowych, które stanowią jednocześnie wrażliwy cel dla przeciwnika.
- Pożądana byłaby zdolność lotnictwa wielozadaniowego lub dużych dronów do prowadzenia działań morskich. To łączyć się winno z adekwatnym szkoleniem i posiadaniem platform o optymalnym promieniu działania około 1000 km, a zatem większym niż ten, w jakim aktualnie mogą działać siły. Platformy takie powinny być przystosowane do prowadzenia wojny morskiej oraz dodatkowo posiadać zdolności do

wykonywania uderzeń za pomocą trudno wykrywalnych pocisków samosterujących dalekiego zasięgu.

- Możliwość korzystania przez armię rosyjską z terytorium białoruskiego, nie mówiąc już o ukraińskim, właściwie wyklucza plan wykorzystania dla naszych działań Bałtyku. Działania na morzu nie będą miały istotnego znaczenia dla przebiegu operacji wojskowych prowadzonych w samym centrum grawitacyjnym i strategicznym konfliktu, które to centrum przeniesie się na obszar stricte lądowy, pomiędzy położoną 190 km na wschód od Warszawy granicą białoruską a samą Warszawą, z uwzględnieniem ewentualnej dodatkowej rozgrywki związanej z istnieniem lądowego korytarza przez przesmyk suwalski.

JACEK BARTOSIAK

POLSKIE ZDOLNOŚCI KOSMICZNE

Potrzeba strategii kosmicznej

Rozpoczyna się na naszych oczach rewolucja w kosmicznej domenie aktywności człowieka wywołana przełomem technologicznym realizowanym przez nowych przedsiębiorców New Space i w równym stopniu rozpędzającą się rywalizacją hegemoniczną chińsko-amerykańską z udziałem Rosji – również jako potęgi kosmicznej jeszcze z racji osiągnięć czasów sowieckich. To jest właśnie ten moment, w którym Polska powinna stanąć na wysokości zadania i niezwłocznie przyjąć strategię związaną z własnymi docelowymi zdolnościami kosmicznymi. Armia Nowego Wzoru musi takie zdolności uwzględniać.

Proponujemy, aby poniżej zdefiniowane zdolności kosmiczne stały się elementem systemu Armii Nowego Wzoru i umożliwiły zagranie w pierwszej lidze państw (jeśli nawet nie w ekstraklasie, to jednak w pierwszej lidze), z czym wprost będzie się wiązało nasze bezpieczeństwo. Lapidarnie rzecz ujmując, bezpieczeństwo w XXI wieku zależy bowiem od zdolności do działania na precyzyjnym polu walki i wystawienia własnego kompleksu rozpoznawczo-uderzeniowego, a one zależą od zdolności kosmicznych.

Jeśli nie zrobimy tego teraz, to z czasem staniemy się państwem trzecioligowym. Ujmując to inaczej, będziemy tylko petentem i klientem tych, którzy zdolności kosmiczne będą posiadali. Bez ich zgody nie będzie naszego systemu świadomości sytuacyjnej, naszego kompleksu rozpoznawczo-uderzeniowego, nie będzie możliwe precyzyjne pole walki. Nie mówiąc już o innowacyjnym rozwoju gospodarczym. To jest cena braku decyzji o powstaniu Armii Nowego Wzoru i budowie jej komponentu w dziedzinie zdolności kosmicznych.

Jak już pisaliśmy wyżej, obszar na wschód od Warszawy w kierunku Smoleńska w Rosji tworzy doskonałą autostradę dla ruchu wojskowego przez rozległe i łatwo skomunikowane równiny Białorusi. Ten obszar wymaga stałego rozpoznania (widzenia, słuchania, podsłuchiwania, wywiadu elektronicznego) ze względu na obawę, że wykorzystanie przez Rosjan strategicznego zaskoczenia może zagrozić stolicy Polski. Może też pozbawić nasz kraj cennego czasu, który przekłada się na możliwość podjęcia działań niezbędnych do przygotowania się do konfliktu, wszelkich czynności zapobiegawczych, prewencyjnych, ewentualnie wojskowych działań wyprzedzających, reakcji dyplomacji lub po prostu przygotowania społeczeństwa do wojny. Dlatego odpowiednie rozpoznanie tego kierunku i gromadzenie wiedzy o wszystkim, co się tam dzieje, wiąże się z żywotnym interesem Rzeczypospolitej i jest obowiązkiem jej przywódców.

Konstelacje satelitów obserwacyjnych funkcjonujących w paśmie widzialnym, uzupełniane przez satelity z obrazowaniem radarowym i w podczerwieni, poruszające się na stosownych orbitach w skoordynowanych odstępach tzw. okien obserwacyjnych między Wisłą a Dnieprem i Dźwiną, połączone z centrami dowodzenia i przetwarzania danych (bez pośredników zagranicznych) zlokalizowanymi w Polsce (najlepiej kilkoma w różnych miejscach kraju), są absolutną koniecznością w kraju o takim potencjale, PKB i takim położeniu geopolitycznym.

Bez tego trudno mówić o samodzielnym zapewnianiu sobie elementarnego bezpieczeństwa w dobie rywalizacji wielkich mocarstw w Eurazji. Warszawscy decydenci nie mogą pozostać obojętni na to, co się dzieje na całym tym obszarze, który wielokrotnie był historyczną autostradą przerzutu wojsk z Moskwy do Warszawy.

O co chodzi z kosmosem

Twórcy systemu Armii Nowego Wzoru powinni sobie zatem postawić trzy podstawowe cele:
1. zapewnić polską obecność w komosie, czyli posiadać zdolności kosmiczne (jakkolwiek buńczucznie to brzmi);
2. zarządzać samodzielnie umieszonymi tam sensorami i zbieranymi przez nie danymi, czyli nie tylko posiadać, ale także w pełni kontrolować własne zdolności kosmiczne;

3. zapewnić zdolności transportowe na orbity okołoziemskie, zarówno poprzez starty wertykalne (rakiety startują z naziemnych stanowisk w celu wyniesienia ładunków poza linię Kármána), jak i horyzontalne (rakiety wynoszące są najpierw wynoszone przez samoloty, które potem odpalają na dużej wysokości rakiety, które z kolei wynoszą w ten sposób na orbitę ładunki i dzieje się to z pominięciem najbardziej kłopotliwego dna studni grawitacyjnej).

Można sobie wyobrazić porty kosmiczne w okolicach Ustki czy stanowiska startowe dla horyzontalnych startów nad morzem, a nawet (jak chcą obecnie polscy politycy) – po spełnieniu jednak pewnych warunków – na Podkarpaciu lub w innych miejscach Polski, aby był wystarczająco długi pas startowy (obecnie 3000 m) dla dużych samolotów nosicieli rakiet wynoszących.

Polska powinna rozwijać zdolności wynoszenia dla małych wagomiarów ładunków, za to bardzo często, o dużej redundantności, czyli zastępowalności – w razie uszkodzenia, zniszczenia lub awarii. Przez częste wynoszenie (czyli uzyskanie elastyczności i responsywności strategicznej) rozumiemy wynoszenie nawet 10–20 satelitów w ciągu dwóch–czterech tygodni.

Taka jest tendencja w US Space Force. Im więcej startów, choćby skromnych wagomiarowo, tym lepiej. W przyszłości możliwe będą starty z ruchomych platform morskich czy nawet lądowych, lecz mobilnych; nie należy wykluczać także innych sposobów wynoszenia obiektów na orbity, zgodnie z rozwojem naukowym ludzkości[82].

To oczywiste, że nie ma świadomości sytuacyjnej, nowoczesnej bitwy zwiadowczej, wojny nawigacyjnej czy operacji wielodomenowej na współczesnej wojnie bez własnych zdolności kosmicznych. Amerykanie posuwają się nawet do twierdzenia, że 90% ich zdolności do sprawnego poruszania się

---

[82] Zobacz więcej Jacek Bartosiak, George Friedman, „Wojna w kosmosie. Przełom w geopolityce", Warszawa 2021.

w pętli decyzyjnej i do sprawnego działania systemów broni precyzyjnej zależy od systemów umieszczonych w kosmosie służących do obserwowania, namierzania, naprowadzania efektorów i zapewniania należytego skomunikowania pętli decyzyjnej.

Innymi słowy, transmisja z kosmosu i przez kosmos danych, umożliwiających prowadzenie nowoczesnej wojny, jest podstawową zdolnością niezbędną do wygrywania. Nawet w razie jej zakłócenia w pierwszych minutach wojny dane zgromadzone podczas obserwacji pokojowych dalej napędzają system wojny. W przyszłości redundantność (taka jest tendencja) i rosnąca liczba systemów w kosmosie uczynią ostateczne zagłuszenie czy zniszczenie całego systemu trudniejszym.

Zadania dla Polski

Polska musi sobie postawić zadania w obszarach zainteresowania kosmosem:

1. Rozumienie, co się dzieje w kosmosie, czyli zapewnienie sobie orientacji kosmicznej na orbitach i w przesyłach danych (tzw. kontrola manipulowania niebiańskimi niefizycznymi liniami komunikacyjnymi) oraz zapewnienie sobie dzięki temu precyzji na polu walki. Precyzja zależy od sensorów i sposobu przesyłu danych zapewniających świadomość sytuacyjną. Ich działanie i jakość są determinowane jakością usługi kosmicznej. Jej wysoka jakość daje należyte rozpoznanie, wykrywanie, namierzanie, naprowadzanie, podsłuchiwanie, celowanie, komunikację itp.

2. Należyty i niezależny dostęp do usług kosmicznych ze względu na potrzebę:
   - posiadania własnego ISR (Intelligence, Surveillance, Reconaissance), czyli zbierania informacji z wywiadu, nasłuchu i rozpoznania,
   - dostępu do usługi nawigacyjnej,

- zapewnienia usług telekomunikacyjnych,
- wczesnego ostrzegania przed zagrożeniami,
- dostępu do ważnych informacji, na przykład meteorologicznych i innych danych tego rodzaju związanych z naturą wszechświata, a służących do prowadzenia nowoczesnej wojny.

Musimy sobie otwarcie i uczciwie odpowiedzieć na pytanie, które z tych usług zapewniamy sobie w Polsce sami i do jakiego stopnia możemy się zgodzić na zależność od innych państw w tym zakresie.

Kluczowy zatem jest poziom autonomii, która polega na tym, że sami te systemy budujemy, wynosimy na orbity, potem utrzymujemy i uzupełniamy, dowodzimy nimi i naprawiamy, kontrolując przy tym przesyłanie danych, zajmując się ich gromadzeniem i analizowaniem. Musimy to dobrze przemyśleć, mając na uwadze zawsze mniej lub bardziej ograniczone możliwości finansowe i organizacyjne.

Naszym zdaniem:

- Zdolności ISR powinniśmy mieć całkowicie własne i niezależne od nikogo.
- Zdolności do usługi nawigacyjnej będzie bardzo trudno uzyskać samodzielnie, więc powinniśmy poszukiwać redundancji: oprócz GPS należy używać Galileo, Beidou i innych systemów, na tyle, na ile umożliwiają to uwarunkowania polityczne. Niezależnie od tego musimy już teraz szukać systemów nawigacji niezależnych od kosmosu (i tym samym od woli wielkich mocarstw kosmicznych), jak system inercyjny lub inne, które zostaną opracowane w przyszłości.

Musimy zacząć tworzenie zdolności do wojny precyzyjnej od podjęcia wyzwania w wojnie nawigacyjnej. Należy przez to rozumieć na przykład pozyskanie zdolności, by rozpoznawać jakość sygnału GPS, pozyskać mapy zakłóceń sygnałowych przeciwnika, rozeznać podejście Amerykanów do zmiennej mocy sygnału i zakłócania sygnału amerykańskiego GPS nadawanego ze średniej orbity okołoziemskiej (MEO). Możemy na przykład zaplanować trasy, gdzie możemy określić, że jakość sygnału GPS na nich nas zadowala albo odwrotnie – nie zadowala; będziemy dzięki temu wiedzieć, gdzie są „oazy transmisyjne" wolne od oddziaływania wroga, bo przetestujemy je jeszcze w czasie pokoju. Przy okazji warto wiedzieć, że sygnał wojskowego (nie do użytku cywilnego) GPS kupuje się w ramach FMS. Jest to sygnał wyższej jakości niż cywilny, do tego w razie operacji wojskowych w danym regionie Amerykanie zakłócają cywilne transmisje GPS, przesuwając siatkę sygnałową na przykład o 700 metrów w bok. Oprócz tego mają także możliwość wprowadzenia specjalnego wygenerowanego i kodowanego błędu do sygnału wojskowego GPS i tylko sobie pozostawiają klucz dekodujący ten błąd. W tym duchu zresztą musimy umieć codziennie oceniać jakość usług satelitarnych oraz kosmicznych i umieć sprawdzać, czy nam ktoś skrycie nie obniża jakości sygnału.

- Jeśli chodzi o zdolności telekomunikacyjne, należy nieustannie, mozolnie i konsekwentnie budować coraz większe zdolności własne, tak by za 10–15 lat mieć elementy, które już w pełni sami będziemy kontrolować. Pamiętajmy: era nowej domeny działalności człowieka, jaką staje się kosmos, dopiero się rozpoczyna; daje to szanse państwom średnim, takim jak Polska.
- Jeśli chodzi o wczesne ostrzeganie, to gdy zagrożenie pochodzi z naszego obszaru lub z obszaru sąsiedniego czy jest zlokalizowane w naszym regionie bezpieczeństwa, cały system wykrywania takiego zagrożenia powinien należeć wyłącznie do nas.

Gdy zagrożenie dotyczy całego świata lub większego obszaru (rakiety balistyczne i hipersoniczne mają teraz globalne zasięgi) – powinniśmy wystawiać takie zdolności razem z sojusznikami. Nie mamy tu jednak na myśli sztywnych sojuszy kolektywnych, ale raczej porozumienia z państwami myślącymi podobnie o potencjalnych zagrożeniach, państwami, które są w podobnej sytuacji geopolitycznej i mają podobne horyzonty patrzenia. Albo których geografia ziemska sprzyja usytuowaniu właśnie w nich systemów kontroli sensorów kosmicznych ze względu na źródło zagrożenia i zasady astrofizyki lub wskutek takiego, a nie innego przebiegu fizycznych i niefizycznych niebiańskich linii komunikacyjnych łączących miejsca startowe lub przesyłowe z systemami w kosmosie.

Tak zresztą robią na przykład Amerykanie. Ściśle współpracując z Australią czy wyspami południowego Pacyfiku – wykorzystują oni geografię i brak sprzeczności geopolitycznych. Z takimi partnerami powinniśmy i my budować infrastrukturę kosmiczną związaną z wykrywaniem zagrożeń, a potem wspólnie z niej korzystać.

Dostęp do danych ze wszechświata, które mogą wpłynąć na wojnę, przerasta nasze możliwości, choćby były nie wiadomo jak potężne. Zatem wymaga już koordynacji globalnej architektury kosmicznej, tak dla cywilnego rozwoju, jak dla wojny. W wypadku wojny oczywiście tylko w ramach wojskowych bloków sojuszniczych. Przy czym porozumienia w tym zakresie będą miały znaczenie dla udziału Polski w podbijaniu kosmosu i rozwoju technologii kosmicznych, w tym w tworzeniu gospodarki kosmicznej i powstawaniu łańcucha wartości tej gospodarki (w którym chcemy wziąć udział jak w nowym skomunikowaniu przyszłości). Musimy zatem być w kosmosie i realizować tam własne zdolności, by nie spaść do trzeciej ligi państw.

Pozostaje pytanie, jak w szczegółach rozpisać scenariusz budowy dostępu do wszystkich powyższych usług kosmicznych.

Zdolności antysatelitarne

Nasuwa się następująca refleksja: współczesne satelity mogą mieć rozbudowane zdolności do śledzenia poczynań satelitów przeciwnika na orbitach. Niektóre mogą mieć wbudowane zdolności do wyłączania transmisji wrogim satelitom, co może utrudniać Rosjanom uzyskanie dominacji w zakresie świadomości sytuacyjnej. A przynajmniej wywołać ich niepewność. Rosjanie są bardzo wrażliwi na takie działania, ponieważ ich systemy C2 i C5 służą zarówno do wojny konwencjonalnej, jak i nuklearnej. To dawałoby Polsce możliwość (do pewnego przynajmniej stopnia) kontroli horyzontalnej eskalacji na wypadek wojny z Rosją, co może być w interesie Polski w razie ataku ze strony Rosji – może stworzyć okazję do wciągnięcia do wojny Amerykanów, którzy bez tego mogą nie mieć ochoty na włączenie się w nią. Nie należy ponadto zapominać, że dokonuje się rozwój systemów uzbrojenia kierowanej energii (m.in. lasery i wiązki mikrofal), w tym w kosmosie, do czego przyznał się w czerwcu 2021 roku podczas przesłuchania w Kongresie dowódca US Space Force. Koszty takich systemów będą się zmniejszać i może się kiedyś o nie pokusimy.

Innymi słowy, nie musi być tylko tak, że systemy antysatelitarne, czy to do rażenia z powierzchni planety, czy ponad nią – z innych orbit – są tylko i na zawsze zarezerwowane dla bogatych mocarstw. Systemy te dzielą się bądź na *hard kill* – kinetycznie niszczące cel (są raczej drogie i wciąż skomplikowane technologicznie) i *soft kill*, które eliminują cel niekinetycznie – oddziaływaniem elektromagnetycznym, elektronicznym lub fizycznym zbliżeniem, podczas którego niszczą sensory lub wytrącają z orbit w trakcie niby pomyłkowego zderzenia lub kolizji (tańsze, coraz prostsze technologicznie), i których postępującej proliferacji należy się spodziewać.

Pojazdy orbitalne, najczęściej wyglądające jak regularne satelity, zwane stalkerami, jako systemy *soft kill* umożliwią też wywoływanie strategicznej niejasności, czy atak był celowy i czy właściwie naprawdę do niego doszło (a nie był to tylko wypadek). Nie zawsze wiadomo nawet, kto za takim atakiem stoi. Dla państw średnich, jak Polska, które będą starać się zwiększać państwom takim jak Rosja koszty narzucenia Polsce swojej

Nie ma świadomości sytuacyjnej, nowoczesnej bitwy zwiadowczej, wojny nawigacyjnej czy operacji wielodomenowej na współczesnej wojnie bez własnych zdolności kosmicznych woli politycznej przez zachwianie ich pewności co do dominacji eskalacji przemocy (dzięki domniemanej przewadze rosyjskiego kompleksu rozpoznawczo-uderzeniowego wynikającego także z systemów rosyjskich w kosmosie), będzie to rozwiązanie idealne. Zresztą w kosmosie sens mają przede wszystkim działania ofensywne, a nawet wyprzedzające ruch przeciwnika. Dzieje się tak ze względu na naturę dominacji informacyjnej, prędkość jej przesyłu w kosmosie oraz właściwości fizyczne kosmosu.

Duża polityka i zmiany kulturowe

Wraz z rosnącym znaczeniem systemów w kosmosie i postępującą rywalizacją wielkich mocarstw skutki dużej polityki będą coraz wyraźniej odczuwalne. Pojawią się proponowane przez mocarstwa dominujące swoim państwom klientom (zabiegającym o gwarancje bezpieczeństwa gwaranta i umożliwiany przez niego dostęp do ważnych rynków) integratory zdolności kosmicznych, tak dla prowadzenia biznesu, jak dla prowadzenia wojny, w tym systemy wynoszenia, regulacje kształtujące rynek kosmiczny i zasady działania na nim (jak już teraz Artemis Accords). Spowoduje to najpierw powstanie łańcucha wartości, a potem jego podział.

Przed Polską trudne zadanie zbudowania środowiska intelektualnego, mentalnego i kulturowego, które sprzyjałoby wykorzystywaniu przestrzeni kosmicznej w Siłach Zbrojnych RP i w ogóle w całym systemie odporności państwa. Rozumienie znaczenia kosmosu oraz realnych możliwości wykorzystania go przez państwo takie jak Polska wydaje się pozostawać obecnie poza zdolnościami poznawczymi lub rozumieniem klasy politycznej, a nawet szeroko pojętych elit państwowych Rzeczypospolitej. Czas zatem na zmiany kulturowe wprowadzane wraz z Armią Nowego Wzoru.

Społeczeństwo zapewne też nie wierzy w takie – wydawałoby się – „cuda", abyśmy mogli realnie potrzebne zdolności kosmiczne osiągnąć i aby Armia Nowego Wzoru mogła z nich korzystać na co dzień. To wymagałoby również kształcenia wielkiej liczby personelu, nowej organizacji i przełamania wielu starych zwyczajów.

Innymi słowy, potrzebna jest zmiana kulturowa.

Polskie Centrum Sił Kosmicznych

Polskie Centrum Dowodzenia i Zdolności Kosmicznych, które śmiało i bez fałszywej skromności można w przyszłości nazwać Centrum Sił Kosmicznych spinającym *uplink* i *downlink* (czyli przesył danych z Ziemi na orbity i z powrotem i sterowanie systemem naszych obiektów w kosmosie), to segment naziemny sił kosmicznych RP, który jest kluczowym elementem kontroli zdolności kosmicznych. Przesyłać ono będzie wielkie ilości danych w obie strony i potem poziomo już do połączonego systemu świadomości sytuacyjnej Armii Nowego Wzoru, zapewniając zdolności do ich stosownego przetwarzania i rozkazodawstwa dla systemów kosmicznych.

Musi się składać ze:

a) stacji głównej,

b) stacji redundantnej (rezerwowej, zastępczej w razie wyeliminowania głównej),

c) stacji mobilnej, trudnej do namierzenia przez przeciwnika na Ziemi.

Należy pamiętać, że w razie wojny będą to obiekty, które natychmiast staną się celem ataku Rosji (jeśli pozyskamy oczywiście zdolności kosmiczne, z którymi Rosja będzie się liczyć). Taki atak, gdyby był skuteczny, od razu wyeliminowałby nasze zdolności kosmiczne, a zatem zapewne sporą część naszego kompleksu rozpoznawczo-uderzeniowego Armii Nowego Wzoru i jej system świadomości sytuacyjnej, bo Centrum Sił Kosmicznych byłoby sercem tego kompleksu.

Polskie zdolności kosmiczne

Duża polityka i zmiany kulturowe

Wraz z rosnącym znaczeniem systemów w kosmosie i postępującą rywalizacją wielkich mocarstw duża polityka coraz bardziej da się odczuć.

Pojawią się proponowane przez mocarstwa dominujące swoim państwom klientom (zabiegającym o gwarancje bezpieczeństwa gwaranta i umożliwiany przez niego dostępy do ważnych rynków) integratory zdolności kosmicznych – tak dla prowadzenia biznesu, jak i prowadzenia wojny, w tym systemy wynoszenia, regulacje kształtujące rynek kosmiczny i zasady działania na nim (jak już teraz Artemis Accords), co wywoła najpierw powstanie, a potem podział powstałego łańcucha wartości.

Kupując urządzenia i systemy do funkcjonowania Centrum Sił Kosmicznych, trzeba wiedzieć, od kogo je kupować, i dobrze się nad tym zastanowić. Zalecamy, by tak związać zagranicznego dostawcę systemów do funkcjonowania Centrum, by w razie zniszczenia naszych stacji *downlinku* i *uplinku* można było korzystać z naziemnych stacji dostawcy na jego własnym terytorium, aby dalej mieć zdolność do operowania naszymi systemami w kosmosie.

Tak funkcjonujące Centrum Sił Kosmicznych będzie integratorem zdolności kosmicznych na wszystkich „stykach" usług i zdolności niezbędnych do prowadzenia operacji kosmicznych, wraz z kontrybucją do całościowego, połączonego systemu Armii Nowego Wzoru. Centrum umożliwi reagowanie na zagrożenia, umożliwi też ocenę zachowania przeciwników i sojuszników. Tam będzie się dokonywała integracja wiedzy i zarządzanie transmisjami wpiętymi w jeden system świadomości sytuacyjnej Armii Nowego Wzoru będący de facto sercem kompleksu rozpoznawczo-uderzeniowego i bramą do przyszłości rozwoju gospodarczego i innowacji technologicznej.

Polskie zdolności kosmiczne

Tak funkcjonujące Centrum Sił Kosmicznych będzie integratorem zdolności „kosmicznych" na wszystkich „stykach" usług i zdolności niezbędnych do prowadzenia operacji kosmicznych, wraz z kontrybucją do całościowego, połączonego systemu Armii Nowego Wzoru.

Centrum umożliwi konkretne reagowanie na zagrożenia i ocenę zachowań przeciwników i sojuszników.

Tam będzie się dokonywała integracja wiedzy i zarządzenie transmisjami wpiętymi w jeden system świadomości sytuacyjnej Armii Nowego Wzoru będący de facto sercem kompleksu rozpoznawczo--uderzeniowego i bramą do przyszłości rozwoju gospodarczego i innowacji technologicznej.

MAREK STEFAN,
JAKUB KRAWCZYK,
JAKUB PASZTELENIEC,
PIOTR WOŹNIAK

OFICER ARMII
NOWEGO WZORU

W koncepcji Armii Nowego Wzoru kluczowym, a kto wie, czy nie najważniejszym, elementem jest człowiek. To u żołnierzy, a w szczególności u oficerów wojska polskiego, musi się dokonać rewolucja mentalna, która przygotuje ich do wyzwań, jakie stawia przed nimi wojna nowej generacji.

Wśród zmian zachodzących we współczesnych konfliktach, które w sposób znaczący powinny wpłynąć na metody i narzędzia stosowane do szkolenia kadry oficerskiej Sił Zbrojnych RP, są m.in.:

- Zacieranie się granic między stanem wojny i pokoju, kiedy kinetyczna faza konfliktu jest relatywnie krótka i intensywna, a sam konflikt w wymiarze szerszym niż stricte wojskowy ma często charakter przewlekły i zdominowany przez działania niemające charakteru militarnego.

- Rosnąca rola domeny informacyjnej i obiegu informacji, zarówno zewnętrznego w postaci relacji medialnych z trwającego konfliktu i związanych z tym strategii narracyjnych przeciwnych stron, jak również wewnętrznego, rozumianego jako sprawne funkcjonowanie pętli decyzyjnej opartej na modelu OODA, który uwzględnia przepływ informacji między strukturami wojskowymi od szczebla taktycznego przez operacyjny aż po strategiczny z udziałem decydentów politycznych.

- Rosnąca rola morale jako punktu ciężkości konfliktów, które z powodu wspomnianych wyżej czynników umożliwiających prowadzenie wyrafinowanych operacji psychologicznych podlega w czasie ich trwania (nie tylko w fazie kinetycznej!) nieustannej presji obliczonej na złamanie morale (i w konsekwencji kaskadowy jego upadek w obrębie sił zbrojnych przekonanych, że są stroną przegrywającą w konflikcie).

- Kluczowe znaczenie łańcuchów dowodzenia (C2), które im bardziej skoncentrowane i posiadające strukturę pionową, tym mocniej narażone na przerwanie i zakłócenia, które natychmiast wpłynąć mogą na końcowy efekt konfliktu.

Kolejne militarne rozwiązania technologiczne w obszarze spektrum elektromagnetycznego czy cyberprzestrzeni sprawiają, że przez ostatnie dwie dekady skokowo wzrosły możliwości prowadzenia skutecznego ataku na wrogie systemy C2 przy jednoczesnym nie tak szybkim wzroście możliwości obronnych w wyżej wymienionych domenach. W konsekwencji potencjalny konflikt symetryczny prowadzony przez państwa na zbliżonym poziomie zaawansowania technologicznego prawdopodobnie wiązać się będzie z nieustannymi próbami zakłócania wrogich systemów dowodzenia i kontroli.

Konsekwencją tego stanu rzeczy jest współczesny trend w sztuce wojennej do decentralizacji C2, co wiąże się nieodzownie ze zwiększoną odpowiedzialnością dowódców szczebla taktycznego – batalionu, kompanii czy plutonu.

- Istotna rola manewrowości i szybkości w podejmowaniu decyzji. Nieodzownym elementem powodzenia każdej operacji militarnej prowadzonej współcześnie przez dane państwo jest zgranie sprawnego i działającego możliwie niezależnie od sił zewnętrznych (w tym nawet od sojuszników) systemu świadomości sytuacyjnej oraz efektorów, tworzących razem kompleks rozpoznawczo-uderzeniowy. Ta ewolucja na współczesnym polu walki premiuje inicjatywę i zdolność oficerów do szybkiego podejmowania decyzji, które w coraz większym stopniu bazować będą na informacjach zbieranych i dostarczanych przez zaawansowane systemy technologiczne oparte na sztucznej inteligencji.

Powyższy opis nie wyczerpuje tematu zmian zachodzących we współczesnych konfliktach, ale wskazuje na te, które w sposób bezpośredni wpływają czy będą wpływać na sposoby i metody szkolenia oficerów Sił Zbrojnych RP. Razem z powyższymi zmianami ewoluuje oczekiwany model oficera, który w Armii Nowego Wzoru będzie musiał mieć zdolność do krytycznego myślenia i samodzielnego podejmowania decyzji. Czasy, gdy

W koncepcji Armii Nowego Wzoru najważniejszym elementem jest człowiek

To u żołnierzy, a w szczególności u oficerów Wojska Polskiego, musi się dokonać rewolucja mentalna, która przygotuje ich do wyzwań, jakie stawia przed nimi wojna nowej generacji i zmiana charakteru pola walki.

żołnierze ślepo wykonują rozkazy bez możliwości wykazania inicjatywy, bezpowrotnie odeszły, tym samym w kształceniu młodych kadr dowódczych należy położyć nacisk na inne elementy.

W koncepcji Armii Nowego Wzoru najważniejszym elementem jest człowiek. To u żołnierzy, a w szczególności u oficerów Wojska Polskiego, musi się dokonać rewolucja mentalna, która przygotuje ich do wyzwań, jakie stawia przed nimi wojna nowej generacji i zmiana charakteru pola walki.

Powyższy opis wstępny prowadzi nas do następujących wniosków:

1. Już na początkowych etapach szkolenia w akademiach wojskowych kluczowym zadaniem tychże placówek oraz kadry będzie odpowiednie przygotowanie przyszłych oficerów Sił Zbrojnych RP do funkcjonowania we współczesnym sieciowym środowisku informacyjnym. Przygotowanie to powinno uwzględniać:
   - rozwój umiejętności krytycznego myślenia, odbioru i selekcji informacji, z którymi stykają się na co dzień wszyscy użytkownicy sieci, i kształtowanie odporności na szum informacyjny,
   - szkolenia z zakresu działań i technik obrony przed wrogimi działaniami psychologicznymi,
   - szkolenia kontrwywiadowcze obejmujące m.in. umiejętne i bezpieczne korzystanie z portali społecznościowych.

2. Akademie wojskowe powinny stać się przede wszystkim kuźnią przyszłych kadr Sił Zbrojnych RP, wykazujących się bardzo wysokim morale i silną postawą patriotyczną, których fundamentem będzie znajomość przynajmniej podstaw polskiej kultury strategicznej i dorobku myśli wojskowej Rzeczypospolitej. To powinno się wprost przekładać na wychowanie i edukację studentów w akademiach wojskowych w duchu „kultury zwycięstwa" i, szczególnie w pierwszym okresie wprowadzania zmian, na odejście od bezkrytycznego

aplikowania czy wręcz kopiowania na polski grunt wzorców zaczerpniętych z obcych sił zbrojnych.

Ważne będzie także zbudowanie wśród podchorążych świadomości podstawowych współczesnych realiów strategicznych, wynikających m.in. z takiego, a nie innego położenia geopolitycznego Polski.

W planach kształcenia w akademiach wojskowych powyższe wnioski mogłyby zostać uwzględnione w postaci:

- Kursu z zarysu polskiej myśli strategicznej i wojskowej – historii polskiej sztuki wojennej.
- Zajęć z przywództwa prowadzonych na podstawie analizy życiorysów wybitnych polskich przywódców wojskowych – przebiegu służby i dorobku (przede wszystkim w zakresie taktyki i sztuki operacyjnej, a także podejścia do zagadnienia przywództwa). Co istotne, należałoby tę świadomość własnej historii w zakresie wojskowości budować na przykładach tych dowódców, którzy osiągali realne zwycięstwa w boju, a nie tylko chwalebnie oddawali życie za ojczyznę. Mówiąc wprost, podchorążych należy szkolić w duchu myśli generała Pattona, który stwierdził kiedyś, że „wojna nie polega na umieraniu za własną ojczyznę, ale na tym, by tamci frajerzy umierali za swoją".

Na tym powinna być budowana „kultura zwycięstwa".

- Kursu z podstaw strategii i stosunków międzynarodowych, który już na etapie studiów budowałby świadomość miejsca i znaczenia sił zbrojnych w strukturach państwa, dla którego są one narzędziem realizacji celów politycznych. Chodzi w tym miejscu o zbudowanie wśród przyszłych oficerów świadomości, że w przyszłości będą służyć określonym celom, a świadomość sytuacji geostrategicznej w regionie i w świecie powinna budować świadomość powagi wyzwań i zadań stojących przed siłami zbrojnymi w nadchodzących latach. Mówiąc krótko, należy kandydatom na przyszłych oficerów uświadomić, w jakich realiach bezpieczeństwa przyjdzie im najprawdopodobniej służyć ojczyźnie oraz w jaki sposób swoją służbą będą się przyczyniać do poprawy bezpieczeństwa państwa. Z pewnością dla części z nich będzie to „zimny prysznic" i powód do zmiany dalszej ścieżki edukacji i rozwoju zawodowego.

- Biorąc pod uwagę współczesne wyzwania strategiczne stojące przed Polską w postaci realnego zagrożenia konfrontacją z Federacją Rosyjską czy państwami satelickimi Moskwy, należałoby w ramach programu nauczania na akademiach wojskowych położyć większy nacisk na kursy i szkolenia językowe, ze szczególnym uwzględnieniem języka rosyjskiego (w wypadku AWL nauka tego języka mogłaby być obowiązkowa na specjalności związanej z rozpoznaniem).
- Należałoby także położyć większy nacisk na kursy z zakresu znajomości taktyki pododdziałów sił zbrojnych Federacji Rosyjskiej, rosyjskiej sztuki operacyjnej i podstaw myśli strategicznej, by poznać najważniejsze elementy kultury strategicznej potencjalnego przeciwnika.
- W proces szkolenia podchorążych już od pierwszego roku należy wdrażać elementy gier wojennych (najlepiej poziomu taktycznego i operacyjnego), których celem miałoby być wypracowywanie umiejętności podejmowania decyzji i inicjatywności na polu walki. Renesans w zakresie stosowania gier wojennych, w tym nawet prostych gier planszowych, w procesie szkolenia jest zauważalny choćby w amerykańskich akademiach wojskowych[83].

3. Należy przystąpić do jak najszybszych zmian strukturalnych w akademiach wojskowych w Polsce. Poniższe wnioski dotyczyć będą przede wszystkim Akademii Wojsk Lądowych,

---

[83] https://muse.jhu.edu/article/805919

Rośnie rola morale

Rośnie rola morale jako punktu ciężkości wojny. W wyniku wyrafinowanych operacji psychologicznych morale żołnierzy podlega nieustannej presji obliczonej na jego złamanie i w konsekwencji kaskadowy jego upadek w obrębie całych sił zbrojnych, przekonanych, że
są stroną przegrywającą w konflikcie.

która jest odpowiedzialna za przygotowanie do przyszłej służby oficerów najważniejszego komponentu polskich sił zbrojnych.

- Należy odejść od obecnej praktyki obsadzania stanowisk dowódczych i dydaktycznych w Akademii przez oficerów nieposiadających przynajmniej kilkuletniej służby w jednostkach liniowych WP. Prowadzącymi zajęcia, w szczególności praktyczne z zakresu taktyki, nie mogą być na przykład młodsi oficerowie, którzy trafili do Akademii tuż po promocji, albo ci, którzy przez ostatnie lata zajmowali stanowiska sztabowe w jednostkach innych niż liniowe. Kadrę w 90% powinni stanowić oficerowie z doświadczeniem w jednostkach liniowych, którzy swoją aktualną wiedzą i znajomością „wojskowego rzemiosła" będą mogli w sposób naturalny zdobyć sobie szacunek wśród podchorążych.
- Kadra szkoląca w akademiach wojskowych powinna podlegać rotacji w systemie dwu-, trzyletnim, tak by służba w nich traktowana była jako przystanek przed dalszą karierą zawodową. Akademia wojskowa nie może być traktowana jako miejsce, w którym można spokojnie dotrwać do emerytury.
- Punkt ciężkości kształcenia podchorążych bezwzględnie powinien być położony na obdarzenie ich odpowiedzialnością. Chodzi o umiejętne wpięcie ich w system funkcjonowania uczelni – kompanii, batalionów szkolnych, pionu ogólnego, wydziałów dydaktycznych oraz dowództwa.
- W każdej z wyżej wymienionej struktur istnieją stanowiska, które obecnie są piastowane przez żołnierzy zawodowych i pracowników wojska. Podchorąży, niezależnie od rocznika, nie jest zaangażowany w funkcjonowanie Akademii. Zdecydowana większość obowiązków mogłaby być realizowana z udziałem studentów, szczególnie tych ze starszych roczników.

- Wprowadzenie tej zmiany mogłoby stworzyć możliwość lepszego przygotowania przyszłych absolwentów do oficerskiej służby zawodowej, a ponadto zaangażowałoby ich w funkcjonowanie uczelni i pozwoliło zrozumieć różne aspekty działania organizacji.
- Podstawowym elementem proponowanych zmian jest rotacja funkcji w interwale semestralnym. Okres sześciomiesięczny pełnienia funkcji pozwoliłby zarówno wdrożyć się w obowiązki, jak i zapewnił odpowiedni czas w toku studiów na pełnienie różnych funkcji i dał możliwość zaangażowania większej liczby studentów.
- Kolejnym aspektem jest przypisanie stanowisk do roczników, tak aby funkcje dowódcze i kierownicze w sztabach były poruczane najstarszym rocznikom, którym podlegaliby odpowiednio podchorążowie młodszych roczników.
- Szczegóły, to jest konkretne stanowiska i obowiązki, które mogłyby być wykonywane przez podchorążych, powinny zostać doprecyzowane w oparciu o szczegółową wiedzę o strukturze organizacyjnej i KZO (kompetencyjnym zakresie obowiązków) poszczególnych stanowisk w AWL. Niemniej jednak zarys kilku możliwych przykładowych zmian został przedstawiony poniżej.

Prostym i nieinwazyjnym przykładem proponowanego rozwiązania jest rozwinięcie sztabów batalionów szkolnych (których obecnie nie ma). Cały sztab składałby się ze studentów i mógłby pełnić obowiązki przypisane sztabom w jednostkach zawodowych, na przykład poprzez:

I tworzenie i prowadzenie dokumentacji szkoleniowej,

II planowanie przedsięwzięć okresowych, na przykład marszy kwartalnych,

III organizację zawodów sportowych i wojskowych,

IV planowanie i przeprowadzanie treningów powszechnej obrony przeciwlotniczej (POPL) czy obrony przed bronią masowego rażenia (OPBMR),

V organizację i koordynację szkolenia wojskowego w soboty.

- Stanowiska dowódców, zastępców dowódców batalionów i inne kluczowe stanowiska mogą być zdublowane i obsadzone przez najlepszych podchorążych (z ograniczoną odpowiedzialnością i zakresem obowiązków). W ten sposób można by było motywować studentów do cięższej pracy.

- Trudniejszą do wprowadzenia zmianą będzie obsadzenie funkcji, które są aktualnie wykonywane przez żołnierzy zawodowych i pracowników resortu obrony narodowej w pozostałych strukturach organizacyjnych Akademii. Studenci mogliby zajmować (chociaż pewnie tylko dublować) stanowiska referentów i specjalistów w pionie dydaktycznym oraz stanowiska dowódcze i sztabowe w pionie ogólnym.

- Kolejną propozycją jest stworzenie systemu zależności pomiędzy studentami różnych roczników w taki sposób, aby przełożeństwo było faktyczne, a nie iluzoryczne, jak do tej pory. Chodzi o możliwość faktycznego sprawowania funkcji dowódczych na szczeblu drużyny i plutonu, gdzie dowódcami drużyn są studenci drugiego rocznika, a zastępcami dowódców plutonów i dowódcami plutonów studenci trzeciego rocznika. Wymaga to organizacji kompanii szkolnych w odmienny sposób niż dotychczas. Kompanie powinny składać się z podchorążych wszystkich roczników (a przynajmniej z roczników od pierwszego do trzeciego). Dzięki takiej organizacji interakcja pomiędzy żołnierzami będzie większa, młodsze roczniki będą mogły czerpać wzorce zachowania i wiedzę od starszych kolegów. Ci z kolei oprócz brania odpowiedzialności za żołnierzy niższych roczników będą mogli brać udział w organizacji ich wyjazdów na praktyki do centrów szkolenia i nabywać doświadczenia w pracy organizacyjnej.

- Już od drugiego roku studiów podchorążowie powinni być obdarzani odpowiedzialnością nie tylko za siebie, ale również za innych. Rola zawodowych żołnierzy w kompaniach powinna się ograniczać jedynie do sprawowania nadzoru, kontroli i oceniania podchorążych. Wszelkie obowiązki od dowódcy drużyny poprzez stanowiska sztabowe i dowódcze w batalionach i pionach organizacyjnych aż po stanowiska w dowództwie w Akademii mogą być uzupełniane czy dublowane przez studentów.

- Warto także rozważyć wprowadzenie do akademii wojskowych metod mentoringu. Podchorążowie starszych roczników (od trzeciego roku) mogliby sprawować opiekę nad kilkoma (od trzech do pięciu osób) kolegami z młodszych roczników, wspierając ich w nauce i szkoleniu, służąc radą i biorąc czynny udział w ewaluacji postępów swoich podopiecznych, na przykład poprzez przekazywanie opinii o ich postępach lub braku tych postępów odpowiednim przełożonym.

Powyższe propozycje zmian w kształceniu kadry oficerskiej zostały zbudowane na przekonaniu, że najsilniejsze narzędzia kształtowania charakteru to budowanie odpowiedniej postawy przez przykład własny (w tym wypadku kompetentną i doświadczoną kadrę) oraz obdarzenie odpowiedzialnością. Odpowiednie wykorzystanie tych narzędzi w procesie kształcenia kadry oficerskiej może przynieść pożądane efekty w postaci wysoce zmotywowanych do służby młodych oficerów o wysokim morale i przekonaniu o sensie i celowości swojej służby.

4. Poczucie przewagi naszej kadry oficerskiej na współczesnym polu walki musi być zbudowane na solidnym fundamencie wiedzy z zakresu zachodzących na nim zmian. Tej wiedzy nie tylko kandydatom na oficerów w akademiach wojskowych, ale także oficerom starszym i pracownikom cywilnym MON powinny dostarczać wewnętrzne instytucje analityczne umiejscowione w strukturach resortu.

Ministerstwo Obrony Narodowej w oparciu o kadry i zasoby Akademii Sztuki Wojennej oraz Centrum Doktryn i Szkolenia

SZ, przy współpracy z prezydenckim Biurem Bezpieczeństwa Narodowego, powinno stworzyć nowoczesny ośrodek analityczny odpowiedzialny za analizę współczesnego globalnego i regionalnego środowiska bezpieczeństwa, przede wszystkim w wymiarze wojskowym.

Zadaniem tego ośrodka byłaby także analiza aktualnych trendów w sztuce wojennej i prognozowanie zmian na współczesnym polu walki, a także analizowanie sztuki operacyjnej, procesów modernizacyjnych i szeroko pojętej kultury strategicznej Federacji Rosyjskiej jako potencjalnego przeciwnika.

Wreszcie jednym z zadań takiego ośrodka byłoby także tworzenie otwartego forum debaty strategicznej w kraju za pośrednictwem portalu i/lub magazynu branżowego na podobieństwo rosyjskiej „Wojennej Myśli", wydawanej w Rosji przez resort obrony od 1918 roku, która w porównaniu do polskiej gazety „Przegląd Sił Zbrojnych" jest znacznie bardziej znanym i rzetelnym źródłem informacji o sztuce wojennej.

BŁAŻEJ KANTAK

PIĄTA DOMENA: CYBERPRZESTRZEŃ

Od początków historii człowiek prowadził ekspansję na rozległych lądach planety Ziemia. Ekspansja wymagała osiągania przewagi, co napędzało rozwój technologiczny pozwalający na zwiększenie swoich zdolności do prowadzenia skutecznej walki. Wraz z tym rozwojem zmieniała się natura samej wojny. Od tysięcy lat dotyczyło to głównie dwóch domen: najpierw lądowej, która jest naturalnym środowiskiem życia dla *homo sapiens*, a później morskiej, pozwalającej na przebywanie znacznych odległości przy stosunkowo niskich wydatkach energetycznych.

Każda nowa domena stawała się jednocześnie teatrem rywalizacji militarnej. Tak było z opanowaniem powietrza na początku XX wieku, kiedy to w ciągu dekady od pierwszych prób wzniesienia się w przestrzeń nad ziemią wojna zawitała w niej z pełną mocą. To samo dotyczyło domeny kosmicznej, która została wręcz otwarta z powodu rywalizacji zbrojnej (rakieta V2).

Jednym z „produktów ubocznych" zimnej wojny był rozwój komputerów i spinanie ich w rozproszoną sieć, którą dziś znamy jako Internet. Wraz z nim powitaliśmy nową domenę – cyberprzestrzeń, niewidzialną tkankę przenikającą nasze społeczeństwa, nasze domy, firmy, szkoły, szpitale, fabryki i pojazdy, bez której nowoczesne państwo nie jest w stanie funkcjonować.

Stanowi ona bazę dla naszego biznesu, komunikacji, finansów, rozrywki i dalszego rozwoju. Jest także nowym polem rywalizacji, na którym jedne państwa próbują wpłynąć na inne lub nawet je zdominować. Jednocześnie cyberprzestrzeń jest zupełnie inną domeną od pozostałych czterech (lądu, morza, powietrza, kosmosu). Warto przez chwilę zastanowić się nad jej naturą, aby lepiej zrozumieć, jak może być wykorzystywana w konfliktach.

Natura cyberprzestrzeni

Inne domeny [wojny] są naturalne, stworzone przez Boga,
a ta jest tworem człowieka.

gen. Michael Hayden
były dyrektor w agencjach NSA/CIA/DNI

Słowa generała Haydena zawierają kwintesencję prawdy o domenie cyber. Prawie w żaden sposób nie przypomina świata rzeczywistego. Z jednej strony brakuje w niej praw fizyki (poza ograniczeniem prędkości rozchodzenia się fal elektromagnetycznych), z drugiej – ograniczają ją fizyczne kable i urządzenia.

Wydaje się przestrzenią „bez granic", osiągalną z dowolnego punktu dostępowego, choć w rzeczywistości to zlepek wielu „przestrzeni" tworzonych przez oprogramowanie działające w infrastrukturze konkretnych organizacji, które z racji posiadanej kontroli mogą ją dowolnie kształtować. Cyber ma naturę efemeryczną, nietrwałą, uzależnioną od konstrukcji oprogramowania, które implementuje protokoły komunikacji, zarządzające sprzętem systemy operacyjne i bazujące na nich usługi końcowe.

Matthew Monte, były analityk w amerykańskiej agencji CIA, zdefiniował trzy podstawowe zasady (prawa Montego) dotyczące tej domeny[84]. Są nimi:
- człowiek – wszystkie systemy są (jak na razie) budowane dla i przez ludzi,
- dostęp – ktoś zawsze ma zapewniony dostęp,
- ekonomia – chęci zawsze przewyższają dostępne zasoby.

Pierwsze prawo opiera się na założeniu, że cała domena cyber istnieje, aby zaspokajać potrzeby człowieka (przynajmniej do tej pory tak było). To dla niego wytwarzane, przetwarzane i przechowywane są informacje. Systemy buduje człowiek i również człowiek je atakuje. Założenia przyjęte na etapie projektowania są głęboko zakorzenione w naturze ludzkiej. To ona emanuje z nich poprzez ujawnione błędy w planowaniu, implementacji i użytkowaniu, zarówno po stronie technologicznej (software, hardware), jak i nietechnicznej (procesy, procedury, organizacja).

---

[84] Matthew Monte, „Network Attack and Exploitation".

Druga zasada wynika z użyteczności. Jeśli człowiek jest końcowym odbiorcą informacji, to musi mieć do niej zapewniony dostęp, bezpośredni lub pośredni. Niezależnie od tego, jak bardzo ten dostęp zostanie ograniczony, ktoś lub coś go zachowa, a to oznacza, że potencjalny atakujący ma gwarancję, że da się dotrzeć do interesujących go informacji. Pozostaje tylko kwestia rozwiązania problemu, jak oszukać system bądź osoby, które ten dostęp mają. To może być trudne, ale z pewnością nie jest niemożliwe[85].

Zasada trzecia mówi, że chęci człowieka zawsze ograniczane są przez czynniki świata rzeczywistego. Gdy chcemy przejąć kontrolę nad większą ilością systemów lub gdy chcemy z nich wyciągnąć jeszcze większą ilość danych, coś zawsze będzie stało na drodze i brakować będzie wymaganych zasobów i zdolności.

Te ograniczenia to najczęściej:

- pieniądze – choć najmniej problematyczne dla podmiotu takiego jak na przykład służby jakiegoś państwa (ang. *nation--state actor*),
- czas – przede wszystkim na stworzenie odpowiedniego oprogramowania, które musi być wysokowydajne, o niskim zapotrzebowaniu na zasoby systemu oraz pozbawione błędów,
- zdolności operacyjne – gdzie wymagana jest wysoka elastyczność i kreatywność w postępowaniu; dobry operator to mistrz improwizacji,
- zdolności analityczne – zdolności do kierowania każdym kolejnym krokiem w operacji analizowania i syntezy zebranych danych oraz operowania w warunkach wysokiej niepewności lub z przytłaczającą ilością informacji. Wymaga kolosalnego doświadczenia technicznego i nietechnicznego (lata praktyki),
- zdolności rozpoznawcze – zdolności do wykrycia i zrozumienia, jak zbudowana i zarządzana jest sieć adwersarza (czasem trudno jest znaleźć informacje o celu),

---

[85] Tamże.

- zdolności do exploitacji (ang. *exploitation*) – zdolności do wyszukiwania i wykorzystywania błędów w softwarze, konfiguracjach, urządzeniach itd. (czasami można je kupić lub użyć dostępnych publicznie),
- zasoby techniczne – to infrastruktura, pasmo, sprzęt, oprogramowanie. Często są dostępne za pieniądze, ale nie zawsze, na przykład gdy mamy do czynienia ze starymi, niedostępnymi lub zamkniętymi (ang. *proprietary*) technologiami.

Symetria konfliktu?

Prowadzący jakąkolwiek operację ofensywną powinien zdawać sobie sprawę z tego, jakimi zdolnościami dysponuje jego przeciwnik, przynajmniej w ujęciu modelowym. Można założyć, że polityka bezpieczeństwa obrońcy opiera się na trzech filarach: obronie (ang. *protection*), wykrywaniu (ang. *detection*) i reagowaniu (ang. *response*).

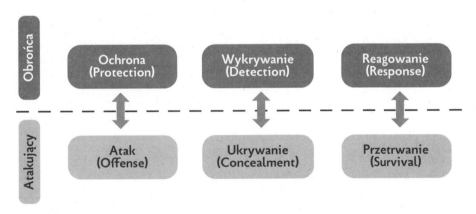

Rys. I. Procesy oraz relacje między atakującym a obrońcą

Te trzy procesy odpowiadają za kluczowe aspekty przeciwdziałania włamaniom i za ich wykrywanie, w miarę możliwości w czasie ich trwania. Z drugiej strony atakujący, rozumiejąc powyższy model, może odpowiednio przygotować swoją operację, opierając ją na trzech „kontrprocesach", które będą odpowiedzią na zdolności przeciwnika. Są to:

1. Atak (ang. *offense*) – obejmuje wszelkie taktyki, techniki i procedury ofensywne, opisane w modelu MITRE ATT&CK[86].
2. Ukrywanie (ang. *concealment*) – to przede wszystkim dobrze zakamuflowana persystencja (ang. *persistence*), działania prewencyjne przeciwko wykryciu (ang. *counter-detection*) oraz wykrywanie kompromitacji własnej operacji (ang. *compromise detection*).
3. Przetrwanie (ang. *survival*) – to realizacja wcześniej opracowanych i przećwiczonych planów ewentualnościowych, w tym przeciwdziałanie reakcji zespołu reagowania na incydenty (ang. *counter-response*), stosowanie podstępu (ang. *deception*) dla zmylenia tegoż zespołu bądź całkowite wycofanie się z operacji (czas reakcji i strategia wyjścia są kluczowe).

Powyższy model może sugerować, że w rywalizacji między stronami występuje symetria. Każda ze stron dysponuje odpowiednimi zasobami, personelem i czasem, aby zniwelować działania przeciwnika na każdym etapie operacji.

W rzeczywistości jednak sytuacja jest zgoła odmienna – między atakującym a obrońcą występuje silna asymetria, w szczególności jeśli porównamy ją do innych domen.

Przede wszystkim już same podmioty tej relacji są asymetryczne: obrońca vs atakujący. W innych domenach najczęściej do walki z danym rodzajem broni używa się podobnych jednostek bojowych (na przykład czołg vs czołg, myśliwiec vs myśliwiec itd.), dysponujących zarówno systemami obronnymi, jak i ofensywnymi. W domenie cyber obrońca, jeśli w ogóle widzi atakującego, nie ma w zasadzie żadnych możliwości przeprowadzenia kontrataku, poza odcięciem dostępu do przejętych już systemów oraz ujawnieniem narzędzi i sposobu działania adwersarza. Później jeszcze do tego wrócimy.

---

[86] MITRE ATT&CK® Framework, https://attack.mitre.org

Agresor posiada inicjatywę – działając w ukryciu, sam wybiera czas, miejsce i sposób ataku. Strona broniąca się, poza ostatnim aspektem, nie ma żadnego wpływu na to, kiedy taki atak może nastąpić i jak może wyglądać. Atakujący jest znacznie bardziej zmotywowany, ma do osiągnięcia określony cel i nie spocznie, aż go zrealizuje. Druga strona musi skupiać się na ochronie całej infrastruktury, często jest niedofinansowana, brakuje jej personelu lub odpowiedniego doświadczenia. Tutaj często objawia się też kwestia kosztów ponoszonych przez obie strony, na niekorzyść obrońców.

Nierzadko znajomość technologii również jest silną stroną agresora. Ze względu na możliwość operowania w różnych środowiskach jego doświadczenie i styczność z różnymi rozwiązaniami kumuluje się z każdą kolejną realizowaną misją. Poznawanie swojej ofiary, jej organizacji, struktury zarządczej, procesów i personelu jest częścią każdej operacji. Atakujący dąży do zrozumienia, jak wygląda środowisko jego przeciwnika, co w nim funkcjonuje i gdzie przebiegają relacje zaufania, wszystko po to, aby w kluczowym momencie wykorzystać zidentyfikowane słabości i osiągnąć swoje cele najniższym kosztem (najsłabsza linia oporu).

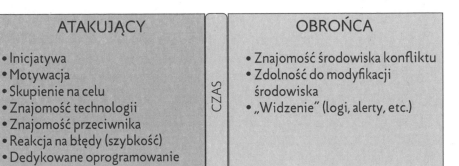

Rys. 2. Asymetrie pomiędzy atakującym a obrońcą

Poza tym, gdy w trakcie działań popełniony zostanie błąd, reakcja atakującego jest z reguły błyskawiczna. Potrafi szybko poprawić swoje narzędzia, często budowane specjalnie pod konkretną misję, oraz zmienić metody działania, stosując przygotowane plany ewentualnościowe (ang. *contingency plans*).

Obrońcy, ze względu na skalę swojej infrastruktury i przyjęte procedury oraz braki w zasobach, nie są w stanie dorównać szybkością reakcji na wykryty błąd[87]. Nie oznacza to jednak, że są całkowicie bezsilni i zdani kompletnie na łaskę adwersarzy. Ich największą przewagą jest kontrola własnego środowiska i możliwość jego kształtowania, zmiany i rekonfiguracji. To właśnie środowisko obrońców determinuje, co atakujący może, a czego nie może zrobić. To ich podwórko i to oni ustalają, jak ono wygląda. Teoretycznie powinni je znać lepiej od swoich przeciwników, aczkolwiek jest to zadanie trudne i skala tej trudności rośnie wraz z rozmiarem i poziomem skomplikowania infrastruktury.

Możliwości „widzenia" w cyber nie przypominają tego, co znamy ze świata rzeczywistego. Obserwowanie areny zmagań dokonywane jest na innym poziomie abstrakcji – obrońca widzi logi, alerty i strumienie danych generowane przez aktywności swoich użytkowników, na przykład jakiś program został uruchomiony, jakiś plik otwarty, połączenie sieciowe zostało zamknięte, ktoś (lub coś) zalogował się na serwer bazy danych. Te wszystkie aktywności nie są ze sobą z początku skorelowane, więc obrońcy muszą poświęcić czas i zasoby, aby w szumie informacyjnym, który do nich dociera, zrozumieć, co się faktycznie dzieje w ich sieci.

Ich zadanie jest karkołomne. Przypomina próbę złapania pijanego kierowcy, gdy się ma do dyspozycji dane o prędkości, częstości zmiany biegów, ruchach kierownicą i odczyty obrotościomierzy ze wszystkich samochodów jeżdżących po mieście. Czasami, jak mają szczęście, dostaną zdjęcia śladów

---

[87] Matthew Monte, op. cit.

pozostawionych na drodze lub nawet zawiadomienie o koślawo jadącym aucie od jakiegoś przechodnia lub z kamery ulicznej (odpowiedniki alertów z programów antywirusowych i systemów wykrywania włamań). To „widzenie" jest widzeniem pośrednim, swoistym cieniem na ścianie, kilwaterem ciągnącym się za statkiem.

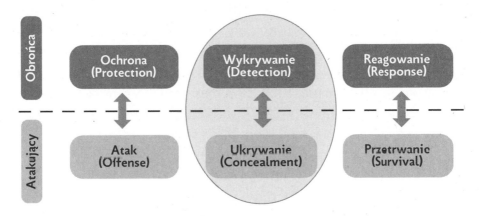

Rys. 3. Konflikt obraca się wokół tego, kto kogo i co widzi

Pozostaje też czynnik czasu. W branży cyberbezpieczeństwa funkcjonuje takie powiedzenie, że to agresor ma przewagę, bo wystarczy mu znaleźć i wykorzystać tylko jeden błąd w infrastrukturze przeciwnika, aby uzyskać do niej dostęp. Obrońca z kolei musi zidentyfikować wszystkie błędy występujące na jego „podwórku", aby nie dopuścić do niego adwersarza. Czynnik czasu w tym wypadku gra na korzyść strony atakującej (wybór momentu ataku). Ale tylko do chwili uzyskania dostępu. Później to dla obrońcy czas staje się „sojusznikiem", ponieważ im dłużej jego adwersarz operuje w środowisku, tym bardziej rosną szanse, że popełni błąd i zostanie wykryty.

Zatem czas jest neutralnym elementem asymetryczności.

Rodzaje operacji

Operacje ofensywne można podzielić na dwie główne kategorie: CNE (ang. Computer Network Exploitation), mające na celu zbieranie informacji (działania wywiadowcze), oraz CNA (ang. Computer Network Attack), nastawione na zakłócenie, zafałszowanie lub zniszczenie danych bądź infrastruktury (sabotaż). Co warte podkreślenia, zdecydowana większość operacji to działania typu CNE, choć z punktu widzenia obrońców trudno określić, z jakim typem ataku mają oni do czynienia (poza skrajnymi wyjątkami), ponieważ techniki stosowane w czasie obu rodzajów misji są identyczne. Poza tym operacja CNE może w bardzo krótkim czasie zamienić się w sabotaż. Co również istotne, każda akcja CNA jest poprzedzona fazą zbierania informacji o przeciwniku i jego środowisku, aby można było przygotować odpowiednie narzędzia do przeprowadzenia destrukcyjnego ataku. Ten właśnie wymóg (informacyjny) jest głównym powodem, że niemożliwa jest natychmiastowa kontrakcja na wykryty atak.

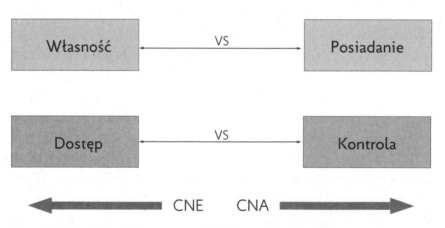

Rys. 4. CNE bardziej ciąży ku dostępowi, CNA ku przejęciu kontroli

W świecie rzeczywistym funkcjonują dwa pojęcia własności i posiadania, które każdy z nas naturalnie rozumie. Pierwsze wskazuje, kto jest prawnym właścicielem danego przedmiotu, drugie – kto tego przedmiotu faktycznie używa (fizycznie posiada). Firma może zakupić flotę samochodów dla swoich agentów sprzedaży (własność), ale to konkretni pracownicy tej firmy dysponują tymi autami (posiadanie).

W domenie cyber te pojęcia niewiele znaczą. Znacznie ważniejsze są kwestie dostępu i kontroli. O pierwszym mówi drugie prawo Montego – zawsze znajdzie się ktoś (lub coś), potrzebujący dostępu do określonych informacji, przez co staje się naturalnym celem dla atakującego.

Na kontrolę składają się dostęp i odpowiedni poziom uprawnień. To on decyduje o tym, co można zrobić z danym zasobem (na przykład zmienić jego stan, konfigurację, zawartość itd.). W operacjach typu CNE bardziej dąży się do uzyskania dostępu aniżeli do przejęcia kontroli. Ta ostatnia jest nieodzowna przy misjach sabotażowych (CNA).

Drabina kontroli

Warto rozważyć kwestię kontroli trochę głębiej. Jak wcześniej wspomniano, kontrola nad danym systemem lub platformą wymaga dostępu i uprawnień. Może się to odbywać na różnych poziomach (szczeblach):

- logicznym – zdalny dostęp umożliwiający zmianę stanu lub konfiguracji systemu,
- wirtualnym – zdalny dostęp do poziomu wirtualizacji (wiele systemów w jednym),
- fizycznym – lokalny dostęp do sprzętu i software'u.

W wielu sytuacjach występują tylko poziomy pierwszy i trzeci, ale w wypadku systemów chmurowych lub sieci wirtualnych szczebel drugi jest obecny (choć „niewidoczny").

Poziom trzeci daje obrońcom krańcową przewagę nad atakującym – w ostateczności może on fizycznie odłączyć system, nad którym stracił kontrolę, i ewentualnie tę kontrolę odzyskać (w wypadku CNE i większości CNA). Jednakże nie zawsze tak jest. Istnieją systemy, do których dostęp fizyczny jest co najmniej utrudniony (na przykład umiejscowione w odległych, bezobsługowych stacjach) lub prawie niemożliwy (na przykład platformy satelitarne). Warto być świadomym istnienia takich wypadków w zakresie planowania akcji ofensywnych bądź ustalania polityki bezpieczeństwa systemów IT.

Atrybucja

Przy omawianiu operacji ofensywnych w domenie cyber nie sposób nie wspomnieć o procesie atrybucji. Stosuje się go w celu odkrycia sprawców, organizacji stojącej za atakiem, a nawet personaliów osób, które go przeprowadziły. Ułatwia to często zrozumienie motywów, którymi kierowali się adwersarze.

Nie ma jednolitego, przyjętego standardu wykonywania atrybucji. W ostatnich latach zaproponowano kilka modeli[88]. Niezależnie od przyjętej metodologii atrybucja to proces trudny, bardzo złożony, a wnioski końcowe – niepewne. Nigdy nie ma pewności, czy są one właściwe, ponieważ zawsze istnieje ryzyko złej klasyfikacji bądź interpretacji danych. Wynika to z wielu problemów i ograniczeń procesu. Wiadomo też, że wymaga on dużej ilości czasu (miesiące czy nawet lata) i sporej wiedzy eksperckiej, która nie jest ani powszechna, ani łatwa do zdobycia.

Cały proces bazuje na dwóch fundamentach:
• artefaktach technicznych (na przykład kod malware, daty utworzenia, zastosowany język programowania, kanał C2), aczkolwiek brana jest pod uwagę również analiza behawioralna (na

---

[88] Office of the Director of National Intelligence, „A Guide to Cyber Attribution", https://www.dni.gov/files/CTIIC/documents/ODNI_A_Guide_to_Cyber_Attribution.pdf; Thomas Rid, Ben Buchanan, „Attributing Cyber Attacks", https://ridt.co/d/rid-buchanan-attributing-cyber--attacks.pdf; Brian Bartholomew, Juan Andres Guerrero-Saade, „Wave Your False Flags! Deception Tactics Muddying Attribution in Targeted Attacks", https://media.kasperskycontenthub.com/wp-content/uploads/sites/43/2017/10/20114955/Bartholomew-GuerreroSaade-VB2016.pdf; Florian Skopik, Timea Pahi, „Under false flag: using technical artifacts for cyber attack attribution", https://link.springer.com/article/10.1186/s42400-020-00048-4; Timo Steffens, „Attribution of Advanced Persistent Threats: How to Identify the Actors Behind Cyber-Espionage".

przykład TTP, wzorzec życia), językowa czy socjopolityczna (na przykład motywy działania, interesy wrogich państw); ich wiarygodność jednak nie jest jednolita (według Skopika/Pahi),

- danych historycznych (z poprzednich kampanii i profili znanych aktorów), co implikuje, że śledczy darzą je zaufaniem. To bardzo istotny element atrybucji.

W końcu sama branża (firmy prywatne, uczelnie, sektor publiczny, służby) nie jest zgodna w wielu kwestiach, co zwiększa poziom szumu i niepewność wniosków końcowych atrybucji.

Zrozumienie tych wszystkich aspektów pozwala na odpowiednie dopasowanie bezpieczeństwa operacyjnego każdej misji i otwiera ciekawe możliwości dla kontroli percepcji przeciwnika, na przykład przeprowadzenie „operacji pod obcą banderą" (ang. *false flag operation*).

Podsumowanie

Piąta domena jest silnie asymetrycznym teatrem działań pomiędzy wieloma aktorami, operującymi w wielu przestrzeniach należących do odrębnych jednostek i organizacji. Konflikt pomiędzy stronami nie przypomina walki w świecie rzeczywistym. Najbliższe analogie to wojna szpiegów lub operacje specjalne.

Co istotne, przygotowanie każdej operacji ofensywnej wymaga długiego czasu, liczonego w tygodniach lub nawet miesiącach, oraz znacznych zasobów materialnych i niematerialnych. Wynika to z tego, że atak musi zostać dostosowany do środowiska ofiary. Poza tym samo wejście w to środowisko stanowi tylko początek całego procesu ciągłego rozpoznawania i dostosowywania kolejnych działań wiodących do określonego celu.

To dlatego nie da się w zasadzie przeprowadzić natychmiastowej akcji odwetowej w odpowiedzi na atak (poza atakiem typu DDoS, ang. Distributed *Denial* of Service). Po pierwsze, nie wiemy, kto nas zaatakował. Atrybucja trwa bardzo długo, a dodatkowo może zostać zafałszowana (operacje *false flag*) i ostatecznie nie dać odpowiedzi, kto stał za atakiem. Po drugie, nawet jeśli znamy agresora i obecnie prowadzone przez nas operacje (na przykład związane z działalnością wywiadowczą) dają możliwość odwetu, to pozostaje kwestia adekwatności wybranego celu: czy w odpowiedzi na atak ransomware na firmę prywatną w Polsce można zaatakować sieć energetyczną kraju, który w domniemaniu stoi za pierwszym atakiem? Rodzi to pytania o skalę potencjalnych skutków i możliwie niezamierzoną eskalację.

Operacje w cyber nie nadają się również do sygnalizacji i odstraszania[89]. Wynika to z długotrwałej atrybucji (miesiące/lata), jak również z niepewności wyników, które nie są do końca kontrolowalne, w szczególności gdy do ataku użyje się samorozprzestrzeniającego się robaka sieciowego. Dobrymi przykładami są chociażby Stuxnet (atak na ośrodek wzbogacania uranu w Iranie) oraz NotPetya (atak na infrastrukturę ukraińską). Koszty tego drugiego oszacowane zostały na 10 mld dolarów amerykańskich[90].

Cały konflikt w piątej domenie krąży wokół detekcji – kto kogo widzi. Gdy dojdzie do wykrycia ataku, może on być bardzo szybko zastopowany. To dlatego efekty działań są krótkotrwałe. Nawet w wypadku operacji typu CNA uszkodzone elementy infrastruktury zostaną wymienione, a usunięte dane przywrócone z kopii zapasowych. Ten proces może zająć godziny lub tygodnie, w zależności od skali zniszczeń oraz dostępnych planów awaryjnych i zasobów. Jednakże wątpliwe, aby udało się wyeliminować jakiś system przeciwnika na dłuższy czas.

Jednocześnie atak w cyber pozwala wprowadzać chaos, dezorganizować i nękać przeciwnika. Gdy dodatkowo wspiera operację ofensywną w innej domenie, może stanowić swoisty mnożnik

---

[89] Ben Buchanan, „The Hacker and the State"; Martin Libicki, „Cyberspace in Peace and War, Second Edition".

[90] Andy Greenberg, „The Untold Story of NotPetya, the Most Devastating Cyberattack in History", https://www.wired.com/story/notpetya-cyberattack-ukraine-russia-code-crashed--the-world/

siły i efektu (ang. *force multiplier*). Zgrany odpowiednio w czasie i skierowany w kluczowe miejsca wzmocni ostateczny wynik operacji, jednocześnie zmniejszając jej koszty (casus operacji Orchard[91]).

Nie należy zapominać, że zdecydowana większość operacji w cyber to działania typu CNE (wywiadowcze). Cyber idealnie wpasowuje się w cele zbierania informacji, ponieważ pozwala operować w infrastrukturze przeciwnika w skryciu, jednocześnie nie ujawniając oryginalnych agresorów. To narzędzie efektywne i relatywnie tanie, a także mało ryzykowne, w przeciwieństwie do typowego HUMINT-u, gdzie ryzykujemy życie agentów. Oczywiście, nie jest ono wszechmocne i do zastosowania w każdym wypadku.

Kluczem do sukcesu są znajomość i zrozumienie przeciwnika (świadomość sytuacyjna sensu largo) oraz nasze wysokie zdolności adaptacyjne. Gdy wiemy, jak działa i myśli adwersarz, wiemy, jak jest zorganizowany, jaki jest jego wzorzec życia, zastosowane technologie, przeoczenia, błędy w monitoringu, niezadowolenie podwładnych czy braki w wyposażeniu i wyszkoleniu, daje nam to znaczącą przewagę nie tylko w zdolnościach przełamywania lub obchodzenia zabezpieczeń, ale także w długotrwałym pozostawaniu w ukryciu przy odpowiednim dostosowywaniu naszych działań i narzędzi. Tak prowadzona gra będzie jednocześnie niskokosztowa i skuteczna.

Cele strategiczne

Strategia dla domeny cyber w ramach Armii Nowego Wzoru obejmuje zarówno kwestie obrony, jak i zapewnienia odpowiednich zdolności ofensywnych w obrębie Sił Zbrojnych RP. Jednocześnie powinna stanowić element szerszego, holistycznego spojrzenia

---

[91] „Electronic War in IAF Strike in Syria", http://www.informationdissemination.net/2007/10/electronic-war-in-iaf-strike-in-syria.html

na sprawy związane z cyberbezpieczeństwem, w szczególności aspekty edukacyjne, naukowe oraz gospodarcze.

Dlatego też poniżej zaproponowano trzy główne cele strategii państwa, spełniające te założenia:

- zwiększenie odporności w zakresie bezpieczeństwa cybernetycznego państwa,
- doprowadzenie do permanentnego stanu chaosu w państwie przeciwnika, spowodowanie tam niestabilności i nieskuteczności instytucji, wzrostu niezadowolenia społeczeństwa, jego polaryzacji, a nawet dezintegracji,
- awans Polski do światowej czołówki krajów z silnym sektorem cyberbezpieczeństwa do roku 2030.

Poniżej zostaną one szczegółowo omówione.

Defensywa

W ramach budowy Krajowego Systemu Cyberbezpieczeństwa (KSC) podjęto wiele ważnych i potrzebnych inicjatyw poprawiających ogólną sytuację w sieciach i organizacjach krajowych.

Dostosowany do dyrektywy NIS (dyrektywa UE 2016/1148) system KSC obejmuje operatorów usług kluczowych (m.in. z sektora energetycznego, transportowego, zdrowotnego i bankowości), dostawców usług cyfrowych, zespoły CSIRT (Zespół Reagowania na Incydenty Bezpieczeństwa Komputerowego) poziomu krajowego, sektorowe zespoły cyberbezpieczeństwa, podmioty świadczące usługi z zakresu cyberbezpieczeństwa, organy właściwe do spraw cyberbezpieczeństwa oraz pojedynczy punkt kontaktowy do komunikacji w ramach współpracy w Unii Europejskiej w dziedzinie cyberbezpieczeństwa.

Operatorzy usług kluczowych są zobowiązani do wdrożenia skutecznych zabezpieczeń, szacowania ryzyka związanego z cyberbezpieczeństwem oraz przekazywania informacji o poważnych incydentach oraz ich obsługi we współpracy z CSIRT poziomu krajowego. Wymienione podmioty są również zobowiązane do wyznaczenia osoby odpowiedzialnej za cyberbezpieczeństwo świadczonych usług, obsługi i zgłaszania incydentów oraz udostępniania wiedzy na temat cyberbezpieczeństwa.

Do krajowego systemu cyberbezpieczeństwa będą również włączone organy administracji publicznej, a także przedsiębiorcy telekomunikacyjni – w sposób zharmonizowany z istniejącymi uregulowaniami w tym zakresie[92].

KSC zakłada również uruchomienie Narodowej Platformy Cyberbezpieczeństwa (NPC) jako kompleksowego, zintegrowanego systemu monitorowania, obrazowania i ostrzegania o zagrożeniach cyberprzestrzeni państwa. W chwili obecnej trwają prace nad prototypem (projekt S46).

Warto powyższe działania rozszerzyć o opisane niżej elementy.

1. Wbudowanie w ramach NPC mechanizmów korelacji incydentów w sektorze publicznym i prywatnym (część analityczna) w kontekście strategicznym państwa oraz tworzenie odpowiednich scenariuszy działań reaktywnych (część syntetyczna) stanowiących podstawę do podejmowania decyzji przez organy krajowe. Tak ustawiony proces korelacyjny pozwoli na wytworzenie całościowego obrazu sytuacji w polskiej cyberprzestrzeni i umożliwi bardziej adekwatne i szybsze reagowanie na istniejące zagrożenia.

2. Przeprowadzanie ciągłych testów infrastruktury wojskowej i sektora publicznego w wykonaniu red teamów wojskowych oraz agencyjnych. Pozwoli to na weryfikację aktualności zabezpieczeń i istniejących procedur, jak również stanowić będzie poligon rozwoju i zdobywania doświadczenia przez krajowe zespoły ofensywne.

3. Uruchomienie rządowego oraz wojskowego programu Bug Bounty skierowanego do sektora prywatnego. Program typu

---

[92] Krajowy system cyberbezpieczeństwa, https://www.gov.pl/web/cyfryzacja/krajowy-
-system-cyberbezpieczenstwa-

Bug Bounty umożliwia prosty outsourcing testów aplikacji i platform dostępnych publicznie w zamian za system nagród pieniężnych i niepieniężnych, które stanowić powinny zachętę dla potencjalnych uczestników z sektora prywatnego (firmy oraz indywidualni badacze).

4. Organizowanie corocznych, polskich zawodów CCDC (ang. Collegiate Cyber Defense Competition). Są to skierowane do młodzieży licealnej zawody typu *red team* vs *blue team*, koncentrujące się na operacyjnym utrzymaniu, administracji i ochronie istniejącej sieci. Uczestniczące zespoły są oceniane na podstawie ich zdolności do wykrywania zagrożeń wewnętrznych i reagowania na nie, utrzymywania dostępności istniejących usług (na przykład serwerów pocztowych i serwisów internetowych), obsługi zgłoszeń biznesowych (na przykład dodanie lub usunięcie dodatkowych usług) oraz równoważenia potrzeb w zakresie bezpieczeństwa z potrzebami biznesowymi. CCDC jest programem amerykańskim, zatem warto podjąć współpracę z tamtejszymi organizatorami, ośrodkami akademickimi oraz firmami[93]. Zawody te stanowić mogą katalizator do poszerzenia przyszłych zdolności obronnych i rozbudzić zainteresowanie tematyką cyberbezpieczeństwa wśród młodzieży licealnej.

5. Zwiększenie inwestycji w rozbudowę zdolności wykrywania aktywności adwersarzy w oparciu o Cyber Threat Intelligence (CTI), Threat Hunting (TH), Attribution oraz Cyber Deception (CD), w szczególności w instytucjach odpowiedzialnych za infrastrukturę krytyczną. CTI to proces analizy poszczególnych adwersarzy, poznawania ich zdolności, modus operandi oraz stosowanych technik i taktyk (ang. TTP – Tactics, Techniques and Procedures). TH umożliwia proaktywne wyszukiwanie aktywności adwersarzy w naszych sieciach i systemach. Atrybucja pomaga określić, kim jest atakujący i jakie

---

[93] National Collegiate Cyber Defense Competition, https://www.nationalccdc.org/

są jego cele, a CD to stosowanie pułapek i dezinformacji w celu ujawnienia jego działalności.

W ramach tej inicjatywy należy również przygotowywać zespoły IT ds. reagowania na sytuacje kryzysowe, na jak najszybsze recovery (na przykład zapewnić zapasowy sprzęt, kopie danych, przećwiczyć procedury, komunikację, zarządzanie itd.).

6. Stworzenie mechanizmów edukacyjnych dla personelu sektora publicznego w tematyce CTI i TH, najlepiej w oparciu o model on-line z komponentem on-site (sesje Q&A, projekty, ćwiczenia itd.), co zapewni wysoką skalowalność i elastyczność nauki. Należy także umożliwić udział w konferencjach i seminariach poświęconych tematyce wykrywania incydentów i reagowania na nie.

7. Usunięcie zdjęć Polski z programu Google Street View (tak jak to zrobiły na przykład Rosja czy Niemcy). Obecny stan umożliwia adwersarzom łatwiejsze planowanie i prowadzenie rozpoznania na terenie Polski, włącznie z wglądem w placówki państwowe, wojskowe oraz cywilne, związane z systemami krytycznymi.

8. Zaprzestanie publikowania zdjęć naszych oficerów i żołnierzy w mediach społecznościowych, w szczególności na oficjalnych kanałach ministerstw i dowództw. Ten zakaz nie dotyczy obostrzeń, jakie obejmują samych zainteresowanych, ale służb państwowych, które w ramach promowania różnych akcji i inicjatyw publikują wizerunki swoich pracowników, ułatwiając adwersarzom prowadzenie rozpoznania i zbieranie informacji do przyszłych operacji informacyjnych.

Ofensywa

Podstawowym założeniem ofensywy w piątej domenie jest to, że cyber stanowi tylko część szerszego środowiska informacyjnego. Zatem działalność ofensywna jest elementem operacji informacyjnych oraz wywiadowczych i nie stanowi osobnego komponentu narzędziowego. Takie samo podejście stosowane jest w Federacji Rosyjskiej: „[operacja informacyjna to] konfrontacja w przestrzeni informacyjnej między dwoma lub więcej państwami w celu wyrządzenia szkód systemom, procesom, zasobom informacyjnym, strukturom krytycznym i innym, podważająca systemy polityczne, gospodarcze i społeczne, masowo manipulująca ludnością w celu destabilizacji państwa i społeczeństwa, a także zmuszenia go do podejmowania decyzji na korzyść siły przeciwnej"[94].

Keir Giles, ekspert ds. Rosji, uważa, że rosyjscy stratedzy „nie widzą różnicy między informacjami przechowywanymi w komputerze i ludzkim umyśle, tak jak nie ma różnicy między sposobem przesyłania informacji między tymi przestrzeniami przechowywania". Rosja postrzega „konfrontację informacyjną" jako szeroką i inkluzywną koncepcję, która obejmuje operacje w sieciach komputerowych wraz z dyscyplinami takimi jak operacje psychologiczne, komunikacja strategiczna, wpływy, wywiad i kontrwywiad, oszustwo, dezinformacja, wojna elektroniczna i niszczenie zdolności informatycznych wroga. Giles opisuje to jako tworzenie „systemów całościowych", w których mieszanie i koordynacja między różnymi narzędziami informacyjnymi jest charakterystyczną cechą rosyjskiego sposobu prowadzenia wojny informacyjnej[95].

Co więcej, Chińczycy mają podobne podejście w swojej koncepcji operacji informacyjnych[96].

Uwarunkowania geopolityczne, sprzeczność interesów oraz dążenie do podporządkowania sobie krajów „bliskiej zagranicy" powodują, że podstawowym przeciwnikiem Polski jest Federacja Rosyjska. Jej zrewidowana od 2008 roku i konsekwentnie realizowana polityka zagraniczna, a w szczególności

---

[94] Bilyana Lilly, Joe Cheravitch, „The Past, Present, and Future of Russia's Cyber Strategy and Forces".

[95] Keir Giles, „NATO Handbook of Russian Information Warfare".

[96] Timothy L. Thomas, „Dragon Bytes: Chinese Information-War Theory and Practice".

reformy wojskowe wymuszają na nas dostosowanie się do rosnącego zagrożenia. Głównym celem operacji ofensywnych powinno być doprowadzenie do permanentnego stanu chaosu w państwie przeciwnika, niestabilności i nieskuteczności instytucji,
wzrostu niezadowolenia społeczeństwa, jego polaryzacji, a nawet
dezintegracji.

Należy przy tym zaznaczyć, że ze względu na specyfikę
przeciwnika operacje informacyjne wycelowane w elity rosyjskie mogą być mniej skuteczne aniżeli w wypadku systemów
liberalno-demokratycznych.

Cele operacyjne

Celem ataków na obszarze przeciwnika jest informacja, infrastruktura oraz zdolności decyzyjne i wykonawcze. Do informacji należą wszelkiego rodzaju bazy danych, repozytoria, kopie
zapasowe, dokumenty elektroniczne, oprogramowanie oraz protokoły komunikacyjne. Infrastruktura to sprzęt fizyczny, zarówno elektroniczny, jak i przemysłowy (ICS).

Działania należy skupić na poniższych obszarach:
- gospodarka – firmy i koncerny państwowe, w tym sektor
  zbrojeniowy,
- infrastruktura – ropociągi, gazociągi, sektor wydobywczy,
  elektrownie/sieć energetyczna, oczyszczalnie ścieków, prze-
  pompownie, dostawy wody, ciepła, transport kolejowy/morski/
  rzeczny/samochodowy/lotniczy,
- instytucje – baza ludności, podatkowa, rejestr przedsiębior-
  ców/spółek, sądy, szpitale/służba zdrowia, system emerytal-
  ny, system edukacyjny, szkoły wyższe,
- struktury osobowe – osoby decyzyjne na niskim, średnim i wysokim szczeblu,
- finanse – sektor bankowy, ubezpieczeniowy, giełda,
- media – sektor państwowy i prywatny,

- Internet krajowy – sieć szkieletowa kraju, system DNS, operatorzy telekomunikacyjni i satelitarni.

Rodzaje potrzebnych zdolności

W ramach przygotowania operacji ofensywnych należy określić, jakie zdolności powinny posiadać nasze zespoły. Poniżej zidentyfikowano obszary niezbędne i niezależne od środowiska operacyjnego:

- operatorskie – prowadzenie aktywnych działań *exploitation* i *post-exploitation*,
- badawczo-rozwojowe – wyszukiwanie podatności, opracowywanie metod obejścia zabezpieczeń, ukrywanie się, pisanie exploitów, *reverse engineering*,
- deweloperskie – tworzenie, modyfikowanie i rozwój narzędzi,
- administracyjne/devops – uruchamianie, zabezpieczanie, utrzymywanie, monitorowanie i likwidowanie infrastruktury operacyjnej,
- analityczne – informacje zebrane przez operatorów mogą wymagać dodatkowej analizy, aby określić, czy cel operacyjny został osiągnięty i jakie dalsze kroki są wymagane,
- wywiadowcze – dane o przeciwniku, istniejących aktorach i ich sposobach działania,
- kierownicze – bieżące zarządzanie operacjami oraz raportowanie o postępach,
- socjotechniczne – manipulowanie emocjami oraz psychiką ofiar,
- kryptograficzne – analizowanie danych zaszyfrowanych i opracowywanie metod ich obejścia bądź złamania,
- lingwistyczne – czytanie i przygotowywanie tekstów w języku ofiary (znajomość popularnych powiedzeń, slangu i regionalizmów jest czasami bardzo przydatna),
- socjologiczne i kulturowe – znajomość kultury i obyczajów kraju lub regionu przeciwnika,

- ekonomiczne i geopolityczne – znajomość aktualnej sytuacji międzynarodowej w zakresie prowadzonej polityki, powiązań gospodarczych i zmieniających się porozumień,
- prawne – rozpoznanie aspektów prawa międzynarodowego i konsekwencji działań naruszających przepisy.

Warto również rozważyć wprowadzenie specjalizacji technologicznej, to jest odpowiedni członkowie zespołów szkolą się i zdobywają doświadczenie w wąskich dziedzinach, jak technologie webowe, systemy operacyjne, sieci, platformy mobilne itd. Ułatwi to zarządzanie zdolnościami i uelastyczni prowadzenie misji poprzez doraźne zwiększenie zasobów, jeśli sytuacja będzie tego wymagała. Poza tym łatwiej będzie zaplanować szkolenia i reagować na ewentualne rotacje w zespołach.

Rozbudowa zdolności

Podstawowym problemem ograniczającym prowadzenie operacji ofensywnych przez struktury wojskowe są obecnie obowiązujące przepisy prawne, zakazujące w czasie pokoju wykonywania akcji ofensywnych przez wojsko. Zatem zmiana uwarunkowań prawnych z tym związanych jest najbardziej pilną potrzebą.

W dalszej kolejności należy skupić się na rozwoju silnych kompetencji badawczych (R&D), deweloperskich oraz exploit-dev (to jest pisanie exploitów) poprzez inwestycje w szkolenia, sprzęt i środowiska techniczne. Tworzenie własnych narzędzi ofensywnych (ang. OST, Offensive Security Tools) uzupełnionych o te dostępne na rynku, zarówno komercyjnym, jak i open-source, przyniesie wysoką niezależność w pracy operatorów. Powyższe kompetencje definiują możliwości całych zespołów operatorskich do prowadzenia operacji, ich elastyczność i zdolność do adaptacji w różnych środowiskach i sytuacjach.

Zdobycie odpowiednich zdolności to warunek niezbędny, ale niewystarczający do prowadzenia efektywnych operacji. Struktura organizacyjna zespołów musi zostać podporządkowana

Auftragstaktik (ang. *mission command*). To rodzaj podejścia, w którym nacisk kładzie się na wynik misji, a nie na konkretne sposoby jego osiągnięcia. Inaczej mówiąc, nie definiuje się żadnego planu, jak podążać do postawionego celu; każdy z operatorów w ramach doświadczenia, dostępnych narzędzi, znajomości środowiska i świadomości sytuacyjnej sam decyduje, którą ścieżkę wybrać.

Należy także zbudować wojskowy, działający w trybie 24/7 system ofensywnej świadomości sytuacyjnej o sieciach przeciwnika, organizacji i personelu, powiązaniach i zależnościach. Powinien on na bieżąco dostarczać informacje o zmianach w technologii i konfiguracji infrastruktury adwersarza, ale również zawierać szczegółowe dane o strukturze osobowej i procesach stosowanych w systemach ofiary. Informacje zasilające tę platformę pochodzić powinny ze zwiadu technicznego i nietechnicznego oraz być uzupełniane o te zebrane w czasie kolejno realizowanych misji.

W operacjach warto skorzystać również z usług sektora prywatnego (aktorzy *proxy*). W ramach przyjętego zakresu współpracy zaangażowanie aktorów *proxy* odbywać się może na różnym poziomie niezależności i swobody, adekwatnym do potrzebnych zdolności i kompetencji. Na przykład program off--shore Bug Bounty, skierowany do wybranych i zweryfikowanych kontraktorów, może dostarczać informacji o podatnościach występujących w systemach przeciwnika. Bardziej szczegółowa analiza modeli współpracy z aktorami *proxy* zawarta jest poniżej.

Przykładowe cele taktyczne

• Prowadzenie operacji informacyjnych wspartych działaniami w domenie cyber, np.:
  ○ ujawnianie treści niewygodnych dla przeciwnika,
  ○ wzbudzanie ogólnej niechęci do inwestowania, podróżowania i podejmowania pracy/współpracy,

○ wykonywanie celowanych ataków na osoby decyzyjne.

● Szerokie rozpoznanie infrastruktury, procesów, zastosowanych technologii i zaangażowanego personelu przeciwnika.

● Kompromitacja systemów krytycznych.

● Antycypowanie rozwoju technologii, a nawet wpływanie na niego (udział w kształtowaniu standardów).

Koszty operacji CNA

Wykonując operacje typu CNA, należy zdawać sobie sprawę z pewnych konsekwencji ich prowadzenia.

Po pierwsze, są one bardzo „hałaśliwe", to jest z reguły są zauważalne ze względu na swój efekt końcowy. Gdy jakiś system zostaje zniszczony, dane skasowane lub zaszyfrowane, to jego użytkownicy prędzej czy później to zaobserwują. To potencjalnie odcina wektory wejścia w infrastrukturę przeciwnika. Po wykryciu ataku z pewnością podejmie on odpowiednie działania, mające na celu usunięcie intruzów, załatanie wykorzystanych podatności, oraz polepszy swój poziom bezpieczeństwa poprzez dodatkowe inwestycje w sprzęt, oprogramowanie i wyszkolenie. Z czasem będzie to prowadzić do jego „dojrzewania" – z każdym kolejnym incydentem adwersarz zwiększy bezpieczeństwo swojej organizacji, co jednocześnie może utrudnić uzyskanie i utrzymanie dostępu w nowych misjach.

CNA może mieć też negatywny wpływ na trwające operacje wywiadowcze, w tym sojusznicze. Operacja CNA nastawiona na sparaliżowanie działalności banku X prawdopodobnie pokrzyżuje działalność wywiadowczą prowadzoną w tej samej instytucji, nakierowaną na zbieranie informacji o przepływach pieniężnych związanych z wybranymi jednostkami, podlegającymi obserwacji. Zatem akcja sabotażowa może nieumyślnie storpedować inne działania naszych lub sojuszniczych służb.

W ogóle ocena efektów CNA jest utrudniona, bo często traci się dostęp do infrastruktury, w której prowadzony jest atak.

Przykładowo zaburzenie działania routingu w sieci przeciwnika może spowodować odcięcie nas od kontrolowanych zasobów. To samo zdarzy się, gdy celem ataku będzie zasilanie lub system chłodzenia w pomieszczeniach serwerowych. Czasami sam skutek jest zauważalny (na przykład brak zasilania), ale jego skala już nie (ile systemów faktycznie zostało zniszczonych). Zatem ocena BDA (ang. Battle Damage Assessment) jest co najmniej nietrywialna.

Ataki cyber nie zawsze są narzędziem „chirurgicznym". Skala zniszczeń może zdecydowanie przekroczyć założenia przyjęte w czasie planowania ataku. Niepełne rozpoznanie lub błędna interpretacja danych wywiadowczych mogą spowodować, że atak wymknie się spod kontroli i ryzyko efektów kaskadowych się zmaterializuje. Dobrym tego przykładem jest przytoczony już wcześniej przypadek NotPetya, który zasięgiem objął wiele instytucji i firm nie tylko na Ukrainie, ale globalnych spółek, takich jak duński Maersk czy amerykański FedEx.

Należy też pamiętać, że wykorzystane przez nas exploity mogą być użyte przeciwko naszej własnej infrastrukturze. Każde uruchomienie tego typu narzędzi implikuje utratę nad nimi kontroli. Ich kopia w tej lub innej postaci znajdzie się w systemach przeciwnika oraz sieciach pośredniczących, a to oznacza potencjalne ryzyko ich odkrycia i użycia przeciwko nam. Najbardziej jaskrawy przykład to wyciek z lat 2016–2017 narzędzi ofensywnych (w tym exploitów), należących do amerykańskiej agencji NSA[97], który notabene doprowadził później do ataku NotPetya oraz WannaCry[98].

Na koniec, warto być świadomym tego, że czas na przygotowanie operacji CNA może przewyższać czas trwania jej efektów. Zasoby potrzebne do spenetrowania systemów przeciwnika,

---

[97] Shadow Brokers leak, https://en.wikipedia.org/wiki/The_Shadow_Brokers
[98] WannaCry ransomware attack, https://en.wikipedia.org/wiki/WannaCry_ransomware_attack

poznania konfiguracji poszczególnych komponentów, odtworzenie ich we własnym laboratorium, poznanie, znalezienie luk, przygotowanie i przetestowanie odpowiedniego złośliwego oprogramowania i w końcu uruchomienie go w środowisku ofiary mogą być znaczne, a cały proces może zająć wiele miesięcy. Efekt końcowy, jak zniszczenie danych lub systemu operacyjnego komputerów przeciwnika, może być dotkliwy na początku (wygenerowany chaos), ale z biegiem czasu odtworzenie pierwotnej funkcjonalności będzie postępować coraz szybciej. Przykładem tego jest chociażby pierwszy atak na infrastrukturę energetyczną Ukrainy w grudniu 2015 roku, w którym odcięto zasilanie kilkudziesięciu tysiącom gospodarstw domowych, natomiast jego przywrócenie zdecydowanej większości z nich zajęło tylko kilka godzin[99].

Podsumowanie

Projektując strukturę operacji ofensywnych, należy dążyć do wbudowania w nią wysokiej adaptatywności zapewnionej poprzez szeroką elastyczność w podziale zadań, wypracowanie odpowiednich zdolności oraz szybkie reagowanie na zmieniające się realia konfliktu. Gotowość do wychodzenia poza ustalony schemat myślenia pozwala na przełamywanie utrwalonych wzorców, nawet jeśli wcześniej sprawdzały się w praktyce. Zachęcanie członków zespołów do proponowania niekonwencjonalnych sposobów realizacji misji i podejmowanie ryzyka w ich testowaniu również buduje odpowiednią kulturę i mentalność, pozwalającą na szybkie dostosowywanie się.

Przy planowaniu strategicznym należy brać pod uwagę koszty prowadzenia operacji CNA i ich potencjalnie negatywny wpływ na trwające i przyszłe operacje wywiadowcze, zarówno własne, jak i sojusznicze.

---

[99] Kim Zetter, „Inside the Cunning, Unprecedented Hack of Ukraine's Power Grid", https://www.wired.com/2016/03/inside-cunning-unprecedented-hack-ukraines-power-grid/

Warto pamiętać, że duża część zdolności może być realizowana i dostarczona przez zewnętrznych kontraktorów, takich jak matematycy, lingwiści, socjologowie, kulturoznawcy. Dotyczy to również kwestii ofensywnych, deweloperskich czy badawczych.

Bezwzględnie wszyscy uczestnicy aktywnie zaangażowani w prowadzone operacje muszą znać język rosyjski na poziomie przynajmniej B1 (według systemu CEFR, ang. Common European Framework of Reference for Languages[100]). Operowanie w środowisku adwersarza, praca na danych i ich przeszukiwanie wymagają znajomości tego języka. Inaczej generujemy sobie dodatkowe ryzyko przeoczenia istotnych informacji oraz spowalniamy niepotrzebnie nasze działania.

Należy być świadomym, żc błędy będą popełniane i nie da się ich całkowicie wyeliminować. Jednakże powinny one stanowić bodziec do poprawy i lekcję na przyszłość. Dlatego warto eksperymentować z wieloma modelami i ewolucyjnie dochodzić do tego, co się sprawdza. Pragmatyka jest ważniejsza niż rozważania teoretyczne.

Aktorzy *proxy*

Współpraca między państwem a podmiotem niepaństwowym może się odbywać na różnych poziomach i przybierać różne formy. Większość tych relacji da się podzielić na trzy główne grupy: delegację, orkiestrację i sankcjonowanie[101]. Ważne, aby podkreślić, że jest to tylko ujęcie modelowe i niektóre relacje w rzeczywistości mogą wykazywać cechy z więcej niż jednej grupy. Niemniej jednak poniższy model dobrze opisuje główne różnice występujące we współpracy pomiędzy państwem beneficjentem a aktorem realizującym określone zadania lub dostarczającym pewnych zdolności.

---

[100] Europejski System Opisu Kształcenia Językowego, https://pl.wikipedia.org/wiki/Europejski_System_Opisu_Kszta%C5%82cenia_J%C4%99zykowego

[101] Tim Maurer, „Cyber Mercenaries".

DELEGACJA
Efektywna kontrola
działań grupy przez
zleceniodawcę
(kontraktorzy)

ORKIESTRACJA
Wsparcie ze strony
zleceniodawcy bez
wydawania ścisłych
instrukcji

SANKCJONOWANIE
(W zasadzie) Wolna ręka
w działaniach

Rys. 5. Modele relacji państwo beneficjent a *proxy*

DELEGACJA próbuje uchwycić relację między zleceniodawcą a zleceniobiorcą w najwęższym sensie, kiedy ten pierwszy oddelegowuje część kompetencji do tego drugiego, aby działał w jego imieniu. W świecie komercyjnym relacja ta najczęściej regulowana jest poprzez kontrakt wiążący obie strony. Modelowo agent działa zgodnie z jego zapisami. Jednakże rzeczywistość może prowadzić do czasowych rozbieżności w interesach i generowaniu dodatkowego ryzyka dla zleceniodawcy, które to ryzyko znane jest jako problem agencyjności (ang. *agency problem*). Ponadto wystąpić może inny rodzaj komplikacji, opisanej przez Ideana Salehyana jako „problem Frankensteina", czyli ryzyko „stworzenia podmiotu będącego poza kontrolą"[102], którego działania mogą prowadzić do niepotrzebnej eskalacji.

Aby do tego nie dopuścić, zleceniodawca może użyć kilku mechanizmów kontroli przed nawiązaniem relacji z agentem oraz w trakcie jej trwania:

- prześwietlanie i selekcja – staranny dobór poszczególnych członków zespołu pod kątem przeszłości, środowiska, pochodzenia, wyznawanych wartości, kwestii językowych czy kulturowych,
- monitoring – bazujący na wymaganych cyklicznych audytach, składanych raportach, ale także prześwietlaniu przez strony trzecie (często jest to rola sygnalistów, dziennikarzy oraz organizacji pozarządowych, raportujących o nieprawidłowościach),
- środki karne – szereg narzędzi przymusu, od redukcji wsparcia materialnego i niematerialnego poprzez aresztowanie

---

[102] Idean Salehyan, „The Delegation of War to Rebel Organizations".

i sankcje prawne aż po eliminację fizyczną (w wypadku systemów autorytarnych).

Ten model współpracy z kontraktorami stosuje się w Stanach Zjednoczonych, Wielkiej Brytanii czy Izraelu[103].

ORKIESTRACJA różni się od delegacji podkreślaniem związków ideowych w relacji, z jednoczesnym zachowaniem zbieżności interesów. W tym modelu dąży się do kanalizowania projekcji siły i zamiarów poprzez dostarczanie finansowania, informacji czy też wsparcia logistycznego na poziomie uznawanym jako „sponsorowanie przez państwo" (ang. *state-sponsored*). Państwo beneficjent ma także mniejszą kontrolę nad działaniami swojego zleceniobiorcy i skupia się głównie na wyznaczaniu określonych celów bez definiowania sposobów ich realizacji. Rodzić to może pewne problemy i koszty ze względu na nieoczekiwane efekty uboczne, włącznie z wpływem na relacje międzynarodowe. Dobrymi przykładami są Syria oraz w początkowej fazie również Iran[104].

SANKCJONOWANIE odznacza się głównie pasywnym wsparciem dla aktora niepaństwowego ze strony państwa, tolerującego jego działalność, dającego ochronę prawną na swoim terenie (ang. *safe-haven*), ale jednocześnie z zastrzeżeniem, że *proxy* nie może generować zagrożenia dla swojego patrona (kierować się przeciwko niemu). Czasami taka relacja może zajść dopiero *post factum*, kiedy aktor rozpoczął swoją aktywność bez świadomego przyzwolenia władz i w późniejszym czasie zostaje otoczony pasywnym wsparciem. Ten model niesie ze sobą niskie koszty, ale też nie bezpośrednie korzyści dla państwa patrona. Warte wymienienia przykłady to Rosja, z początku Chińska Republika Ludowa (później ewolucja w stronę delegacji) czy też Ukraina, z jej oddolnie zrzeszonymi w Ukrainian

---

[103] Tim Maurer, op. cit.
[104] Tamże.

Cyber Alliance ochotnikami (w odpowiedzi na konflikt z Rosją)[105].

Benefity

Dla obu stron relacji opłacalne jest wejście w kooperację, aczkolwiek korzyści płynące z niej nie są sobie równoważne. Dla aktora *proxy* jest to przede wszystkim wsparcie materialne, logistyczne i do pewnego stopnia również ideologiczne. Otrzymuje on również ochronę prawną na terenie państwa zleceniodawcy, co ma kolosalne znaczenie w wypadku działań nielegalnych lub ściganych prawem międzynarodowym.

Dla państwa patrona niewątpliwym benefitem jest zdobycie lub poszerzenie własnych zdolności. Jest to stosunkowo tani sposób na sięgnięcie po *know-how* oraz wiedzę ekspercką z zakresu wymagającego sporych inwestycji. Tym samym można rozwiązać problem niewystarczającej liczby kadr. Zatrudnienie, wyszkolenie i utrzymanie wysokiego poziomu zdolności jest alternatywą, na którą nie każde państwo stać, tymczasem wejście w relację z aktorem *proxy* daje szybkie efekty osiągalne relatywnie niskim kosztem (również w razie wybuchu konfliktu z innym państwem).

Zleceniodawca osiąga też zyski polityczne – zmniejsza potencjalnie swoją odpowiedzialność za ewentualne straty przeciwnika oraz zyskuje możliwość wyparcia się (ang. plausible deniability) w wypadku działań niezgodnych z przyjętymi normami międzynarodowymi, a to implikuje niższe ryzyko eskalacji konfliktu.

Potencjalne wyzwania

Wykorzystanie aktorów *proxy* do działalności ofensywnej w cyber może nieść pewne niewymienione wcześniej konsekwencje.

---

[105] Tamże.

Usankcjonowanie działalności zleceniobiorcy na swoim terenie jest konieczne, ale może mieć wpływ na inne aspekty relacji międzynarodowych. Jeśli działalność kontraktora będzie naruszać normy prawne, w szczególności dotykające państwa sojusznicze, odbić się to może negatywnie na współpracy z partnerami w relacjach bilateralnych (współpraca wywiadowcza), jak również w organizacjach międzynarodowych (na przykład Interpol).

Kolejną sprawą jest, co oddelegować do aktora *proxy*. Czy tylko wybrane zagadnienia, jak rozpoznanie, development, pisanie exploitów, czy pełne spektrum aktywności? Każde z nich wymaga uruchomienia odpowiedniej kontroli i mniejszego lub większego nadzoru. Jak go sprawować efektywnie bez zbędnego negatywnego wpływu na prowadzone operacje? Na to nakłada się kwestia jawności działań i ukrycia ich przed przeciwnikiem. Jaki będzie to miało wpływ na inne misje realizowane w odrębnych gałęziach aparatu państwa (na przykład w wywiadzie)?

Warto zastanowić się również, co stanie się z kontraktorem po zakończeniu współpracy (casus lisowczyków). Jak odnajdzie się na rynku komercyjnym? Czy nie rozpocznie współpracy z obcymi państwami? Co z zachowaniem tajemnicy? To ważne pytania, na których odpowiedzi warto poszukać, zanim dojdzie do nawiązania relacji. Widać jednakże, że odpowiednia selekcja i dobór kontraktorów są kluczowe przy uruchamianiu tego typu programu.

Wydaje się, że wraz z zaostrzeniem się konkurencji i konfliktów w domenie cyber (w szczególności w sektorze prywatnym) nastąpi naturalna ewolucja prywatyzacji zdolności ofensywnych w kierunku coraz bardziej dostępnych usług na rynku komercyjnym, tak samo jak to było w wypadku „prywatnych wywiadowni", firm zajmujących się białym wywiadem. Ich działalność nie jest dziś nielegalna, a popularność rośnie. Może to przybrać postać promowania tzw. Active Cyber Defense for Hire – jako

oferty skierowanej na przykład do ubezpieczycieli, w celu od-
zyskiwania okupów ransomware[106]. Przy takim obrocie spraw
należy spodziewać się na rynku wzrostu ilości i jakości dostępnych zdolności „na wynajem".

Z pewnością w sytuacji wystąpienia konfliktu kinetycznego
państwo musi być przygotowane na zagospodarowanie nagłej
i dużej liczby ochotników, którzy są zmotywowani i posiadają odpowiednią wiedzę oraz doświadczenie w dziedzinie cyber.
Casus Ukrainy, kiedy to rząd w obliczu konfliktu z FR nie był
gotowy na skanalizowanie działań Ukrainian Cyber Alliance,
pokazuje, jakie są konsekwencje braku odzewu służb państwowych na niespodziewane pojawienie się solidnych zdolności.
Warto, aby państwo polskie miało również plany przygotowane na taką ewentualność.

Co wybrać?

Podczas analizy dostępnych modeli współpracy nasuwa się wniosek, że nie każda relacja z aktorami *proxy* jest adekwatna w polskich realiach. Model sankcjonowania jest co prawda najmniej
kosztowny materiałowo, ale przynosi dość mgliste efekty, stwarzając jednocześnie dodatkowe ryzyko niekontrolowanego wzrostu podmiotów niepaństwowych.

Delegacja wydaje się najbardziej adekwatna, gdy chcemy
część zadań realizować z jednostkami zewnętrznymi, zacho-
wując ścisłą kontrolę nad tym, jak pracują, co robią, a także
kogo angażują.

Orkiestracja daje również pewne benefity, szczególnie jeśli
oddeleguje się do zleceniobiorców mniej inwazyjne aktywności
(przykład off-shore Bug Bounty).

Warto tutaj podkreślić, że to nie kontraktorzy, ale sama
relacja między beneficjentem a aktorem *proxy* jest najistot-
niejsza. Dynamika między nimi wpływa na związane z tym

---

[106] Tamże.

ryzyko i jest ono ograniczane zarówno przez odpowiednio usta-
wione parametry relacji, jak i rodzaje zadań zlecanych na
zewnątrz.

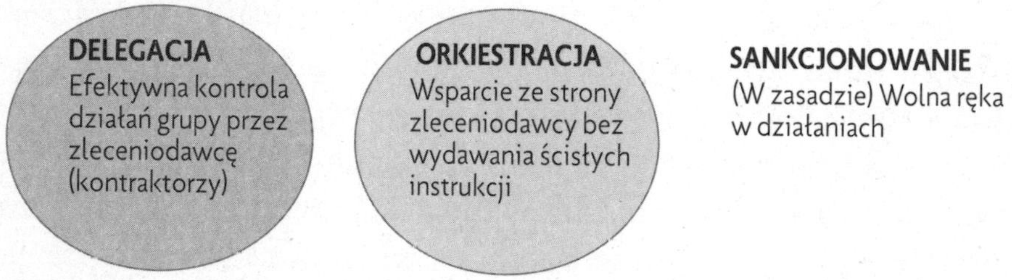

DELEGACJA
Efektywna kontrola
działań grupy przez
zleceniodawcę
(kontraktorzy)

ORKIESTRACJA
Wsparcie ze strony
zleceniodawcy bez
wydawania ścisłych
instrukcji

SANKCJONOWANIE
(W zasadzie) Wolna ręka
w działaniach

Rys. 6. Wybór modelu delegacji i orkiestracji

Ekosystem

Wstęp

W Polsce istnieje obecnie wiele elementów, które przy odpowiednim ukształtowaniu i rozbudowie mogą ustanowić działający system wspierający rozwój zdolności militarnych w sektorze cyberbezpieczeństwa, a w konsekwencji również prywatnych
przedsiębiorstw. Odpowiednie modyfikacje ustanowią klarow-
ną ścieżkę rozwoju kariery w ramach służby wojskowej, zasilą
komponenty wojskowe odpowiedzialne za cyberbezpieczeństwo,
jak również pozwolą na budowę rodzimych firm i ich ekspansję
na rynki zagraniczne.

Modelem wyjściowym jest uruchomiona w 2010 roku izrael-
ska National Cyber Initiative[107].

Elementy

W Polsce funkcjonują już pewne elementy ekosystemu cyberbezpieczeństwa, zarówno w samym wojsku, jak i wokół niego. Nowo powstałe Eksperckie Centrum Szkolenia

---

[107] NATO CCDCOE, „National Cyber Security Organisation: ISRAEL", https://ccdcoe.org/
uploads/2018/10/IL_NCSO_final.pdf

Cyberbezpieczeństwa (ECSC) stanowi trzon budowy kompetencji z zakresu cybersecurity, kryptologii i technologii informacyjnych. Skupia zadania z zakresu kształcenia i szkolenia kadr, organizowania i prowadzenia ćwiczeń, treningów, gier wojennych z wykorzystaniem zintegrowanego środowiska szkoleniowego oraz współpracy z podmiotami krajowymi i zagranicznymi[108].

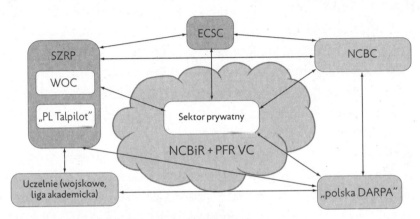

WOC – Wojska Obrony Cyberprzestrzeni
ECSC – Eksperckie Centrum Szkolenia Cyberbezpieczeństwa
NCBC – Narodowe Centrum Bezpieczeństwa Cyberprzestrzeni
PFR VC – Polski Fundusz Rozwoju Venture Capital
NCBR – Narodowe Centrum Badań i Rozwoju

Rys. 7. Polski ekosystem cyber

Narodowe Centrum Bezpieczeństwa Cyberprzestrzeni (NCBC) zarządza systemami teleinformatycznymi oraz posiada silne kompetencje kryptograficzne i ofensywne w ramach Sił Zbrojnych RP. Centrum realizuje swoje działania poprzez ochronę sieci, systemów teleinformatycznych resortu obrony narodowej i prowadzi zaawansowane badania z zakresu m.in. kryptologii. Wykonuje również operacje w cyberprzestrzeni w trybie 24/7/365 – analizuje, monitoruje i wyznacza nowe kierunki oraz techniki działań, aktywnie reagując

---

[108] Eksperckie Centrum Szkolenia Cyberbezpieczeństwa, https://www.cyber.mil.pl/articles/o-nas-f/2021-04-28q-eksperckie-centrum-szkolenia-cyberbezpieczenstwa/

w wypadku incydentów naruszających bezpieczeństwo sieci i jej użytkowników[109].

Obecnie formowane są Wojska Obrony Cyberprzestrzeni (do końca 2024 roku). W ramach uzupełnienia istniejącego ekosystemu z żołnierzy i oficerów rozpoczynających służbę należy wyławiać najzdolniejszych i kierować ich na intensywne studia techniczne, po czym wcielić do specjalnie utworzonej jednostki badawczej (potocznie PLTalpiot), której zadaniem będzie rozwój technologiczny Sił Zbrojnych RP. Dobór uczestników programu musi się opierać na procesie ścisłej selekcji (m.in. poziom inteligencji, kreatywność, zdolność do współpracy grupowej), popartym wysoką jakością programu nauczania oraz odpowiednim przypisaniem uczestników do problemów, przed jakimi stoją SZ RP.

Wzorcem dla tej jednostki powinien być izraelski tajny program Talpiot[110]. Jego głównym zadaniem jest rozwój nowych rodzajów broni oraz metod przeciwdziałania środkom napadu potencjalnych przeciwników armii izraelskiej (IDF). Po intensywnym, trzyletnim szkoleniu absolwenci (w wieku 20–22 lat) są odsyłani do ośrodków badawczych poszczególnych sił zbrojnych Izraela (wojska lądowe, lotnictwo, marynarka wojenna), gdzie opracowują nowatorskie rozwiązania, testowane i wdrażane później w siłach IDF. Po ukończeniu obowiązkowej, przedłużonej dziewięcioletniej służby absolwenci Talpiota z sukcesem tworzą lub współtworzą firmy z branży nowych technologii, medycyny czy sztucznej inteligencji.

Warto, aby w Polsce przeanalizowano obecną sytuację z wojskowymi ośrodkami badań i rozwoju i wprowadzono stosowne zmiany, kierując się doświadczeniami innych państw.

Wzorem agencji DARPA (ang. Defense Advanced Research Projects Agency) amerykańskiego Departamentu Obrony warto

---

[109] Narodowe Centrum Bezpieczeństwa Cyberprzestrzeni, https://www.cyber.mil.pl/articles/o-nas-f/2018-10-26c-narodowe-centrum-bezpieczenstwa-cyberprzestrzeni/

[110] Jason Gewirtz, „Israel's Edge: The Story of The IDF's Most Elite Unit – Talpiot".

również rozważyć powołanie Polskiej Agencji DARPA, realizującej zupełnie nowatorskie, pionierskie projekty rozwoju technologii i nauki, w których biorą udział SZ RP, uczelnie techniczne oraz sektor prywatny.

Do głównych zadań amerykańskiej agencji DARPA należy opracowanie nowych technologii obronnych oraz rozwiązań podwójnego zastosowania (ang. *dual-use technology*). W powołanym w 1958 roku ośrodku powstały m.in. ARPAnet (prekursor dzisiejszego Internetu), system GPS, bezzałogowce, pociski manewrujące, humanoidalne roboty czy też samochody autonomiczne. DARPA skupia się na wyznaczaniu nowych ścieżek eksploracji, ogłaszając trwające od trzech do pięciu lat programy z przydzielonym kierownikiem (ang. *program manager*, PM) oraz budżetem (kilkadziesiąt milionów dolarów), realizowane przez uczelnie, centra badawcze oraz sektor prywatny (agencja nie posiada własnych laboratoriów). Efektami końcowymi programów są działające prototypy (ang. *proof of concept*, PoC), które w dalszej kolejności są transferowane do wdrożenia w siłach zbrojnych, a w przypadku rozwiązań podwójnego zastosowania również w gospodarce (prawo patentowe jest elastyczne i umożliwia komercjalizację)[111].

W Polsce podobne zadania można nałożyć na już istniejące Narodowe Centrum Badań i Rozwoju (NCBiR), poprzez rozszerzenie jego misji i kompetencji. Obecnie NCBiR przechodzi transformację w kierunku centrum wiedzy o innowacjach, łączącego w modelu operacyjnym najlepsze doświadczenia administracji publicznej i biznesu, wspierając innowatorów poza granicami Polski i stając się skuteczną instytucją transferu wiedzy i środków do polskiej gospodarki i nauki[112].

---

[111] William Boone Bonvillian, Richard Van Atta and Patrick Windham, „The DARPA Model for Transformative Technologies: Perspectives on the U.S. Defense Advanced Research Projects Agency".

[112] Narodowe Centrum Badań i Rozwoju, https://www.gov.pl/web/ncbr/ncbr

NCBiR wraz z funduszami Venture Capital Polskiego Funduszu Rozwoju stanowią podstawowe źródło wsparcia finansowego i zarządczego nowo powstałych podmiotów sektora prywatnego. Umożliwiają one zasilenie start-upów środkami pieniężnymi, *know-how* z zakresu sprzedaży, organizacji i promocji, a także otwierają możliwości ekspansji na rynki zagraniczne.

W latach 90. w Izraelu uruchomiono program Yozma[113], mający na celu rozwój rynku *venture capital* nakierowanego na innowacyjny sektor prywatny.

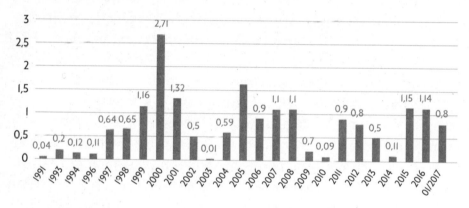

Rys. 8. Kapitał zebrany w ramach funduszy VC w Izraelu (lata 1991–2017)[114]

Początkowo zasilony kwotą 100 mln dolarów okazał się pełnym sukcesem. Boom na finansowanie VC nie tylko osiągnął pułap przekraczający miliard dolarów, ale nowy rynek przeżył również załamanie bańki dotcomowej z 2000 roku i z nową siłą wkroczył w wiek XXI[115]. Izrael ma jeden z najwyższych wskaźników inwestycji wysokiego ryzyka *per capita* na świecie[116].

[113] VC Policy: „Yozma Program 15-Years Perspective", https://papers.ssrn.com/sol3/papers.cfm?abstract_id=2758195

[114] „Innovation in Israel – A Special Case", https://www.athensjournals.gr/reviews/2019-2826-AJMS-MDT-PDF.pdf

[115] Tamże.

[116] Dan Senor, Saul Singer, „Naród start-upów. Historia cudu gospodarczego Izraela".

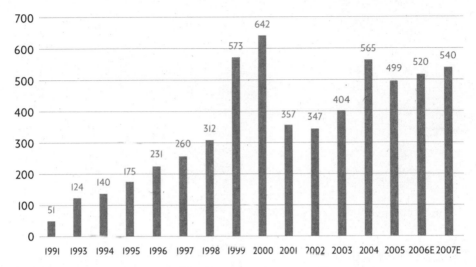

Rys. 9. Liczba start-upów po uruchomieniu programu Yozma[117]

Polski Fundusz Rozwoju Ventures (PFR VC) jest bliskim odpowiednikiem izraelskiego programu Yozma. Uruchomiony w 2016 roku to pierwszy na polskim rynku profesjonalny inwestor instytucjonalny działający jako fundusz funduszy. Zarządza budżetem czterech miliardów złotych, które w ciągu kolejnych lat inwestuje w fundusze *venture capital* lub grupy aniołów biznesu wspierające polskie start-upy na różnych etapach rozwoju. Obecnie zawarł już umowy inwestycyjne z 29 funduszami VC, które w zakresie swojego działania wyszukują na rynku projekty związane m.in. z transformacją cyfrową przedsiębiorstw i rozwojem technologii dla przemysłu 4.0[118]. W 2019 roku polski rynek VC eksplodował i nawet pandemia Covid-19 nie spowolniła jego tempa wzrostu.

---

[117] „Innovation in Israel – A Special Case", op. cit.

[118] Fundusze Venture Capital, https://przemyslprzyszlosci.gov.pl/nawigator-finansowy/fundusze-venture-capital/

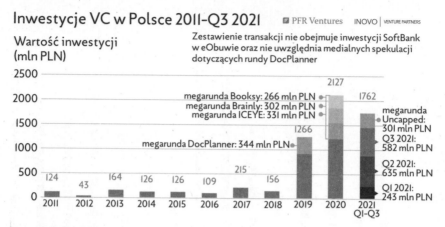

Rys. 10. Raport PFR Ventures za Q3 2021[119]

Ścieżka rozwoju

Polski żołnierz wyszkolony na potrzeby Wojsk Obrony Cyberprzestrzeni lub NCBC stanowi istotny kapitał ludzki, niezwykle potrzebny do utrzymania i rozwoju zdolności cyber dla SZ RP. Dotyczy to zarówno zdolności ofensywnych, jak i defensywnych. Ich utrata ze struktur wojskowych może być dotkliwa.

Dlatego należy poszukać sposobów na przeciwdziałanie zbyt wczesnym odejściom i zapewnić pewną retencję tych osób, wiążąc je dalszą współpracą. Po zakończeniu kontraktu i aktywnej służby należy umożliwić żołnierzom pozostanie w strukturach SZ RP, aby mogli dzielić się swoją wiedzą i doświadczeniem w ramach kooperacji z Eksperckim Centrum Bezpieczeństwa Cyberprzestrzeni. Jeśli mają pomysł biznesowy i chcą wejść na rynek komercyjny, należy wesprzeć ich inicjatywy w budowie start-upów technologicznych, zasilając je wiedzą i środkami z NCBiR oraz PFR Ventures.

Firmy utworzone przez byłych żołnierzy i oficerów mogą nadal współpracować z sektorem publicznym i SZ RP w ramach ważnych projektów, zarówno defensywnych, jak i ofensywnych (także

---

[119] Raporty PFR Ventures, https://pfrventures.pl/raporty.html

jako aktorzy *proxy*). Tutaj potrzebna jest przede wszystkim zmiana mentalności i podejścia do wyszkolenia i późniejszego wsparcia dla naszych żołnierzy – należy traktować ten proces jako inwestycję, która będzie się zwracać latami już po zakończeniu ich aktywnej służby. Jednocześnie będziemy wspierać rozwój naszego rodzimego rynku nowych technologii, który przy odpowiednim zasileniu *know-how* ma szansę podbijać również rynki zagraniczne swoimi innowacyjnymi produktami i usługami.

Wyzwania

Jak już było wcześniej wspomniane, w obecnym porządku prawnym Wojsko Polskie nie może realizować akcji ofensywnych w warunkach pokoju, również w domenie cyber. Należy zmienić obecnie istniejące przepisy, dostosowując je do realiów współczesnego pola walki i rywalizacji poniżej progu wojny.

Alternatywą jest przeistoczenie NCBC w służbę specjalną i objęcie jej odrębnymi regulacjami, gwarantującymi tajność działań operacyjnych oraz ochronę prawną wszystkich osób zaangażowanych w realizowane misje. W takim modelu funkcjonowania NCBC może stać się również centrum kompetencji z zakresu SIGINT i odpowiadać za całokształt wywiadu elektronicznego. Warto podkreślić, że nie może się to odbyć kosztem innych służb. Zdolności cyber oraz SIGINT, które do tej pory pozostałe służby wypracowały we własnym zakresie, muszą pozostać nienaruszone.

Podsumowanie

Polsce niewiele brakuje do zbudowania kompletnego ekosystemu rozwoju sektora cyberbezpieczeństwa, wspierającego SZ RP oraz dającego możliwość wzrostu naszej pozycji na rynkach międzynarodowych.

Zmiana z eksportera kapitału ludzkiego na dostawcę produktów i usług z sektora nowych technologii jest możliwa, ale wymaga przyjęcia długofalowej strategii państwa. W ramach tej strategii powstałe firmy prywatne mogą stanowić mocne uzupełnienie zdolności defensywnych i ofensywnych sektora państwowego i SZ RP. Mamy w zasadzie wszystkie potrzebne elementy, które mogą pomóc ten plan urzeczywistnić i w dłuższym okresie zmienić sytuację i pozycję Polski na innowacyjnej mapie świata.

R.Z.

POZAMILITARNE PRZYGOTOWANIA OBRONNE PAŃSTWA

Istota przygotowań obronnych państwa

Nawet najlepiej wyposażona i wyszkolona armia jest jedynie instrumentem władz państwowych w dziedzinie obronności czy – szerzej ujmując – systemu odporności państwa. Siły zbrojne to zasadniczy, bardzo ważny, ale niejedyny element systemu obronnego. Systemu, którego naczelnym zadaniem jest reagowanie na zewnętrzne zagrożenia bezpieczeństwa państwa, godzące w jego żywotne interesy (w tym niepodległość, suwerenność, integralność terytorialną oraz kontrolę zasad korzystania z jego przestrzeni) i przeciwdziałanie tym zagrożeniom.

Tocząca się debata dotycząca zdolności obronnych naszego kraju niemal w całości została zdominowana przed problematykę sił zbrojnych, a w szczególności ich potencjału, modernizacji oraz zakupów takiego czy innego uzbrojenia. Nawet prezentacja założeń projektu ustawy o obronie ojczyzny, której jednym z najważniejszych elementów ma być wdrożenie idei obrony powszechnej, została poświęcona wyłącznie tematom związanym z siłami zbrojnymi. Niewątpliwie kwestia wojskowa stanowi trzon obronności, ale nie jest jedynym jej składnikiem.

Niestety w dyskursie publicznym niewiele miejsca poświęca się całościowemu przygotowaniu systemu odporności państwa. Jest to niezwykle istotna sprawa, ponieważ współczesne wyzwania bezpieczeństwa oraz wojna nowej generacji to już nie tylko klasyczne pole bitwy znane z poprzednich wojen. To całe spektrum oddziaływań przeciwnika, dzięki któremu może dotknąć i sparaliżować wybrany obszar funkcjonowania państwa. Zwłaszcza że w warunkach konfliktu hybrydowego lub w czasie wystąpienia zagrożeń poniżej progu wojny możliwości wykorzystania wojska mogą być ograniczone.

Wojna lub konflikt zbrojny, jakkolwiek byśmy definiowali te pojęcia, są czynnikami politycznymi i służą do osiągania celów politycznych. Ich rozwój i przebieg zależny jest od woli i decyzji przywódców stron konfliktu. Dlatego przygotowania obronne przedstawicieli władz, poczynając od tych najwyższych (prezydenta, premiera, rady ministrów) poprzez wojewodów, a kończąc na przedstawicielach samorządu terytorialnego, są równie istotne, co przygotowania sił zbrojnych.

Polityczna istota pojęcia wojny oraz odpowiedzialność polityków została zapisana w polskim prawie. To zapisy konstytucji określają odpowiedzialność sejmu w sprawie decydowania o stanie wojny i pokoju (jeśli sejm nie może się zebrać, o stanie wojny decyduje prezydent). Na głowie państwa ciąży również decyzja o powszechnej mobilizacji sił zbrojnych oraz ich użyciu do obrony RP, o mianowaniu Naczelnego Dowódcy Sił Zbrojnych czy podnoszeniu gotowości obronnej państwa. Do prerogatyw prezydenta należy również podejmowanie decyzji (na wniosek rady ministrów) o wprowadzeniu stanu wyjątkowego lub wojennego. Z kolei za całokształt polityki dotyczącej zewnętrznego bezpieczeństwa państwa odpowiada rada ministrów. Organy niższych szczebli (ministrowie, wojewodowie, przedstawiciele samorządów) również mają do odegrania istotną rolę w systemie obronnym (na przykład związaną z zapewnieniem ciągłości działania w warunkach zagrożenia).

Potrzeba kompleksowego podejścia do kwestii obronności (szerszego niż tylko wymiar militarny) w wypadku takiego państwa jak Polska wynika z kilku istotnych przesłanek. Po pierwsze, bliskość źródła zagrożenia. Polska jest państwem frontowym NATO, dlatego może być narażona w szerszy sposób na oddziaływanie ze strony Rosji niż państwa Europy Zachodniej. Po drugie, ewolucja współczesnych zagrożeń o charakterze zewnętrznym sprawia, że nie dotyczą one już wyłącznie katalogu niebezpieczeństw związanych z użyciem siły zbrojnej, ale mogą przybierać różnorakie formy oddziaływania i presji na wybrane dziedziny państwa. Szara strefa, niejasny stan wojny i pokoju, pomieszanie obrony i ataku, operacje informacyjne i inne wymagają innego przygotowania państwa.

Prowadzi to do wniosku, że zdolności obronne państwa powinny być rozwijane na wielu płaszczyznach naraz. Przykłady podobnych założeń realizowanych w praktyce można znaleźć w państwach bałtyckich lub skandynawskich (Finlandia, Szwecja), w których powstała koncepcja obrony powszechnej (totalnej), polegająca na tym, że w obronę państwa oprócz armii angażuje się cały aparat państwowy, przedsiębiorcy oraz społeczeństwo.

System odporności państwa

System odporności najłatwiej scharakteryzować jako zbiór podmiotów, łączących je powiązań (wzajemnych relacji) oraz rozwiązań prawnych, które umożliwiają przeciwdziałanie zagrożeniom oraz realizację polityki w dziedzinie zapewnienia zewnętrznego bezpieczeństwa państwa. W Polsce nie istnieje prawna definicja ani systemu odporności, ani nawet systemu obronnego. Najlepszy opis systemu możemy odnaleźć w nieobowiązującej już strategii obronności RP z 2009 roku. Znajdujemy tam charakterystykę struktury systemu obronnego, który składa się z trzech podsystemów:

- podsystemu kierowania obronnością państwa – w którego skład wchodzą organy władzy i administracji publicznej (wraz z obsługującymi je urzędami) oraz organy dowodzenia Sił Zbrojnych RP;
- podsystemu militarnego – tworzonego przez Siły Zbrojne RP;
- podsystemu niemilitarnego – tworzonego przez struktury wykonawcze administracji publicznej, przedsiębiorców oraz inne jednostki organizacyjne[120] (w tym służby, straże, inspekcje).

Taka konstrukcja systemu wprost wskazuje na to, że obronność to bardzo szeroka, interdyscyplinarna dziedzina, która zdecydowanie wykracza poza kontekst militarny. Zaangażowanie

---

[120] „Strategia Obronności Rzeczypospolitej Polskiej", Warszawa 2009, s. 12–13.

całokształtu aparatu państwa, służb, przedsiębiorców oraz innych struktur organizacyjnych ma zagwarantować odporność państwa na zagrożenia, a w wypadku ich wystąpienia zapewnić ciągłość funkcjonowania państwa. O ile sama struktura systemu nie budzi wątpliwości, to czynnikiem, który należałoby zmienić, jest zakres oraz sposób przygotowań obronnych administracji publicznej i podmiotów cywilnych. Nie mogą one dotyczyć wyłącznie planowania i działań związanych z klasycznym konfliktem zbrojnym, poprzedzonym przewidywalnym rozwojem sytuacji kryzysowej o charakterze polityczno-militarnym. Należałoby także dążyć do integracji procedur i planowania związanego z zarządzaniem kryzysowym i reagowaniem obronnym.

Wzrost znaczenia zagrożeń poniżej progu wojny sprawia, że odpowiedzialność za reagowanie na nie spada również na sferę polityczną i pozamilitarną. Trudno sobie wyobrazić sytuację, w której na zagrożenia związane m.in. z dezinformacją i operacjami psychologicznymi w pierwszej kolejności odpowiadają siły zbrojne. Podobnie jest w wypadku zakłóceń lub ataków na systemy, za które odpowiedzialność ponosi sfera cywilna, jak sieci teleinformatyczne, systemy bankowe, systemy przesyłowe i inne elementy infrastruktury krytycznej. Działania, których celem jest uderzenie w funkcjonowanie państwa, mają spowodować nie tylko destabilizację, ale również osłabienie zaufania do władzy państwowej i jej działań.

Odpowiednio przygotowany podsystem niemilitarny to instrument, który również odpowiada za odporność państwa. Uzupełnia on działania sił zbrojnych oraz daje możliwość reagowania na zagrożenia na każdym etapie konfliktu (w tym w początkowej jego fazie), szczególnie w momencie, w którym ze względu na rodzaj zagrożenia brak jest możliwości użycia sił zbrojnych (armia może zostać wykorzystana tylko do realizacji zadań, do których została powołana). W konsekwencji tworzy to szerokie zdolności przeciwzaskoczeniowe, które umożliwiają szybką reakcję państwa na zagrożenia.

Każdy z elementów tworzących system obronny państwa jest równie istotny. Ich zrównoważony rozwój umożliwia osiągnięcie efektu synergii, który daje możliwość przeciwdziałania bardzo szerokiemu spektrum zagrożeń, nie tylko tych o charakterze militarnym. Jak wielki rozdźwięk istnieje pomiędzy przygotowaniami militarnymi i niemilitarnymi, świadczą m.in. środki finansowe przeznaczane na oba te obszary obronności. Całość budżetu państwa w części dotyczącej obrony narodowej w 2021 roku (po nowelizacji) to nieco ponad 58 mld zł, natomiast na zadanie pozamilitarne (ujęte w programie pozamilitarnych przygotowań obronnych) przeznacza się niespełna 90 mln złotych w skali całego kraju[121].

System kierowania obroną państwa

Szczególną rolę w systemie obronnym odgrywa podsystem kierowania, w którego skład wchodzą nie tylko organy wojskowe, ale przede wszystkim władze państwowe. W ostatnich latach bardzo dużą wagę przywiązywano do dyskusji na temat reformy systemu kierowania i dowodzenia siłami zbrojnymi, zapominając o istnieniu systemu kierowania obroną państwa w czasie wojny, który ma zdecydowanie szersze znaczenie. Dotyczy on całokształtu działania państwa, w tym także armii. Jego zasadniczym elementem są politycy sprawujący najważniejsze urzędy w państwie. To od ich przygotowania (oraz ich świadomości zagrożeń, a także zrozumienia roli, jaką mają do odegrania) będzie zależeć szybkość i sprawność działania systemu w czasie zagrożenia i wojny. To właśnie sprawny proces decyzyjny oparty na systemie świadomości sytuacyjnej będzie stanowił jeden z najważniejszych czynników umożliwiających obronę państwa.

---

[121] https://www.defence24.pl/mon-z-projektem-budzetu-na-2022-tarcza-harpia-i-artyleria-na-podium-raport

Niestety, to właśnie brak przygotowania polityków (na różnych szczeblach administracji publicznej) jest największą bolączką systemu kierowania obroną państwa. Niechęć do udziału w szkoleniach i ćwiczeniach oraz niezrozumienie roli i znaczenia w systemie to tylko część przejawów dotyczących takiego, a nie innego traktowania obronności w strukturach cywilnych. Ponadto skuteczność działania systemu kierowania będzie zależeć od odpowiednio przygotowanych stanowisk kierowania (w tym centralnego stanowiska kierowania obroną państwa) oraz nowoczesnego systemu łączności spinającego wszystkie stanowiska kierowania.

Prawo obronne

Ewolucja współczesnych zagrożeń powinna pociągać za sobą zmiany w systemie obronnym, w tym również w prawie. System musi podlegać przeobrażeniom i być dostosowywany do zmieniającego się środowiska bezpieczeństwa. Dlatego jednym z największych i niecierpiących zwłoki wyzwań jest reforma prawa dotyczącego obronności państwa. Obowiązujące wciąż ustawodawstwo pomimo wielu zmian, w tym ostatnio mocno nagłośnionych, swoimi korzeniami sięga lat 60. XX wieku. Powstało ono w zupełnie odmiennej rzeczywistości politycznej, gospodarczej i społecznej.

Obecne przepisy nie gwarantują odpowiedniego przygotowania państwa do wojny nowej generacji, ponieważ odnoszą się w dużej mierze do klasycznie rozumianego pojęcia wojny (widać to na przykładzie kryzysu na granicy polsko-białoruskiej).

Ćwiczenia

Najlepszym sposobem na przygotowanie systemu obronnego do działania są ćwiczenia. Nie tylko te sił zbrojnych, które znamy z poligonów, ale również ćwiczenia podsystemu niemilitarnego, których celem jest przygotowanie struktur państwa do funkcjonowania w czasie wojny. Gry decyzyjne, treningi i ćwiczenia nie tylko uczą praktycznej realizacji zadań i podejmowania decyzji, ale stanowią również narzędzie do testowania skuteczności systemu (w tym rozwiązań prawnych) oraz poszukiwania jego słabych punktów.

Regularne ćwiczenia powinny dotyczyć nie tylko armii, ale również, a może przede wszystkim, organów władzy publicznej, w tym polityków – od prezydenta, premiera, ministrów, przez wojewodów, na burmistrzach i wójtach kończąc. To ich ustawowy obowiązek, który niestety nie zawsze jest realizowany w odpowiedni sposób. Prowadzi to do sytuacji, w której trudno mówić o przygotowaniu systemu kierowania obroną państwa, skoro najważniejsze ćwiczenia dla najwyższych władz państwowych (ćwiczenia te noszą kryptonim Kraj) odbywają się raz na 14 lat (2005–2019).

Ponadto, ćwiczenia powinny mieć charakter realny, odpowiadać współczesnym zagrożeniom. O ile to możliwe, jak najczęściej ćwiczenia powinny angażować równocześnie elementy systemu militarnego i niemilitarnego.

Współczesna wojna

Współczesna wojna to już nie tylko klasyczne pole bitwy. To pole rywalizacji i działań, które dawno już wykroczyły poza od lat znane schematy. Liczba środków i sposobów oddziaływania potencjalnego wroga stale rośnie. Oddziaływanie to staje się coraz bardziej nieprzewidywalne, dotykając coraz to nowych pól funkcjonowania państwa. Często wcale nie wymaga ono reakcji militarnej.

Dlatego przygotowania do obrony powinny obejmować nie tylko aspekty wojskowe, ale również przygotowanie struktury państwa, poczynając od prezydenta i członków rządu, a kończąc na samorządzie terytorialnym.

Wnioski i rekomendacje

- Armia Nowego Wzoru musi być częścią nowego systemu odporności (systemu obronnego) państwa, właściwie musi ona uruchomić kompleksowe podejście do reformy tego systemu.
- Nowy system odporności nie powstanie bez zmiany podejścia polityków do odpowiedzialności za obronę państwa. Musi nastąpić zmiana myślenia politycznego na tematy obronne, i to nie tylko w kategoriach militarnych.
- Polska potrzebuje systemu, który wykorzysta synergię przygotowań militarnych i pozamilitarnych. Systemu na miarę współczesnych wyzwań w dziedzinie obronności i bezpieczeństwa państwa, w którym nie tylko armia odpowiada za przygotowania obronne. Nowy model systemu odporności musi umożliwiać reagowanie na całe spektrum zagrożeń.
- Poszczególne podsystemy: kierowania, militarny, niemilitarny muszą być rozwijane w sposób zrównoważony i adekwatny do wyzwań w dziedzinie bezpieczeństwa (nie można reformować jednej dziedziny i tylko w nią inwestować, pomijając inne).
- Wzrost znaczenia zagrożeń nowej generacji (hybrydowych, podprogowych) oznacza potrzebę integracji systemu obronnego i systemu zarządzania kryzysowego oraz odbudowę obrony cywilnej kraju.
- Przygotowania obronne władz państwowych i administracji są nie mniej ważne niż przygotowania Sił Zbrojnych RP. Odpowiednio przygotowane struktury państwa to gwarancja ciągłości oraz skuteczności działania w warunkach zagrożenia.
- Szkolenia, gry decyzyjne i ćwiczenia obronne są podstawowym narzędziem kształtowania umiejętności decydentów politycznych (organów władzy na różnych szczeblach).
- Jeśli obronność ma charakter interdyscyplinarny, to również w taki sposób powinno się nią zarządzać – należy skończyć z resortowością i silosowością.

- Należy poprawić i wyklarować przepisy prawne, by jasne było, kiedy trwa wojna, a zwłaszcza kiedy mamy do czynienia z szarą strefą wojny nowej generacji oraz kto dowodzi w czasie w pokoju, w czasie działań w szarej strefie, a kto w trakcie wojny i jakie są różnice pomiędzy tymi stadiami rywalizacji /wojny. Obecnie tego nie wiadomo i nie wiadomo, kto realnie by dowodził w tych sytuacjach, co może wywoływać potężne spory kompetencyjne między ministrem obrony narodowej, ministrem spraw wewnętrznych, premierem, prezydentem i szefem sztabu generalnego oraz dowódcami: operacyjnym rodzajów sił zbrojnych oraz generalnym rodzajów sił zbrojnych.

Wnioski z symulacji, gier seminaryjnych i wojennych

Działania podejmowane przez państwo w razie wystąpienia zagrożeń są ściśle uwarunkowane przepisami prawa. Dotyczy to każdego rodzaju niebezpieczeństw, zarówno tych, których źródłem są katastrofy naturalne i awarie infrastruktury, jak i tych o charakterze polityczno-militarnym. Dobrze skonstruowane prawo, adekwatne do wyzwań w dziedzinie bezpieczeństwa, stanowi skuteczne narzędzie do przygotowania na cały katalog zagrożeń, przeciwdziałania mu oraz reagowania na niego. W przeciwnym razie może ono utrudniać podejmowanie decyzji oraz uniemożliwić właściwe wykorzystanie dostępnych sił i środków.

Podczas symulacji przeprowadzonych przez zespół Strategy&Future zbadane zostało m.in. działanie struktur państwa (z uwzględnieniem władz państwowych) oraz możliwość użycia sił zbrojnych w razie wystąpienia działań poniżej progu wojny, niewyczerpujących przesłanek, które pozwalają na uruchomienie art. 5. traktatu północnoatlantyckiego.

Wnioski są następujące:

1. Obowiązujące w Polsce rozwiązania prawne przygotowują państwo do wojny w klasycznym jej rozumieniu, poprzedzonej sekwencyjnym rozwojem sytuacji kryzysowej o charakterze

polityczno-militarnym. Polskie prawo obronne jest pochodną rozwiązań z drugiej połowy XX i początku XXI wieku w dużej mierze nieadekwatnych do współczesnych zagrożeń.

2. W obecnym stanie prawnym reagowanie na tzw. zagrożenia hybrydowe i działania poniżej progu wojny możliwe jest z wykorzystaniem środków i procedur przewidzianych do użycia w czasie pokoju (nie istnieją prawne definicje tych pojęć, ani specjalne sposoby działania w razie ich wystąpienia).

3. Stany nadzwyczajne w obecnym kształcie (odzwierciedlające niebezpieczeństwa z przełomu XX i XXI wieku) mogą okazać się nieadekwatnym środkiem zaradczym wobec zagrożeń nowej generacji. Wprowadzenie stanu wojennego, jako narzędzia umożliwiającego reagowanie na zagrożenia o charakterze zewnętrznym w postaci działań poniżej progu wojny jest niezwykle trudną decyzją polityczną. Na zewnątrz państwa może być ona odebrana jako próba eskalacji i przygotowywanie do wojny. Wewnątrz państwa natomiast budzi niezwykle silne skojarzenia z 13 grudnia 1981 roku, co może się spotykać z negatywnym odbiorem przez społeczeństwo oraz media.

4. Rozwiązania prawne w dziedzinie obronności mają charakter reaktywny, stanowią przede wszystkim odpowiedź na zagrożenie.

5. Wojska Specjalne są rodzajem Sił Zbrojnych RP, które spełniają szczególną rolę w systemie obronnym państwa. Możliwość ich szybkiego użycia na terenie kraju oraz poza jego granicami sprawia, że jest to odpowiednie narzędzie państwa do reagowania na cały katalog sytuacji kryzysowych. Z tego powodu w skład Zespołu Zarządzania Kryzysowego Ministra Obrony Narodowej powinien wchodzić Dowódca Komponentu Wojsk Specjalnych.

6. Sposób użycia Sił Zbrojnych RP w czasie pokoju na terenie kraju jest ściśle określony i może przebiegać na podstawie przepisów ustaw m.in. o: Policji, Straży Granicznej, działaniach antyterrorystycznych, stanie wyjątkowym, stanie klęski

żywiołowej, zarządzaniu kryzysowym. Użycie armii w czasie pokoju ma na celu wsparcie służb i instytucji, które z różnych powodów nie są w stanie zażegnać zagrożenia, do przeciwdziałania któremu zostały powołane. Mnogość aktów prawnych regulujących użycie armii skutkuje nie tylko różnymi uprawnieniami żołnierzy, ale także różnymi formami wydawania decyzji o użyciu. Kwestie dotyczące procesu decyzyjnego powinny zostać ujednolicone i uproszczone.

7. Podstawy prawne działania Sił Zbrojnych RP poza granicami państwa są również precyzyjnie określone w prawie. Ustawa o zasadach użycia lub pobytu Sił Zbrojnych Rzeczypospolitej Polskiej nie daje możliwości podejmowania działań wyprzedzających na terytorium wrogich państw (na przykład użycia wojsk specjalnych).

8. Za proces decyzyjny dotyczący przygotowania i funkcjonowania państwa w czasie wojny odpowiadają politycy. Najważniejsze decyzje dotyczące obrony państwa należą do sejmu (decyzja o stanie wojny i zawarciu pokoju), prezydenta, premiera oraz rządu. Brak ich przygotowania do podejmowania szybkich decyzji w odpowiednim czasie może mieć negatywny wpływ na działania obronne.

9. Pełne rozwinięcie systemu obronnego państwa oraz użycie sił zbrojnych do odparcia napaści zbrojnej wymaga podjęcia bardzo wielu decyzji. Dotyczą one mobilizacji i podniesienia gotowości SZ RP, a także decyzji o ogłoszeniu stanu wojny, wprowadzeniu stanu wojennego, stanu gotowości obronnej państwa czasu wojny oraz określeniu czasu wojny.

10. Wprowadzenie większości tych regulacji nie jest możliwe w przypadku wystąpienia zagrożeń hybrydowych i działań poniżej progu wojny.

Przedstawione wnioski wskazują na potrzebę nowelizacji lub stworzenia na nowo przepisów prawa tworzących system obronny państwa. Państwo musi być przygotowane do reagowania na zagrożenia nowego typu, których cechą charakterystyczną jest maskowanie intencji działania oraz faktycznego źródła zagrożenia. W takim wypadku trudno o pełne wykorzystanie obecnych regulacji prawnych, których wprowadzenie byłoby uznawane za nadmiarowe lub nieadekwatne do sytuacji (na przykład wprowadzenie stanu wojennego).

Ważnym aspektem do rozważenia jest również zwiększenie zakresu wykorzystania wojska (w tym wojsk specjalnych) w czasie pokoju. Obecnie pełne wykorzystanie potencjału sił zbrojnych możliwe jest jedynie w obliczu zagrożenia agresją zbrojną.

Przygotowanie państwa do działania poniżej art. 5. traktatu północnoatlantyckiego jest jednym z największych wyzwań w dziedzinie bezpieczeństwa i obronności, przed którymi stoi nasze państwo. Odpowiedzią na to wyzwanie powinno być stworzenie całościowego systemu odporności państwa zdolnego do reagowania na wszelkiego rodzaju zagrożenia, od tych związanych z klęskami żywiołowymi przez zagrożenia hybrydowe po te o charakterze polityczno-militarnym. Stworzenie jednego spójnego systemu jest zadaniem trudnym, wymagającym szeregu zmian prawnych, zmiany sposobu myślenia o obronności państwa oraz konsensu politycznego, ale jest to zadanie konieczne.